BARANTIK

CHRISTOPHER MOORE

BARANEK

EWANGELIA WG BIFFA,

KUMPLA CHRYSTUSA Z DZIECIŃSTWA

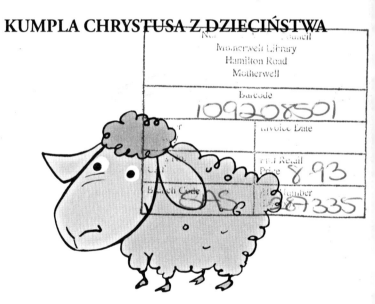

PRZEŁOŻYŁ PIOTR W. CHOLEWA

WYDAWNICTWO MAG
WARSZAWA 2007

Tytuł oryginału:
Lamb: The Gospel According to Biff, Christ's Childhood Pal

Copyright © 2002 by Christopher Moore

Copyright for the Polish translation
© 2007 by Wydawnictwo MAG

Redakcja:
Joanna Figlewska

Korekta:
Urszula Okrzeja

Ilustracje i opracowanie graficzne okładki:
Irek Konior

Projekt typograficzny, skład i łamanie:
Tomek Laisar Fruń

Wyłączny dystrybutor:
Firma Księgarska Jacek Olesiejuk
ul. Kolejowa 15/17, 01-217 Warszawa
tel./fax (22) 631-48-32, (22) 632-91-55, (22) 535-05-57
www.olesiejuk.pl, www.oramus.pl

Druk i oprawa:
drukarnia@dd-w.pl

Wydanie I

ISBN 978-83-7480-068-6

Wydawca:
Wydawnictwo MAG
ul. Krypska 21 m. 63, 04-082 Warszawa
tel./fax (0-22) 813 47 43
e-mail: kurz@mag.com.pl
http://www.mag.com.pl

BŁOGOSŁAWIEŃSTWO AUTORA

Jeśli trafiłeś na te strony, szukając śmiechu,
obyś go znalazł.

Jeśli pragniesz być urażony, niech wzbierze Twój gniew
i krew zawrze w żyłach.

Jeśli pragniesz przygody, niech ta opowieść kołysze Cię
aż po szczęśliwe zakończenie.

Jeśli chcesz próby lub potwierdzenia swej wiary,
obyś doszedł do krzepiących wniosków.

Wszystkie książki prezentują doskonałość – przez to,
czym są, albo czym nie są.

Obyś więc znalazł to, czego szukasz, na tych stronicach
lub poza nimi.

Obyś odnalazł doskonałość
i rozpoznał ją.

PROLOG

Anioł sprzątał w szafach, kiedy nadeszło wezwanie. Aureole i promienie księżyca leżały w stosach, posortowane według jasności, sakwy gniewu i pochwy na błyskawice wisiały na hakach, czekając na odkurzenie. Bukłak glorii przeciekał trochę w rogu i anioł osuszył go kawałkiem tkaniny. Za każdym razem, kiedy go strzepywał, z szafy dobiegał stłumiony śpiew chórów, jakby zdejmował pokrywkę ze słoja pełnego chóralnego Alleluja.

– Razielu, w imię niebios, co ty wyprawiasz?

Archanioł Szczepan stał nad nim, trzymając zwój niczym zwiniętą gazetę nad siusiającym szczeniakiem.

– Rozkazy? – zapytał anioł.

– Zlatujesz do brudu.

– Dopiero co tam byłem.

– Dwa tysiąclecia temu.

– Naprawdę? – Anioł sprawdził zegarek, po czym zastukał w kryształ. – Jesteś pewien?

– A jak myślisz?

Szczepan pokazał mu zwój, tak by Raziel dokładnie zobaczył pieczęć Krzewu Gorejącego.

– Kiedy mam wyruszyć? Już tu prawie skończyłem.

– Natychmiast. Zapakuj dar języków i parę pomniejszych cudów. Żadnej broni, to nie robota z gniewem. Będziesz działał tajnie. Sprawa bardzo dyskretna, ale ważna. Wszystko tu przeczytasz.

Szczepan wręczył mu zwój.

– Dlaczego ja?

– Też o to spytałem.

– I...?

– Przypomniano mi, dlaczego anioły zostały strącone.

– Oj! To aż takie ważne?

Szczepan zakaszlał, wyraźnie dla efektu, ponieważ anioły nie oddychają.

– Nie jestem pewien, czy powinienem o tym wiedzieć, ale krążą plotki, że chodzi o nową księgę.

– Chyba żartujesz. Kontynuacja? Apokalipsa Dwa, akurat kiedy wszyscy myśleli, że mogą bezpiecznie grzeszyć?

– To Ewangelia.

– Ewangelia? Po tak długim czasie? Kto?

– Lewi, którego nazywali Biffem.

Raziel upuścił szmatkę i wstał.

– To na pewno jakaś pomyłka.

– Rozkazy pochodzą bezpośrednio od Syna.

– Wiesz przecież, że Biff nie bez powodu nie został wspomniany w innych księgach, prawda? To absolutny...

– Nie mów tego.

– Ale to taki dupek...

– Gadaj tak dalej, tylko się potem nie dziw, że dostajesz robotę w brudzie.

– Dlaczego teraz, po tylu latach? Cztery Ewangelie jakoś do tej pory wystarczały, i dlaczego on?

– Bo w rachubie czasu mieszkańców brudu jest jakaś rocznica narodzin Syna i uznał, że nadeszła pora opowiedzieć całą historię.

Raziel zwiesił głowę.

– Lepiej zacznę się pakować.

– Dar języków – przypomniał mu Szczepan.

– Jasne, bym mógł słuchać przekleństw w tysiącu języków.

– Idź, przynieś dobrą nowinę, Razielu. I przywieź mi trochę czekolady.

– Czekolady?

– To taka przekąska mieszkańców brudu. Szatan ją wymyślił.

– Diabelskie pożywienie?

– Nie można stale jeść opłatków.

Północ. Anioł stał na nagim zboczu wzgórza na obrzeżach świętego miasta Jeruzalem. Wzniósł ręce i suchy wiatr szarpnął jego białą szatę.

– Wstań, Lewi, który jesteś zwany Biffem.

Wir zakręcił się przed nim, ściągając kurz ze zbocza i formując kolumnę, która przybrała kształt człowieka.

– Wstań, Biffie. Nadszedł twój czas.

Wiatr dmuchnął z furią, anioł zaś przetarł twarz rękawem szaty.

– Wstań, Biffie, by znowu chodzić pośród żywych.

Wir zaczął się uspokajać, pozostawiając na zboczu tylko człekokształtną kolumnę pyłu. Po chwili wokół znów zapanował spokój. Anioł wyjął z sakwy złoty puchar i oblał kolumnę. Kurz spłynął, odsłaniając ubłoconego nagiego mężczyznę, parskającego w świetle księżyca.

– Witaj wśród żywych – powiedział anioł.

Mężczyzna zamrugał, po czym uniósł dłoń do oczu, jakby się spodziewał, że będzie mógł przez nią patrzeć.

– Żyję – oświadczył w języku, którego nigdy przedtem nie słyszał.

– Tak – potwierdził anioł.

– Co to za dźwięki, za słowa?

– Otrzymałeś dar języków.

– Zawsze miałem dar języków, zapytaj dowolnej dziewczyny, jaką znałem. Co to za słowa?

– Obca mowa. Został ci dany dar rozumienia każdej obcej mowy, jak wszystkim apostołom.

– A zatem Królestwo nastało.

– Tak.

– Jak dawno?

– Dwa tysiące lat temu.

– Ty nędzna kupo gówna! – rzekł Lewi, który był nazywany Biffem, wymierzając aniołowi cios w usta. – Spóźniłeś się.

Anioł wstał i delikatnie dotknął wargi.

– Ładnie się odnosisz do posłańca Pana.

– To dar – wyjaśnił Biff.

CZĘŚĆ PIERWSZA

CHŁOPIEC

Bóg jest komediantem, grającym dla publiczności, która boi się roześmiać.

Voltaire

1

Wydaje się wam, że wiecie, jak ta historia się skończy, ale to nieprawda. Możecie mi wierzyć. Byłem tam. Wiem.

Kiedy pierwszy raz zobaczyłem człowieka, który miał zbawić świat, siedział niedaleko głównej studni w Nazarecie, z jaszczurką wystającą mu spomiędzy warg. Tylko ogon i tylne łapki były widoczne na zewnątrz; przednie łapki i głowa zniknęły w ustach. Miał sześć lat, jak ja, i broda jeszcze mu nie wyrosła, więc nie przypominał tych portretów, jakie znacie. Oczy były jak ciemny miód i uśmiechały się do mnie spod strzechy błękitnoczarnych loków otaczających jego twarz. W tych oczach jarzyło się światło starsze niż Mojżesz.

– Nieczysty! Nieczysty! – wrzasnąłem, wskazując chłopca, by moja matka wiedziała, że znam Prawo.

Ale nie zwróciła na mnie uwagi, podobnie jak wszystkie inne matki napełniające dzbany przy studni.

Chłopiec wyjął jaszczurkę z ust i oddał młodszemu bratu, siedzącemu obok na piasku.

Maluch bawił się z nią przez chwilę i drażnił, aż uniosła się, jakby chciała go ukąsić. Wtedy chwycił kamień i rozbił jej głowę. Zaskoczony, popychał jaszczurkę palcem, a kiedy doszedł do wniosku, że nic już nie zrobi, podniósł ją i oddał z powrotem starszemu bratu.

Ponownie trafiła do ust, ale zanim zdążyłem wykrzyczeć oskarżenie, wysunęła się żywa, wijąca się, gotowa znowu kąsać. Podał

13

ją młodszemu bratu, a ten uderzył mocno kamieniem, raz jeszcze kończąc, czy rozpoczynając, cały proces.

Patrzyłem, jak jaszczurka ginie kolejne trzy razy. Wtedy się odezwałem.

– Też chcę tak robić.

Zbawiciel wyjął jaszczurkę z ust i zapytał:

– Którą część?

Przy okazji, miał na imię Joszua. Jezus to grecka wersja Yeshuy, czyli Joszuy. Chrystus nie jest nazwiskiem. To greckie tłumaczenie słowa „mesjasz", *messiah*, co po hebrajsku oznacza namaszczonego. Nie mam pojęcia, od czego pochodzi „S" w „Jezus S. Chrystus". To jedna z tych rzeczy, o które powinienem go zapytać.

Ja? Ja jestem Lewi, zwany Biffem. Bez drugiego imienia.

Joszua był moim najlepszym przyjacielem.

Anioł mówi, że powinienem tu siedzieć, spisywać swoją opowieść i zapomnieć o wszystkim, co zobaczyłem w tym świecie, ale jak mam tego dokonać? Przez ostatnie trzy dni widziałem więcej ludzi, więcej obrazów, więcej cudów niż przez całe trzydzieści trzy lata życia, a anioł twierdzi, że mam je zignorować... Tak, otrzymałem dar języków i nie widzę nic, czego nie potrafiłbym określić słowem, ale co z tego? Czy pomogła mi w Jeruzalem wiedza, że to „mercedes" mnie przeraził do tego stopnia, że skoczyłem do „pojemnika na śmieci"? A potem, kiedy Raziel wyciągnął mnie, łamiąc mi przy tym paznokcie, gdy walczyłem, by pozostać w kryjówce, czy pomogła mi świadomość, że to „Boeing 747" zmusił mnie, bym zwinął się w kłębek, próbując pohamować łzy i odciąć od ognia i huku? Czy jestem

14

maleńkim dzieckiem, bojącym się własnego cienia, czy też spędziłem dwadzieścia siedem lat u boku Syna Bożego?

Na tym wzgórzu, gdzie wyciągnął mnie z ziemi, anioł powiedział: „Zobaczysz wiele dziwnych zjawisk. Nie lękaj się. Masz świętą misję i ja będę cię chronił". Bezczelny palant. Gdybym wiedział, co ze mną zrobi, przyłożyłbym mu jeszcze raz. Leży teraz na łóżku po drugiej stronie pokoju, patrzy, jak na ekranie poruszają się obrazy, i je lepki smakołyk zwany snickersem, gdy ja tymczasem spisuję opowieść na kartkach miękkiego jak jedwab papieru z wypisanymi u góry słowami „Hyatt Regency, St. Louis". Słowa, słowa, słowa... Miliony, miliony słów krążą w mojej głowie niczym jastrzębie, czekając, by zanurkować na strony i porwać, rozedrzeć jedyne dwa, które chciałbym zapisać.

Dlaczego ja?

Było nas piętnastu – nie, czternastu po tym, jak powiesiłem Judasza – więc czemu akurat ja? Joszua stale powtarzał, żebym się nie lękał, że zawsze będzie przy mnie. Gdzie teraz jesteś, przyjacielu? Czemuś mnie opuścił? Ty byś tu nie czuł strachu. Wieże, maszyny, blichtr i smród tego świata by cię nie zniechęciły. Za chwilę zamówię sobie pizzę do pokoju. Smakowałaby ci pizza. Sługa, który ją przynosi, ma na imię Jesus, a nie jest nawet Żydem. Zawsze lubiłeś ironię. No dalej, Joszua, anioł twicrdzi, że ciągle jesteś z nami, mógłbyś go przytrzymać, kiedy ja mu wleję, a potem obaj zjemy pizzę.

Raziel obejrzał moje zapiski i upiera się, że powinienem przestać jęczeć i przejść do głównej opowieści. Łatwo mu mówić, to nie on spędził ostatnie dwa tysiące lat pogrzebany w ziemi na wzgórzu. Wszystko jedno, nie pozwoli mi zamówić pizzy, dopóki nie skończę rozdziału, więc oto on...

Urodziłem się w Galilei, w miasteczku Nazaret, w czasach Heroda Wielkiego. Mój ojciec, Alfeusz, był kamieniarzem, a matkę, Naomi, nękały demony, a przynajmniej tak wszystkim mówiłem. Joszua uważał chyba, że miała tylko trudny charakter. Moje prawdziwe imię, Lewi, pochodzi od brata Mojżesza, przodka klanu kapłanów; moje przewisko, Biff, bierze się ze slangowego określenia trzepnięcia w głowę – czego według matki wymagałem przynajmniej raz dziennie już od wczesnego dzieciństwa.

Dorastałem pod władzą Rzymu, choć do dziesiątego roku życia nie oglądałem zbyt wielu Rzymian. Rzymianie siedzieli zwykle w ufortyfikowanym mieście Seforis, godzinę marszu na północ od Nazaretu. To tam zobaczyliśmy z Joszuą zamordowanego rzymskiego żołnierza. Ale za bardzo wybiegam naprzód. Na razie, załóżmy, że żołnierz jest zdrowy, bezpieczny i zadowolony z noszenia miotły na głowie.

Większość mieszkańców Nazaretu stanowili farmerzy; hodowali winogrona i oliwki na kamienistych wzgórzach za miastem oraz pszenicę i jęczmień w dolinach. Byli też pasterze kóz i owiec, których rodziny żyły w miasteczku, gdy mężczyźni i starsi chłopcy pilnowali stad w górach. Nasze domy były zbudowane z kamienia, a mój miał też kamienną podłogę, choć wielu wystarczała mocno ubita ziemia.

Byłem najstarszym z trzech synów, więc już w wieku sześciu lat przygotowywano mnie, żebym poznał ojcowskie rzemiosło. Matka nauczała mnie Prawa oraz opowiadała historie z Tory po hebrajsku, a ojciec zabierał do synagogi, bym słuchał, jak starsi czytają Biblię. Moim językiem naturalnym był aramejski, ale zanim skończyłem dziesięć lat, umiałem mówić i czytać po hebrajsku nie gorzej od większości mężczyzn.

Nauce hebrajskiego i Tory pomogła na pewno moja przyjaźń z Joszuą. Kiedy inni chłopcy bawili się w „podrażnij owcę" albo w „kopnij Kananejczyka", my z Joszuą bawiliśmy się w rabinów, a on się upierał, żeby przy ceremoniach używać autentycznego hebrajskiego. Była to lepsza zabawa, niż może się wydawać – a w każdym razie była do czasu, kiedy matka przyłapała nas, jak próbujemy obrzezać ostrym kamieniem mojego młodszego brata Sema. Ależ zrobiła nam awanturę... Moje argumenty, że Sem potrzebował odnowienia swego przymierza z Panem, jakoś jej nie przekonały. Pobiła mnie do krwi oliwkową rózgą i zakazała bawić się z Joszuą przez miesiąc. Wspominałem już, że była opętana przez demony?

Ogólnie rzecz biorąc, uważam, że mały Sem tylko na tym skorzystał. Był jedynym znanym mi dzieciakiem, który mógł sikać zza rogu. Z taką umiejętnością można się nieźle urządzić jako żebrak. Ale nigdy mi nie podziękował.

Bracia.

Dzieci widzą magię, ponieważ jej szukają.

Kiedy pierwszy raz zobaczyłem Joszuę, nie wiedziałem, że jest Zbawicielem, zresztą on też nie wiedział. Wiedziałem tylko, że się nie boi. Pośród narodu pokonanych wojowników, ludzi usiłujących zachować dumę, kiedy padają na twarz przed Rzymem i Bogiem, jaśniał niczym kwiat na pustyni. Ale może tylko ja to zauważyłem, ponieważ tylko ja tego szukałem. Wszystkim innym wydawał się całkiem zwyczajnym dzieckiem: te same potrzeby co u innych, ta sama szansa, że umrze, zanim dorośnie.

Kiedy opowiedziałem matce o tej jego sztuczce z jaszczurką, najpierw sprawdziła, czy nie mam gorączki, a potem kazała mi pójść spać, dając tylko miskę rosołu na kolację.

– Słyszałam różne historie o matce tego chłopca – powiedziała mojemu ojcu. – Twierdzi, że rozmawiała z aniołem Pana. Mówiła Esterze, że urodziła Syna Bożego.

– I co odpowiedziałaś Esterze?

– Że tamta powinna uważać, by faryzeusze nie dowiedzieli się o jej bredniach, bo niedługo zaczniemy zbierać kamienie, by ją ukarać.

– W takim razie nie powinnaś więcej o tym wspominać. Znam jej męża, to prawy człowiek.

– Przeklęty obłąkaną dziewczyną za żonę.

– Biedactwo... – mruknął ojciec, odłamując kawał chleba.

Dłonie miał twarde jak róg, kanciaste jak młoty i szare jak u trędowatego – od wapienia, przy którym pracował. Jego uścisk pozostawiał mi na plecach szramy, które niekiedy płakały krwią, a jednak, kiedy wracał z pracy, bracia i ja walczyliśmy o to, kto pierwszy znajdzie się w jego ramionach. Gdyby te same rany zadał nam w gniewie, pewnie z płaczem pobieglibyśmy chować się pod maminą spódnicą. Co wieczór zasypiałem, czując na plecach jego dłoń niby tarczę.

Ojcowie.

– Chcesz połamać jakieś jaszczurki? – spytałem Joszuę, kiedy znów go zobaczyłem.

Drapał patykiem po ziemi i nie zwracał na mnie uwagi. Postawiłem stopę na jego rysunku.

– Wiedziałeś, że twoja matka jest obłąkana?

– Mój ojciec jej to robi – odparł ze smutkiem, nie unosząc głowy.

Usiadłem obok.

– Niekiedy nocą moja matka wydaje takie skomlące odgłosy, jak dzikie psy – oznajmiłem.

– Jest obłąkana? – spytał Joszua.

– Rankiem wygląda całkiem zdrowo. Śpiewa, kiedy szykuje śniadanie.

Joszua kiwnął głową. Chyba się ucieszył, że obłęd czasem mija.

– Kiedyś mieszkaliśmy w Egipcie – powiedział.

– Nie, nie mieszkaliście. To za daleko. Dalej nawet niż Świątynia.

Świątynia w Jeruzalem była najdalszym miejscem, które odwiedziłem w dzieciństwie. Każdej wiosny moja rodzina wyruszała na pięciodniową pieszą wędrówkę do Jeruzalem, na święto Paschy. Zdawało się, że trwa to całą wieczność.

– Mieszkaliśmy tutaj, potem mieszkaliśmy w Egipcie, a teraz znowu tutaj – upierał się Joszua.

– To była daleka droga.

– Kłamiesz! Trzeba czterdziestu lat, żeby dotrzeć do Egiptu!

– Już nie. Teraz jest bliżej.

– Tak jest napisane w Torze. Mój abba mi przeczytał. Izraelici wędrowali przez pustynię całe czterdzieści lat.

– Izraelici się zgubili.

– Na czterdzieści lat? – Zaśmiałem się. – Izraelici musieli być głupi.

– My jesteśmy Izraelitami.

– My?

– Tak.

– Muszę znaleźć swoją mamę – powiedziałem.

– Jak wrócisz, pobawimy się w Mojżesza i faraona.

Anioł zwierzył mi się, że zapyta Pana, czy nie mógłby zostać Spidermanem. Bez przerwy ogląda telewizję, nawet kiedy zasypiam, i dostał obsesji na punkcie bohatera, który walczy ze złem, skacząc z dachów. Anioł twierdzi, że zło jest teraz groźniejsze niż za moich czasów, więc wymaga wspanialszych bohaterów. Dzieci potrzebują bohaterów, jak twierdzi. Osobiście myślę, że tylko chciałby bujać się w obcisłych czerwonych gatkach między budynkami.

Zresztą jaki bohater potrafiłby dotrzeć do tych dzieci z ich maszynami, lekarstwami, odległościami, które stały się niedostrzegalne? (Taki Raziel: niecały tydzień tutaj, a już zamieniłby Miecz Boży na pojemnik do wystrzeliwania pajęczyny). Za moich czasów bohaterowie byli nieliczni, ale prawdziwi – niektórzy z nas potrafili nawet prześledzić swoje z nimi pokrewieństwo. Joszua zawsze odgrywał bohaterów – Dawida, Joszuę, Mojżesza – gdy dla mnie pozostawały role tych złych: faraona, Achaba i Nabuchodonozora. Gdybym dostawał szeklę za każdym razem, kiedy ginąłem jako Filistyn, no cóż, powiem wam uczciwie, że nieprędko jechałbym na wielbłądzie przez ucho igielne. I kiedy wspominam to teraz, mam wrażenie, że Joszua ćwiczył przed tym, czym miał się stać.

– Wypuść mój lud – rzekł Joszua jako Mojżesz.
– Dobra.
– Nie możesz tak sobie powiedzieć: dobra.
– Nie mogę?
– Nie. Pan uporem napełnił twe serce, żebyś nie słuchał moich próśb.
– Ale dlaczego tak zrobił?
– Nie wiem. Zrobił i już. A teraz wypuść mój lud.
– Nie.
Skrzyżowałem ręce na piersi i odwróciłem się jak ktoś o upartym sercu.
– Patrz oto, jak przemienię tę laskę w węża! A teraz wypuść mój lud!
– Zgoda.
– Nie możesz tak się zgadzać!
– Dlaczego? To całkiem niezła sztuczka z tą laską.
– Ale to nie tak szło!
– Niech ci będzie. Nic z tego, Mojżeszu, twój lud musi tu zostać.
Joszua pomachał mi laską przed twarzą.
– Strzeż się, ześlę na ciebie plagę żab! Wejdą do pałacu twego, do łoża twego i wcisną się w twoje rzeczy.
– I co?
– I to źle. Wypuść mój lud, faraonie.
– Ale ja dosyć lubię żaby.

20

– Martwe żaby – zagroził Mojżesz. – Całe stosy parujących, cuchnących zdechłych żab.

– Ach, w takim razie lepiej zabierz swój lud i odejdź. I tak muszę zbudować parę sfinksów i różnych takich.

– Do licha, Biff, nie możesz tak odpowiadać! Mam jeszcze dla ciebie inne plagi!

– Chcę być Mojżeszem.

– Nie możesz.

– Czemu?

– To ja mam laskę.

– Hm...

I tak to się toczyło. Nie jestem pewien, czy odgrywanie złoczyńców przychodziło mi równie łatwo, jak jemu odgrywanie bohaterów. Czasami zatrudnialiśmy młodszych braci, żeby powierzyć im co bardziej obrzydliwe role. Mali bracia Joszuy, Juda i Jakub, grali całe populacje, na przykład mieszkańców Sodomy przed drzwiami domu Lota.

– Przyślij nam tych dwóch aniołów, żebyśmy mogli się z nimi zapoznać.

– Nie uczynię tego – odparłem, grając Lota (porządnego gościa, ale tylko dlatego, że Joszua chciał grać aniołów). – Ale mam dwie córki, które nikogo jeszcze nie znają, z nimi możecie się zapoznać.

– Zgoda – rzekł Juda.

Otworzyłem szeroko drzwi i wyprowadziłem swoje wyimaginowane córki.

– Miło mi panią poznać.

– Jestem zaszczycona.

– Bardzo mi przyjemnie.

– TO NIE TAK BYŁO! – wrzasnął Joszua. – Powinniście próbować wyłamać te drzwi, a wtedy ja porażę was ślepotą!

– A potem zniszczysz miasto? – upewnił się Jakub.

– Tak.

– To wolimy raczej poznać córki Lota.

– Wypuść mój lud – odezwał się Juda.

Miał tylko cztery lata i historie często mu się myliły. Najbardziej lubił Księgę Wyjścia, bo mogli z Jakubem oblewać mnie wodą z wiadra, kiedy w pościgu za Mojżeszem prowadziłem swoje wojska przez Morze Czerwone.

– Dość tego – zirytował się Joszua. – Judo, będziesz żoną Lota. Idź i stań tam.

Czasami Juda musiał grać żonę Lota niezależnie od przedstawianej opowieści.

– Nie chcę być żoną Lota.

– Cicho! Słupy soli nie mówią.

– Nie chcę być dziewczyną.

Nasi bracia zawsze grali żeńskie role. Ja sam nie miałem sióstr do dręczenia, a jedyna wówczas siostra Joszuy, Elżbieta, wciąż była jeszcze noworodkiem. Tak było, zanim spotkaliśmy Magdalenę. Magdalena zmieniła wszystko.

Kiedy podsłuchałem, jak moi rodzice rozmawiają o szaleństwie matki Joszuy, często ją obserwowałem, wypatrując objawów. Ale wydawało się, że zajmuje się swoimi sprawami jak wszystkie inne matki – opiekuje się maluchami, pracuje w ogrodzie, nosi wodę albo szykuje jedzenie. Nie zauważyłem żadnych skłonności do biegania na czworakach czy piany na ustach, których się spodziewałem. Była młodsza niż wiele innych matek i o wiele młodsza od swojego męża, Józefa – starego człowieka, według standardów naszych czasów. Joszua mówił, że Józef nie jest jego prawdziwym ojcem, ale nie chciał zdradzić, kto nim jest. Kiedy poruszałem ten temat, a Maria była w zasięgu głosu, wołała Josha, a potem przykładała palec do warg, nakazując milczenie.

– To jeszcze nie czas, Joszua. Biff by nie zrozumiał.

Wystarczyło, że usłyszałem, jak wymawia moje imię, a serce waliło mi mocno. Bardzo wcześnie pojawiło się u mnie uczucie szczenięcej miłości do matki Joszuy; snułem fantazje o małżeństwie, rodzinie i przyszłości.

– Twój ojciec jest stary, Josh, prawda?

– Nie tak bardzo.

– Kiedy umrze, czy twoja matka wyjdzie za jego brata?

– Mój ojciec nie ma braci. A czemu pytasz?

– Bez powodu. A co byś pomyślał, gdyby twój ojciec był niższy od ciebie?

– Nie jest.

– Ale kiedy twój ojciec umrze, matka może poślubić kogoś niższego od ciebie i wtedy on będzie twoim ojcem. Będziesz musiał robić, co ci każe.

– Mój ojciec nigdy nie umrze. Jest wieczny.

– Ty tak uważasz. Ale myślę sobie, że kiedy będę już mężczyzną, a twój ojciec umrze, wezmę sobie twoją matkę za żonę.

Joszua skrzywił się, jakby nadgryzł niedojrzałą figę.

– Nie mów takich rzeczy, Biff.

– Nie przeszkadza mi, że jest obłąkana. Podoba mi się jej niebieski płaszcz. I jej uśmiech. Będę dobrym ojcem. Nauczę cię kamieniarstwa i będę cię bił tylko wtedy, kiedy będziesz bezczelny.

– Wolę bawić się z trędowatymi niż tego słuchać – oświadczył Joszua i zaczął odchodzić.

– Czekaj! Bądź miły dla swojego ojca, Joszuo bar Biff. – Mój własny ojciec używał mojego pełnego imienia wtedy, kiedy chciał coś podkreślić. – Czyż nie nakazał Mojżesz, że masz mnie czcić?

Mały Joszua odwrócił się na pięcie.

– Nie mam na imię Joszua bar Biff, zresztą Joszua bar Józef też nie. Moje imię to Joszua bar Jahwe!

Rozejrzałem się w nadziei, że nikt go nie słyszał. Nie chciałem, żeby mój jedyny syn (planowałem sprzedać Jakuba i Judę w niewolę) został ukamienowany na śmierć za wymawianie imienia Boga nadaremno.

– Nie mów tak, Josh. Nie ożenię się z twoją matką.

– Nie, nie ożenisz się.

– Przepraszam.

– Wybaczam ci.

– Ale będzie z niej doskonała konkubina.

Nie pozwólcie sobie wmawiać, że Książę Pokoju nigdy nikogo nie uderzył. W tych dniach początkowych, zanim stał się tym, kim miał się stać, nie raz rozbił mi nos. Wtedy po raz pierwszy.

Maria miała pozostać moją jedyną prawdziwą miłością, dopóki nie zobaczyłem Magdaleny.

Jeśli mieszkańcy Nazaretu uważali matkę Joszuy za szaloną, niewiele o tym mówili z szacunku dla jej męża, Józefa. Znał Prawo, Proroków i Psalmy, a niewiele żon w Nazarecie nie podawało kolacji w jednej z jego gładkich mis z oliwkowego drewna. Był sprawiedliwy, silny i mądry. Ludzie mówili, że należał kiedyś do esseńczyków, tych surowych, ascetycznych Żydów, którzy trzymali się z dala od innych, nigdy się nie żenili i nie ścinali włosów. Nie utrzymywał jednak z nimi kontaktów i w przeciwieństwie do nich, wciąż potrafił się uśmiechać.

W tych wczesnych latach widywałem go rzadko, gdyż stale przebywał w Seforis, pracując dla Rzymian, dla Greków i dla żydowskich posiadaczy ziemskich z tego miasta. Jednakże co roku, kiedy zbliżało się Święto Pierwszych, Józef opuszczał ufortyfikowane miasto i zostawał w domu, by rzeźbić misy i łyżki przeznaczone dla Świątyni. Podczas Święta Pierwszych tradycja nakazywała oddawać kapłanom ze Świątyni pierwsze jagnięta, pierwsze ziarno i pierwsze owoce. Nawet pierworodni synowie, którzy przyszli na świat w ciągu roku, byli przeznaczani dla Świątyni – albo poprzez obietnicę oddania ich do pracy, kiedy już podrosną, albo poprzez dar pieniędzy. Rzemieślnicy, tacy jak mój ojciec i Józef, mogli oddawać rzeczy, które wykonali; w niektórych latach ojciec szykował moździerze i tłuczki albo młyńskie kamienie na daninę, kiedy indziej oddawał dziesięcinę w monecie. Na to święto niektórzy wyruszali na pielgrzymkę do Jeruzalem, ale że wypadało zaledwie siedem tygodni po Passze, wiele rodzin nie mogło sobie na to pozwolić. Dary trafiały więc do naszej skromnej wiejskiej synagogi.

W ciągu tygodni poprzedzających święto Józef siedział przed domem, w cieniu daszku, jaki zrobił, i siekierą oraz dłutem dręczył oliwkowe drewno. Joszua i ja bawiliśmy się u jego stóp. Miał na sobie jednoczęściową tunikę, jakie nosiliśmy wszyscy – prostokąt materiału z dziurą na głowę pośrodku, przepasany szarfą, tak że rękawy opadały do łokci, a skraj sięgał kolan.

– Może w tym roku powinienem oddać Świątyni mojego pierwszego syna, co, Joszua? Czy nie chciałbyś czyścić ołtarza po ofiarach? – Józef uśmiechnął się, nie unosząc głowy znad pracy. – Wiesz przecież, że jestem im winien pierwszego syna. W czasie Święta Pierwszych, kiedy się urodziłeś, byliśmy w Egipcie.

Myśl o bezpośrednim kontakcie z krwią wyraźnie przeraziła Joszuę, jak zresztą przeraziłaby każdego żydowskiego chłopca.

– Oddaj im Jakuba, abba. On jest twoim pierwszym synem.

Józef zerknął w moją stronę, by się przekonać, czy zareagowałem. Owszem, ale to dlatego, że myślałem o swojej pozycji pierwszego syna; miałem nadzieję, że mój ojciec nie wpadł na taki pomysł.

– Jakub jest drugim synem. Kapłani nie chcą drugich synów. To musisz być ty.

Zanim odpowiedział, Joszua popatrzył na mnie, a potem na ojca. I uśmiechnął się.

– Ale, abba, gdybyś umarł, kto się zajmie mamą, jeśli ja będę w Świątyni?

– Ktoś się nią zaopiekuje – wtrąciłem. – Jestem tego pewien.

– Nie umrę jeszcze przez długi czas. – Józef szarpnął siwą brodę. – Broda już mi bieleje, ale mam w sobie jeszcze wiele życia.

– Nie bądź taki pewny, abba – rzucił Joszua.

Józef upuścił misę, nad którą pracował, i wpatrzył się w swoje dłonie.

– Biegnijcie się bawić, wy dwaj – powiedział głosem brzmiącym jak szept.

Joszua wstał i odszedł. Chciałem zarzucić Józefowi ręce na szyję, nigdy bowiem nie widziałem tak wystraszonego dorosłego i mnie również to przeraziło.

– Mogę pomóc? – spytałem, wskazując niedokończoną misę na kolanach Józefa.

– Idź z Joszuą. Potrzebny mu przyjaciel, który nauczy go być człowiekiem. Wtedy ja będę mógł go nauczyć być mężczyzną.

2

Anioł chce, żebym ukazał więcej łask Joszuy. Łaska? Na rany Chrystusa, piszę przecież o sześciolatku, jakież łaski mógł wtedy okazywać? To by do niego nie pasowało, gdyby chodził i codziennie obwieszczał, że jest Synem Bożym. Był całkiem normalnym dzieciakiem, na ogół. Owszem, robił tę sztuczkę z jaszczurką, a raz znalazł martwego skowronka i przywrócił go do życia. No i kiedyś, kiedy mieliśmy już po osiem lat, uleczył pękniętą czaszkę swojego brata Judy, kiedy zabawa w kamienowanie cudzołożnicy wymknęła się spod kontroli. (Juda nie mógł jakoś załapać, o co chodzi w byciu cudzołożnicą. Stał sztywno jak żona Lota. Tak nie można. Cudzołożnica musi być chytra i chyżostopa). Cuda, jakich Joszua dokonywał, bywały skromne i dyskretne, jak zwykle cuda, kiedy człowiek już się do nich przyzwyczai. Kłopoty brały się raczej z cudów, które działy się wokół niego, bez jego woli. Chleb i węże od razu przychodzą do głowy.

Działo się to na kilka dni przed świętem Paschy i wiele rodzin z Nazaretu nie wybierało się na pielgrzymkę do Jeruzalem. W porze zimowej spadło mało deszczu, więc zapowiadał się ciężki rok. Farmerzy nie mogli sobie pozwolić na opuszczenie pól, by powędrować do świętego miasta i z powrotem. Ojcowie, mój i Joszuy, pracowali obaj w Seforis, a Rzymianie dawali im wolne tylko na święta. Moja matka piekła przaśny chleb, kiedy wróciłem z zabawy na placu.

Miała przed sobą z tuzin płaskich placków i wyglądała, jakby chciała lada moment cisnąć je na ziemię.

– Biff, gdzie jest twój przyjaciel Joszua? – zapytała.

Moi mali bracia szczerzyli zęby, ukryci za jej spódnicą.

– W domu, jak sądzę. Niedawno go tam zostawiłem.

– A co razem robiliście?

– Nic.

Próbowałem sobie przypomnieć, czy zrobiłem coś, co mogłoby tak ją rozgniewać, ale naprawdę nic nie przychodziło mi do głowy. To był wyjątkowy dzień i raczej nie rozrabiałem. O ile wiedziałem, obaj moi młodsi bracia pozostawali cali i zdrowi.

– Co zrobiliście, by sprawić coś takiego?

Pokazała mi placek, a na nim, w chrupkiej brązowej płaskorzeźbie na złocistej skórce, zobaczyłem wizerunek twarzy mojego przyjaciela Joszuy. Chwyciła następny i na nim znów był mój przyjaciel Josh. Rzeźbiony wizerunek – wielki grzech. Josh się uśmiechał. Mama krzywo patrzyła na uśmiechy.

– No więc? Czy mam iść do domu Joszuy i zapytać jego nieszczęsną obłąkaną matkę?

– Ja to zrobiłem – wyznałem. – To ja umieściłem twarz Joszuy na chlebie.

Miałem tylko nadzieję, że nie zapyta, jak tego dokonałem.

– Ojciec wymierzy ci karę, kiedy wieczorem wróci do domu. A teraz idź, wynoś się stąd.

Słyszałem chichot młodszych braci, kiedy chyłkiem wysuwałem się za drzwi. Ale na zewnątrz sytuacja wyglądała jeszcze gorzej. Kobiety odchodziły od kamieni do pieczenia, każda trzymała tacę z prasnym chlebem i każda mruczała pod nosem jakąś wersję zdania „Hej, na moim chlebie jest jakiś dzieciak".

Pobiegłem do domu Joszuy i bez pukania wpadłem do środka. Jadł razem z braćmi przy stole, Maria karmiła Miriam, najnowszą siostrzyczkę Josha.

– Masz poważny kłopot – szepnąłem mu do ucha z takim impetem, że mógłby mu pęknąć bębenek.

Joszua pokazał mi placek, który właśnie jadł, i uśmiechnął się, całkiem jak jego oblicze na macy.

– To cud.

– I całkiem smaczny – dodał Jakub, odgryzając kawałek głowy brata.

– To się dzieje w całym mieście, Joszua. Nie tylko u ciebie w domu. Wszystkie bochenki chleba mają twoją twarz.

– W istocie jest Synem Bożym – oświadczyła z anielskim uśmiechem Maria.

– No nie, mamo... – jęknął Jakub.

– Tak, mamo, no nie... – zgodził się z nim Juda.

– Jego gęba jest wszędzie, na całym święcie Paschy. Trzeba coś zrobić.

Chyba nie rozumieli powagi sytuacji. Ja już miałem kłopoty, a przecież moja matka nie podejrzewała nawet niczego nadprzyrodzonego.

– Musimy obciąć ci włosy.

– Co?

– Nie możemy obcinać jego włosów – oświadczyła Maria.

Zawsze pozwalała Joshowi nosić długie włosy, na modłę esseńczyków; mówiła, że jest nazirejczykiem, jak Samson. To był kolejny powód, dla którego ludzie w wiosce uważali ją za szaloną. My wszyscy ścinaliśmy włosy na krótko, jak Grecy, którzy władali naszym krajem od czasów Aleksandra, a po nich Rzymianie.

– Jeśli zetniemy mu włosy, będzie wyglądał jak wszyscy. Możemy wtedy powiedzieć, że na chlebie jest ktoś inny.

– Mojżesz – zaproponowała Maria. – Młody Mojżesz.

– Tak!

– Przyniosę nóż.

– Jakub, Juda, pójdziecie ze mną – poleciłem. – Musimy powiedzieć całemu miastu, że na czas Paschy przybyło do nas oblicze Mojżesza.

Maria odsunęła Miriam od piersi, schyliła się i pocałowała mnie w czoło.

– Jesteś dobrym przyjacielem, Biff.

Niemal się rozpłynąłem, ale zauważyłem, że Joszua marszczy brwi.

– To przecież nieprawda – powiedział.

– Ale powstrzyma faryzeuszy przed osądzeniem cię.

– Nie boję się ich – zapewnił ten dziewięciolatek. – Nic nie zrobiłem z chlebem.

– Więc czemu chcesz brać na siebie winę i karę za to?

– Nie wiem, ale wydaje się, że powinienem. Prawda?

– Siedź tutaj, żeby mama mogła ci ściąć włosy.

Wybiegłem przed drzwi. Juda i Jakub pędzili tuż za mną i beczeliśmy wszyscy jak owce na wiosnę:

– Zobaczcie! Mojżesz zesłał swe oblicze w chlebie na Paschę! Zobaczcie!

Cuda. Pocałowała mnie. Święty Mojżeszu na macy! Pocałowała mnie.

Cud węża? To był w pewnym sensie omen, choć mogę tak powiedzieć jedynie z powodu tego, co wydarzyło się później między Joszuą i faryzeuszami. Jednakże w danej chwili Joszua uważał to za spełnienie proroctwa, a przynajmniej tak próbował to sprzedać matce i ojcu.

Było późne lato i bawiliśmy się na polu pszenicy za miastem, kiedy Joszua znalazł gniazdo węży.

– Gniazdo węży! – zawołał.

Pszenica rosła tak wysoko, że nie widziałem, skąd dobiega jego głos.

– Zaraza na twoją rodzinę – odpowiedziałem.

– Nie, tutaj jest gniazdo węży. Naprawdę.

– Aha... Bo myślałem, że chcesz mnie rozdrażnić. Przepraszam, zaraza z twojej rodziny.

– Chodź zobacz.

Przedarłem się przez pszenicę i znalazłem Joszuę stojącego przy stosie kamieni, które ułożył farmer, by zaznaczyć granicę swego pola. Wrzasnąłem i zacząłem się cofać tak szybko, że straciłem równowagę i upadłem. Plątanina węży wiła się u stóp Joszuy; pełzały po jego sandałach i owijały się wokół kostek.

– Uciekaj stamtąd, Joszua!

– Nie zrobią mi krzywdy. Tak jest napisane w Izajaszu.

– Ale może one nie czytały Proroków...

Joszua odstąpił, rozrzucając węże po ziemi, a za nim ujrzałem największą kobrę, jaką kiedykolwiek widziałem. Kiedy się uniosła, była wyższa od mojego przyjaciela, i rozłożyła kaptur niczym płaszcz.

– Uciekaj!

Joszua się uśmiechnął.

– Nazwę ją Sarą, od żony Abrahama. To są jej dzieci.

– Poważnie? Pożegnajmy się, Josh.

– Chcę ją pokazać matce. Ona kocha proroctwa.

I pomaszerował do wioski, a ogromny wąż podążał za nim jak cień. Młode zostały w gnieździe, a ja wycofałem się wolno, po czym pobiegłem za przyjacielem.

Kiedyś przyniosłem do domu żabę, w nadziei że będę mógł ją zatrzymać. Niedużą żabę, taką na jedną dłoń, spokojną i dobrze wychowaną. Matka kazała mi ją wypuścić, potem oczyścić się w zbiorniku ablucyjnym (mykwie) w synagodze. Ale i tak nie wpuściła mnie do domu aż do zachodu słońca, ponieważ byłem nieczysty. Joszua przyprowadził do domu czternastostopową kobrę, a jego matka piszczała z radości. Moja matka nigdy nie piszczała.

Maria umocowała sobie dziecko na biodrze, klęknęła przed synem i zacytowała Izajasza:

– Wtedy wilk zamieszka wraz z barankiem, pantera z koźlęciem razem leżeć będą, cielę i lew paść się będą społem i mały chłopiec będzie je poganiał. Krowa i niedźwiedzica przestawać będą przyjaźnie, młode ich razem legną. Lew też jak wół będzie jadał słomę. Niemowlę igrać będzie na norze kobry, dziecko włoży rękę do kryjówki żmii.

Jakub, Juda i Elżbieta kulili się w kącie, zbyt przerażeni, by płakać. Ja stałem przed drzwiami i patrzyłem.

Wąż kołysał się przed Joszuą, jakby się szykował do ataku.

– Ma na imię Sara.

– Nie wiadomo, czy to odpowiednia odmiana kobry – powiedziałem. – A było ich tam mnóstwo.

– Możemy ją zatrzymać? – spytał Joszua. – Będę łapał dla niej szczury i przygotuję legowisko obok Elżbiety.

– Stanowczo nie jest to żmija. Poznałbym żmiję, gdybym ją zobaczył. Stanowczo kobra, ale czy właściwy rodzaj?

(Prawdę mówiąc nie odróżniłbym żmii od dziury w ziemi).

– Cicho bądź, Biff – rzuciła Maria.

Serce mi pękło, gdy usłyszałem taką surowość w głosie ukochanej.

W tej właśnie chwili pojawił się Józef i przeszedł przez drzwi, zanim zdążyłem go powstrzymać. Żadna strata, bo natychmiast wyskoczył z powrotem.

– Jęczący Jozafacie!

Obejrzałem się, by sprawdzić, czy serce Józefa nie stanęło. Szybko postanowiłem, że kiedy już ożenię się z Marią, wąż będzie musiał odejść, a przynajmniej spać na dworze. Jednak krzepki cieśla wydawał się tylko trochę wstrząśnięty i nieco zakurzony po swoim skoku do tyłu.

– Nie żmija, prawda? – spytałem. – Żmije są stworzone jako nieduże, by pasować do piersi egipskich królowych.

Józef nie zwracał na mnie uwagi.

– Cofaj się powoli, synu. Przyniosę nóż z warsztatu.

– Nie skrzywdzi nas – uspokoił go Joszua. – Ma na imię Sara. Jest z Izajasza.

– Występuje w proroctwie, Józefie – wyjaśniła Maria.

Widziałem, jak Józef szuka w pamięci odpowiedniego wersetu. Był człowiekiem świeckim, ale znał Pismo nie gorzej od innych.

– Nie pamiętam fragmentu o Sarze.

– Nie wydaje mi się, żeby o nią chodziło w proroctwie – wtrąciłem. – Ono mówi o żmijach, a to stanowczo nie jest żmija. Mówi co prawda o kobrach, ale ta jest jakaś dziwna. Myślę, że odgryzie Joszui tyłek, jeśli jej nie złapiesz, Józefie. (Zawsze warto spróbować).

– Mogę ją zatrzymać? – poprosił Joszua.

Józef zdążył się opanować. Najwyraźniej, kiedy człowiek już uznał, że jego żona spała z Bogiem, niezwykłe wydarzenia stają się dość pospolite.

– Zabierz ją tam, gdzie ją znalazłeś, Joszua. Proroctwo zostało spełnione.

– Ale ja chcę ją zatrzymać!

– Nie, Joszua.

– Nie będziesz mi rozkazywał!

Podejrzewam, że Józef słyszał już ten argument.

– Mimo to – powiedział. – Proszę cię, odprowadź Sarę tam, gdzie ją znalazłeś.

Joszua wybiegł z domu, a jego wąż sunął za nim. Józef i ja zrobiliśmy im przejście.

– Postaraj się, żeby nikt cię nie widział – ostrzegł Józef. – Nie zrozumieją.

Miał rację, oczywiście. Po drodze natrafiliśmy na bandę starszych chłopaków, prowadzonych przez Akana, syna faryzeusza Ibana. Nie zrozumieli.

W Nazarecie było może kilkunastu faryzeuszy – ludzi uczonych, nauczycieli klasy pracującej, którzy większość czasu spędzali w synagodze, dyskutując o Prawie. Często wynajmowano ich jako sędziów czy skrybów, co dawało im wielkie wpływy. Tak wielkie, że Rzymianie często wykorzystywali ich jako swoich rzeczników wobec naszego ludu. Za wpływami idzie władza, a za władzą jej nadużywanie. Akan był jedynym synem faryzeusza. Ledwie dwa lata starszy ode mnie i Joszuy, posunął się całkiem daleko na drodze do opanowania okrucieństwa. Jeśli cokolwiek może cieszyć w tym, że wszyscy, których znałem, nie żyją od dwóch tysięcy lat, to fakt, że Akan jest między nimi. Oby jego tłuszcz skwierczał po wieczność na ogniu piekielnym!

Joszua nauczał nas, że powinniśmy wyrzec się nienawiści – lekcja, której jakoś nigdy nie mogłem opanować, tak samo jak geometrii. To pierwsze przez Akana, drugie przez Euklidesa.

Joszua biegł za domami i warsztatami wioski, wąż dziesięć kroków za nim, a ja kolejne dziesięć kroków z tyłu. Kiedy skręcił za róg kuźni, zderzył się z Akanem i przewrócił go na ziemię.

– Ty idioto! – krzyknął Akan. Wstał i się otrzepał. Jego trzej koledzy wybuchnęli śmiechem, ale odwrócił się do nich jak wściekły tygrys. – Ten chłopak wymaga, żeby wyszorować mu gębę łajnem. Przytrzymajcie go.

Chłopcy zajęli się więc Joszuą – dwóch chwyciło go za ramiona, trzeci wymierzył cios w brzuch. Akan rozejrzał się za jakimś stosikiem, w który mógłby wepchnąć twarz mojego przyjaciela. Sara wysunęła się zza rogu i uniosła nad Joszuą, rozwijając swój wspaniały kaptur wysoko nad naszymi głowami.

– Hej! – zawołałem, kiedy i ja wyłoniłem się zza rogu. – Myślicie, chłopaki, że to żmija?

Strach przed wężem zmienił się w coś w rodzaju ostrożnej sympatii. Zdawało się, że Sara się uśmiecha; ja uśmiechałem się na pewno. Kołysała się z boku na bok niczym źdźbło pszenicy na wietrze. Chłopcy puścili ręce Joszuy i pobiegli do Akana, który odwrócił się i zaczął powoli wycofywać.

– Joszua opowiadał o żmijach – ciągnąłem. – Ale muszę zaznaczyć, że to jest kobra.

Joszua stał zgięty wpół, wciąż usiłując odzyskać oddech, ale zerknął na mnie i wyszczerzył zęby.

34

– Oczywiście nie jestem synem faryzeusza, ale...

– Działa w zmowie z wężem! – wrzasnął Akan. – Zadaje się z demonami!

– Demony! – wykrzyknęli pozostali chłopcy, próbując ukryć się za swoim tłustym przyjacielem.

– Powiem o tym mojemu ojcu i będziesz ukamienowany!

Jakiś głos rozległ się za plecami Akana:

– Co to za krzyki?

Był to słodki głos.

Wyszła z domu przy kuźni. Jej skóra lśniła jak miedź, oczy zaś miała jasnoniebieskie, jak ludzie z północnych pustkowi. Kosmyki rudokasztanowych włosów wystawały spod purpurowego szala. Nie mogła mieć więcej niż dziewięć czy dziesięć lat, ale w jej oczach było coś bardzo starego. Przestałem oddychać, kiedy ją zobaczyłem.

Akan nadął się jak ropucha.

– Nie podchodź. Ci dwaj zadają się z demonem. Powiem starszym i będą osądzeni.

Splunęła mu pod stopy. Nigdy wcześniej nie widziałem, żeby dziewczyny pluły. To było urzekające.

– Jak dla mnie wygląda na kobrę.

– Widzicie? Mówiłem.

Zbliżyła się do Sary, jakby podchodziła do figowego drzewa, szukając owoców – bez śladu lęku, a jedynie z ciekawością.

– Myślisz, że to demon? – rzuciła, nie oglądając się na Akana. – Czy nie będzie ci wstyd, kiedy starsi odkryją, że pospolitego węża z pól wziąłeś za demona?

– To demon!

Dziewczyna wyciągnęła rękę, a wąż wzniósł się, jakby do ataku. Potem jednak opuścił głowę, a jego rozdwojony język musnął palce dziewczyny.

– Stanowczo jest to kobra, chłopczyku. A ci dwaj prawdopodobnie prowadzą ją z powrotem na pola, gdzie pomoże farmerom, zjadając szczury.

– Tak, właśnie to robiliśmy – zapewniłem.

– Absolutnie – zgodził się Joszua.

Dziewczyna odwróciła się do Akana i jego kolegów.

– Demon?

Akan tupnął nogą jak rozzłoszczony osioł.

– Jesteś z nimi w zmowie!

– Nie bądź głupi. Moja rodzina dopiero co przybyła tu z Magdali, nigdy tych dwóch wcześniej nie widziałam, ale to oczywiste, co robią. W Magdali robimy tak cały czas. No ale to w końcu zacofana wioska.

– Tutaj też tak robimy – oświadczył Akan. – Ja tylko... no... Ci dwaj sprawiają kłopoty.

– Kłopoty – potwierdzili jego przyjaciele.

– To może pozwolimy im skończyć, co zaczęli.

Akan, przeskakując wzrokiem od dziewczyny do węża i znowu do dziewczyny, zaczął się wycofywać. Jego koledzy również.

– Z wami dwoma policzę się kiedy indziej.

Gdy tylko zniknęli za rogiem, dziewczyna odskoczyła od węża i pobiegła do drzwi swego domu.

– Czekaj! – zawołał za nią Joszua.

– Muszę iść.

– Jak ci na imię?

– Jestem Maria z Magdali, córka Izaaka – odparła. – Możesz mnie nazywać Maggie.

– Chodź z nami, Maggie.

– Nie mogę. Muszę wracać.

– Dlaczego?

– Bo się posiusiałam.

I zniknęła za drzwiami.

Cuda.

Kiedy wróciliśmy już na tamto pole pszenicy, Sara skierowała się do swojego gniazda. Przyglądaliśmy się z daleka, jak się wsuwa do otworu.

– Josh... Jak to zrobiłeś?

– Nie mam pojęcia.

– Czy takie rzeczy będą się ciągle zdarzały?

– Prawdopodobnie.

– To wpakujemy się w spore kłopoty, prawda?

– A co ja jestem, prorok?

– Ja pierwszy zapytałem.

Joszua patrzył w niebo, jakby wpadł w trans.

– Widziałeś ją? Niczego się nie bała.

– Jest ogromnym wężem. Czego ma się bać?

Joszua zmarszczył brwi.

– Nie udawaj głupka, Biff. Ocaliły nas kobra i dziewczyna. Sam nie wiem co o tym myśleć.

– A po co w ogóle myśleć? To się po prostu zdarzyło.

– Nic się nie zdarza bez woli Pana – odparł Joszua. – Ale nie zgadza się to z testamentem Mojżesza.

– Może to nowy testament – mruknąłem.

– Wcale nie udajesz, prawda? – powiedział Joszua. – Naprawdę jesteś głupkiem.

– Myślę, że lubi ciebie bardziej niż mnie – oświadczyłem.

– Kobra?

– No dobrze, jestem głupkiem.

Nie wiem, czy teraz – kiedy przeżyłem życie mężczyzny, kiedy umarłem – potrafię pisać o swojej dziecięcej miłości. Ale kiedy wspominam ją dzisiaj, wydaje się najpiękniejszym bólem, jakiego doznałem. Miłość bez pożądania, bezwarunkowa, bez granic – czyste, promienne lśnienie serca, które potrafiło wywołać jednocześnie zawrót głowy, smutek i radość. Gdzie ono się podziało? Dlaczego, po wszystkich eksperymentach, Mędrcy nigdy nie próbowali zamknąć tej czystości w butelkach? Może nie potrafili. Może jest dla nas stracona od chwili, kiedy stajemy się istotami seksualnymi i żadna magia nie potrafi jej przywrócić.

Może pamiętam to uczucie tylko dlatego, że tak wiele czasu poświęciłem, by zrozumieć miłość, jaką Joszua czuł dla wszystkich ludzi.

Na Wschodzie uczyli nas, że wszelkie cierpienie bierze się z żądzy, i ta kosmata bestia miała mnie ścigać przez całe życie. Ale tego popołudnia – i jeszcze przez jakiś czas później – doznałem łaski. Nocami nie spałem, tylko leżałem, słuchając oddechów moich braci, a oczyma duszy widziałem jej oczy niby błękitne płomienie w mroku. Cudowna tortura. Zastanawiam się teraz, czy przez Joszuę całe jej życie nie było właśnie takie. Maggie – była najsilniejsza z nas wszystkich.

Po cudzie węża Joszua i ja szukaliśmy pretekstów, żeby przechodzić obok kuźni, gdzie mogliśmy spotkać Maggie. Każdego ranka wstawaliśmy wcześnie i szliśmy do Józefa, proponując, że pobiegniemy do kuźni po gwoździe albo żeby naprawić jakieś narzędzie. Biedny Józef przyjmował to za dowód naszego entuzjazmu dla ciesielstwa.

– Może, chłopcy, wybralibyście się ze mną jutro do Seforis? – zaproponował pewnego dnia, kiedy męczyliśmy go o przynoszenie gwoździ. – Biff, czy twój ojciec pozwoli ci zacząć naukę ciesielstwa?

Byłem przerażony. W wieku dziesięciu lat chłopiec powinien rozpocząć naukę fachu swojego ojca, ale został mi jeszcze rok – to cała wieczność, kiedy ma się ich dziewięć.

– Ja... Ja wciąż się zastanawiam, co będę robił, kiedy dorosnę – powiedziałem.

Mój własny ojciec dzień wcześniej złożył podobną ofertę Joszui.

– Więc nie zostaniesz kamieniarzem?

– Myślałem, czy nie zostać wiejskim głupkiem, jeśli tylko ojciec mi pozwoli.

– Ma talent dany od Boga – wtrącił Joszua.

– Rozmawiałem już z głupkiem Bartłomiejem – dodałem. – Ma mnie nauczyć, jak rzucać własnym łajnem i jak zderzać się głową ze ścianami.

Józef spojrzał na mnie groźnie.

– Chyba jesteście jeszcze za młodzi. W przyszłym roku.

– Tak – zgodził się Joszua. – W przyszłym roku. Możemy już iść, Józefie? Biff umówił się na lekcję z Bartłomiejem.

Józef skinął głową, a my wybiegliśmy, zanim zdążył nam się narzucić z kolejnymi przejawami życzliwości. Rzeczywiście zaprzyjaźniliśmy się z głupkiem Bartłomiejem. Był brudny i często się ślinił, ale był też duży i w pewnym stopniu dawał ochronę przed Akanem i jego zbirami. Bart spędzał czas, żebrząc w pobliżu rynku, gdzie kobiety przychodziły po wodę ze studni. Niekiedy widywaliśmy tam Maggie, przechodzącą z dzbanem na głowie.

– Wiesz, niedługo będziemy musieli uczyć się fachu – stwierdził Joszua. – I nie będę się z tobą spotykał, kiedy zacznę pracować z ojcem.

– Rozejrzyj się, Joszua. Widzisz tu dużo drzew?

– Nie.

– A te, które mamy, oliwkowe... Są poskręcane, sękate, wykrzywione. Zgadza się?

– Tak.

– Ale zostaniesz cieślą, jak twój ojciec?

– Jest na to duża szansa.

– Jedno słowo, Josh: kamienie.

– Kamienie?

– Popatrz dookoła: kamienie, jak okiem sięgnąć. Galilea to tylko kamienie, ziemia i znowu kamienie. Zostań kamieniarzem, jak mój ojciec. Możemy budować miasta dla Rzymian.

– Prawdę mówiąc, myślałem raczej o zbawieniu ludzkości.

– Zapomnij o tych bzdurach, Josh. Mówię ci: tylko kamienie.

3

Anioł nie chce mi zdradzić, co się stało z moimi przyjaciółmi, z dwunastoma, z Maggie... Mówi tylko, że już nie żyją i mam teraz spisać własną wersję tej historii. Och, powtarza mi bezużyteczne anielskie anegdotki – jak to Gabriel znikął kiedyś na sześćdziesiąt lat i znaleźli go na ziemi, ukrywającego się w ciele człowieka nazwiskiem Miles Davis, albo jak Rafael wymknął się z nieba, by odwiedzić Szatana, i wrócił z czymś zwanym telefonem komórkowym. (Najwyraźniej teraz w piekle wszyscy je mają). Ogląda telewizję, a kiedy pokazują trzęsienie ziemi albo tornado, mówi „Kiedyś takim jednym zniszczyłem miasto. Moje było lepsze". Mam już po dziurki w nosie tych bezsensownych anielskich plotek. Ale o moich czasach nie wiem nic prócz tego, co sam widziałem. A kiedy w telewizji wspominają o Joszui, nazywając go grecką wersją imienia, Raziel zmienia kanał, zanim zdążę cokolwiek zobaczyć.

Nigdy nie śpi. Obserwuje mnie tylko, gapi się w telewizor i je. Nie wychodzi z pokoju.

Dzisiaj, kiedy szukałem zapasowych ręczników, otworzyłem szufladę. Tam, pod plastikowym workiem na pranie, znalazłem książkę. Biblia, głosił napis na okładce. Dzięki niech będą Panu, że nie wyjąłem jej z szuflady, ale zajrzałem do niej, odwrócony do anioła plecami. Są tam rozdziały, jakich nie pamiętam z żadnej znanej mi Biblii. Zobaczyłem imiona Mateusza i Jana, zobaczyłem Rzymian i Galatów – to książka o moich czasach.

– Co robisz? – zapytał anioł.

Zakryłem Biblię i wsunąłem szufladę.

– Szukam ręczników. Muszę się wykąpać.

– Kąpałeś się wczoraj.

– Czystość jest bardzo ważna dla mojego ludu.

– Wiem o tym. Co, myślisz, że nie wiedziałem?

– Nie jesteś raczej najjaśniejszą aureolą w zespole.

– No to się wykąp. I trzymaj się z daleka od telewizora.

– Dlaczego nie przyniesiesz mi ręczników?

– Zadzwonię do recepcji.

I tak zrobił. Jeśli mam w ogóle zajrzeć do tej książki, muszę skłonić anioła, żeby wyszedł z pokoju.

Zdarzyło się, że w Jafii, bliźniaczej wiosce Nazaretu, umarła na złe powietrze matka jednego z kapłanów w Świątyni. Kapłani lewitów, albo saduceusze, wzbogacili się z danin składanych Świątyni, więc wynajęto żałobników ze wszystkich okolicznych wiosek. Rodziny z Nazaretu ruszyły w drogę do sąsiedniego wzgórza na pogrzeb i po raz pierwszy Joszua i ja mogliśmy, idąc, spędzić trochę czasu z Maggie.

– I jak? – spytała, nie patrząc na nas. – Bawiliście się ostatnio z jakimiś wężami?

– Czekaliśmy, aż lew legnie obok baranka – odparł Joszua. – To druga część proroctwa.

– Jakiego proroctwa?

– Mniejsza z tym – wtrąciłem. – Węże są dla chłopców. My jesteśmy już prawie mężczyznami. Zaczniemy pracować po Święcie Namiotów. W Seforis.

Starałem się mówić jak światowiec. Na Maggie chyba nie robiło to wrażenia.

– I będziesz się uczył na cieślę? – zwróciła się do Joszuy.

– Będę wykonywał pracę mojego ojca, w końcu. Tak.

– A ty? – spytała mnie.

– Myślę, czy nie zostać zawodowym żałobnikiem. Przecież to nie może być trudne. Szarpać się za włosy, zaśpiewać jedną

41

czy drugą pieśń pogrzebową, a potem wolne przez resztę tygodnia.

– Jego ojciec jest kamieniarzem – wyjaśnił Joszua. – Być może obaj zaczniemy poznawać to rzemiosło.

Po moich naleganiach, ojciec zaproponował, że przyjmie Joszuę na ucznia, o ile Józef się zgodzi.

– Albo pasterzem – dodałem szybko. – Pasterstwo jest chyba łatwe. W zeszłym tygodniu poszedłem z Kalielem, żeby pilnować jego stada. Prawo mówi, że zawsze dwóch musi wyruszyć ze stadem, żeby nie dopuścić do obrzydliwości. Potrafię dostrzec obrzydliwość na pięćdziesiąt kroków.

Maggie uśmiechnęła się.

– I powstrzymałeś jakieś obrzydliwości?

– O tak. Broniłem nas przed obrzydliwościami, kiedy Kaliel bawił się za krzakami ze swoją ulubioną owcą.

– Biff – odezwał się z powagą Joszua. – To właśnie była ta obrzydliwość, do której miałeś nie dopuścić.

– Naprawdę?

– Tak.

– Oj... Co tam, myślę, że będę świetnym żałobnikiem. Maggie, znasz słowa jakichś pieśni pogrzebowych? Będę musiał się ich nauczyć.

– Myślę, że kiedy dorosnę – oznajmiła Maggie – wrócę do Magdali i zostanę rybakiem na Jeziorze Galilejskim.

Roześmiałem się.

– Nie bądź głuptasem. Jesteś przecież dziewczyną. Nie możesz zostać rybakiem.

– Właśnie że mogę.

– Nie, nie możesz. Musisz wyjść za mąż i mieć synów. A przy okazji, jesteś już zaręczona?

Joszua rzekł:

– Pójdź za mną, Maggie, a uczynię cię rybakiem wśród ludzi.

– Co to ma znaczyć, u licha? – zdziwiła się.

Złapałem Joszuę za tył jego tuniki i zacząłem odciągać.

– Nie zwracaj na niego uwagi. Jest szalony. Ma to po matce. Piękna kobieta, ale zwariowana. Chodźmy, Josh, zaśpiewamy pieśń żałobną.

Zacząłem improwizować coś, co uważałem za całkiem niezłą pieśń.

– La-la-la, Bardzo nam smutno, kapłanie drogi, że twoja matka wyciągnęła nogi. Szkoda, że jesteś saduceuszem, nie wierzysz w życie pozagrobowe, więc twoja matka będzie karmą robaków, la-la. A może chciałbyś się jeszcze raz zastanowić, co? Fa-la-la-la- -la-la-uaki-uaka.

(Po aramejsku brzmiało to rewelacyjnie. Naprawdę).

– Obaj jesteście wariaci.

– Musimy iść. Żałoba czeka. Na razie.

– Rybak wśród kobiet? – mruknął Joszua.

– Fa-la-la-la, nie masz czego płakać, była już stara i po zębach ani znaku, la-la-la. No dalej, ludziska, przecież znacie słowa!

– Josh – powiedziałem trochę później. – Nie możesz mówić takich rzeczy, od których cierpnie skóra. „Rybak wśród ludzi"... Chcesz, żeby faryzeusze cię ukamienowali? Na tym ci zależy?

– Wykonuję tylko pracę mojego ojca. Poza tym Maggie jest naszym przyjacielem. Nikomu nie powtórzy.

– W końcu ją odstraszysz.

– Nie, na pewno nie. Ona będzie przy nas, Biff.

– Masz zamiar się z nią ożenić?

– Nie wiem nawet, czy w ogóle wolno mi się żenić, Biff. Patrz.

Dotarliśmy na szczyt wzgórza przed Jafią i widzieliśmy już tłum żałobników zgromadzonych wokół wioski. Joszua wskazywał czerwony pióropusz, wystający ponad głowami ludzi – pióropusz na hełmie rzymskiego centuriona. Centurion rozmawiał z kapłanem lewitą, odzianym w biel i złoto, z siwą brodą sięgającą poniżej pasa. Kiedy weszliśmy do wioski, zauważyliśmy jeszcze dwudziestu, może trzydziestu żołnierzy obserwujących tłum.

– Co oni tu robią?

– Nie lubią, kiedy się gromadzimy – wyjaśnił Joszua. Stanął, by przyjrzeć się rzymskiemu dowódcy. – Są tutaj, by dopilnować, żebyśmy się nie zbuntowali.

– A dlaczego kapłan z nim rozmawia?

– Saduceusz chce przekonać Rzymianina, że nad nami panuje. Nie chciałby, żeby w dzień pogrzebu jego matki doszło do masakry.

– Czyli troszczy się o nas...

– Troszczy się o siebie. Tylko o siebie.

– Nie powinieneś opowiadać takich rzeczy o kapłanie ze Świątyni, Joszua.

Pierwszy raz usłyszałem, jak Joszua występuje przeciwko saduceuszom, i to mnie przeraziło.

– Myślę, że dzisiaj kapłan się przekona, do kogo naprawdę należy Świątynia.

– Nie cierpię, kiedy tak mówisz, Josh. Może lepiej wrócimy do domu?

– Pamiętasz tego martwego skowronka, którego znaleźliśmy?

– Mam naprawdę złe przeczucie.

Joszua uśmiechnął się do mnie. Widziałem złote plamki skrzące się w jego oczach.

– Zaśpiewaj swoją pieśń, Biff. Wydaje mi się, że twój śpiew zrobił wrażenie na Maggie.

– Naprawdę tak myślisz?

– Nie.

Chyba z pięćset osób zebrało się przed grobem. Z przodu mężczyźni okryli głowy pasiastymi szalami i kołysali się, pogrążeni w modłach. Kobiety stanęły z tyłu i jeśli nie liczyć zawodzenia wynajętych płaczek, było tak, jakby nie istniały. Usiłowałem wypatrzyć gdzieś Maggie, ale nie widziałem jej przez tłum. Kiedy znów się odwróciłem, Joszua przecisnął się między mężczyznami, do miejsca gdzie saduceusz stał przy ciele swej zmarłej matki i czytał Torę ze zwoju.

Kobiety owinęły ciało w płótno i namaściły wonnymi olejkami. Kiedy przepchnąłem się do Joszuy, wyczułem drzewo sandałowe i jaśmin, zmieszane z odorem potu żałobników. Josh patrzył na zwłoki; w skupieniu mrużył oczy. Drżał, jakby dmuchnął na niego zimny wiatr.

Kapłan skończył czytać i zaczął śpiewać. Dołączyli do niego wynajęci śpiewacy, którzy przybyli tutaj aż ze Świątyni w Jeruzalem.

– Dobrze jest być bogatym, nie? – szepnąłem do Joszui, szturchając go łokciem w żebra.

Nie zwracał na mnie uwagi. Zacisnął pięści. Żyła wystąpiła mu na czoło, kiedy płomiennym spojrzeniem wpatrywał się w ciało kobiety.

Poruszyła się.

Z początku jedynie drgnęła. Szarpnęła ręką pod lnianym całunem. Myślę, że nikt oprócz mnie tego nie zauważył.

– Nie, Joszua, przestań – szepnąłem.

Obejrzałem się na Rzymian. Stali w pięcioosobowych grupkach w różnych punktach wokół tłumu żałobników. Miny mieli znudzone, a dłonie wsparte na rękojeściach krótkich mieczy.

Zwłoki znowu zadygotały. Martwa kobieta uniosła rękę. W tłumie rozległy się sapnięcia, krzyknął jakiś chłopiec. Mężczyźni zaczęli się cofać, a kobiety przesuwać do przodu, by zobaczyć, co się dzieje. Joszua osunął się na kolana i przycisnął pięści do skroni. Kapłan śpiewał dalej.

Trup usiadł.

Śpiewacy zamilkli i w końcu kapłan także się odwrócił, by popatrzeć na zmarłą matkę, która zsunęła nogi z katafalku i wyglądała, jakby próbowała wstać. Kapłan zatoczył się do tyłu, w tłum; rozczapierzonymi palcami odgarniał powietrze sprzed twarzy, jak gdyby to jakiś opar wywoływał tę przerażającą wizję.

Joszua kołysał się na kolanach, a łzy ściekały mu po policzkach. Trup wstał i – wciąż owinięty całunem – obrócił się, jakby się rozglądał. Widziałem, że niektórzy Rzymianie dobyli mieczy. Obejrzałem się – centurion stał na wozie i dawał swoim ludziom sygnały, by zachowali spokój. I nagle zorientowałem się, że żałobnicy się wycofali, a Joszua i ja pozostaliśmy sami na odkrytej przestrzeni.

– Przestań natychmiast, Josh – szepnąłem, ale on nadal się kołysał, skoncentrowany na trupie, który wykonał pierwszy krok.

Widok chodzącego trupa sparaliżował cały tłum. Ale byliśmy zbyt odseparowani, zbyt samotni ze zmarłą, i wiedziałem, że za kilka sekund ktoś zwróci uwagę na klęczącego na ziemi Joszuę. Objąłem go ręką za szyję i odciągnąłem od trupa, w grupę mężczyzn, którzy wycofywali się, zawodząc głośno.

– Nic mu nie jest? – usłyszałem nagle.

Obok mnie stała Maggie.

– Pomóż mi go stąd zabrać.

Maggie chwyciła Josha pod ramię, ja pod drugie, i razem pociągnęliśmy go w tył. Był sztywny jak kij i ciągle wpatrywał się w trupa.

Martwa kobieta szła w stronę swego syna, kapłana, który się cofał, wznosząc zwój niczym miecz. Oczy miał wielkie jak spodki.

W końcu upadła na ziemię, drgnęła kilka razy i znieruchomiała. Josh opadł bezwładnie w naszych ramionach.

– Zabierzmy go stąd – powiedziałem do Maggie.

Kiwnęła głową i pomogła mi odciągnąć go za wóz, z którego centurion wydawał rozkazy swoim ludziom.

– Nie żyje? – zapytał centurion.

Joszua mrugał niepewnie, jakby właśnie przebudził się z głębokiego snu.

– Nigdy nie ma pewności, proszę pana – odpowiedziałem.

Centurion odchylił głowę i zaśmiał się głośno. Łuskowa zbroja brzęczała od drżenia ramion. Był starszy od pozostałych żołnierzy, siwowłosy, ale wyraźnie szczupły i silny. Zupełnie się nie przejmował przedstawieniem przy grobie.

– Dobra odpowiedź, chłopcze. Jak się nazywasz?

– Biff, proszę pana. Lewi bar Alfeusz, zwany Biffem. Z Nazaretu.

– A ja, Biffie, jestem Gajus Justus Gallicus, zastępca komendanta w Seforis. I sądzę, że wy, Żydzi, powinniście rzeczywiście się upewnić, czy wasi zmarli naprawdę zmarli, zanim ich pochowacie.

– Tak, proszę pana.

– Ty, dziewczyno. Prawdziwa z ciebie ślicznotka. Jak ci na imię?

Widziałem, że Maggie jest poruszona tym, że zwraca się do niej Rzymianin.

– Jestem Maria z Magdali, proszę pana.

Skrawkiem chusty otarła Joszui czoło.

– Pewnego dnia złamiesz komuś serce, co, maleńka?

Maggie nie odpowiedziała. Ale ja musiałem zdradzić jakąś reakcję na to pytanie, bo Justus znów się roześmiał.

– A może już złamała, co, Biff?

– Taki mamy zwyczaj, proszę pana. Dlatego my, Żydzi, grzebiemy nasze kobiety, kiedy jeszcze są żywe. To pozwala zaoszczędzić na złamanych sercach.

Rzymianin zdjął hełm, przeczesał palcami krótkie włosy i strzepnął z dłoni pot.

– No dalej, przenieście waszego przyjaciela do cienia. Jest za gorąco dla tego chorego dzieciaka. Już.

Maggie i ja pomogliśmy Joszui wstać i chcieliśmy go odprowadzić. Ale po zaledwie kilku krokach zatrzymał się i obejrzał przez ramię na Rzymianina.

– Czy będziecie zabijać mój lud, jeśli podąży za swoim Bogiem?! – zawołał.

Trzepnąłem go w kark.

– Josh, czyś ty zwariował?

Justus zmrużył oczy, z których zniknął uśmiech.

– Cokolwiek ci mówią, mój chłopcze, Rzym ma tylko dwie reguły: płać podatki i się nie buntuj. Przestrzegaj ich, a zachowasz życie.

Maggie szarpnęła Joszuę do przodu. Uśmiechnęła się do Rzymianina.

– Dziękujemy panu. Musimy go zabrać ze słońca.

Potem zwróciła się do Josha:

– Czy jest coś, co powinniście mi wytłumaczyć?

– To nie ja – powiedziałem. – To on.

Następnego dnia po raz pierwszy spotkaliśmy anioła. Maria i Józef powiedzieli, że Joszua wyszedł z domu o świcie i od tego czasu się nie pokazał. Włóczyłem się po wiosce przez cały poranek, szukając go, ale z nadzieją, że spotkam Maggie. Na rynku wszyscy mówili o chodzącej martwej kobiecie, ale moich przyjaciół nie zauważyłem. W południe matka kazała mi przypilnować młodszych braci, gdyż sama z innymi kobietami szła do pracy w winnicy. Wróciła o zmierzchu, pachnąca potem i słodkim winem, ze stopami fioletowymi od deptania gron w tłoczni. Wolny, pobiegłem na szczyt wzgórza, sprawdzając nasze ulubione miejsca zabaw, aż w końcu znalazłem Joszuę na kolanach w oliwnym gaju; modlił się, kołysząc w przód i w tył. Był zlany potem i przestraszyłem się, że ma gorączkę. Dziwne, ale nigdy nie przejmowałem się tak własnymi braćmi; Joszua jednak budził we mnie natchnioną przez Boga troskę.

Patrzyłem i czekałem, a kiedy przestał się bujać i usiadł, żeby odpocząć, chrząknąłem, żeby dać mu znać o swojej obecności.

– Może powinieneś jeszcze trochę poćwiczyć z jaszczurkami?

– Nie udało mi się. Zawiodłem mojego ojca.

– Powiedział ci to czy po prostu wiesz?

Zastanawiał się chwilę, zrobił gest, jakby chciał odgarnąć z czoła włosy, przypomniał sobie, że teraz nosi je krótkie, i opuścił dłonie na kolana.

– Prosiłem o przewodnictwo, ale nie dostałem odpowiedzi. Czuję, że powinienem coś zrobić, ale nie wiem co. I nie wiem jak.

– No, nie przejmuj się tak. Kapłan był chyba zaskoczony. Ja byłem na pewno. I Maggie też. Ludzie będą o tym gadać miesiącami.

– Ale ja chciałem, żeby ta kobieta znów żyła. Chodziła między nami. Zaświadczyła o cudzie.

– Wiesz, jest napisane, że dwa z trzech to całkiem nieźle.

– Gdzie to jest napisane?

– Dalmacjanie, rozdział dziewiąty, wiersz siódmy, o ile pamiętam. To nieważne, przecież nikt nie mógłby zrobić tego, co ty.

Joszua skinął głową.

– Co mówią ludzie?

– Uważają, że to coś, czego kobiety użyły do namaszczania zwłok. Jeszcze przez dwa dni mają się oczyszczać, więc nie da się ich zapytać.

– Czyli nie wiedzą, że to ja?

– Mam nadzieję, że nie. Joszua, czy nie rozumiesz, że nie możesz przy ludziach robić takich rzeczy? Nie są na to gotowi.

– Ale większość chce tego. Przez cały czas opowiadają o Mesjaszu, który przyjdzie nas wybawić. Czy nie powinienem im pokazać, że przyszedłem?

Co można na to powiedzieć? Miał rację; pamiętałem, że zawsze się mówiło o przybyciu Mesjasza, o nadejściu Królestwa Bożego, o wyzwoleniu naszego ludu spod władzy Rzymian. W górach roiło się od różnych frakcji zelotów, którzy walczyli z Rzymianami, w nadziei że doprowadzą do zmiany. Zostaliśmy wybrani przez Boga, błogosławieni i karani jak nikt inny na tej ziemi. Kiedy mówili Żydzi, Bóg słuchał. Teraz nadeszła Jego kolej, by przemówić. A mój najlepszy przyjaciel najwyraźniej miał być Jego rzecznikiem. Ale w tej chwili zwyczajnie w to nie wierzyłem. Mimo tego, co widziałem, Joszua był moim kumplem, nie Mesjaszem.

– Jestem prawie pewny, że Mesjasz powinien nosić brodę – stwierdziłem.

– Czyli to jeszcze nie czas? To chciałeś powiedzieć?

– Słusznie, Josh, przecież bym wiedział, choć ty nie wiesz... Bóg przysłał do mnie posłańca i powiedział: „A przy okazji, przekaż Joszui, żeby zaczekał z wyprowadzaniem mojego ludu z niewoli, dopóki nie zacznie się golić".

– To mogło się zdarzyć.

– Nie mnie pytaj, ale Boga.

– To właśnie robiłem, ale On nie odpowiada.

W oliwnym gaju z każdą chwilą robiło się ciemniej i ledwie już widziałem błysk oczy Joszuy, kiedy nagle wokół nas zapanowała jasność jak w dzień. Unieśliśmy głowy i zobaczyliśmy straszliwego Raziela, który opuszczał się ku nam znad drzew. Oczywiście wtedy nie wiedziałem, że to straszliwy Raziel – byłem zwyczajnie przerażony. Anioł gorzał nad nami jak gwiazda, a rysy miał tak doskonałe, że w porównaniu z nim bladła nawet uroda mojej ukochanej Maggie. Joszua ukrył twarz w dłoniach i skulił się pod oliwkowym drzewem. Myślę, że zjawiska nadprzyrodzone zaskakiwały go bardziej niż mnie. Ja tylko gapiłem się z rozdziawionymi ustami, jak wiejski głupek.

– Nie bójcie się! Oto zwiastuję wam radość wielką, która będzie udziałem całego narodu: dziś w mieście Dawida narodził się wam Zbawiciel, którym jest Mesjasz, Pan.

Anioł zawisł na chwilę nieruchomo, czekając, aż zrozumiemy wiadomość.

Joszua odsłonił twarz i zaryzykował spojrzenie.

– I co? – zapytał anioł.

Przetrawienie znaczenia tych słów zajęło mi sekundę. Czekałem, aż Joszua coś powie, ale on tylko wzniósł twarz ku niebu i zdawało się, że kąpie się w światłości, z głupawym uśmiechem na twarzy.

W końcu wskazałem na Josha kciukiem.

– On się urodził w mieście Dawida – oznajmiłem.

– Naprawdę? – zdziwił się anioł.

– Tak.

– Jego matka ma na imię Maria?

– Tak.

– Jest dziewicą?

– W tej chwili on ma już czwórkę rodzeństwa, ale kiedyś tak.

Anioł rozejrzał się niespokojnie, jakby oczekiwał, że lada chwila pojawią się hufce niebieskie.

– Ile masz lat, chłopczyku?

Joszua patrzył tylko z uśmiechem.

– Dziesięć – odpowiedziałem.

Anioł odchrząknął i przez chwilę kręcił się nerwowo, przy okazji opadając o kilka stóp niżej.

– No to mam poważne kłopoty. Zatrzymałem się po drodze, żeby pogadać chwilę z Michałem, on miał karty... Wiedziałem, że minęło trochę czasu, ale... – Zwrócił się do Joszuy. – Chłopczyku, urodziłeś się w stajence? Owinięty w pieluszki leżałeś w żłobie?

Joszua nie odpowiadał.

– Tak twierdzi jego mama – powiedziałem.

– Czy on jest opóźniony w rozwoju?

– Myślę, że jesteś jego pierwszym aniołem. Chyba zrobiłeś na nim wrażenie.

– A co z tobą?

– Ja będę miał kłopoty, bo spóźnię się godzinę na kolację.

– Rozumiem, co masz na myśli. Lepiej wrócę do siebie i wszystko sprawdzę. A gdybyś spotkał jakichś pasterzy, trzymających straż nocną nad swoją trzodą, powiedz im może... no, powiedz... że w pewnym momencie, prawdopodobnie jakieś, no... dziesięć lat temu, narodził się Zbawiciel. Możesz to dla mnie zrobić?

– Pewnie.

– Oki-doki. Chwała Bogu na wysokościach, a na Ziemi pokój ludziom Jego upodobania.

– I tobie wzajemnie.

– Dzięki. Cześć.

I równie szybko, jak się pojawił, anioł odleciał niczym gwiazda spadająca w górę, a w gaju oliwnym znowu zapadł mrok. Ledwie rozróżniałem twarz Joszuy, kiedy zwrócił ją ku mnie.

– No i sam widzisz – powiedziałem. – Masz jeszcze jakieś pytania?

Przypuszczam, że każdy chłopiec się zastanawia, kim zostanie, kiedy dorośnie. Przypuszczam, że wielu obserwuje, jak ich rówieśnicy dokonują wielkich czynów, i myśli „Czy ja też byłbym do tego zdolny?". Dla mnie fakt, że mój najlepszy przyjaciel jest Mesjaszem, a ja będę żył i umrę jako kamieniarz, był brzemieniem zbyt ciężkim dla dziesięciolatka. Rankiem po spotkaniu z aniołem poszedłem na plac i usiadłem z Bartłomiejem, wioskowym głupkiem. Miałem nadzieję, że Maggie przyjdzie do studni. Jeśli już mam zostać kamieniarzem, to mogę przynajmniej zyskać miłość czarującej kobiety. W owych czasach zaczynaliśmy się uczyć zawodu w wieku dziesięciu lat, w trzynastym roku otrzymywaliśmy szale modlitewne i filakterie, co oznaczało wejście w wiek męski. Wkrótce potem powinniśmy się zaręczyć, a w czternastym roku życia ożenić i założyć rodzinę. Widzicie zatem, że nie byłem wcale za młody, by myśleć o poślubieniu Maggie (a zawsze mógłbym zachować opcję rezerwową ślubu z matką Joszuy, kiedy umrze Józef).

Kobiety przybywały i odchodziły, nabierały wody albo prały ubrania, a kiedy słońce wzniosło się wyżej i rynek opustoszał, Bartłomiej usiadł w cieniu wystrzępionej palmy daktylowej i dłubał w nosie. Maggie się nie pojawiła. Zabawne, jak łatwo pęka serce... Zawsze miałem do tego talent.

– Czemu płaczesz? – zapytał Bartłomiej.

Był większy od wszystkich mężczyzn w wiosce, włosy i brodę nosił długie i splątane, a żółty kurz, jaki pokrywał go od stóp do głowy, nadawał mu wygląd niezwykle głupiego lwa. Tunikę miał poszarpaną i chodził boso. Jedynym jego majątkiem była drewniana misa, z której jadał i wylizywał do czysta. Żył na łasce wioski, a także zbierając ziarno z pól (zawsze na polach pozostawiano trochę ziarna dla ubogich – tak nakazuje Prawo). Nie miałem pojęcia, ile ma lat. Całe dnie spędzał na rynku, bawił się z wiejskimi psami, chichotał albo drapał się w kroczu. Kiedy mijały go kobiety, wystawiał język i mówił „Błe".

Moja matka twierdziła, że ma umysł dziecka. Myliła się jak zwykle.

Położył mi na ramieniu swoją wielką łapę i pogładził, pozostawiając na koszuli żółte kółko sympatii.

– Czemu płaczesz? – zapytał ponownie.

– Jestem smutny. Nie zrozumiesz.

Bartłomiej rozejrzał się, a kiedy był pewien, że jesteśmy na rynku sami – nie licząc jego psich kolegów – powiedział:

– Za dużo myślisz. Myślenie nie da ci nic prócz cierpienia. Żyj w prostocie.

– Co?

To była najbardziej spójna wypowiedź, jaką od niego w życiu słyszałem.

– Widziałeś kiedyś, żebym ja płakał? Nie mam niczego, więc nie jestem niewolnikiem niczego. Nie mam nic do roboty, więc nic nie czyni mnie swym niewolnikiem.

– Co ty możesz wiedzieć? – burknąłem. – Żyjesz w brudzie. Jesteś nieczysty! Nic nie robisz. Ja muszę w przyszłym tygodniu rozpocząć pracę i pracować do końca życia, dopóki nie umrę ze złamanym karkiem. Dziewczyna, której pragnę, kocha mojego najlepszego przyjaciela, a on jest Mesjaszem. Ja jestem nikim, a ty... ty... ty jesteś głupkiem.

– Nie, nie jestem. Jestem Grekiem. Cynikiem.

Odwróciłem się i po raz pierwszy naprawdę na niego spojrzałem. Jego oczy, zwykle mętne jak błoto, błyszczały teraz niby czarne klejnoty na zapylonej pustyni twarzy.

– Co to jest cynik?

– Filozof. Jestem studentem Diogenesa. Słyszałeś o Diogenesie?

– Nie, ale czego mógł cię nauczyć? Twoi jedyni przyjaciele to psy.

– Diogenes w biały dzień chodził z lampką po Atenach, oświetlał przechodniom twarze i mówił, że szuka uczciwego człowieka.

– Czyli był takim prorokiem dla głupków?

– Nie, nie, nie. – Bart chwycił małego teriera i gestykulował nim, akcentując słowa. – Wszyscy oni byli ogłupieni przez własną kulturę. Diogenes nauczał, że wszelkie sztuczności współczesnego życia są fałszem, że człowiek powinien żyć w prostocie, pod gołym niebem, niczego ze sobą nie nosić, nie tworzyć żadnej sztuki, poezji, nie wyznawać religii...

– Jak pies.

– Tak! – Bart zatoczył terierem krąg w powietrzu. – Dokładnie!

Piesek wykrzywił się, jakby chciał zwymiotować po tej karuzeli. Bart postawił go na ziemi, a on odbiegł chwiejnie.

Życie bez zmartwień... W owej chwili brzmiało to wspaniale. To znaczy, pewnie, nie chciałbym żyć w brudzie, uważany przez innych za szaleńca, jak Bartłomiej, ale psie życie naprawdę nie wydawało się takie złe. Przez tyle lat głupek ukrywał głęboką mądrość.

– Próbuję się nauczyć lizać własne genitalia – oznajmił Bart. Może jednak nie...

– Muszę iść szukać Joszuy.

– Wiesz, że on jest Mesjaszem, prawda?

– Czekaj chwilę... Przecież nie jesteś Żydem. Nie wierzysz w żadną religię.

– Psy mi powiedziały, że jest Mesjaszem. Im wierzę. Powiedz Joszui, że im wierzę.

– Psy ci powiedziały?

– To żydowskie psy.

– No tak... Daj mi znać, jak ci idzie z tym lizaniem.

– Szalom.

Kto by pomyślał, że Joszua znajdzie swojego pierwszego apostoła w brudzie, między psami w Nazarecie? Błe.

Joszuę znalazłem w synagodze. Słuchał, jak faryzeusz naucza Prawa. Przeszedłem między siedzącymi na podłodze chłopcami i szepnąłem mu do ucha:

– Bartłomiej mówi, że wie, że jesteś Mesjaszem.

– Ten głupek? A spytałeś go, od kiedy wie?

– Mówi, że wiejskie psy mu powiedziały.

– Nie przyszłoby mi do głowy, żeby pytać psy.

– Mówi, że powinniśmy żyć w prostocie, jak psy, bez niczego i bez sztuczności, cokolwiek to znaczy.

– Bartłomiej tak powiedział? Brzmi jak esseńczyk. Jest o wiele mądrzejszy, niż się zdaje.

– Próbuje się nauczyć lizać własne genitalia.

– Jestem pewien, że w Prawie jest coś, co tego zakazuje. Zapytam rabbiego.

– Nie jestem pewien, czy chciałbyś rozmawiać o tym z faryzeuszem.

– Powiedziałeś swojemu ojcu o aniele?

– Nie.

– To dobrze. Rozmawiałem z Józefem, pozwoli mi uczyć się razem z tobą na kamieniarza. Nie chcę, żeby twój ojciec zmienił zdanie co do mojej nauki. Anioł chybaby go wystraszył. – Joszua po raz pierwszy spojrzał na mnie, odwracając wzrok do faryzeusza, który mówił monotonnie po hebrajsku. – Płakałeś?

– Ja? Nie. To od smrodu Barta oczy zaczęły mi łzawić.

Joszua położył mi dłoń na czole, a cały smutek i niepokój tak jakby spłynęły ze mnie w jednej chwili.

Uśmiechnął się.

– Lepiej?

– Jestem zazdrosny o ciebie i Maggie.

– To może zaszkodzić szyi.

– Co?

– Lizanie własnych genitaliów. Trzeba strasznie wyginać szyję.

– Nie słyszałeś? Jestem zazdrosny o ciebie i Maggie!

– Wciąż jeszcze się uczę, Biff. Pewnych rzeczy jeszcze nie rozumiem. Pan powiedział „Jestem Bogiem zazdrosnym". Czyli zazdrość powinna być czymś dobrym.

– Ale ja źle się z nią czuję.

– Czyli dostrzegasz tę zagadkę? Źle się czujesz z zazdrością, ale Bóg jest zazdrosny, czyli zazdrość musi być dobra. A przecież, kiedy pies liże swoje genitalia, wyraźnie sprawia mu to przyjemność, ale na pewno jest złe wobec Prawa.

Nagle ktoś szarpnięciem za ucho postawił Joszuę na nogi. Faryzeusz przyglądał mu się gniewnie.

– Czy Prawo Mojżesza jest dla ciebie zbyt nudne, Joszuo bar Józef?

– Mam pytanie, rabbi – rzekł Joszua.

– O rany... – Ukryłem głowę w ramionach.

4

J eszcze jeden powód, dla którego nie cierpię tego niebiańskiego śmiecia, z którym dzielę pokój: dzisiaj
odkryłem, że obraziłem naszego dzielnego kelnera
z obsługi hotelowej, Jesusa. Skąd mogłem wiedzieć? Kiedy przyniósł pizzę na kolację, dałem mu jedną z amerykańskich srebrnych monet, jakie dostałem w lotniskowym
sklepie ze słodyczami o nazwie Cinnabon. Spojrzał na mnie
szyderczo – naprawdę – ale potem chyba się opamiętał.

– Señor – powiedział. – Wiem, że jest pan cudzoziemcem, więc nie zdaje pan sobie z tego sprawy, ale to bardzo
obraźliwy napiwek. Lepiej niech pan podpisze kwit obsługi
pokojowej, żebym dostał opłatę wliczaną automatycznie.
Mówię o tym, gdyż był pan bardzo miły i wiem, że nie
chciał mnie pan urazić. Ale inni kelnerzy pluliby panu do
jedzenia, gdyby im pan dał coś takiego.

Spojrzałem gniewnie na anioła, który – jak zwykle – leżał
na łóżku i oglądał telewizję, i po raz pierwszy sobie uświadomiłem, że nie rozumie mowy Jesusa. Nie posiadał daru
języków, który mnie przekazał. Ze mną rozmawiał po aramejsku, znał chyba hebrajski i angielski w dostatecznym
stopniu, żeby wiedzieć, co mówią w telewizji, ale po hiszpańsku nie rozumiał ani słowa. Przeprosiłem Jesusa i ode-
słałem go z obietnicą, że wynagrodzę mu tę pomyłkę. A potem podszedłem do anioła.

– Ty durniu, te monety, te dziesięciocentówki, są w tym
kraju bezwartościowe!

– O co ci chodzi? Wyglądają jak te srebrne dinary, które
wykopaliśmy w Jeruzalem. Są warte fortunę.

57

W pewnym sensie miał rację. Kiedy przywołał mnie z martwych, zaprowadziłem go na cmentarz w dolinie Ben Hiddon, i tam – ukryte za nagrobkiem, gdzie dwa tysiące lat wcześniej umieścił je Judasz – leżały pieniądze za zdradę: trzydzieści srebrnych dinarów. Jeśli nie liczyć lekkiego zmatowienia, wyglądały zupełnie jak tego dnia, kiedy je odebrałem, i były niemal identyczne z monetami, które w tym kraju nazywają dziesięciocentówkami (tyle że na dinarach jest portret Tyberiusza, a na dziesięciocentówkach jakiegoś innego cezara). Zabraliśmy te dinary do handlarza antykami na starym mieście (które wyglądało prawie tak samo jak wtedy, kiedy ostatni raz po nim chodziłem, tyle że nie było Świątyni, a na jej miejscu stanęły dwa wielkie meczety). Kupiec dał nam za nie dwadzieścia tysięcy dolarów w amerykańskiej walucie. Za te pieniądze odbyliśmy podróż i zdeponowaliśmy je w hotelowej recepcji na pokrycie naszych wydatków. Anioł powiedział mi, że dziesięciocentówki muszą być warte tyle, co dinary, a ja mu uwierzyłem jak idiota.

– Mogłeś mnie uprzedzić – powiedziałem aniołowi. – Gdybym mógł wyjść z tego pokoju, sam bym to odkrył.

– Masz pracę do wykonania – odparł. A potem zerwał się z łóżka i wrzasnął do telewizora: – Oby gniew boży cię poraził, Stephanos!

– Na kogo tak krzyczysz?

Anioł wskazał palcem ekran.

– On zamienił dziecko Catherine na złego bliźniaka, którego spłodził z jej siostrą, kiedy leżała w śpiączce, ale Catherine nie zdaje sobie sprawy z tego niecnego uczynku, bo zmienił sobie twarz, aby udawać dyrektora banku i utrudniać interesy męża Catherine. Gdybym nie musiał tu tkwić, osobiście zawlókłbym tego potwora wprost do piekła.

Od wielu dni anioł oglądał różne seriale, na przemian krzycząc na telewizor albo zalewając się łzami. Przestał mi czytać przez ramię, więc starałem się po prostu nie zwracać na niego uwagi, ale teraz zrozumiałem, co się dzieje.

– To nie jest prawda, Razielu.

– Co masz na myśli?

– To sztuka, taka, jakie wystawiali Grecy. Aktorzy odgrywają swoje role.

– Nie, nikt nie mógłby udawać takiego potwora.

– To nie wszystko. Spiderman i dr Octopus? Nie są prawdziwi. Postaci w sztuce.

– Ty kłamliwy psie!

– Gdybyś kiedyś wyszedł z tego pokoju i popatrzył, jak się zachowują prawdziwi ludzie, od razu byś wiedział, ty blond-kretynie. Ale nie, ty tylko tkwisz mi na ramieniu jak tresowany ptak. Nie żyję od dwóch tysięcy lat, ale i tak wiem więcej od ciebie!

(Nadal musiałem jakoś zajrzeć do tej książki w szufladzie. Pomyślałem, że może uda mi się sprowokować anioła i zostawi mnie na pięć minut samego).

– Nic nie wiesz – oświadczył Raziel. – W swoim czasie niszczyłem całe miasta.

– Tak jakoś nie mam pewności, czy zniszczyłeś te właściwe. To by było kłopotliwe, co?

Wtedy na ekranie ukazała się reklama magazynu, który „wyjaśni wszelkie niejasności" i zdradzi tajemnice fabuły wszystkich seriali: *Panorama seriali*. Widziałem, jak anioł szeroko otwiera oczy. Chwycił telefon i zadzwonił do recepcji.

– Co ty robisz?

– Muszę mieć tę księgę.

– Niech przyślą tu Jesusa – poradziłem. – On ci pomoże ją zdobyć.

Pierwszego dnia pracy Joszua i ja wstaliśmy przed świtem. Spotkaliśmy się niedaleko studni, gdzie napełniliśmy bukłaki, jakie dali nam nasi ojcowie. Śniadanie – macę i ser – zjedliśmy, maszerując do Seforis. Droga, choć w większej części była tylko pasem ubitej ziemi, wydawała się gładka i łatwo się po niej szło. (Jeśli Rzym dbał o cokolwiek na swych terytoriach, to właśnie o arterie swej armii). Idąc, patrzyliśmy, jak zasypane głazami wzgórza różowieją w blasku wschodzącego słońca. Zauważyłem, że Joszua zadrżał, jakby zimny wiatr objął mu plecy.

– Chwała Boża jest we wszystkim, co widzimy – powiedział. – Nie wolno nam o tym zapominać.

– Właśnie wdepnąłem w wielbłądzią kupę. Jutro lepiej wyruszyć, kiedy już będzie widno.

– Właśnie zrozumiałem, dlaczego ta stara kobieta nie ożyła znowu. Zapomniałem, że to nie moja moc kazała jej powstać, ale moc Pana. Ożywiłem ją z niewłaściwych przyczyn, z arogancji, i dlatego umarła jeszcze raz.

– Upaprała mi sandał... Teraz będzie śmierdział przez cały dzień.

– Ale może to dlatego, że jej nie dotknąłem. Kiedy przywracałem do życia inne stworzenia, zawsze ich dotykałem.

– Czy w Prawie nie ma czegoś na temat sprowadzania wielbłąda z drogi, żeby załatwił swoje sprawy? Powinno być. Jeśli nie w Prawie Mojżeszowym, to przynajmniej Rzymianie powinni nakazać coś takiego. Wiesz, nie wahają się przed ukrzyżowaniem Żyda, który się buntuje, więc powinni wyznaczyć jakąś karę za paskudzenie na ich drogach. Nie sądzisz? Nie mówię o ukrzyżowaniu, ale jakiś porządny cios w szczękę albo co...

– Ale jak mógłbym dotknąć ciała, skoro jest to zakazane przez Prawo? Żałobnicy by mnie zatrzymali.

– Możemy stanąć na chwilę, żebym mógł zeskrobać to łajno z sandała? Pomóż mi znaleźć jakiś patyk. Ta kupa była wielka jak moja głowa.

– Nie słuchasz mnie, Biff.

– Słucham. Wiesz, Joszua, nie wydaje mi się, żeby Prawo cię obowiązywało. Jesteś Mesjaszem. Bóg powinien ci mówić, co masz robić, zgadza się?

– Pytam, ale nie dostaję odpowiedzi.

– Całkiem dobrze sobie radzisz. Może ta kobieta nie ożyła ponownie, bo była uparta? Starzy ludzie bywają tacy. Mojego dziadka musieliśmy polewać wodą, żeby zbudził się z drzemki. Następnym razem spróbuj z kimś młodszym.

– A jeśli naprawdę nie jestem Mesjaszem?

– Chcesz powiedzieć, że nie jesteś pewien? Anioł cię nie przekonał? Myślisz, że Bóg sobie z ciebie zażartował? Nie wydaje mi się. Nie znam Tory tak dobrze jak ty, Joszua, ale nie przypominam sobie, żeby Bóg miał poczucie humoru.

Wreszcie uśmiech.

– Dał mi ciebie jako najlepszego przyjaciela, prawda?

– Pomóż mi znaleźć jakiś patyk.

– Myślisz, że będę dobrym kamieniarzem?

– Bylebyś tylko nie był lepszym ode mnie. O nic więcej nie proszę.

– Śmierdzisz.

– A o czym mówię bez przerwy?

– Naprawdę myślisz, że Maggie mnie lubi?

– Czy każdego ranka będziesz tak gadał? Bo jeśli tak, możesz chodzić do pracy sam.

Brama Seforis była niczym lej człowieczeństwa. Farmerzy wylewali się z niej, zdążając na swe pola i zagony, rzemieślnicy i budowniczowie tłoczyli się do wnętrza, kupcy zachwalali swoje towary, a żebracy jęczeli obok drogi. Joszua i ja zatrzymaliśmy się przed bramą, żeby to podziwiać, i o mało co nie rozdeptał nas człowiek prowadzący karawanę osłów niosących kosze pełne kamieni.

Nie chodzi o to, że nigdy wcześniej nie widzieliśmy miasta. Jeruzalem było pięćdziesiąt razy większe niż Seforis, a wędrowaliśmy tam już wiele razy z okazji świąt, ale Jeruzalem to miasto żydowskie – główne żydowskie miasto. Seforis za to było ufortyfikowanym rzymskim miastem w Galilei, a kiedy tylko zobaczyliśmy u bramy posąg Wenus, od razu zrozumieliśmy, że to wielka różnica.

Szturchnąłem Joszuę.

– Rzeźbiony wizerunek.

Nigdy wcześniej nie widziałem przedstawionej ludzkiej postaci.

– Grzeszny – stwierdził Joszua.

– Ona jest naga.

– Nie patrz.

– Kompletnie goła.

– To zakazane. Powinniśmy stąd odejść i poszukać twojego ojca.

Chwycił mnie za rękaw i pociągnął za bramę miasta.

– Jak mogą na to pozwolić? – zdziwiłem się. – Myślałem, że nasi ludzie rozbiją go na kawałki.

– Zrobili to. Oddział zelotów. Józef mi mówił. Rzymianie wyłapali ich i ukrzyżowali wzdłuż tej drogi.

– Nie powiedziałeś mi o tym.

– Józef prosił, żeby nikomu nie powtarzać.

– Można obejrzeć jej piersi.

– Nie myśl o nich.

– Jak mogę nie myśleć? Nigdy jeszcze nie widziałem piersi bez przyczepionego niemowlaka. Są bardziej... bardziej przyjazne parami, tak jak te.

– Którędy mamy dojść do tego miejsca, gdzie będziemy pracować?

– Ojciec mówił, żeby przejść do zachodniego krańca miasta i tam zobaczymy, gdzie trwa budowa.

– No to chodźmy.

Wciąż mnie ciągnął. Szedł ze spuszczoną głową, tupiąc przy tym jak gniewny muł.

– Myślisz, że piersi Maggie też tak wyglądają?

Mój ojciec dostał zlecenie na budowę domu dla bogatego Greka w zachodniej części miasta. Kiedy Joszua i ja tam dotarliśmy, ojciec już był i kierował niewolnikami, którzy dźwigali wycięty kamień na właściwe miejsce w murze. Chyba spodziewałem się czegoś innego. Chyba mnie zaskoczyło, że ktokolwiek, nawet niewolnik, wykonuje polecenia ojca. Niewolnikami byli Nubijczycy, Egipcjanie, Fenicjanie, przestępcy, dłużnicy, jeńcy wojenni, pechowo urodzeni; żylaści i brudni, często nie mieli na sobie niczego oprócz sandałów i przepaski biodrowej. W innym życiu mogliby dowodzić armiami albo mieszkać w pałacach, ale teraz pocili się mimo porannego chłodu, dźwigając kamienie dość ciężkie, by przełamały grzbiet osła.

– Czy to twoi niewolnicy, Alfeuszu? – zapytał mojego ojca Joszua.

– A czy jestem człowiekiem bogatym, Joszuo? Nie, ci niewolnicy należą do Rzymian. Grek, który buduje ten dom, wynajął ich do pracy.

– A dlaczego robią, co im każesz? Jest ich wielu, a ty tylko jeden.

Ojciec zwiesił głowę.

– Mam nadzieję, że nigdy nie zobaczysz, co robią z ludzkim ciałem ołowiane końce rzymskiego bata. Wszyscy ci ludzie widzieli i sam ten widok złamał w nich ducha. Co noc modlę się za nich.

– Nienawidzę Rzymian – oświadczyłem.

– Naprawdę, mój mały? Naprawdę? – rozległ się za mną męski głos.

– Witaj, centurionie. – Ojciec szeroko otworzył oczy.

Joszua i ja odwróciliśmy się. Przy niewolnikach stał Gajus Justus Gallicus, centurion z pogrzebu w Jafii.

– Zdaje się, Alfeuszu, że wychowujesz młodych zelotów.

Ojciec położył dłonie na naszych ramionach.

– To mój syn Lewi i jego przyjaciel Joszua. Dzisiaj zaczynają swoją naukę. To tylko chłopcy – powiedział tonem przeprosin.

Justus podszedł, zmierzył mnie wzrokiem, a potem długo przyglądał się Joszui.

– Znam cię, chłopcze. Już cię gdzieś wdziałem.

– Na pogrzebie w Jafii – podpowiedziałem szybko.

Nie mogłem oderwać spojrzenia od miecza o talii osy, wiszącego u pasa centuriona.

– Nie... – Rzymianin szukał w pamięci. – Nie Jafia. Widziałem tę twarz na obrazku.

– To niemożliwe – stwierdził mój ojciec. – Wiara zabrania nam przedstawiania ludzkich wizerunków.

Justus popatrzył na niego gniewnie.

– Nie są mi obce prymitywne wierzenia twego ludu, Alfeuszu. Mimo to chłopak wydaje się znajomy.

Joszua spoglądał na centuriona z wyrazem całkowitej obojętności.

– Żal ci tych niewolników, mój chłopcze? Uwolniłbyś ich, gdybyś mógł?

Joszua przytaknął.

– Uwolniłbym. Duch człowieka powinien należeć tylko do niego, by mógł go ofiarować Bogu.

– A wiesz, jakieś osiemdziesiąt lat temu był taki niewolnik, który mówił całkiem jak ty. Ruszył z armią niewolników przeciwko nam, pobił dwa nasze korpusy, zajął wszystkie terytoria na południe od Rzymu. To historia, jaką musi poznać każdy rzymski żołnierz.

– Dlaczego? Co się potem stało? – spytałem.

– Ukrzyżowaliśmy go – odparł Justus. – Przy drodze, a jego ciało zostało pożarte przez kruki. To lekcja, której uczymy się wszyscy: nic nie może stanąć przeciwko Rzymowi. Lekcja, którą i ty musisz opanować, chłopcze, obok swego kamieniarstwa.

Zbliżył się inny rzymski żołnierz, legionista, bez peleryny ani pióropusza centuriona. Powiedział coś do Justusa po łacinie, zauważył Joszuę i urwał.

– Zaraz – odezwał się łamanym aramejskim. – Czy ja nie widziałem kiedyś tego chłopaka na chlebie?

– To nie był on – zapewniłem.

– Naprawdę? Bo wygląda całkiem jak on.

– Nie, na chlebie był jakiś inny dzieciak.

– To byłem ja – odezwał się Joszua.

Trzepnąłem go w czoło i powaliłem na ziemię.

– Nie, to nie on. Jest szalony. Przepraszam.

Żołnierz pokręcił głową i odszedł razem z Justusem.

Wyciągnąłem rękę, by pomóc Joszui wstać.

– Będziesz musiał nauczyć się kłamać.

– Tak? Ale czuję, że jestem tu, by mówić prawdę.

– Pewno, oczywiście. Tyle że jeszcze nie teraz.

Nie wiem właściwie, czego się spodziewałem po pracy kamieniarza. Wiem jednak, że nie minął tydzień, a Joszua zaczął żałować, że nie chciał zostać cieślą. Wycinanie wielkich kamieni małymi żelaznymi dłutami to bardzo ciężka praca. Kto mógł to przewidzieć?

– Rozejrzyj się, widzisz tu dużo drzew? – drwił Joszua. – Kamienie, Josh, kamienie.

– To takie trudne, bo nie wiemy, co robimy. Potem będzie łatwiej.

Joszua spojrzał na mojego ojca, który – nagi do pasa – wyrównywał dłutem kamień wielkości osła. Tuzin niewolników czekał, by wciągnąć go na miejsce. Ojca pokrywał szary pył, a strumyki potu rysowały czarne linie między węzłami mięśni na grzbiecie i ramionach.

– Alfeuszu! – zawołał Joszua. – Czy praca jest łatwiejsza, kiedy człowiek już wie, co robi?

– Płuca stają się ciężkie od kamiennego pyłu, oczy zachodzą mgłą od słońca i odłamków wyrzucanych spod dłuta. Własną krwią spajasz kamienie w budowlach dla Rzymian, a oni odbierają ci pieniądze w podatkach na wyżywienie żołnierzy, którzy przybijają twoich rodaków do krzyży za to, że chcą być wolni.

Grzbiet ci pęka, kości trzeszczą, żona na ciebie krzyczy, a dzieci dręczą cię swymi rozwartymi błagalnie buziami, niczym łakome pisklęta w gnieździe. Co wieczór kładziesz się do łoża tak zmęczony i rozbity, że modlisz się do Pana, by przysłał anioła śmierci i zabrał cię we śnie, byś nie musiał już oglądać następnego ranka. Ale są też złe strony.

– Dzięki – rzucił Joszua.

Spojrzał na mnie, unosząc brew.

– Ja na przykład jestem bardzo podniecony – oświadczyłem. – I gotów połupać trochę kamieni. Cofnij się, Josh, moje dłuto płonie... Życie rozciąga się przed nami jak wielki bazar i nie mogę się doczekać, by skosztować słodyczy, jakie można tam znaleźć.

Josh przechylił głowę jak zdumiony pies.

– Jakoś nie słyszałem tego w odpowiedzi twojego ojca.

– To sarkazm, Josh.

– Sarkazm?

– Z greckiego *sarkasmos*. Przygryzać wargi. To znaczy, że nie mówisz tego, co naprawdę myślisz, ale ludzie rozumieją, o co ci chodzi. Ja go wynalazłem, a Bartłomiej wymyślił nazwę.

– No tak, jeśli wiejski głupek podał nazwę, to musi być coś dobrego.

– No widzisz, złapałeś.

– Co złapałem?

– Sarkazm.

– Nie, naprawdę tak myślę.

– Jasne, myślisz.

– Czy to sarkazm?

– Nie, chyba ironia.

– Jaka jest różnica?

– Nie mam pojęcia.

– Czyli teraz jesteś ironiczny, tak?

– Nie, naprawdę nie wiem.

– Może powinieneś zapytać głupka.

– Teraz trafiłeś.

– W co?

– W sarkazm.

– Biff, jesteś pewien, że nie przysłał cię tu diabeł, żebyś mnie drażnił?

– Możliwe. A jak sobie dotąd radzę? Jesteś rozdrażniony?

– Tak. I ręce mnie bolą od ściskania dłuta i młotka.

Uderzył drewnianym młotkiem w dłuto i zasypał nas obu odłamkami kamienia.

– Może Bóg mnie przysłał, żebym cię namówił na naukę kamieniarstwa, bo wtedy szybciej będziesz chciał zostać Mesjaszem?

Znowu uderzył w dłuto, a potem pluł i parskał sypiącymi się odłamkami.

– Nie wiem, jak być Mesjaszem.

– Co z tego? Tydzień temu nie wiedzieliśmy, jak być kamieniarzami, a teraz spójrz tylko na nas. Jest łatwiej, kiedy już wiesz, co robisz.

– Znowu jesteś ironiczny?

– Boże, mam nadzieję, że nie.

Minęły dwa miesiące, zanim w końcu zobaczyliśmy Greka, który wynajął mojego ojca do budowy domu. Był niskim, trochę zniewieściałym człowieczkiem w szacie tak białej, jak noszone przez kapłanów lewitów, z obramowaniem w kształcie splatających się kwadratów, wyhaftowanym złotem nad skrajem. Przybył parą rydwanów, a za nim biegło dwóch pieszych niewolników i pół tuzina gwardzistów, którzy wyglądali na Fenicjan. Mówię: parą rydwanów, ponieważ on i woźnica przyjechali pierwszym, a za sobą ciągnęli drugi, w którym stał dziesięciostopowy posąg mężczyzny. Grek wysiadł ze swojego rydwanu i ruszył wprost do mojego ojca. Joszua i ja mieszaliśmy właśnie zaprawę, ale wyprostowaliśmy się, żeby popatrzeć.

– Rzeźbiony wizerunek – stwierdził Joszua.

– Zauważyłem. I jeśli chodzi o rzeźbione wizerunki, bardziej mi się podoba Wenus przy bramie.

– Ten posąg nie jest żydowski – uznał Joszua.

– Stanowczo nie.

Męskość posągu, choć pokaźna, nie była obrzezana.

– Alfeuszu! – zawołał Grek. – Dlaczego nie ułożyłeś jeszcze podłogi gimnazjum? Przywiozłem ten posąg, żeby go tutaj ustawić, a zastaję dziurę w ziemi zamiast gimnazjum.

– Mówiłem ci, grunt tutaj nie jest odpowiedni do budowy. Nie mogę budować na piasku. Kazałem niewolnikom odkopywać ten piasek, aż dotarli do skały. Teraz trzeba zasypać wykop kamieniem i ubić.

– Ale ja chcę ustawić mój posąg – jęczał Grek. – Przybył tu aż z Aten.

– Wolisz, żeby dom zawalił ci się wokół tego cennego posągu?

– Nie mów do mnie tym tonem, Żydzie. Dobrze ci płacę za zbudowanie tego domu.

– A ja dobrze ten dom buduję, a to znaczy, że nie na piasku. Więc postaw gdzieś ten posąg i pozwól mi pracować.

– No trudno, wyładujcie go! Wy, niewolnicy, pomóżcie wyładować mój posąg. – Grek mówił do Joszuy i do mnie. – Wy wszyscy, pomóżcie wyładować mój posąg.

Wskazał niewolników, którzy od chwili jego przybycia udawali, że pracują, ale nie byli pewni, czy leży w ich interesie zbyt wyraźne zaangażowanie w projekt, z którego ich pan wydawał się niezadowolony. Teraz wszyscy unieśli głowy, robiąc zdumione miny, mówiące: „Kto, ja?". Zauważyłem, że wygląda to tak samo w dowolnym języku.

Po chwili podeszli do rydwanu i zaczęli odwiązywać powrozy utrzymujące posąg w pionie. Grek spojrzał na nas.

– Ogłuchliście, niewolnicy? Pomóżcie im!

Podbiegł z powrotem do rydwanu i wyrwał bat z ręki woźnicy.

– Nie są niewolnikami – oświadczył mój ojciec. – To moi uczniowie.

Grek zwrócił się ku niemu.

– A mnie to ma obchodzić? Ruszać się, chłopcy! Ale już!

– Nie – powiedział Joszua.

Myślałem, że Grek eksploduje. Uniósł bat, jakby do uderzenia.

– Coś ty powiedział?

– Powiedział, że nie. – Stanąłem u boku przyjaciela.

– Mój lud wierzy, że rzeźbione wizerunki, posągi, są grzeszne – wyjaśnił mój ojciec. Ton wskazywał, że jest na granicy paniki. – Chłopcy są tylko wierni naszemu Bogu.

– No więc to jest posąg Apolla, prawdziwego boga, a oni pomogą go wyładować, tak samo jak ty, albo poszukam innego kamieniarza, żeby budował mi dom.

– Nie – powtórzył Joszua. – Nie pomożemy.

– Właśnie, ty ropiejący dzbanie wielbłądzich smarków – dodałem.

Joszua spojrzał na mnie z niesmakiem.

– Rany, Biff...

– Za ostro?

Grek zaskrzeczał i zamachnął się batem. Ostatnim, co zobaczyłem, nim zasłoniłem twarz, był skaczący do niego mój ojciec. Mogłem oberwać za Joszuę, ale nie chciałem stracić oka. Przygotowałem się więc na uderzenie, które nie nastąpiło. Usłyszałem głuchy łomot, potem brzęk, a kiedy odsłoniłem twarz, Grek leżał na plecach na ziemi, białą szatę miał pokrytą kurzem, a twarz czerwoną ze złości. Bat leżał za nim, a na czubku spoczywał pancerny, podkuty but Gajusa Justusa Gallicusa, centuriona. Grek przetoczył się po ziemi, gotów wylać swą żółć na tego, kto powstrzymał jego rękę, ale kiedy zobaczył, kto to taki, sflaczał nagle i udał, że kaszle.

Jeden z jego gwardzistów chciał wystąpić naprzód, ale Justus wystawił w jego stronę palec.

– Cofniesz się czy wolisz poczuć na karku stopę Rzymskiego Imperium?

Gwardzista szybko odstąpił i stanął w szeregu z towarzyszami.

Rzymianin uśmiechał się jak muł gryzący jabłko. Wcale nie dbał o to, czy Grek zachowa twarz.

– No więc jak, Castorze? Mam rozumieć, że chcesz zatrudnić więcej rzymskich niewolników do budowy domu? A może to prawda, co słyszałem o Grekach, że chłostanie młodych chłopców to dla was rozrywka, a nie działanie dyscyplinujące?

Grek wypluł z ust kurz i podniósł się na nogi.

– Niewolnicy, których już mam, wystarczą do moich zadań. Prawda, Alfeuszu?

Odwrócił się do mojego ojca i spojrzał błagalnie.

Ojciec sprawiał wrażenie, jakby stanął między jednym a drugim złem i nie potrafił się zdecydować, które z nich jest mniejsze.

– Prawdopodobnie – uznał w końcu.

– Bardzo dobrze – rzekł Justus. – Będę oczekiwał specjalnej opłaty za dodatkowe zadania, jakie wykonują. Wracajcie do pracy.

Justus przeszedł przez plac budowy, zachowując się tak, jakby wszystkie oczy nie były na niego skierowane, albo jakby całkiem o to nie dbał. Przystanął, kiedy mijał Joszuę i mnie.

– Ropiejący dzban wielbłądzich smarków? – mruknął.

– Stare żydowskie błogosławieństwo... – spróbowałem.

– Wy dwaj powinniście siedzieć w górach, z innymi żydowskimi buntownikami. – Rzymianin roześmiał się, zwichrzył nam włosy i odszedł.

Zachód słońca zabarwiał zbocza wzgórz na różowo, kiedy tego wieczoru wracaliśmy drogą do Nazaretu. Poza tym, że był prawie całkiem wycieńczony po pracy, Joszua wydawał się też rozdrażniony wydarzeniami tego dnia.

– Wiedziałeś o tym? – zapytał. – Że nie można budować na piasku?

– Oczywiście, mój ojciec opowiadał o tym od dawna. Możesz budować na piasku, ale to, co zbudujesz, się zawali.

Joszua kiwał w zamyśleniu głową.

– A ziemia? Da się na niej budować?

– Najlepsza jest skała, ale myślę, że twarda ziemia też może być.

– Muszę to zapamiętać.

Rzadko widywaliśmy Maggie w czasie, kiedy już zaczęliśmy pracę u ojca. Odkryłem, że nie mogę się doczekać szabatu. Szliśmy wtedy do synagogi; kręciłem się na zewnątrz, między kobietami, gdy mężczyźni w środku słuchali Tory albo dyskusji faryzeuszy. Była to jedna z nielicznych okazji, kiedy mogłem porozmawiać z Maggie bez Joszuy. Choć bowiem już wtedy nie lubił faryzeuszy, wiedział, że może się od nich uczyć, więc spędzał szabat, słuchając ich nauk. Wciąż się zastanawiam, czy ten wykradziony czas z Maggie nie był dowodem nielojalności wobec Joszuy. Później, kiedy go o to spytałem, powiedział:

– Bóg jest skłonny wybaczyć ci grzech, który nosisz, będąc dzieckiem człowieczym. Ale musisz sam sobie wybaczyć to, że kiedyś byłeś dzieckiem.

– Chyba masz rację.

– Oczywiście, że mam rację. Jestem Synem Bożym, ty ośle. Poza tym Maggie i tak zawsze chciała rozmawiać o mnie, zgadza się?

– Nie zawsze – skłamałem.

W szabat przed zabójstwem spotkałem Maggie przed synagogą. Siedziała samotnie pod daktylową palmą. Podszedłem do niej, żeby porozmawiać, ale patrzyłem na własne stopy. Wiedziałem, że jeśli spojrzę jej w oczy, zapomnę, o czym mówiłem. Dlatego przyglądałem się jej w krótkich dawkach, tak jak człowiek może zerkać na słońce w upalny dzień, żeby sobie potwierdzić, że to ono jest źródłem ciepła.

– Gdzie Joszua?

Oczywiście tak właśnie brzmiały pierwsze słowa, jakie padły z jej ust.

– Studiuje razem z mężczyznami.

Przez chwilę wydawała się rozczarowana, ale zaraz odzyskała humor.

– Jak tam wasza praca?

– Ciężka. Wolałem zabawę.

– A jakie jest Seforis? Podobne do Jeruzalem?

– Nie, mniejsze. Ale jest tam wielu Rzymian. – Rzymian już widziała. Potrzebowałem czegoś, co jej zaimponuje. – I są rzeźbione wizerunki, posągi ludzi.

Maggie zakryła dłonią usta, żeby stłumić chichot.

– Naprawdę posągi? Chciałabym je zobaczyć.

– Więc wybierz się z nami. Wyruszamy jutro bardzo wcześnie, zanim ktokolwiek się obudzi.

– Nie mogę. Co bym powiedziała matce?

– Powiedz, że idziesz do Seforis z Mesjaszem i jego kumplem.

Otworzyła szeroko oczy, a ja szybko odwróciłem wzrok, by mnie nie zaczarowały.

– Nie powinieneś mówić takich rzeczy, Biff.

– Widziałem anioła.

– Sam uprzedzałeś, że nie powinniśmy o tym opowiadać.

– Żartowałem tylko. Powiedz matce, że powiedziałem ci o gnieździe pszczół, które znalazłem, i że chcesz wybrać trochę miodu, dopóki pszczoły są jeszcze senne w porannym chłodzie. Jest pełnia, więc będziesz wszystko widziała. Może akurat ci uwierzy.

– Może. Ale odkryje, że kłamałam, kiedy nie przyniosę do domu żadnego miodu.

– Powiesz jej, że to było gniazdo szerszeni. I tak przecież uważa Joszuę i mnie za głupich, prawda?

– Myśli, że Joszua ma coś nie tak z głową, ale ty... Tak. Myśli, że jesteś głupi.

— Widzisz, mój plan już działa. Czyż nie jest bowiem napisane, że „kiedy człowiek mądry udaje głupca, jego porażki nie rozczarowują, a jego sukcesy są miłą niespodzianką"?

Maggie klepnęła mnie w nogę.

— To nie jest napisane.

— Oczywiście, że jest. Imbecyle, rozdział trzeci, wers siódmy.

— Nie ma żadnej Księgi Imbecyli.

— Harówka pięć-cztery?

— Wymyślasz to sobie.

— Chodź z nami, możesz wrócić do Nazaretu, zanim trzeba będzie rankiem iść po wodę.

— Czemu tak wcześnie? Co wy dwaj planujecie?

— Chcemy obrzezać Apolla.

Nic nie powiedziała. Patrzyła tylko na mnie, jakby widziała słowo „Kłamca", wypisane ognistymi literami na mojej twarzy.

— To nie mój pomysł — zaznaczyłem. — To Joszuy.

— No to pójdę — postanowiła.

5

No więc udało się. Wreszcie skłoniłem anioła, żeby wyszedł z pokoju. A było tak:

Raziel zadzwonił do recepcji i poprosił, żeby przysłali Jesusa. Kilka minut później nasz latynoski kolega stał na baczność u stóp anielskiego łóżka.

– Powiedz mu – rzekł Raziel – że potrzebna mi *Panorama seriali*.

– Dzień dobry, Jesus – powiedziałem po hiszpańsku. – Jak się dzisiaj czujesz?

– Całkiem dobrze, proszę pana. A pan?

– Tak dobrze, jak można by oczekiwać, biorąc pod uwagę, że jestem więźniem tego człowieka.

– Powiedz mu, żeby się pospieszył – dodał Raziel.

– On nie zna hiszpańskiego? – upewnił się Jesus.

– Ani słowa, ale nie zacznij mówić po hebrajsku, bo będzie po mnie.

– Naprawdę jest pan więźniem? Zastanawiałem się, dlaczego nigdy nie wychodzicie z pokoju. Mam wezwać policję?

– Nie, to nie będzie konieczne. Ale proszę cię, potrząśnij głową i zrób przepraszającą minę.

– Czemu to tak długo trwa? – irytował się Raziel. – Daj mu pieniądze i niech już idzie.

– Mówi, że nie wolno mu kupować dla ciebie żadnych publikacji, ale może cię skierować do miejsca, gdzie sam je sobie kupisz.

– To śmieszne! Przecież jest sługą, tak? Ma robić, co mu każę.

– Och, Jesus, on właśnie zapytał, czy chciałbyś poczuć moc jego męskiej nagości.

– Oszalał? Mam żonę i dwójkę dzieci.

– To smutne, ale tak. Okaż mu proszę, jak bardzo cię obraził. Napluj na niego i wybiegnij z pokoju.

– No, nie wiem, proszę pana. Opluć gościa...

Wręczyłem mu garść banknotów, o których mówił mi, że są odpowiednim dowodem wdzięczności.

– Proszę. Dobrze mu to zrobi.

– Jak pan chce, panie Biff.

Charknął imponująco i splunął na przód szaty anioła. Flegma rozprysnęła się i spłynęła w dół.

Raziel poderwał się na nogi.

– Doskonale, Jesus. Teraz przeklinaj.

– Ty fiucie połamany!

– Po hiszpańsku.

– Przepraszam, chciałem się popisać angielskim. Znam bardzo dużo przekleństw po angielsku.

– Świetnie. Ale proszę po hiszpańsku.

– *Pendejo!*

– Rewelacja. A teraz wyjdź wściekły.

Jesus odwrócił się na pięcie i wyszedł, trzaskając mocno drzwiami.

– Opluł mnie – wykrztusił Raziel, jakby nie mógł uwierzyć. – Jestem aniołem Pana, a on mnie opluł...

– Tak, bo go obraziłeś.

– Nazwał mnie połamanym fiutem! Słyszałem!

– W jego kulturze afrontem jest prosić innego mężczyznę, żeby kupował dla kogoś *Panoramę seriali*. Będziemy mieli szczęście, jeśli jeszcze kiedyś przyniesie nam pizzę.

– Ale ja chcę *Panoramę seriali*.

– Powiedział, że możesz sam sobie kupić, kawałek stąd, na tej samej ulicy. Chętnie pójdę po ten magazyn.

– Nie tak szybko, apostole. Żadnych takich sztuczek. Sam to załatwię, a ty zostań tutaj.

– Będą ci potrzebne pieniądze. – Wręczyłem mu kilka banknotów.

– Jeśli wyjdziesz z pokoju, dowiem się o tym natychmiast. Rozumiesz?

– Absolutnie.

– Nie zdołasz się przede mną ukryć.

– Nawet o tym nie myślę. A teraz spiesz się.

Szurając nogami, sunął bokiem do drzwi.

– Nie próbuj nawet się zamykać. Zabieram klucz. Nie dlatego że go potrzebuję albo co, jako Anioł Pański.

– I jeszcze połamany fiut na dodatek.

– Nie wiem nawet, co to znaczy...

– Idź, idź, idź. – Wypchnąłem go za drzwi. – Z Bogiem, Razielu.

– Pracuj nad Ewangelią, dopóki nie wrócę.

– Jasne.

Zatrzasnąłem mu drzwi przed nosem i zasunąłem zasuwkę. Raziel obejrzał już setki godzin amerykańskich programów. Mógłby zauważyć, że ludzie tu noszą buty, kiedy wychodzą na zewnątrz.

Książka jest tym, czym przypuszczałem – Biblią, ale napisaną kwiecistą wersją tego angielskiego, którym i ja się posługuję. Tłumaczenie Tory i proroków z hebrajskiego jest miejscami dość mętne, ale pierwsza cześć wydaje się naszą Biblią. Ten język jest zadziwiający – ma tyle słów. Za moich czasów mieliśmy niewiele słów, może koło setki, używanych przez cały czas, a trzydzieści z nich było synonimami winy. W tym języku można przeklinać przez godzinę i nie użyć dwukrotnie tego samego słowa. Całe stada, grupy, ławice słów... Dlatego tego właśnie języka mam używać, żeby opowiedzieć historię Joszuy.

Ukryłem książkę w łazience, żebym mógł się wymykać i zaglądać do niej, kiedy anioł będzie w pokoju. Nie miałem czasu, żeby przeczytać dokładniej tę jej część, którą nazywają Nowym Testamentem, ale to oczywiste, że opowiada o życiu Joszuy. A przynajmniej jego części.

Przestudiuję ją później, a teraz powinienem wrócić do prawdziwej historii.

Przypuszczam, że nim zaprosiłem Maggie, by się do nas przyłączyła, powinienem się zastanowić nad naturą tego, co chcieliśmy uczynić. Chodzi o to, że jest znacząca różnica między obrzezaniem ośmiodniowego chłopczyka – co widywała już wcześniej – a tą samą operacją przeprowadzoną na dziesięciostopowym posągu greckiego boga.

– Wielkie nieba, to rzeczywiście... ehm... imponujące – stwierdziła, patrząc na marmurowy członek.

– Rzeźbiony wizerunek – mruknął Joszua.

Nawet w świetle księżyca widziałem, jak się zarumienił.

– Załatwmy to.

Wyjąłem z sakwy małe żelazne dłuto. Joszua owinął skórą obuch swojego młotka, by stłumić dźwięk. Wokół nas spało Seforis; ciszę zakłócało tylko czasem beczenie owcy. Wieczorne ogniska domowe już dawno zmieniły się w dogasający żar, opadł obłok kurzu, za dnia okrywający całe miasto, a powietrze było chłodne i czyste. Od czasu do czasu wyczuwałem od Maggie woń drzewa sandałowego i gubiłem myśl. Zabawne są rzeczy, które się pamięta.

Znaleźliśmy cebrzyk i ułożyliśmy go dnem do góry, żeby Joszua miał na czym stanąć przy pracy. Ustawił ostrze mojego dłuta na napletku Apolla i zaryzykował lekkie uderzenie młotka. Odleciał malutki kawałek marmuru.

– Walnij porządnie – poradziłem.

– Nie mogę, narobię hałasu.

– Wcale nie. Skóra to wyciszy.

– A jeśli cały czubek mu odpadnie?

– Może sobie na to pozwolić – orzekła Maggie, a my obaj spojrzeliśmy na nią z rozdziawionymi ustami. – Chyba – dodała szybko. – Tylko zgaduję. Co ja mogę wiedzieć, jestem tylko dziewczyną. Słuchajcie, nie czujecie tu czegoś?

Wyczuliśmy Rzymianina, zanim go usłyszeliśmy, a usłyszeliśmy, zanim zobaczyliśmy. Przed kąpielą Rzymianie smarowali się oliwą, więc przy sprzyjającym wietrze, albo w bardzo gorący dzień, dało się ich wyczuć na trzydzieści kroków. Ta oliwa, z którą brali kąpiel, czosnek i pasta anchois, którą jadali ze swoją kaszą, sprawiały pewnie, że kiedy legiony maszerowały do bitwy, pachniały jak inwazja dostawców pizzy. Gdyby mieli wtedy pizzę, ale nie mieli.

Joszua szybko machnął młotkiem, dłuto się ześlizgnęło i elegancko pozbawiło Apolla męskości, która z głuchym uderzeniem spadła na piasek.

– Oj... – powiedział Zbawiciel.

– Psst – uciszyłem go.

Słyszeliśmy już zgrzytające o kamień ćwieki w rzymskich butach. Joszua zeskoczył z cebra i zaczęliśmy gorączkowo rozglądać się za kryjówką. Ściany łaźni Greka były już prawie gotowe dookoła posągu, więc oprócz wejścia, skąd zbliżał się Rzymianin, nie mieliśmy którędy uciekać.

– Hej, co wy tam robicie?

Staliśmy nieruchomo jak sam posąg. Poznałem, że to ten legionista, który rozmawiał z Justusem naszego pierwszego dnia w Seforis.

– To my, Biff i Joszua, proszę pana. Na pewno pan pamięta. Ten dzieciak z chleba...

Żołnierz zbliżył się z dłonią na rękojeści wysuniętego do połowy miecza. Uspokoił się trochę, kiedy zobaczył Joszuę.

– Co tu robicie tak wcześnie? Nikomu nie wolno chodzić po mieście o tej porze.

Nagle coś szarpnęło go w tył. Upadł na ziemię, a jakaś ciemna postać skoczyła na niego, raz za razem wbijając ostrze w pierś. Maggie krzyknęła i napastnik zwrócił się ku nam. Rzuciłem się do ucieczki.

– Stój! – syknął morderca.

Zamarłem, drżący. Maggie objęła mnie i ukryła twarz w mojej koszuli. Żołnierz wydał bulgoczący odgłos, ale leżał nieruchomo. Joszua zrobił krok w stronę mordercy, a ja wyciągnąłem rękę i zagrodziłem mu drogę.

– To było złe – oświadczył Joszua, niemal płacząc. – Niesłusznie postąpiłeś, zabijając tego człowieka.

Morderca uniósł do twarzy zakrwawione ostrze i wyszczerzył zęby.

– Czyż nie jest napisane, że Mojżesz został prorokiem dopiero kiedy zabił egipskiego dozorcę niewolników? Nie ma pana prócz Boga!

– Sykariusz – powiedziałem.

– Tak, chłopcze. Sykariusz. Dopiero kiedy zginą wszyscy Rzymianie, przybędzie Mesjasz, by nas uwolnić. Służyłem Bogu, zabijając tego tyrana!

– Służyłeś złu – odparł Joszua. – Mesjasz nie żądał krwi tego Rzymianina.

Zabójca wzniósł sztylet i podszedł do Joszuy. Maggie i ja odskoczyliśmy, ale Josh się nie cofnął. Zabójca chwycił go za koszulę i przyciągnął do siebie.

– Co ty możesz o tym wiedzieć, chłopcze?

W blasku księżyca wyraźnie zobaczyliśmy jego twarz.

– Jeremiasz... – szepnęła Maggie.

Otworzył szeroko oczy, nie wiem, czy ze strachu, czy dlatego, że ją poznał. Wypuścił Joszuę i zrobił ruch, jakby chciał złapać Maggie. Odciągnąłem ją.

– Maria? – Cały gniew wyparował z jego głosu. – Maleńka Maria?

Maggie milczała, ale czułem, jak drżą jej ramiona, kiedy zaczęła szlochać.

– Nikomu o tym nie mówcie – nakazał morderca. Zachowywał się, jakby wpadł w trans. Cofnął się i stanął nad zabitym żołnierzem. – Nie ma pana prócz Boga – oznajmił jeszcze, odwrócił się i odbiegł w noc.

Joszua położył Maggie dłoń na czole i natychmiast przestała płakać.

– Jeremiasz jest bratem mojego ojca – powiedziała.

Zanim przejdę dalej, powinniście się dowiedzieć czegoś o sykariuszach, a żeby o nich wiedzieć, musicie też wiedzieć o Herodach. A zatem do dzieła.

Mniej więcej w czasie, kiedy Joszua i ja spotkaliśmy się po raz pierwszy, zmarł król Herod Wielki, którzy rządził Izraelem (pod Rzymianami) przez czterdzieści lat. Prawdę mówiąc, to właśnie wiadomość o jego śmierci skłoniła Józefa, by wrócić z rodziną z Egiptu do Nazaretu, ale to już inna historia. Teraz opowiem trochę o Herodzie.

Heroda nie dlatego nazywano „Wielkim", że był kochanym władcą. Herod Wielki był w rzeczywistości tłustym, paranoidalnym typem, dziobatym tyranem, który wymordował tysiące Żydów, w tym własną żonę i wielu swoich synów. Nazywano go „Wielkim", ponieważ budował różne rzeczy. Zadziwiające rzeczy: fortece, pałace, teatry, porty... całe miasto Cezarea, wzorowane na rzymskim ideale tego, czym powinno być miasto. Jedynym, co uczynił dla żydowskiego ludu – który go nienawidził – była odbudowa Świątyni Salomona, na górze Moria, centrum naszej wiary. Kiedy HW umarł, Rzym podzielił królestwo między jego trzech synów, Archelaosa, Heroda Filipa i Heroda Antypasa. To Antypas wydał ostateczny wyrok na Jana Chrzciciela i oddał Joszuę Piłatowi. Antypasie, ty obsmarkany połamany fiucie (gdybyśmy tylko znali wtedy to określenie...). To Antypas, przez swoje namiętne podlizywanie się Rzymianom, sprawił, że żydowscy rebelianci setkami chwytali za broń i szli w góry. Rzymianie nazywali tych buntowników zelotami, jakby byli zjednoczeni nie tylko celem, ale i metodami działania. Jedna z grup, która powstała w Galilei, nazywała się sykariuszami. Okazywali dezaprobatę dla rzymskiej władzy, mordując rzymskich żołnierzy i urzędników. Choć liczebnie nie byli największą frakcją wśród zelotów, swoimi akcjami najbardziej zwracali na siebie uwagę. Nikt nie wiedział, skąd przychodzą ani gdzie się ukrywają po zabójstwach. Jednak po każdym ich ataku Rzymianie starali się zmienić nasze życie w piekło i zmusić do ich wydania. A kiedy Rzymianie schwytali zelotów, krzyżowali nie tylko dowódcę oddziału, ale cały oddział, ich rodziny i wszystkich podejrzanych o udzielanie pomocy. Nie raz widzieliśmy drogę do Seforis biegnącą między rzędami krzyży i trupów. Mojego ludu.

Przebiegliśmy przez uśpione miasto i zatrzymaliśmy się dopiero za Bramą Wenus. Tam, dysząc, zwaliliśmy się na ziemię.

– Musimy odprowadzić Maggie do domu, a potem wrócić tu do pracy – stwierdził Joszua.

– Możecie zostać – zaprotestowała Maggie. – Sama trafię do domu.

– Nie, musimy iść. – Joszua rozłożył ręce i zobaczyliśmy krwawe odciski dłoni, jakie na jego koszuli zostawił morderca. – Muszę to wyczyścić, zanim ktoś zauważy.

– Nie możesz zwyczajnie sprawić, żeby zniknęły? – spytała Maggie. – To tylko plamy. Myślałam, że Mesjasz potrafi usunąć plamy.

– Bądź miła – upomniałem ją. – On jeszcze nie radzi sobie za dobrze z tymi Mesjaszowymi sztuczkami. W końcu, to był twój wuj...

Maggie poderwała się na nogi.

– Ale to ty chciałeś zrobić tę głupią rzecz...

– Przestańcie! – Joszua uniósł dłoń, jakby chciał nas pokropić milczeniem. – Gdyby nie było z nami Maggie, moglibyśmy już nie żyć. I nadal coś może nam grozić, kiedy sykariusz przypomni sobie, że zostawił trzech żywych świadków.

Godzinę później Maggie była już bezpieczna w swoim domu, a Joszua wyszedł z rytualnej kąpieli przy synagodze. Ubranie miał przemoczone, a strumyki wody ściekały mu z włosów. (Wielu z nas miało takie mykwy koło domu, a były ich setki wokół Świątyni w Jeruzalem – kamienne wanny ze schodami prowadzącymi do wody z obu stron, tak że można było wejść z jednej strony, a wyjść z drugiej, po dokonaniu rytualnego oczyszczenia. Według Prawa dowolny kontakt z krwią wymagał oczyszczenia. Joszua uznał, że to dobra okazja, żeby zmyć też plamy krwi ze swej szaty).

– Zimno. – Joszua dygotał i przeskakiwał z nogi na nogę, jakby stał na gorących węglach. – Bardzo zimno.

(Nad wannami wzniesiono małą kamienną chatę, więc światło słońca nigdy nie docierało tam bezpośrednio, a w konsekwencji woda nigdy się nie nagrzewała. Parowanie w suchym powietrzu Galilei czyniło ją jeszcze zimniejszą).

– Może lepiej chodź do mojego domu. Matka na pewno rozpaliła już ogień przed śniadaniem, więc się rozgrzejesz.

Wykręcił połę koszuli i kaskada wody popłynęła mu po nogach.

– A jak jej wytłumaczę to?

– No... Zgrzeszyłeś, więc musiałeś się szybko oczyścić.

– Zgrzeszyłem? O świcie? Jaki grzech można popełnić przed wschodem słońca?

– Grzech Onana? – zaproponowałem.

Joszua szeroko otworzył oczy.

– Czy popełniłeś grzech Onana?

– Nie, ale bardzo niecierpliwie na to czekam.

– Nie mogę powiedzieć twojej matce, że popełniłem grzech Onana. Bo nie popełniłem.

– Mógłbyś, gdybyś był szybki.

– Będę cierpiał zimno – postanowił.

Stary, dobry grzech Onana... Przywodzi wspomnienia.

Grzech Onana. Wylewanie nasienia na ziemię. Walenie wielbłąda. Wymiatanie osła. Chłostanie faryzeusza. Onanizm, grzech, który wymaga setek godzin praktyki, by popełnić go poprawnie, a przynajmniej tak sobie powtarzałem. Bóg zesłał śmierć na Onana za wylewanie swojego nasienia na ziemię. (To znaczy nasienia Onana, nie Boga; nasienie Boga okazało się moim najlepszym kumplem, Joszuą. Wyobraźcie sobie, jakie mielibyście kłopoty, gdybyście wylali na ziemię nasienie Boga. Spróbujcie się z tego wytłumaczyć). Według Prawa, jeśli ktoś miał jakikolwiek kontakt z „nocnymi emisjami" (nie chodzi tu o to, co nocą wylatuje z rury wydechowej – nie mieliśmy wtedy samochodów), musiał oczyścić się przez zanurzenie i nie wolno mu było spotykać innych ludzi aż do następnego dnia. Mniej więcej w wieku trzynastu lat wiele czasu spędzałem w naszej mykwie, ale migałem się od tej samotniczej części pokuty. W końcu raczej nie rozwiązałoby to problemu. Często rankiem wciąż jeszcze ociekałem wodą i trząsłem się po kąpieli, kiedy spotykałem idącego do pracy Joszuę.

– Znowu wylewałeś nasienie na ziemię? – pytał.

– Tak.

– Jesteś nieczysty, wiesz?

– Akurat. Cały jestem pomarszczony od oczyszczania się.

– Mógłbyś przestać.

– Próbowałem. Myślę, że to demon mnie zmusza.

– Mogę spróbować cię uzdrowić.

– Nic z tego, Josh. Mam dość kłopotów z kładzeniem na sobie własnych rąk.

– Nie chcesz, żebym wypędził twojego demona?

– Pomyślałem, że najpierw spróbuję go zmęczyć.

– Mógłbym powiedzieć pisarzom, a oni każą cię ukamienować. (Zawsze starał się pomóc – niezawodny Josh).

– To by chyba było skuteczne, ale czy nie jest napisane „kiedy wypali się oliwa w lampach, onanista sam oświetli sobie drogę do zbawienia"?

– To nie jest napisane.

– Właśnie że jest. U, no... u Izajasza.

– Wcale nie.

– Musisz studiować Proroków, Josh. Jak chcesz być Mesjaszem, jeśli nie znasz swoich Proroków?

Joszua zwiesił głowę.

– Masz rację, oczywiście.

Klepnąłem go w ramię.

– Masz jeszcze czas, żeby nauczyć się Proroków. Chodź, przejdziemy drogą przez rynek i zobaczymy, czy jakieś dziewczyny nie przyszły po wodę.

Oczywiście to Maggie chciałem spotkać. Zawsze szukałem Maggie.

Zanim znów dotarliśmy do Seforis, słońce stało już wysoko. Brakowało jednak strumienia kupców i farmerów, przelewającego się zwykle przez Bramę Wenus. Rzymscy żołnierze zatrzymywali i przeszukiwali, a potem odsyłali z powrotem każdego, kto chciał opuścić miasto. Grupka mężczyzn i kobiet czekała przed bramą na wejście, a wśród nich mój ojciec i kilku jego pomocników.

– Lewi! – zawołał do mnie.

Podbiegł i sprowadził nas z drogi na bok.

– Co się dzieje? – spytałem, starając się wyglądać niewinnie.

– Tej nocy zamordowano rzymskiego żołnierza! Nie będzie dziś pracy. Wracajcie do domu i tam zostańcie. Powiedzcie matkom, żeby nie wypuszczały dzieci z domów. Jeśli Rzymianie nie znajdą zabójcy, jeszcze przed południem żołnierze zjawią się w Nazarecie.

– Gdzie jest Józef? – zapytał Joszua.

Mój ojciec objął go za ramiona.

– Aresztowali go. Musiał bardzo wcześnie przyjść do pracy. Znaleźli go o świcie, niedaleko ciała tego zabitego żołnierza. Wiem tylko tyle, ile krzyknęli nam przez bramę; Rzymianie nikogo nie wypuszczają ani nie wpuszczają do miasta. Joszua, powiedz swojej matce, żeby się nie martwiła. Józef jest dobrym człowiekiem. Pan go ochroni. Poza tym, gdyby Rzymianie uważali, że jest winny, już by go skazali.

Joszua odsunął się od mojego ojca i odszedł sztywnym, niepewnym krokiem. Patrzył wprost przed siebie, ale najwyraźniej niczego nie widział.

– Zabierz go do domu, Biff. Wrócę, jak tylko będę mógł. Spróbuję się dowiedzieć, co zrobili z Józefem.

Kiwnąłem głową i poprowadziłem Joszuę, obejmując go ramieniem.

– Józef przyszedł tam, bo mnie szukał – powiedział, kiedy oddaliliśmy się o kilka kroków. – Pracował po drugiej stronie miasta. Jedyny powód, żeby znalazł się przy domu Greka, to ten, że mnie szukał.

– Powiemy centurionowi, że wiemy, kto zabił żołnierza. Uwierzy nam.

– Ale jeśli nam uwierzy, jeśli uwierzy, że to był sykariusz, co się stanie z Maggie i jej rodziną?

Nie wiedziałem co odpowiedzieć. Joszua miał rację, a mój ojciec się mylił. Z Józefem nie było dobrze. Rzymianie pewnie przesłuchają go teraz, może torturują, żeby odkryć, kim byli jego wspólnicy. To, że niczego nie wie, na pewno go nie ocali. Zeznanie jego syna nie tylko go nie ocali, ale jeszcze więcej ludzi pośle wraz z nim na krzyż. Tak czy inaczej, miała się polać żydowska krew.

Joszua strącił z ramienia moją rękę i zbiegł z drogi do oliwnego gaju. Ruszyłem za nim ale odwrócił się i wściekłość jego spojrzenia zatrzymała mnie w pół kroku.

– Czekaj – powiedział. – Muszę porozmawiać z ojcem.

Czekałem przy drodze prawie godzinę. Kiedy Joszua wreszcie wyszedł z gaju, wyglądał, jakby cień trwale padł na jego twarz.

85

– Jestem zgubiony – powiedział.

Wskazałem palcem przez ramię.

– Tam leży Nazaret, Seforis z drugiej strony. Jesteś pośrodku. Już lepiej?

– Wiesz, o co mi chodzi.

– Czyli żadnej pomocy od ojca?

Zawsze trochę dziwnie się czułem, wypytując Joszuę o jego modły. Trzeba było widzieć go modlącego się, zwłaszcza w tamtych czasach, zanim wyruszyliśmy na wędrówkę. Było w tym wiele napięcia i drżenia, jakby ktoś chciał samą siłą woli zmusić do ustąpienia gorączkę. Nie było spokoju.

– Jestem sam – stwierdził Joszua.

Uderzyłem go w ramię, mocno.

– W takim razie nic nie poczułeś.

– Au. Dlaczego to zrobiłeś?

– Przykro mi, nie ma tu nikogo, kto mógłby odpowiedzieć. Jesteś taaaaki sam.

– Jestem sam.

Zrobiłem zamach do ciosu z półobrotu, z całej siły.

– No to nie będzie ci przeszkadzać, jeśli przyłożę ci porządnie?

Uniósł ręce i odskoczył.

– Nie, przestań.

– Czyli nie jesteś sam?

– Chyba nie.

– Dobrze. Teraz zaczekaj tutaj. Zamierzam porozmawiać z twoim ojcem.

I ruszyłem do gaju.

– Nie musisz tam chodzić, żeby z nim rozmawiać. On jest wszędzie.

– Tak, akurat, znasz się na tym. Skoro jest wszędzie, to jak możesz być sam?

– Słuszna uwaga.

Zostawiłem Joszuę stojącego na drodze, a sam poszedłem się modlić.

A modliłem się tak:

– Ojcze niebieski, Boże mojego ojca i ojca mojego ojca, Boże Abrahama i Izaaka, Boże Mojżesza, który wyprowadził nasz lud z Egiptu, Boże Dawida i Salomona... zresztą sam wiesz, kim jesteś. Ojcze niebieski, daleko mi do tego, by kwestionować Twoje sądy, jako że jesteś wszechmocny, jesteś Bogiem Mojżesza i wszystko co powyżej, ale co Ty właściwie robisz temu biednemu dzieciakowi? Znaczy, przecież to Twój syn, tak? Jest Mesjaszem, tak? Chcesz mu przeprowadzić którąś z tych Abrahamowych prób wiary? Na wypadek, gdybyś nie zauważył, w jak paskudnej jest sytuacji, bo był świadkiem morderstwa, jego ojciec został aresztowany przez Rzymian, a według wszelkiego prawdopodobieństwa wielu z naszego ludu, o którym przy niejednej okazji zapewniałeś, że jest Twoim ludem wybranym, ukochanym przez Ciebie (i do którego ja też należę, nawiasem mówiąc), będzie torturowanych i zginie, chyba że coś zrobimy, to znaczy on coś zrobi. No więc chodzi mi o to, żebyś, to znaczy, czy mógłbyś, tak jak wtedy z Samsonem, kiedy znalazł się w ślepym zaułku, bezbronny wobec Filistynów, rzucić chłopakowi jakąś kość? Z całym należnym szacunkiem, Twój dobry przyjaciel Biff. Amen.

Nigdy nie byłem dobry w modlitwach. Opowiadanie, owszem, z tym sobie radzę. To ja, na przykład, jestem twórcą uniwersalnej opowieści, o której wiem, że przetrwała do tych czasów, bo słyszałem ją w telewizji.

Zaczyna się: „Wchodzi dwóch Żydów do baru...".

Co za dwóch Żydów? Ja i Josh. Nie żartuję.

W każdym razie z modlitwą tak mi nie idzie. Ale zanim uznacie, że byłem wobec Boga trochę szorstki, powinniście się jeszcze czegoś dowiedzieć o moim ludzie. Nasze stosunki z Bogiem były całkiem różne od innych ludów z ich Bogami. Pewnie, był strach, ofiary i cała reszta, ale zasadniczo to nie my do Niego poszliśmy, ale On przyszedł do nas. Powiedział nam, że jesteśmy wybrani i że pomoże nam się mnożyć aż po krańce ziemi, że da nam krainę mlekiem i miodem płynącą. Nie chodziliśmy do Niego. Nie prosiliśmy. A że to On do nas przyszedł, uważamy, że jest wobec nas odpowiedzialny za to, co robi i co się z nami dzieje. Albowiem jest napisane „Ten, który może odejść, trzyma drugiego w ręku". I jeśli można się z Biblii czegoś nauczyć, to że mój lud często odchodził. Nie da się zaprzeczyć, że odeszliśmy w Babilonie, czcząc fałszywych bogów, stawiając fałszywe ołtarze i sypiając z niewłaściwymi kobietami (choć to ostatnie mogło być raczej postępkiem typowo męskim niż typowo żydowskim). A kiedy to robiliśmy, Bóg nie miał nic przeciwko oddaniu nas w niewolę albo zmasakrowaniu. Takie właśnie mamy stosunki z Bogiem. Jesteśmy rodziną.

No więc nie jestem mistrzem modlitw, ale ta modlitwa była chyba niezła, ponieważ Bóg odpowiedział. No, w każdym razie zostawił wiadomość.

Kiedy wynurzyłem się z oliwnego gaju, Joszua wyciągnął rękę i powiedział:

– Bóg zostawił wiadomość.

– To jaszczurka – zauważyłem.

I była. Joszua trzymał w wyciągniętej dłoni małą jaszczurkę.

– Tak, to właśnie wiadomość. Nie rozumiesz?

Skąd miałem wiedzieć, o co tu chodzi? Joszua nigdy mnie nie okłamał, nigdy. Skoro twierdził, że ta jaszczurka jest wiadomością od Boga, kim byłem, żeby mu zaprzeczać? Padłem więc na kolana i skłoniłem głowę pod wyciągniętą ręką Joszuy.

– Panie, zmiłuj się nade mną, spodziewałem się raczej krzewu gorejącego albo czegoś w tym rodzaju. Przepraszam. Naprawdę. – Po czym zwróciłem się do Josha: – Nie jestem pewien, czy powinieneś tak poważnie to traktować, Josh. Gady nie mają świetnych wyników w przekazywaniu wiadomości. Jak na przykład, czekaj, niech pomyślę, na przykład ta historia z Adamem i Ewą.

– To nie ten rodzaj wiadomości, Biff. Ojciec nie przemówił słowami, ale wiadomość jest tak jasna, jakby jego głos spłynął ku mnie z nieba.

– Wiedziałem – zapewniłem. – A ta wiadomość?

– W moim umyśle. Nie było cię zaledwie parę minut, kiedy ta jaszczurka wbiegła mi po nodze i przysiadła na dłoni. Zrozumiałem, że to mój ojciec podpowiada mi rozwiązanie problemu.

– A ta wiadomość?

– Pamiętasz, jak byliśmy mali? Pamiętasz, jak się wtedy bawiliśmy z jaszczurkami?

– Pewnie, że tak. A ta wiadomość?

– Pamiętasz, że umiałem przywrócić je do życia?

– Świetna sztuczka, Josh. Ale wracając do wiadomości...

– Nie rozumiesz? Jeśli żołnierz nie jest martwy, to żadnego morderstwa nie było. Jeśli nie było morderstwa, to nie ma powodu, żeby Rzymianie krzywdzili Józefa. Czyli muszę tylko dopilnować, żeby żołnierz nie był martwy. Proste.

– Pewnie, że proste. – Przez chwilę oglądałem jaszczurkę, patrzyłem na nią z różnych kątów. Była brązowozielona i chyba całkiem zadowolona z tego, że siedzi Joszui na dłoni. – Zapytaj go, co właściwie powinniśmy robić teraz.

6

Myślałem, że kiedy wrócimy do Nazaretu, zastaniemy matkę Joszuy histeryzującą i przerażoną. Tymczasem przeciwnie, zebrała braci i siostry Joszuy przed domem, ustawiła w kolejce i myła im buzie i ręce, jakby szykowała ich do posiłku w szabat.

– Joszua, pomóż mi przygotować maluchy, idziemy wszyscy do Seforis.

Joszua był zdumiony.

– Idziemy?

– Cała wieś chce poprosić Rzymian, żeby uwolnili Józefa.

Jakub był chyba jedynym spośród dzieci, który zrozumiał, co spotkało jego ojca. Na policzkach miał ślady łez. Objąłem go za ramiona.

– Da sobie radę – powiedziałem, starając się, by zabrzmiało to pogodnie. – Twój tato jest silny. Będą musieli go torturować przez długie dni, zanim odda ducha.

Uśmiechnąłem się pocieszająco.

Jakub wyrwał się z moich objęć i z płaczem uciekł do domu. Maria odwróciła się i spojrzała na mnie gniewnie.

– Biff, czy nie powinieneś być teraz ze swoją rodziną?

Och, moje pęknięte serce, moje poobijane ego... Choć Maria zajmowała teraz stanowisko mojej rezerwowej żony, na wszelki wypadek, i tak byłem załamany tym wyrazem dezaprobaty. Na moją korzyść przemawia to, że ani razu podczas całej tej trudnej sytuacji nie życzyłem Józefowi niczego złego. Ani razu. W końcu byłem jeszcze za młody, żeby brać sobie żonę. Gdyby Józef umarł, zanim skończę czternaście lat, jakiś paskudny staruch mógłby wyrwać mi Marię, zanim będę dość dorosły, by jej pomóc.

– Może przyprowadziłbyś Maggie? – zaproponował Joszua, zajęty zdrapywaniem skóry z twarzy swego brata Judy. – Jej rodzina na pewno zechce się z nami wybrać.

– Jasne – odparłem i pobiegłem szukać aprobaty u mojej podstawowej przyszłej żony.

Kiedy się zjawiłem, Maggie siedziała przed ojcowską kuźnią razem z braćmi i siostrami. Wyglądała na tak przerażoną jak wtedy, kiedy widzieliśmy morderstwo. Miałem ochotę objąć ją i pocieszyć.

– Mamy plan – oznajmiłem. – To znaczy Joszua ma plan. Idziecie ze wszystkimi do Seforis?

– Cała rodzina – potwierdziła. – Mój ojciec zrobił gwoździe dla Józefa, są przyjaciółmi.

Skinęła głową w stronę otwartej szopy, gdzie jej ojciec miał kuźnię. Dwaj mężczyźni pracowali przy palenisku.

– Idźcie przodem, Biff. Idźcie przodem razem z Joszuą. My dołączymy później.

Zaczęła machać na mnie, żebym odszedł. Mówiła też bezgłośnie coś, czego nie zrozumiałem.

– Kim jest twój przyjaciel, Maggie? – rozległ się męski głos od strony kuźni.

Uniosłem głowę i nagle pojąłem, co Maggie próbowała mi powiedzieć.

– Wujku Jeremiaszu, to jest Lewi bar Alfeusz. Nazywamy go Biffem. Musi już iść.

Zacząłem się cofać przed zabójcą.

– Tak, muszę iść. – Zerkałem na Maggie, nie wiedząc, co teraz robić. – Ja... my... Muszę...

– Zobaczymy się w Seforis – rzuciła Maggie.

– Właśnie.

A potem odwróciłem się i odbiegłem. Czułem się jak tchórz – bardziej niż kiedykolwiek w życiu.

Gdy dotarliśmy znowu do Seforis, pod murami zebrała się już spora grupa Żydów, może ze dwieście osób; większość rozpoznałem jako pochodzących z Nazaretu. Nie był to gniewny tłum, raczej lękliwe zgromadzenie. Ponad połowę stanowiły kobiety i dzieci. Pośrodku oddział kilkunastu rzymskich żołnierzy odpychał gapiów, a dwaj niewolnicy kopali grób. Podobnie jak mój lud, Rzymianie nie marnowali czasu na swych zmarłych. Jeśli nie trwała akurat bitwa, rzymscy żołnierze trafiali często do grobów, zanim jeszcze ich zwłoki ostygły.

Joszua i ja zauważyliśmy Maggie stojącą na skraju grupy między ojcem i jej morderczym wujem. Joszua ruszył w jej stronę. Poszedłem za nim, ale zanim się zbliżyłem, chwycił Maggie za rękę i pociągnął w tłum. Widziałem, jak Jeremiasz próbuje ich gonić. Zanurkowałem i poczołgałem się między ludzkimi nogami, aż trafiłem na parę podkutych butów, będącą dolnym końcem rzymskiego żołnierza. Górny koniec, tak samo rzymski, patrzył na mnie groźnie. Wstałem.

– *Semper fido* – powiedziałem w mojej najlepszej łacinie, po czym obdarzyłem go swoim najbardziej ujmującym uśmiechem.

Żołnierz zmarszczył brwi jeszcze bardziej. Nagle poczułem zapach kwiatów, a słodkie, ciepłe wargi musnęły moje ucho.

– Zdaje się, że właśnie powiedziałeś „zawsze pies" – szepnęła Maggie.

– Pewnie dlatego tak ponuro wygląda – odpowiedziałem kącikem ujmującego uśmiechu.

W drugim uchu zabrzmiał inny znajomy, choć nie tak słodki szept:

– Śpiewaj, Biff. Pamiętaj o planie – powiedział Joszua.

– Jasne. – I zacząłem jedną z moich słynnych pieśni żałobnych: – La-la-la, hej, Rzymianinie, fatalnie, że cię zadźgali. La-la--la. Może to jest przekaz od Boga albo co. La-la-la. Który mówi ci, że powinieneś wrócić do domu. La-la-la. Zamiast dręczyć jego lud wybrany, któremu sam osobiście powiedział, że lubi ich bardziej niż ciebie. Fa, la, la, la.

Żołnierz nie znał aramejskiego, więc słowa nie poruszyły go tak, jak miałem nadzieję. Ale sądzę, że pewien hipnotyczny rytm pieśni zaczynał do niego docierać. Przeszedłem do drugiej zwrotki.

– La-la-la. Czy nie tłumaczyliśmy, żebyś nie jadł wieprzowiny, la-la. Chociaż patrząc na twoje rany w piersi, myślę, zmiana diety raczej by ci nie pomogła. Bum, szaka-laka-laka-laka, bum, szaka-laka-laka-laka. No dalej, przecież znacie słowa!

– Dość!

Żołnierz został odepchnięty i przed nami stanął Gajus Justus Gallicus w towarzystwie dwóch swoich oficerów. Za nimi na ziemi leżało ciało zabitego żołnierza.

– Świetnie, Biff – szepnął Joszua.

– Proponujemy nasze usługi jako zawodowi żałobnicy – powiedziałem z uśmiechem, na który centurion z zapałem starał się nie reagować.

– Ten żołnierz nie potrzebuje żałobników. Ma mścicieli.

– Ależ, centurionie – dobiegł głos z tłumu. – Wypuśćcie Józefa z Nazaretu. Nie jest mordercą.

Justus uniósł głowę. Ludzie rozstąpili się, otwierając przejście między nim a Ibanem, faryzeuszem, stojącym w otoczeniu kilku innych faryzeuszy z Nazaretu.

– Chcesz zająć jego miejsce? – spytał Justus.

Faryzeusz cofnął się szybko. Jego stanowczość ulotniła się wobec groźby.

– Więc jak? – Justus zrobił krok naprzód, a tłum rozstępował się przed nim. – Mówisz w imieniu swego ludu, faryzeuszu. Powiedz im, żeby wydali mi zabójcę. Czy wolicie raczej, żebym krzyżował Żydów po kolei, aż trafię na tego właściwego?

Iban całkiem stracił głowę i zaczął bełkotać jakieś pomieszane wersety z Tory. Zauważyłem wuja Maggie, Jeremiasza. Stał o kilka kroków ode mnie. Kiedy spojrzał mi w oczy, wsunął dłoń pod koszulę – na pewno chwytając rękojeść noża.

– Józef nie zabił tego żołnierza! – zawołał Joszua.

Justus popatrzył na niego, a faryzeusze skorzystali z okazji, by wycofać się w tłum.

– Wiem o tym – oświadczył Justus.

– Tak?

– Oczywiście, chłopcze. Żaden cieśla nie zabił tego żołnierza.

– Ale skąd pan wie? – zdziwiłem się.

Justus machnął ręką, Któryś z jego legionistów podszedł, niosąc niewielki koszyk. Centurion skinął głową, żołnierz odwrócił koszyk do góry dnem i na piasek wypadł kamienny wizerunek Apollowego penisa.

– Oj-oj – powiedziałem.

– Ponieważ to był kamieniarz – stwierdził Justus.

– Ależ jest imponujący – odezwała się Maggie.

Zauważyłem, że Joszua przesuwa się ostrożnie w stronę ciała zabitego żołnierza. Musiałem jakoś odwrócić uwagę Justusa.

– Aha – powiedziałem. – Ktoś pobił tego żołnierza na śmierć kamiennym ptaszkiem. Najwyraźniej to dzieło Greka albo Samarytanina... Żaden Żyd nie zrobiłby czegoś takiego.

– Nie? – spytała Maggie.

– O rany, Maggie...

– Chyba masz mi coś do powiedzenia, mój chłopcze – rzekł Justus.

Joszua położył dłonie na zabitym.

Czułem na sobie spojrzenia wszystkich wokół. Zastanowiłem się, gdzie jest w tej chwili Jeremiasz. Czy stoi za mną, gotów uciszyć mnie nożem, czy raczej zdążył już uciec? Tak czy siak, nie mogłem powiedzieć ani słowa. Sykariusze nie działali sami. Gdybym wydał Jeremiasza, jeszcze przed szabatem zginąłbym od sykaryjskiego sztyletu.

– Nie może panu powiedzieć, centurionie, nawet gdyby wiedział – oznajmił Joszua, który stanął przy boku Maggie. – Jest bowiem zapisane w naszych świętych księgach, że żaden Żyd nie wkopie innego Żyda, niezależnie od tego, jakim szczurem mógłby być jeden albo drugi.

– Jest napisane? – szepnęła Maggie.

– Teraz jest – odpowiedział jej szeptem Joszua.

– Patrzcie!

Kobieta w pierwszym rzędzie wyciągnęła rękę w stronę martwego żołnierza. Ktoś krzyknął. Ciało się poruszyło.

Justus ruszył ku centrum zamieszania, a ja skorzystałem z okazji, by rozejrzeć się za Jeremiaszem. Ciągle stał za mną, dzieliło nas tylko kilkoro ludzi, ale z rozdziawionymi ustami gapił się na trupa, który właśnie wstawał i otrzepywał tunikę.

Joszua patrzył na żołnierza bardzo skoncentrowany, ale bez żadnego potu ani drżenia, jak na pogrzebie w Jafii.

Trzeba Justusowi przyznać, że choć z początku wystraszony, nie cofnął się, kiedy żołnierz ruszył sztywno ku niemu. Inni legioniści odstępowali wraz z Żydami, oprócz Maggie, Joszuy i mnie.

– Chcę zameldować o napadzie, centurionie! – oznajmił martwy niedawno żołnierz, wykonując nieco drżącą ręką rzymski salut.

– Jesteś... jesteś trupem – powiedział Justus.

– Nie jestem.

– Masz rany od noża na całej piersi.

Żołnierz spojrzał w dół i delikatnie dotknął ran.

– Wygląda na to, że mnie pokaleczyli.

– Pokaleczyli? Pokaleczyli? Dźgnęli cię z sześć razy! Jesteś martwy jak głaz.

– Nie wydaje mi się, centurionie. Proszę spojrzeć, nawet nie krwawię.

– To dlatego, że już się wykrwawiłeś, synu. Jesteś martwy.

Żołnierz zachwiał się i stracił równowagę, ale ustał.

– Czuję się trochę słabo. Zostałem napadnięty zeszłej nocy, centurionie, w tym miejscu gdzie budują dom tego Greka. O, ten tam był. – Wskazał na mnie. – I on też. – Pokazał Joszuę. – I ta dziewczynka.

– Chłopcy cię napadli?

– Nie, nie oni. To tamten człowiek.

Żołnierz wskazał ręką Jeremiasza, który wyglądał jak zwierzę w pułapce. Wszyscy tak się skupili na oglądaniu spektaklu z gadającym trupem, że zesztywnieli na miejscach. Zabójca nie mógł się przecisnąć przez tłum i uciec.

– Aresztować go! – rozkazał Justus, ale żołnierze byli równie osłupiali, widząc zmartwychwstanie swego towarzysza.

– Teraz, kiedy o tym myślę – dodał martwy żołnierz – rzeczywiście pamiętam, że mnie zadźgał.

Nie mogąc wyrwać się z tłumu, Jeremiasz zwrócił się ku swemu oskarżycielowi. Wyszarpnął spod koszuli sztylet. Zdawało się, że ten gest wyrwał legionistów z transu. Z mieczami w dłoniach zaczęli zbliżać się do niego ze wszystkich stron.

Widząc klingę, ludzie odsunęli się od zabójcy. Pozostał sam na otwartej przestrzeni. Nie miał przed sobą innej drogi niż ku nam.

– Nie ma pana prócz Boga! – wykrzyknął, zrobił trzy szybkie kroki, po czym skoczył na nas ze wzniesionym sztyletem.

Rzuciłem się na Maggie i Joszuę, by ich osłonić, ale kiedy czekałem na ostry ból między łopatkami, usłyszałem krzyk zabójcy, później stęknięcie, a potem wydłużony jęk, który wraz z powietrzem w płucach zakończył się żałosnym piskiem.

Przetoczyłem się i zobaczyłem, że Gajus Justus Gallicus trzyma miecz wbity po rękojeść w splot słoneczny Jeremiasza. Morderca upuścił nóż i patrzył na rękę Rzymianina z taką miną, jakby był urażony. Osunął się na kolana. Justus wyszarpnął miecz, po czym wytarł klingę o koszulę Jeremiasza, nim się cofnął i pozwolił mu upaść.

– To był on – oświadczył martwy żołnierz. – Ten drań mnie zamordował.

Upadł obok swego zabójcy i znieruchomiał.

– O wiele lepiej niż ostatnim razem, Josh – pochwaliłem.

– Tak, o wiele – zgodziła się Maggie. – Chodził i mówił. Udało ci się.

– Czułem się silny i spokojny, ale to był wysiłek zespołowy – odparł Joszua. – Nie dokonałbym tego, gdyby nie wspierali mnie wszyscy, nie wyłączając Boga.

Poczułem nagle coś ostrego na policzku. Czubkiem miecza Justus skierował moje spojrzenie na kamienny penis Apolla, leżący na ziemi obok dwóch ciał.

– Czy zechcesz mi wyjaśnić, jak to się stało?

– Syfilis? – spróbowałem.

– Syfilis może zrobić coś takiego – potwierdziła Maggie. – Gnije i odpada.

– Skąd o tym wiesz? – zdziwił się Joszua.

– Zgaduję. Ale cieszę się, że już po wszystkim.

Justus opuścił miecz i westchnął.

– Wracajcie do domów. Wszyscy. Z rozkazu Gajusa Justusa Gallicusa, zastępcy dowódcy Szóstego Legionu, dowódcy trzeciej i czwartej centurii, na mocy władzy nadanej mi przez cesarza Tyberiusza oraz Imperium Rzymskie, wszyscy macie wrócić do domu i nie próbować żadnych piekielnych numerów, dopóki nie upiję się solidnie i nie będę miał paru dni, żeby to odespać.

– Czyli wypuścicie Józefa? – upewniła się Maggie.

– Jest w koszarach. Idźcie go zabrać i wracajcie do domów.

– Amen – rzekł Joszua.

– *Semper fido* – dodałem po łacinie.

Mały brat Joszuy, Juda, który miał wtedy siedem lat, biegał dookoła rzymskich koszar i wrzeszczał: „Wypuść mój lud! Wypuść mój lud!", aż dostał chrypy. (Juda już wcześniej postanowił, że będzie Mojżeszem, tyle że teraz Mojżesz wjedzie do Ziemi Obiecanej na kucyku). Okazało się, że Józef czeka na nas przy Bramie Wenus. Był trochę zagubiony, ale poza tym nic mu się nie stało.

– Powiedzieli mi, że martwy przemówił – oświadczył.

Maria szalała z radości.

– Tak. I chodził. Wskazał swojego zabójcę, a potem znowu umarł.

– Przykro mi – rzekł Joszua. – Próbowałem zrobić tak, żeby żył dalej, ale wytrzymał tylko minutę.

Józef zmarszczył czoło.

– Czy wszyscy widzieli, że to zrobiłeś, Joszuo?

– Nie wiedzieli, że to moje dzieło, ale je widzieli.

– Odwróciłem ich uwagę jedną z moich wspaniałych pieśni pogrzebowych – wtrąciłem.

– Nie możesz się tak narażać – powiedział Józef do Joszuy. – Jeszcze nie nadszedł czas.

– Jeśli nie wtedy, gdy trzeba ratować mojego ojca, to kiedy?

– Nie jestem twoim ojcem. – Józef się uśmiechnął.

– Właśnie że jesteś. – Joszua zwiesił głowę.

– Ale nie mogę ci rozkazywać. – Uśmiech Józefa stał się wyraźnie szerszy.

– Nie, chyba nie.

– Nie musiałeś się martwić, Józefie – powiedziałem. – Gdyby Rzymianie cię zabili, troskliwie bym się zaopiekował Marią i dziećmi.

Maggie uderzyła mnie w ramię.

– Dobrze wiedzieć – stwierdził Józef.

W drodze do Nazaretu mogłem iść razem z Maggie o kilka kroków za Józefem i jego rodziną. Jej rodzina była tak zrozpaczona tym, co się stało z Jeremiaszem, że w ogóle nie zauważyli jej nieobecności.

– Jest o wiele silniejszy, niż był ostatnim razem – zauważyła Maggie.

– Nie martw się, jutro będzie załamany. „Och, co uczyniłem niewłaściwie. Och, moja wiara nie była dostatecznie silna. Och, nie jestem godzien tego zadania". Przez tydzień czy dwa będzie nie do wytrzymania. Prawdziwe szczęście, jeśli przerwie swoje modły na czas dość długi, żeby coś zjeść.

– Nie żartuj sobie z niego. Tak bardzo się stara.

– Łatwo ci mówić. Ty nie musisz łazić z wiejskim głupkiem i czekać, dopóki Joshowi nie przejdzie.

– Ale czy nie jesteś poruszony tym, kim on jest? I czym jest?

– A co by mi z tego przyszło? Gdybym przez cały czas pławił się w blasku jego świętości, to kto by się nim opiekował? Kto załatwiałby za niego wszystkie te kłamstwa i oszustwa? Maggie, nawet sam Josh nie może przez cały czas myśleć o tym, kim jest.

– Ja myślę o nim przez cały czas. I przez cały czas modlę się za niego.

– Naprawdę? A modlisz się czasem za mnie?

– Wspomniałam o tobie w modlitwie. Raz.

– Tak? W jaki sposób?

– Prosiłam Boga, by ci pomógł nie być takim durniem, żebyś mógł dbać o Joszuę.

– Ale chodziło ci o atrakcyjnego durnia, prawda?

– Oczywiście.

7

I powiedział anioł:
– Jakiż prorok to napisał? Albowiem są w tej księdze przepowiedziane zdarzenia, jakie nadejdą w przyszłym tygodniu w krainie *Mody na sukces* i *Santa Barbara*.

A ja odparłem aniołowi:
– Ty wybitnie słaby na umyśle tobole piór, nie potrzeba żadnego proroka. Wiedzą, co się stanie, bo piszą to z wyprzedzeniem, a aktorzy to odgrywają.

– Tak jest napisane, zatem tak się stanie – rzekł anioł.

Przeszedłem przez pokój i usiadłem na łóżku obok Raziela. Jego wzrok ani na moment nie opuszczał kart *Panoramy seriali*. Pchnąłem magazyn w dół, tak że anioł musiał spojrzeć mi w twarz.

– Razielu, czy pamiętasz czasy przed ludzkością, czasy, kiedy istniały tylko hufce niebieskie i Pan?

– Tak. To były wspaniałe czasy. Oprócz wojny, oczywiście. Ale poza tym, owszem, cudowne czasy.

– A wy, aniołowie, byliście silni i piękni jak boska wyobraźnia, wasze głosy wielbiły Pana i śpiewały chwałę jego aż po krańce wszechświata. A jednak Pan uznał, że lepiej jest stworzyć nas, ludzi, słabych, pokrzywionych i bluźnierczych. Zgadza się?

– Wtedy właśnie wszystko zaczęło się sypać, moim zdaniem.

– No, a wiesz, dlaczego Pan postanowił nas stworzyć?

– Nie. Nie do nas należy kwestionowanie Jego woli.

– Ponieważ wszyscy jesteście tępakami, oto dlaczego. Jesteście bezmyślni jak maszyneria gwiazd. Anioły to tylko piękne owady. *Moda na sukces* to przedstawienie, Razielu. Sztuka. Nie jest rzeczywista, rozumiesz?

– Nie.

I nie rozumiał. Dowiedziałem się, że jest w tych czasach tradycja opowiadania zabawnych historyjek o głupocie ludzi o żółtych włosach. Zgadnijcie, od czego się zaczęła.

Wszyscy chyba się spodziewaliśmy, że po znalezieniu mordercy sprawy się uspokoją. Wydawało się jednak, że Rzymian bardziej interesuje załatwienie wszystkich sykariuszy niż jakieś pojedyncze zmartwychwstanie. Trzeba zresztą uczciwie przyznać, że zmartwychwstania nie były wtedy tak rzadkie. Jak wspomniałem, my, Żydzi, szybko zakopywaliśmy naszych umarłych w ziemi, a przy szybkim działaniu muszą się zdarzać pomyłki. Bywało, że jakaś nieszczęsna duszyczka padała od gorączki, a budziła się już owinięta płótnem i gotowa do grobu. Ale pogrzeby to dobry sposób zebrania w jednym miejscu całej rodziny, i zawsze na zakończenie podawano doskonały posiłek, więc nikt tak naprawdę nie narzekał – być może oprócz tych ludzi, którzy nie obudzili się przed złożeniem w ziemi. Ale jeśli oni narzekali, to cóż... jestem pewien, że Bóg ich wysłuchał. (Za moich czasów warto było mieć lekki sen). Zatem, choć chodzący nieboszczyk pewnie zrobił na nich wrażenie, Rzymianie zaczęli wyłapywać podejrzanych konspiratorów. Mężczyzn z rodziny Maggie pognali o świcie do Seforis.

Żadne cuda nie miały się zdarzyć, by spowodować uwolnienie więźniów, ale też w kolejnych dniach nie zapowiedziano żadnych ukrzyżowań. Gdy minęły dwa tygodnie i nie nadeszła żadna wiadomość o losie czy stanie mężczyzn, Maggie, jej matka, ciotki i siostry udały się do synagogi prosić faryzeuszy o pomoc.

Pewnego dnia faryzeusze z Nazaretu, Jafii i Seforis zjawili się przed siedzibą rzymskiego garnizonu i zaapelowali do Justusa o uwolnienie więźniów. Nie wiem, co powiedzieli ani jakich nacisków mogli ewentualnie użyć, by poruszyć Rzymian, ale następnego dnia, zaraz po wschodzie słońca, mężczyźni z rodziny Maggie weszli chwiejnym krokiem do wioski – poobijani, wygłodzeni i brudni, ale zdecydowanie żywi.

Nie było uczty, nie świętowaliśmy ich powrotu – my, Żydzi, przez kilka tygodni chodziliśmy na paluszkach, by dać Rzymianom czas na uspokojenie. W następnych tygodniach Maggie była jakby oddalona; Josh i ja nie oglądaliśmy jej uśmiechu, od którego obaj traciliśmy oddech. Wydawało się, że nas unika: odbiegała z rynku, kiedy tylko ją tam zobaczyliśmy, a w szabat trzymała się blisko kobiet ze swej rodziny, więc nie mogliśmy z nią porozmawiać. Wreszcie, gdy minął miesiąc, całkowicie lekceważąc obyczaje i zwyczajną uprzejmość, Joszua namówił mnie, żeby nie iść do pracy, i zaciągnął mnie za rękaw do domu Maggie. Klęczała na ziemi przed drzwiami i ma żarnach mełła ziarno jęczmienia. Widzieliśmy, jak jej matka krząta się po domu, słyszeliśmy ojca i starszego brata Szymona (zwanego Łazarzem), jak pracują obok w kuźni. Maggie tak się zapamiętała w rytmie mielenia, że nie zauważyła, jak się zbliżamy. Joszua położył jej dłoń na ramieniu, a ona uśmiechnęła się, nie unosząc głowy.

– Powinniście teraz budować dom w Seforis – powiedziała.

– Uznaliśmy, że ważniejsze są odwiedziny u chorego przyjaciela.

– Któż mógłby nim być?

– A jak ci się zdaje?

– Nie jestem chora. Prawdę mówiąc, uzdrowił mnie dotyk Mesjasza.

– Nie sądzę – stwierdził Joszua.

Spojrzała wreszcie na niego i jej uśmiech ulotnił się bez śladu.

– Nie mogę się już przyjaźnić z wami dwoma – oznajmiła. – Wszystko się zmieniło.

– Co? Dlatego że twój wuj był sykariuszem? Nie żartuj.

– Nie. Dlatego że moja matka zawarła umowę z Ibanem, żeby się zgodził przekonać innych faryzeuszy, iść do Seforis i prosić o życie naszych krewnych.

102

– Jaką umowę? – zapytał Joszua.

– Jestem zaręczona. – Znowu spuściła głowę nad żarnami i łza kapnęła na zmielone ziarno.

Obaj byliśmy wstrząśnięci. Josh cofnął rękę i odstąpił, a potem spojrzał na mnie, jakbym mógł coś na to poradzić. Ja czułem, że lada chwila się rozpłaczę.

– Z kim? – zdołałem wykrztusić.

– Z Akanem. – Maggie chlipnęła.

– Synem Ibana? Tą mendą? Tym zbirem?

Maggie przytaknęła. Joszua zakrył dłonią usta, odbiegł kilka kroków i zwymiotował. Miałem ochotę przyłączyć się do niego, ale tylko przykucnąłem przed Maggie.

– Kiedy macie się pobrać? – zapytałem.

– Zaślubiny mają się odbyć miesiąc po święcie Paschy. Matka kazała mu odczekać sześć miesięcy.

– Sześć miesięcy! Sześć miesięcy! To cała wieczność, Maggie. Przez sześć miesięcy Akan może być zabity na tysiąc ohydnych sposobów, a to tylko te, które przychodzą mi do głowy w tej chwili. Ktoś może wydać go Rzymianom jako buntownika. Nie mówię kto, ale ktoś przecież może. Takie rzeczy się zdarzają.

– Przykro mi, Biff.

– Niech ci nie będzie przykro z mojego powodu. Czemu ma ci być przykro z mojego powodu?

– Wiem, co czujesz, i dlatego mi przykro.

Przez moment nie wiedziałem co powiedzieć. Zerknąłem na Joszuę, czy nie mógłby mi jakoś pomóc, ale on nadal był zajęty rozchlapywaniem na piasku swojego śniadania.

– Ale to przecież Joszuę kochasz? – spytałem w końcu.

– Czy od tego czujesz się choć trochę lepiej?

– No więc nie.

– Zatem przykro mi. – Zrobiła gest, jakby chciała pogłaskać mnie po policzku, ale matka zawołała ją, zanim zdążyła mnie dotknąć.

– Mario, wracaj do domu, natychmiast!

Maggie skinęła głową w stronę rzygającego Mesjasza.

– Uważaj na niego.

– Nic mu nie będzie.

– I na siebie też uważaj.

– Ja też sobie poradzę, Maggie. Nie zapominaj, że na wszelki wypadek mam żonę rezerwową. Poza tym to przecież sześć miesięcy. Wiele może się zdarzyć w ciągu sześciu miesięcy. W końcu będziemy cię czasem widywać.

Próbowałem mówić z większym optymizmem, niż odczuwałem.

– Odprowadź Joszuę do domu – powiedziała.

A potem szybko pocałowała mnie w policzek i uciekła.

Joszua stanowczo sprzeciwiał się pomysłowi zamordowania Akana, czy nawet modlenia się, by spotkało go jakieś nieszczęście. Jeśli już, to sprawiał wrażenie bardziej życzliwie usposobionego niż wcześniej. Posunął się nawet do tego, że odszukał Akana i pogratulował zaręczyn z Maggie – przez co poczułem się zdradzony i wściekły. Poszedłem za nim do oliwnego gaju, gdzie modlił się wśród poskręcanych pni drzew.

– Ty tchórzu – powiedziałem. – Mógłbyś go porazić, gdybyś tylko zechciał.

– Tak samo jak ty – odparł.

– Tak, ale ty możesz ściągnąć na niego gniew boży, a ja musiałbym zakraść się od tyłu i rozbić mu głowę kamieniem. To wielka różnica.

– I chciałbyś, żebym zabił Akana za co? Za to, że masz pecha?

– Jak dla mnie to całkiem dobry powód.

– Tak trudno ci zrezygnować z czegoś, czego nigdy nie miałeś?

– Miałem nadzieję, Josh. Przecież rozumiesz nadzieję, prawda?

Czasami potrafił być straszliwie tępy, a raczej tak wtedy myślałem. Nie miałem pojęcia, jak bardzo cierpi, jak bardzo chciałby coś zrobić.

– Myślę, że rozumiem nadzieję. Nie jestem tylko pewien, czy wolno mi jakąś mieć.

– No nie, nie zaczynaj tego kazania „Każdy coś ma oprócz mnie". Masz bardzo dużo.

Stanął przede mną, a oczy mu płonęły.

– Na przykład co? Co takiego mam?

– No... – Chciałem powiedzieć coś na temat bardzo seksownej matki, ale jakoś nie wydawało się to odpowiedzią, jaką chciałby usłyszeć. – No, masz Boga.

– Tak samo jak ty. Tak samo jak każdy.

– Naprawdę?

– Tak.

– Ale nie Rzymianie.

– Są przecież rzymscy Żydzi.

– No to masz... no, to takie z uzdrawianiem i wskrzeszaniem z martwych.

– O tak, i to rzeczywiście świetnie działa.

– Przecież jesteś Mesjaszem, nie? A to już coś. Gdybyś powiedział ludziom, że jesteś Mesjaszem, musieliby robić, co im każesz.

– Nie mogę im powiedzieć.

– Dlaczego nie?

– Bo nie wiem, jak być Mesjaszem.

– W takim razie zrób chociaż coś w sprawie Maggie.

– Nie może – zabrzmiał głos za drzewem.

Złocisty blask zajaśniał po obu stronach pnia.

– Kto tam jest?! – zawołał Joszua.

Anioł Raziel wyszedł zza drzewa.

– Anioł Pański – mruknąłem do Josha.

– Wiem – rzucił tonem dającym do zrozumienia, że „kto widział jednego, widział wszystkich".

– Nic nie może zrobić – powtórzył anioł.

– Dlaczego nie? – spytałem.

– Ponieważ nie może poznać żadnej kobiety.

– Nie mogę? – Joszua wcale nie wydawał się szczęśliwy.

– Nie może w sensie, że nie powinien, czy nie jest zdolny? – upewniłem się.

Anioł poskrobał się po złotowłosej głowie.

– Nie przyszło mi na myśl, żeby zapytać.

– Ale to dosyć ważne.

– W każdym razie nic nie może zrobić w sprawie Marii Magdaleny, to wiem na pewno. Kazali mi przybyć i mu to przekazać. Jak również, że czas już, by wyruszył.

– Dokąd wyruszył?

– Nie pomyślałem, żeby spytać.

Przypuszczam, że powinienem być wystraszony, ale zdaje się, że przeskoczyłem przez strach wprost do irytacji. Podszedłem do anioła i stuknąłem go palcem w pierś.

– Czy jesteś tym samym aniołem, który przybył do nas wcześniej, by objawić narodziny zbawiciela?

– Wolą Boga było, bym przekazał tę radosną wieść.

– Wolałem się upewnić, na wypadek gdyby wszystkie anioły wyglądały podobnie albo co. Czyli, kiedy już zjawiłeś się spóźniony o dziesięć lat, przysłali cię z kolejną wiadomością?

– Jestem tu, by przekazać Zbawicielowi, że czas już, by wyruszył.

– Ale nie wiesz dokąd?

– Nie.

– A to złociste coś wokół ciebie, to światło... Co to takiego?

– To chwała Pana.

– Jesteś pewien, że to nie twoja głupota przecieka?

– Biff, bądź uprzejmy, to posłaniec Pana.

– Do diabła, Josh, przecież on wcale nie pomaga. Jeśli mają nas odwiedzać aniołowie z nieba, to powinni przynajmniej wiedzieć, co robią. Obalić mury czy coś, zniszczyć miasto, no, sam nie wiem... zapamiętać całą wiadomość?

– Przykro mi – odparł anioł. – Czy chcielibyście, żebym zniszczył miasto?

– Dowiedz się lepiej, dokąd Josh powinien wyruszyć. Co ty na to?

– Mogę to uczynić.

– No to uczyń.

– Zaraz wracam.

– Z Bogiem – rzekł Joszua.

W jednej chwili anioł skrył się za innym pniem. Z ciepłym podmuchem zniknął z oliwnego gaju złoty blask.

– Byłeś dla niego dość surowy – zganił mnie Joszua.

– Josh, bycie miłym nie zawsze pozwala załatwić sprawę.

– Ale można próbować.

– Czy Mojżesz był miły dla faraona?

Zanim Joszua zdążył odpowiedzieć, ciepły wiatr znów dmuchnął przez gaj i anioł wyłonił się zza drzewa.

– Aby odnaleźć swoje przeznaczenie – powiedział.

– Co? – spytałem.

– Co? – spytał Joszua.

– Powinieneś wyruszyć, by odnaleźć swoje przeznaczenie.

– To wszystko? – zdziwił się Joszua.

– Tak.

– A co z tym poznawaniem kobiety? – wtrąciłem.

– Muszę już odejść.

– Łap go, Josh. Ty go przytrzymasz, a ja mu przywalę.

Ale anioł zniknął wraz z ciepłym wiatrem.

– Moje przeznaczenie? – Joszua spoglądał na swe puste, otwarte dłonie.

– Powinniśmy go zlać i zmusić do odpowiedzi – uznałem.

– Nie sądzę, żeby się nam udało.

– Czyli wracamy do miłych strategii? Czy Mojżesz...

– Mojżesz powinien powiedzieć: wypuść mój lud, proszę.

– I to by zrobiło jakąś różnicę?

– Mogłoby mu się udać. Nigdy nie wiadomo.

– Co zamierzasz zrobić w sprawie swojego przeznaczenia?

– Mam zamiar spytać Święte Świętych, kiedy pójdziemy na Paschę do Świątyni.

107

I tak zdarzyło się, że wiosną Żydzi z Galilei ruszyli do Jeruzalem z pielgrzymką z okazji Święta Paschy, a Joszua rozpoczął poszukiwanie swego przeznaczenia. Traktem podążały rodziny zmierzające do świętego miasta. Wielbłądy, wózki i osły niosły wielkie ładunki zapasów na drogę, a wzdłuż całej kolumny pielgrzymów rozlegało się beczenie owiec, które miały być ofiarowane na Święto Paschy. Tego roku ziemia była sucha i brunatnoczerwona chmura kurzu wiła się ponad traktem tak daleko, jak tylko wzrok sięgał w obu kierunkach.

Ponieważ obaj byliśmy najstarsi w naszych rodzinach, na Joszuę i mnie spadł obowiązek pilnowania młodszych braci i sióstr. Uznaliśmy, że najprostszą metodą osiągnięcia celu będzie powiązanie ich liną, według wzrostu – moich dwóch braci oraz trzech braci i dwie siostry Joszuy. Zarzuciłem im na szyje pętle dość luźne, by zaczęli się dławić tylko wtedy, kiedy spróbują wyjść z kolumny.

– Mogę to odwiązać – oznajmił Jakub.

– Ja też – powiedział mój brat Sem.

– Ale tego nie zrobicie. To jest ta część Paschy, kiedy odtwarzacie Mojżesza prowadzącego was do Ziemi Obiecanej. Musicie zostać z młodszymi.

– Nie jesteś Mojżeszem – stwierdził Sem.

– Nie... nie jestem Mojżeszem, sprytnie to zauważyłeś. – Przywiązałem koniec liny do jadącego obok wozu, załadowanego wysoko dzbanami wina. – Ten wóz jest Mojżeszem. Idźcie za nim.

– Ten wóz nie jest...

– Zamknij się, do diabła, i maszeruj za Mojżeszem.

To uwolniło nas od obowiązków. Joszua i ja ruszyliśmy więc szukać Maggie i jej rodziny. Wiedzieliśmy, że Maggie ze swoim klanem wyszli po nas, więc przecisnęliśmy się pod prąd rzeki pielgrzymów, narażając się na ugryzienia osłów i plucie wielbłądów, aż na wzgórzu, jakieś pół mili za nami, zobaczyliśmy błękitny szal. Zamiast przebijać się przez tłum wędrowców, postanowiliśmy raczej usiąść przy drodze i zaczekać, aż Maggie sama do nas dotrze. Nagle jednak kolumna pielgrzymów zaczęła wielką falą schodzić z traktu na boki. Kiedy zobaczyliśmy wyłaniający się zza wzgórza pióropusz centuriona, zrozumieliśmy: nasz lud robił przejście dla rzymskiej armii. (Na Paschę w Jeruzalem przybywał prawie milion Żydów – milion Żydów świętujących wyzwolenie z niewoli stanowiło, z punktu widzenia Rzymian, bardzo niebezpieczną mieszankę. Rzymski gubernator przybywał z Cezarei ze swoim pełnym legionem, sześcioma tysiącami ludzi, a każdy z garnizonów w Judei, Samarii i Galilei także przysyłał do świętego miasta centurię czy dwie).

Wykorzystaliśmy okazję, by pobiec do Maggie, i dotarliśmy tam w tym samym czasie co rzymska armia. Centurion prowadzący konnicę próbował mnie kopnąć, gdy go mijałem – podkuty but o włos minął moją głowę. Powinienem chyba się cieszyć, że nie był to chorąży, bo mógłbym wtedy oberwać rzymskim orłem.

– Jak długo mam czekać, Joszua, zanim przepędzisz ich z tej ziemi i odrodzi się królestwo naszego ludu?

Maggie stała z dłońmi na biodrach i usiłowała robić surową minę, ale niebieskie oczy zdradzały, że zaraz wybuchnie śmiechem.

– Ehm... I tobie szalom, Maggie.

– A co z tobą, Biff, wiesz już, jak być głupkiem, czy wciąż jesteś opóźniony w nauce?

Te roześmiane oczy, choć Rzymianie mijali nas na odległość wyciągniętej ręki... Boże, jak za nią tęskniłem...

– Uczę się – odpowiedziałem.

Maggie odstawiła dzban, który niosła, i wyciągnęła ręce, by nas objąć. Od wielu miesięcy widywaliśmy ją tylko przechodzącą przez rynek. Tego dnia pachniała cytryną i cynamonem.

Przez kilka godzin szliśmy z Maggie i jej rodziną. Rozmawialiśmy, żartowaliśmy i unikaliśmy tematu, o którym myśleliśmy wszyscy. Wreszcie Maggie spytała:

– Przyjdziecie na mój ślub?

Joszua i ja spojrzeliśmy na siebie, jakby nagle wyrwano nam obu języki. Przekonałem się, że on także bez powodzenia szuka właściwych słów, a Maggie wyraźnie zaczynała się irytować.

– No?

– Wiesz, Maggie, nie o to chodzi, że nie cieszymy się twoim szczęściem...

Trzepnęła mnie grzbietem dłoni w usta. Dzban, który niosła na głowie, nawet się nie zakołysał. Niezwykłą grację miała w sobie ta dziewczyna.

– Auć.

– Szczęściem? Oszalałeś? Mój mąż to ropucha. Niedobrze mi się robi na samą myśl o nim. Miałam tylko nadzieję, że przyjdziecie obaj i pomożecie mi przetrwać tę ceremonię.

– Chyba warga mi krwawi.

Joszua spojrzał na mnie i nagle otworzył szeroko oczy.

– Oj-oj.

Przechylił głowę, jakby nasłuchiwał szumu wiatru.

– Co za oj-oj?

Ale wtedy i ja usłyszałem odgłosy zamieszania przed nami. Tłum zebrał się wokół niedużego mostku – wiele krzyków i wymachiwania rękami. Ponieważ Rzymianie dawno już przejechali, uznałem, że ktoś musiał wpaść do wody.

– Oj-oj – powtórzył Joszua i pobiegł w stronę mostku.

– Przepraszam. – Spojrzałem na Maggie, wzruszyłem ramionami i pognałem za nim.

Przy brzegu rzeki (właściwie raczej strumienia) zobaczyliśmy stojącego po pierś w wodzie chłopca w naszym wieku, ze zwichrzonymi dziko włosami i płonącymi jeszcze bardziej dziko oczami. Trzymał coś pod powierzchnią i krzyczał ile sił w płucach.

– Musisz okazać skruchę i odpokutować, pokutować i okazywać skruchę! Twoje grzechy uczyniły cię nieczystym! Oczyszczam cię ze zła, które nosisz niby sakwę.

– To mój kuzyn, Jan – wyjaśnił Joszua.

Po obu stronach Jana stali rzędem nasi bracia i siostry, wciąż powiązani razem. Ale brakującym ogniwem w łańcuchu rodzeństwa był mój brat Sem, zastąpiony przez chlapanie i bulgotanie w mętnej wodzie przed Janem. Patrzący krzyczeli na cześć Chrzciciela, który miał pewne problemy z utrzymaniem Sema pod wodą.

– Wydaje mi się, że on topi Sema.

– Chrzci.

– Moja matka będzie szczęśliwa, że Sem został oczyszczony z grzechów, ale sądzę, że będziemy mieli duże kłopoty, jeśli utonie w trakcie tego procesu.

– Słuszna uwaga – zgodził się Josh. Wszedł do wody. – Janie! Przestań!

Jan popatrzył na niego trochę zmieszany.

– Kuzyn Joszua?

– Tak. Wypuść go, Janie.

– On zgrzeszył – odparł Jan takim tonem, jakby to tłumaczyło wszystko.

– Ja zajmę się jego grzechami.

– Myślisz, że jesteś tym pomazańcem, tak? No więc nie jesteś. Moje narodziny też zapowiedział anioł. Proroctwo mówi, że będę prowadził. To nie ty nim jesteś.

– Powinniśmy porozmawiać o tym gdzie indziej. Puść go, Janie, został oczyszczony.

Jan pozwolił mojemu bratu wynurzyć się na powierzchnię. Podbiegłem i wyciągnąłem go z wody razem z resztą dzieci.

– Czekaj, inni nie są oczyszczeni. Są brudni od grzechu.

Joszua stanął między swym bratem Jakubem – który byłby następnym przytopionym – i Chrzcicielem.

– Nie powiesz o tym mamie, prawda?

Przerażony i wściekły, Jakub szarpał za supły, próbując rozwiązać sznur na szyi. Wyraźnie chciał się zemścić na starszym bracie, ale równocześnie nie chciał rezygnować z obrony, jaką Josh dawał przed Janem.

– Jeśli pozwolimy Janowi chrzcić cię dostatecznie długo, nie będziesz mógł już niczego matce powiedzieć. Prawda, Jakubie?

To ja, próbujący pomóc...

– Nie powiem – obiecał Jakub. Spojrzał na Jana, który wyglądał, jakby w każdej chwili był gotów porwać kogoś i oczyścić. – To nasz kuzyn?

– Tak – potwierdził Joszua. – Jest synem Elżbiety, kuzynki naszej matki.

– Kiedy go wcześniej spotkałeś?

– Nie spotkałem.

– To skąd wiesz, że to on?

– Po prostu wiem.

– To wariat – uznał Jakub. – Obaj jesteście wariaci.

– Tak, to rodzinne. Może kiedy urośniesz, też zostaniesz wariatem. Nie mów nic mamie.

– Nie powiem.

– Dobrze – pochwalił Joszua. – Ty i Biff poprowadzicie dzieci dalej.

Kiwnąłem głową i jeszcze raz zerknąłem na Jana.

– Jakub ma rację, Josh. To wariat.

– Słyszałem to, grzeszniku! – krzyknął Jan. – Może ty też potrzebujesz oczyszczenia!

Tego wieczoru Jan z rodziną jedli z nami kolację. Byłem zaskoczony, że jego rodzice są starsi niż Józef – starsi nawet niż moi dziadkowie. Joszua powiedział mi, że narodziny Jana były cudem zwiastowanym przez anioła. Elżbieta, matka Jana, opowiadała o tym przez cały czas przy kolacji, jakby zdarzyło się to wczoraj, a nie trzynaście lat temu. Kiedy starsza pani przerywała, by nabrać tchu, matka Joszuy wchodziła ze swoją opowieścią o boskim zwiastowaniu narodzin jej syna. Od czasu do czasu moja matka, czując potrzebę okazania matczynej dumy, której tak naprawdę nie czuła, także do nich dołączała.

– No cóż, Biffa nie zapowiedział anioł, ale szarańcza pożarła nasz ogród, a Alfeusz miał gazy przez miesiąc mniej więcej w czasie, kiedy Biff został poczęty. Myślę, że to był znak. Z całą pewnością nic takiego nie zdarzyło się przy moich pozostałych chłopcach.

Ach, mama... Czy wspominałem, że opętały ją demony?

Po kolacji Joszua i ja rozpaliliśmy własne ognisko, z dala od pozostałych. Mieliśmy nadzieję, że Maggie nas odszuka, ale okazało się, że tylko Jan do nas dołączył.

– Nie jesteś pomazańcem – zwrócił się do Joszuy. – Do mojego ojca przybył Gabriel. Twój anioł nie miał nawet imienia.

– Nie powinniśmy rozmawiać o tych sprawach – odparł Joszua.

– Anioł oznajmił mojemu ojcu, że jego syn przygotuje drogę Panu. To ja.

– Świetnie. Niczego bardziej dla ciebie nie pragnę, niż abyś to ty był Mesjaszem.

– Naprawdę? – zdziwił się Jan. – Ale twoja matka wydaje się taka... taka...

– Josh umie wskrzeszać z martwych – wtrąciłem.

Jan przeniósł na mnie swoje obłąkane spojrzenie, a ja odsunąłem się na wypadek, gdyby chciał mnie uderzyć.

– Nie umie – rzekł.

– Sam widziałem. Dwa razy.

– Daj spokój, Biff – poprosił Josh.

– Kłamiesz. Dawanie fałszywego świadectwa jest grzechem.

Chrzciciel wydawał się bardziej wystraszony niż rozgniewany.

– Nie wychodzi mi to za dobrze – przyznał Joszua.

Jan szeroko otworzył oczy.

– Robiłeś to? Wskrzeszałeś zmarłych?

– I uzdrawiał chorych – dodałem.

Jan chwycił mnie za tunikę i przyciągnął do siebie. Patrzył mi w oczy, jakby zaglądał do wnętrza głowy.

– Nie kłamiesz, prawda? – Obejrzał się na Joszuę. – On nie kłamie, prawda?

Joszua pokręcił głową.

– Chyba nie.

Jan puścił mnie, odetchnął głęboko i usiadł na ziemi. Blask ognia odbijał się od łez w jego oczach, gdy spoglądał w pustkę.

– To prawdziwa ulga. Nie wiedziałem co robić. Nie wiem jak być Mesjaszem.

– Ja też nie – oświadczył Joszua.

– W każdym razie mam nadzieję, że naprawdę potrafisz wskrzeszać z martwych – rzekł Jan. – Bo moją matkę to zabije.

113

Szliśmy z Janem trzy kolejne dni, przez Samarię do Judei i wreszcie do świętego miasta. Na szczęście, po drodze nie spotykaliśmy zbyt wielu rzek czy strumieni, więc udało nam się ograniczyć jego chrzty do minimum. Miał serce na właściwym miejscu, naprawdę chciał oczyścić nasz lud z grzechów, tyle że nikt nie chciał uwierzyć, by Bóg powierzył taką misję trzynastolatkowi. Żeby nie psuć mu humoru, pozwalaliśmy chrzcić naszych młodszych braci i siostry w każdym źródle, jakie mijaliśmy, aż w końcu Miriam, mała siostrzyczka Josha, dostała kataru i Joszua musiał dokonać na niej nagłego uzdrowienia.

– Naprawdę potrafisz uzdrawiać! – zawołał Jan.

– Wiesz, katar jest łatwy – zapewnił Joszua. – Trochę śluzu w nosie jest niczym wobec potęgi Pana.

– Czy... czy mógłbyś?

Jan uniósł tunikę, demonstrując swoje nagie części intymne, pokryte wrzodami i zielonkawymi naciekami.

– Zakryj się, proszę! Zakryj! – wrzasnąłem. – Opuść tę koszulę i odstąp!

– To obrzydliwe – stwierdził Joszua.

– Czy jestem nieczysty? Bałem się pytać ojca, a nie mogę iść do faryzeusza, przecież mój ojciec jest kapłanem. Myślę, że to przez wystawanie cały czas w wodzie. Możesz mnie uzdrowić?

(Muszę tu zaznaczyć, że moim zdaniem młodsza siostra Joszuy, Miriam, wtedy właśnie pierwszy raz zobaczyła męskie części intymne. Miała dopiero sześć lat, ale to przeżycie tak ją przeraziło, że nigdy nie wyszła za mąż. Ostatnie, co o niej słyszeliśmy, to że ścięła włosy na krótko, włożyła męskie ubranie i popłynęła na grecką wyspę Lesbos. Ale to później).

– Spróbuj, Josh – powiedziałem. – Połóż dłonie na schorzeniu i ulecz je.

Joszua rzucił mi wściekłe spojrzenie, ale kiedy zwrócił się znowu do swego kuzyna Jana, w oczach miał jedynie współczucie.

– Moja matka ma trochę maści, którą możesz nakładać – powiedział. – Sprawdźmy najpierw, czy ona podziała.

– Próbowałem maści – zapewnił Jan.

– Tego się obawiałem – mruknął Joszua.

– A próbowałeś wcierać oliwę? – spytałem. – Prawdopodobnie cię to nie wyleczy, ale pozwoli zająć czymś umysł.

– Proszę cię, Biff. Jan jest chory.

– Przepraszam.

– Podejdź tu, Janie.

– O rany, Joszua – powiedziałem. – Nie chcesz chyba tego dotykać, co? On jest nieczysty. Niech mieszka wśród trędowatych.

Joszua położył dłonie na głowie Jana. Chrzciciel wywrócił oczami, jakby chciał sobie zajrzeć do głowy. Myślałem, że się przewróci, i rzeczywiście się zachwiał, ale nie upadł.

– Ojcze, posłałeś tego człowieka, by przygotował drogę. Pozwól mu być równie czystym na ciele, jak w duszy.

Puścił kuzyna i odstąpił. Jan otworzył oczy i się uśmiechnął.

– Jestem uleczony – krzyknął. – Uleczony!

Zaczął podnosić koszulę, ale złapałem go za rękę.

– Wierzymy ci na słowo.

Chrzciciel padł na kolana, a potem rozciągnął się na ziemi, czołgając się do stóp Joszuy.

– Zaiste jesteś Mesjaszem. Przepraszam, że w ciebie wątpiłem. Będę głosił twoją świętość w całej krainie.

– Uhm, może kiedyś, ale jeszcze nie teraz – sprzeciwił się Joszua.

Jan uniósł głowę z ziemi, obejmując Josha za kostki.

– Nie teraz?

– Staramy się utrzymywać to w sekrecie – wyjaśniłem.

Josh pogłaskał kuzyna po głowie.

– Tak, Janie. Lepiej będzie, jeśli nikomu nie powiesz o uzdrowieniu.

– Ale dlaczego?

– Nim Joszua zacznie być Mesjaszem, musimy jeszcze sprawdzić kilka rzeczy.

– Jakich na przykład? – Jan wyglądał, jakby chciał się znowu rozpłakać.

– No, na przykład, gdzie Joszua zostawił swoje przeznaczenie i czy wolno mu, albo nie, mieć, no... obrzydliwość z kobietą.

– Jeśli z kobietą, to nie obrzydliwość – stwierdził Josh.

– Nie?

– Nie. Z owcą, kozą, właściwie z każdym zwierzęciem, to jest obrzydliwość. Ale z kobietą to coś zupełnie innego.

– A jeśli kobieta i kozioł, to co to jest? – spytał Jan.

– To pięć szekli w Damaszku – odparłem. – Sześć, jeśli sam chcesz pomóc.

Joszua uderzył mnie pięścią w ramię.

– Przepraszam. To stary żart. – Uśmiechnąłem się. – Nie mogłem się powstrzymać.

Jan zamknął oczy i potarł skronie, jak gdyby sądził, że jeśli tylko przyłoży dostateczną siłę, wyciśnie z umysłu jakieś zrozumienie.

– Czyli nie chcesz, żeby ktokolwiek się dowiedział o twojej mocy uzdrawiania, bo nie wiesz, czy możesz obcować z kobietą?

– Poza tym nie mam pojęcia, jak się zabrać do bycia Mesjaszem – wyjaśnił Joszua.

– Tak, to także – zgodziłem się.

– Powinieneś zapytać Hillela – poradził Jan. – Mój ojciec uważa, że jest najmędrszym ze wszystkich kapłanów.

– Chcę zapytać Święte Świętych – odparł Joszua.

(Święte Świętych to Arka Przymierza – skrzynia zawierająca tablice wręczone przez Boga Mojżeszowi. Nie znałem nikogo, kto ją widział, a stała w wewnętrznej komnacie Świątyni).

– Przecież to zakazane. Tylko kapłan może wejść do komnaty Arki.

– Tak, to będzie pewien kłopot – przyznałem.

Miasto było niczym ogromna misa, po brzegi wypełniona pielgrzymami, którzy się przelewali we wrzące morze człowieczeństwa dookoła. Kiedy dotarliśmy, ludzie stali w kolejce aż do bramy na drodze z Damaszku, czekając ze swymi owcami, by wejść do Świątyni. Wiatr niósł stamtąd tłusty czarny dym. W Świątyni aż dziesięć tysięcy kapłanów zarzynało teraz owce, by spalić na ołtarzach krew i tłuste fragmenty. Wokół miasta płonęły ogniska – to kobiety szykowały mięso owiec. Mgła unosiła się w powietrzu – para i odór miliona ludzi i tylu zwierząt. Zapach czerstwego chleba i potu, smród moczu wznosiły się w upale, łącząc się z beczeniem owiec, rykami wielbłądów, krzykami dzieci, śpiewnymi wołaniami kobiet i niskim brzęczeniem zbyt wielu ludzkich głosów, aż powietrze było gęste od dźwięków, zapachów, Boga i historii. To tutaj Bóg oznajmił Abrahamowi, że jego lud będzie Wybrany, tutaj Hebrajczycy zostali uwolnieni z Egiptu, tutaj Salomon zbudował pierwszą Świątynię, tutaj chadzali prorocy i królowie Hebrajczyków, i tutaj spoczywała Arka Przymierza. Jeruzalem. Tutaj przybyliśmy ja, Chrystus i Jan Chrzciciel, by poznać wolę Boga, a jeśli będziemy mieli szczęście, spotkamy jakieś rzeczywiście świetne dziewczyny. (A co, myśleliście, że chodzi tylko o religię i filozofię?).

Nasze rodziny założyły obóz na zewnątrz północnych murów miasta, poniżej blanków Antonii – twierdzy, którą wzniósł Herod w hołdzie swojemu dobroczyńcy, Markowi Antoniuszowi. Dwie rzymskie kohorty w sile około tysiąca dwustu ludzi obserwowały dziedziniec Świątyni z murów twierdzy. Kobiety karmiły i myły dzieci, a ja i Joszua wraz z naszymi ojcami nieśliśmy owce na ofiarę.

Było coś niepokojącego w takim niesieniu zwierzęcia na śmierć. Nie o to chodzi, że przedtem nie widziałem ofiar czy nie jadłem paschalnego baranka, ale pierwszy raz sam uczestniczyłem w tym procesie. Czułem, jak zwierzę dmucha mi w kark, ponieważ niosłem je zarzucone na ramiona. I pośród hałasów, zapachów i ruchu wokół Świątyni, nagle – tylko na moment – zapadła cisza, tylko na jeden oddech i jedno uderzenie serca owcy. Chyba zostałem w tyle, bo ojciec odwrócił się i coś do mnie zawołał, ale nie zrozumiałem słów.

Przeszliśmy przez bramę na zewnętrzny dziedziniec, gdzie kupcy sprzedawali ptaki na ofiarę, a kantory wymieniały szekle na setkę innych walut ze wszystkich zakątków świata. Kiedy przechodziliśmy przez ten gigantyczny plac, gdzie tysiąc ludzi czekało z owcami na ramionach, aż dostaną się na dziedziniec wewnętrzny, do ołtarza, do rzezi, nie widziałem ani jednej ludzkiej twarzy. Widziałem tylko pyszczki owiec – jedne spokojne i bezmyślne, inne dziko przewracające oczami i beczące ze zgrozy, jeszcze inne z pozoru ogłuszone. Zdjąłem moją owcę z ramion i chwyciłem ją na ręce, jak dziecko. Zacząłem się wycofywać do bramy. Wiedziałem, że mój ojciec i Józef idą za mną, ale nie mogłem zobaczyć ich twarzy, jedynie pustkę w miejscach, gdzie powinny być oczy; patrzyłem tylko w oczy owiec, które nieśli. Nie mogłem oddychać i nie mogłem wydostać się ze świątyni dostatecznie szybko. Nie wiedziałem, dokąd pójdę, ale na pewno nie do ołtarza. Odwróciłem się, by uciekać, ale czyjaś dłoń chwyciła mnie za koszulę i pociągnęła z powrotem. Odwróciłem się i spojrzałem prosto w oczy Joszuy.

– To wola boża – powiedział. Położył dłonie na mojej głowie i znowu mogłem oddychać. – Już dobrze, Biff. Wola boska.

Uśmiechnął się.

Joszua położył przyniesioną przez siebie owcę na ziemi, ale ona nie uciekała. Przypuszczam, że już wtedy mogłem się domyślić.

Nie jadłem baraniny w to święto Paschy. Od tego dnia nie jadłem owcy już nigdy.

8

Udało mi się wymknąć do łazienki na dostatecznie długo, żeby przeczytać kilka rozdziałów tego Nowego Testamentu, który dodali do Biblii. Ten Mateusz, który najwyraźniej nie jest Mateuszem, którego znaliśmy, całkiem sporo pominął. Na przykład wszystko od narodzin Joszuy do czasu, kiedy miał już trzydzieści lat! Nic dziwnego, że anioł sprowadził mnie tutaj, bym napisał tę książkę. Ten Mateusz na razie jeszcze o mnie nie wspomniał, ale jestem ciągle przy początkowych rozdziałach. Muszę racjonować sobie lekturę, żeby anioł nie zaczął czegoś podejrzewać. Dzisiaj zaczepił mnie, kiedy wyszedłem z łazienki.

– Spędzasz tam dużo czasu – powiedział. – Nie musisz tam spędzać tyle czasu.

– Mówiłem ci, czystość jest bardzo ważna dla mojego ludu.

– Nie kąpałeś się. Słyszałbym płynącą wodę.

Uznałem, że jeśli nie chcę, by anioł znalazł Biblię, muszę przejść do ofensywy. Przebiegłem przez pokój, wskoczyłem na jego łóżko i chwyciłem oburącz za gardło. Dusiłem go i śpiewałem:

– Nie spałem z nikim od dwóch tysięcy lat! Nie spałem z nikim od dwóch tysięcy lat! Nie spałem z nikim od dwóch tysięcy lat!

Brzmiało to nieźle, miało swój rytm, a przy tym przy każdej sylabie tak jakby ściskałem go za gardło trochę mocniej.

Przerwałem na moment duszenie mojego niebiańskiego opiekuna, żeby przyłożyć mu w alabastrowy policzek. To był błąd. Chwycił moją rękę, potem drugą złapał za włosy i wstał spokojnie, podnosząc mnie w powietrze.

– Au, au, au, au, au – powiedziałem.

– No więc nie spałeś z nikim od dwóch tysięcy lat. Co to właściwie znaczy?

– Au, au, au, au – odpowiedziałem.

Anioł postawił mnie na nogach, ale ciągle trzymał mocno za włosy.

– No więc?

– To znaczy, że przez ostatnie dwa tysiąclecia nie miałem kobiety. Czy ty nie łapiesz z telewizji żadnych nowych określeń?

Zerknął na telewizor, jak zwykle włączony.

– Nie mam twojego daru języków. Ale co to ma wspólnego z duszeniem mnie?

– Dusiłem cię, ponieważ znowu okazałeś się tępy jak głaz. Od dwóch tysięcy lat nie uprawiałem seksu. Mężczyźni mają swoje potrzeby. Do diabła, myślisz, że po co bez przerwy chodzę do łazienki?

– Och... – Anioł puścił moje włosy. – Czyli ty... To tam... Jest...

– Sprowadź mi kobietę, a może nie będę siedział tak długo w łazience, jeśli łapiesz, co mam na myśli.

Błyskotliwy podstęp, moim zdaniem.

– Kobietę? Nie, tego uczynić nie mogę. Jeszcze nie.

– Jeszcze? Czy to znaczy...

– O, patrz. – Anioł odwrócił się ode mnie, jakbym był tylko kłębem mgły. – Zaczyna się *Ostry dyżur*.

Tak więc mojej tajnej Biblii nic już nie groziło. Co miał na myśli, mówiąc „jeszcze"?

Ten Mateusz wspomina przynajmniej o Mędrcach. Jedno zdanie, ale to o jedno więcej, niż do tej pory ja mam w Ewangeliach.

Drugiego dnia w Jeruzalem poszliśmy odwiedzić wielkiego rabbiego Hillela (rabbi po hebrajsku oznacza nauczyciela – wiedzieliście o tym, prawda?). Hillel wyglądał na sto lat, oczy miał zamglone, a źrenice mlecznobiałe. Jego skóra była sucha i brązowa od siedzenia na słońcu, a nos długi i zakrzywiony, przez co wyglądał trochę jak wielki, ślepy orzeł. Przez cały ranek wygłaszał swoje nauki na zewnętrznym dziedzińcu Świątyni. Siedzieliśmy spokojnie, słuchając, jak recytuje Torę i interpretuje wersy, słucha pytań i prowadzi dyskusje z faryzeuszami, którzy usiłowali podporządkować Prawu każdy najdrobniejszy fragment życia.

Pod koniec porannych wykładów Hillela odezwał się Akan, ten ssący wielbłądy przyszły mąż mojej ukochanej Maggie. Zapytał, czy grzechem jest zjedzenie jajka, które zostało zniesione w szabat.

– Czy jesteś głupi? Pana nic nie obchodzi, co kura robi w szabat, nimrodzie jeden! Gdyby Żyd zniósł jajko w szabat, to pewnie byłoby grzechem. Wtedy przyjdź do mnie. A na razie nie marnuj takimi bzdurami mojego czasu. Teraz idź, jestem głodny i muszę się zdrzemnąć. Wy wszyscy też.

Joszua spojrzał na mnie z szerokim uśmiechem.

– Nie jest taki, jak się spodziewałem.

– Umie rozpoznać nimroda, kiedy go zobaczy... to znaczy usłyszy.

(Nimrod był starożytnym królem, który zmarł od uduszenia, kiedy w obecności swoich gwardzistów głośno się zastanawiał, jak by to było mieć własną głowę wepchniętą we własny tyłek).

Młodszy od nas chłopiec pomógł starcowi wstać i poprowadził go ku bramie Świątyni. Podbiegłem do nich i chwyciłem kapłana za drugą rękę.

– Rabbi, mój przyjaciel przybył z daleka, by z tobą porozmawiać. Czy zechcesz mu pomóc?

Starzec zatrzymał się.

– Gdzie jest twój przyjaciel?

– Tutaj.

– Więc dlaczego sam się nie odzywa? Skąd jesteś, chłopcze?

– Z Nazaretu – odparł Joszua. – Ale urodziłem się w Betlejem. Jestem Joszua bar Józef.

– A tak, rozmawiałem z twoją matką.

– Naprawdę?

– Pewnie. Właściwie za każdym razem, kiedy na święto przybywają z twoim ojcem do Jeruzalem, stara się ze mną spotkać. Uważa, że jesteś Mesjaszem.

Joszua przełknął nerwowo ślinę.

– A jestem?

Hillel parsknął.

– Czy chcesz być Mesjaszem?

Joszua spojrzał na mnie, jakbym to ja znał odpowiedź. Wzruszyłem ramionami.

– Nie wiem – powiedział w końcu. – Myślałem, że powinienem się tym zająć.

– Czy myślisz, że jesteś Mesjaszem?

– Nie jestem pewien, czy powinienem mówić.

– To rozsądne – pochwalił Hillel. – Nie powinieneś mówić. Możesz sobie ile chcesz myśleć, że jesteś Mesjaszem, ale nikomu nie mów.

– Ale jeśli nie powiem, ludzie nie będą wiedzieli.

– Otóż to. Możesz sobie myśleć, że jesteś palmą, tylko nikomu o tym nie mów. Możesz myśleć, że jesteś stadem mew, ale nikomu nie mów. Rozumiesz, o co mi chodzi? A teraz muszę coś zjeść. Jestem stary i jestem głodny, więc chcę najeść się teraz, bo gdybym tak umarł przed kolacją, to umrę syty.

– Ale on naprawdę jest Mesjaszem – powiedziałem.

– O, tak... – Hillel chwycił mnie za ramię, a potem obmacał głowę, żeby móc wrzasnąć mi do ucha. – Co ty wiesz? Jesteś niedouczonym dzieciakiem. Ile masz lat? Dwanaście? Trzynaście?

– Trzynaście.

– To jak w wieku trzynastu lat możesz cokolwiek wiedzieć? Ja mam osiemdziesiąt cztery i łajno wiem.

– Ale jesteś mądry.

– Dostatecznie mądry, żeby wiedzieć, że łajno wiem. A teraz idźcie sobie.

– Czy powinienem zapytać Święte Świętych? – spytał jeszcze Joszua.

Hillel machnął ręką w powietrzu, jakby chciał trzepnąć Joszuę w ucho, ale chybił o stopę.

– To jest skrzynia. Widziałem ją, kiedy mogłem jeszcze widzieć, i zapewniam cię, że to skrzynia. I wiesz, co jeszcze? Jeśli kiedyś były w niej tablice, to teraz ich nie ma. No więc jeśli chcesz pogadać ze skrzynią i prawdopodobnie zostać straconym za próbę wejścia do komory, gdzie ją trzymają, to się nie krępuj.

Zdawało się, że Joszua nie może złapać tchu. Myślałem już, że zemdleje na miejscu. Jak największy nauczyciel całego Izraela może mówić w ten sposób o Arce Przymierza? Jak człowiek, który najwyraźniej zna każde słowo Tory i wszystkich nauk, jakie napisano później, może twierdzić, że nic nie wie?

Hillel wyczuwał chyba zagubienie Joszuy.

– Posłuchaj, mały. Twoja matka mówiła, że jacyś bardzo mądrzy ludzie przybyli do Betlejem, kiedy się urodziłeś. Najwyraźniej wiedzieli coś, czego nie wie nikt inny. Może z nimi się spotkasz? Zapytaj ich, jak być Mesjaszem.

– A więc ty mu nie powiesz, jak być Mesjaszem? – spytałem.

Hillel znowu wyciągnął rękę do Joszuy, choć tym razem bez gniewu. Odszukał policzek i pogładził go drżącą dłonią.

– Nie wierzę, że nadejdzie Mesjasz, zresztą w tym wieku nie jestem pewien, czy zrobi mi to jakąś różnicę. Nasz lud więcej czasu przeżył w niewoli albo pod butem różnych obcych królów, niż wolny. Któż więc może twierdzić, że wolą bożą jest, abyśmy byli wolni? Kto może twierdzić, że Bóg w ogóle troszczy się o nas, poza tym, że pozwala nam istnieć? Ja nie sądzę, żeby się troszczył. Posłuchaj mnie więc, mój mały. Czy jesteś Mesjaszem, czy zostaniesz rabbim, czy nawet będziesz zwykłym farmerem, oto jest suma wszystkiego, czego mógłbym cię nauczyć, i wszystkiego, co wiem: traktuj innych tak, jak sam chciałbyś być traktowany. Zdołasz to zapamiętać?

Joszua kiwnął głową, a starzec się uśmiechnął.

– Idź szukać swoich mędrców, Joszuo bar Józef.

Tymczasem jednak zostaliśmy w Świątyni, a Joszua wypytywał każdego kapłana, strażnika, a nawet faryzeusza o Mędrców, którzy trzynaście lat temu przybyli do Jeruzalem. Najwyraźniej jednak dla innych nie było to tak ważnym wydarzeniem, jak dla rodziny Josha, ponieważ nikt nie miał pojęcia, o czym on mówi.

Po kilku godzinach tych poszukiwań zaczął dosłownie wrzeszczeć na grupę faryzeuszy.

– Trzech ich było. Mędrcy. Przybyli, bo zobaczyli gwiazdę nad Betlejem. Nieśli złoto, kadzidło i mirrę. Przecież jesteście starzy. Powinniście być mądrzy. Pomyślcie!

Nie trzeba chyba tłumaczyć, że nie byli zachwyceni.

– Kim jest ten chłopiec, który podaje w wątpliwość naszą wiedzę? Nic nie wie o Torze i prorokach, a jednak gromi nas za to, że nie pamiętamy o trójce nieważnych wędrowców.

Nie były to właściwe słowa. Nikt dokładniej od Joszuy nie studiował Tory. Nikt lepiej od niego nie znał Pisma.

– Zadaj mi jakieś pytanie, faryzeuszu – rzekł. – Spytaj o cokolwiek.

W retrospekcji, kiedy już trochę dorosłem, przeżyłem swoje, umarłem i zostałem wskrzeszony z prochu, zdaję sobie sprawę, że mało jest rzeczy bardziej irytujących niż nastolatek, który wie wszystko. Oczywiście, to symptom wieku – wydaje im się, że wiedzą wszystko. Dziś jednak mam nieco współczucia dla tych biednych ludzi, którzy tamtego dnia w Świątyni rzucili Joszui wyzwanie. Oczywiście, wtedy krzyknąłem:

– Poraź tych sukinsynów, Josh!

Tkwił tam całe dnie. Nie wychodził nawet, żeby coś zjeść, więc to ja wyruszałem do miasta i przynosiłem mu pożywienie. Najpierw faryzeusze, a potem nawet kilku kapłanów przybywali, żeby przepytać Joszuę, spróbować zadać mu pytanie o jakiegoś nieznanego hebrajskiego króla czy wodza. Kazali mu recytować drzewa genealogiczne ze wszystkich ksiąg Biblii, ale ani razu się nie zająknął. Zostawiłem go więc, żeby się z nimi kłócił, a sam włóczyłem się po świętym mieście w poszukiwaniu Maggie, a potem, kiedy nie mogłem jej znaleźć, ogólnie jakichś dziewcząt. Spałem w obozie moich rodziców, cały czas wierząc, że Joszua wraca na noc do swoich – ale się myliłem. Kiedy święto Paschy minęło i pakowaliśmy się już przed drogą powrotną, zjawiła się wystraszona Maria, matka Josha.

– Biff, nie widziałeś Joszuy?

Nieszczęsna kobieta była w rozpaczy. Chciałem ją uspokoić, więc wyciągnąłem ręce, by obdarzyć ją pocieszającym uściskiem.

– Biedna Mario, uspokój się. Joszua jest cały i zdrowy. Chodź, niech cię przytulę na pocieszenie.

– Biff!

Myślałem, że mnie spoliczkuje.

– Jest w Świątyni. Rany, człowiek chce okazać współczucie i co go za to spotyka?

Ale ona już odbiegła. Dogoniłem ją, kiedy za rękę wywlekała Joszuę ze Świątyni.

– Zamartwialiśmy się przez ciebie na śmierć.

– Powinnaś wiedzieć, że znajdziesz mnie w domu mojego ojca.

– Nie zaczynaj mi tu z gadaniem o swoim ojcu, Joszuo bar Józef. Przykazanie mówi, byś czcił ojca swego i matkę swoją. W tej chwili, młody człowieku, nie czuję się szczególnie uczczona. Mogłeś przesłać wiadomość, mogłeś zajrzeć do obozu...

Joszua spojrzał na mnie, błagając wzrokiem o pomoc.

– Próbowałem ją pocieszyć, Josh, ale nie chciała.

Później odszukałem oboje na drodze do Nazaretu. Joszua skinął na mnie, bym szedł z nimi.

– Mama uważa, że może uda się nam odszukać przynajmniej jednego z Mędrców. A kiedy znajdziemy jednego, może będzie wiedział, gdzie są pozostali.

Maria przytaknęła.

– Ten o imieniu Baltazar, ten czarny, mówił, że przybywa z wioski na północ od Antiochii. Był jedynym z tej trójki, który znał trochę hebrajski.

Nie wyglądało to dobrze. Chociaż nigdy nie widziałem mapy, „na północ od Antiochii" wydawało się wielkim, nieokreślonym i groźnym miejscem.

– Wiadomo coś więcej?

– Tak. Dwaj pozostali przybyli ze Wschodu, Jedwabnym Szlakiem. Nazywali się Melchior i Kacper.

– Czyli trzeba mi do Antiochii – stwierdził Joszua.

Wydawał się zadowolony z informacji, jakie podała mu matka. Całkiem jakby wystarczyło mu poznać imiona trzech Mędrców, a on już prawie by ich znalazł.

– Wybierasz się do Antiochii – powiedziałem – zakładając, że ktoś tam pamięta człowieka, który żył na północy trzynaście lat temu?

– Mędrzec. Mag – przypomniała Maria. – Bogaty etiopski mag. Ilu mogło być takich?

– No, mogło ich nie być wcale. Pomyślałaś o tym? Mógł umrzeć. Mógł wynieść się do innego miasta.

– W takim razie, kiedy będę już w Antiochii – stwierdził Joszua – stamtąd mogę wyruszyć Jedwabnym Szlakiem i znaleźć dwóch pozostałych.

Nie wierzyłem własnym uszom.

– Nie chcesz chyba wyruszyć sam?

– Oczywiście.

– Ależ, Josh, będziesz tam całkiem bezradny. Znasz tylko Nazaret, gdzie ludzie są ubodzy i głupi. Bez urazy, Mario. Będziesz jak, no... jak owca wśród wilków. Potrzebujesz mnie, żebym cię pilnował.

– A co ty wiesz takiego, czego ja nie wiem? Po łacinie mówisz potwornie, po grecku ledwie ujdzie, a twój hebrajski budzi przerażenie.

– Zgadza się. A jeśli jakiś obcy spotka cię w drodze do Antiochii i zapyta, ile masz przy sobie pieniędzy, co mu odpowiesz?

– To będzie zależało od tego, ile będę miał przy sobie pieniędzy.

– Wcale nie. Nie masz dość nawet na skórkę od chleba. Jesteś nędznym żebrakiem.

– Przecież to nieprawda.

– No właśnie.

Maria objęła syna za ramiona.

– On ma trochę racji, Joszua.

Joszua zmarszczył czoło, jakby się zastanawiał, ale widziałem, jak jest ucieszony, że chcę iść z nim.

– Kiedy chcesz wyruszyć?

– A kiedy Maggie wychodzi za mąż?

– Za miesiąc.

– No to wcześniej. Nie chcę tu być, kiedy to się stanie.

– Ja też nie – zgodził się Joszua.

Następne parę tygodni poświęciliśmy na przygotowania do drogi. Mój ojciec uznał, że zwariowałem, ale matka była chyba zadowolona, że w domu zwolni się trochę miejsca. No i dzięki temu rodzina nie musiała wykładać pieniędzy, żeby zapłacić za moją żonę.

– I jak długo cię nie będzie? – spytała.

– Nie wiem. Droga do Antiochii nie jest strasznie długa, ale nie mam pojęcia, ile tam zostaniemy. Potem powędrujemy Jedwabnym Szlakiem. Wydaje mi się, że to bardzo daleko. Nigdy nie widziałem, żeby gdzieś w pobliżu rósł jedwab.

– Zabierz wełnianą tunikę, bo może się zrobić zimno.

I tyle tylko usłyszałem od matki. Nie: „Dlaczego chcesz odejść?” albo: „Kogo tam szukacie?”. Tylko: „Zabierz wełnianą tunikę”. Rany... Mój ojciec okazał się bardziej pomocny.

– Mogę dać ci trochę pieniędzy na drogę albo kupić osła.

– Pieniądze będą lepsze. Osioł i tak nie poniesie nas obu.

– A kim są ci ludzie, których szukacie?

– Chyba czarownikami.

– A chcecie spotkać tych czarowników, ponieważ...

– Ponieważ Josh chce się dowiedzieć, jak być Mesjaszem.

– Aha, rozumiem. A wierzysz, że Joszua jest Mesjaszem?

– Tak. Ale co ważniejsze, jest moim przyjacielem. Nie mogę go puścić samego.

– A jeśli on nie jest Mesjaszem? Jeśli znajdziecie tych czarowników, a oni powiedzą, że Joszua nie jest tym, kim myśli, że jest, ale całkiem zwyczajnym chłopcem?

– No... Wtedy naprawdę będzie mnie tam potrzebował, prawda?

Ojciec zaśmiał się.

– Tak, chyba tak. Wracaj zdrów, Lewi, i przyprowadź swojego przyjaciela Mesjasza. Teraz będziemy musieli na Paschę stawiać na stole trzy puste nakrycia. Jedno dla Eliasza, jedno dla mojego zagubionego syna i jedno dla jego przyjaciela Mesjasza.

– Tylko nie sadzajcie Joszuy obok Eliasza. Bo jak zaczną gadać o religii, nie będzie chwili spokoju.

Zostało już tylko cztery dni do zaślubin Maggie, kiedy Joszua i ja zgodziliśmy się, że jeden z nas musi powiedzieć jej o tym, że wyruszamy. Po prawie całym dniu kłótni wyszło na to, że pójdę ja. Widziałem, jak Joszua walczy ze swymi lękami, które złamałyby innych ludzi, ale przekazanie Maggie złych wieści okazało się ponad jego siły. Wziąłem więc to zadanie na siebie i próbowałem nie urażać godności Joszuy.

– Ty mięczaku!

– Jak mogę jej powiedzieć, że to zbyt bolesne patrzeć na jej ślub z tą ropuchą?

– Po pierwsze, obrażasz wszystkie ropuchy, a po drugie, skąd ci przyszło do głowy, że mnie będzie łatwiej?

– Jesteś twardszy niż ja.

– Nie próbuj tego. Nie możesz się tak zwinąć i liczyć, że nie zauważę, jak mną manipulujesz. Ona będzie płakać. Nie znoszę, kiedy płacze.

– Wiem – przyznał Josh. – Mnie także to boli. Za bardzo.

Położył mi dłoń na czole i nagle poczułem się lepszy, silniejszy.

– Nie próbuj na mnie tej swojej abrakadabry Syna Bożego. I tak jesteś mięczak.

– Jeśli tak ma być, to tak będzie. I tak zostanie zapisane.

No więc jest, Josh. Jest zapisane. (To dziwne, ale słowo „mięczak" jest tak samo obraźliwe w starożytnym aramejskim, jak w tej dzisiejszej mowie. Jakby czekało na mnie te dwa tysiące lat, bym mógł je teraz zapisać. Dziwne).

Maggie prała ubrania przy studni, wraz z gromadą innych kobiet. Zwróciłem jej uwagę, wskakując na ramiona mojego przyjaciela Bartłomieja, który radośnie się obnażał dla wizualnej rozkoszy nazarejskich żon. Dyskretnym ruchem głowy dałem Maggie sygnał, by spotkała się ze mną za pobliską kępą palm daktylowych.

– Za tamtymi drzewami?! – krzyknęła.

– Tak – odpowiedziałem.

– Przyprowadzisz ze sobą głupka?

– Nie.

– Dobrze.

Oddała pranie którejś ze swoich młodszych sióstr i pobiegła ku drzewom.

Zdziwiłem się, widząc ją uśmiechniętą tak blisko zaślubin. Objęła mnie i poczułem, że żar ogarnia moją twarz, z miłości albo ze wstydu, jakby to była jakaś różnica.

– Jesteś w dobrym nastroju – powiedziałem.

– Czemu nie? Zużywam go przed ślubem. A skoro już o tym mowa, to co wy dwaj przyniesiecie mi w prezencie? Lepiej, żeby coś dobrego, co mi wynagrodzi to, z kim biorę ten ślub.

Była wesoła, w jej głosie brzmiała muzyka i śmiech – cała Maggie. A jednak musiałem się odwrócić.

– Nie, żartowałam tylko – zapewniła. – Nic nie musicie mi przynosić.

– Odchodzimy, Maggie. Nie będzie nas tutaj.

Chwyciła mnie za ramię i zmusiła, bym spojrzał jej w oczy.

– Odchodzicie? Ty i Joszua? Odchodzicie stąd?

– Tak, przed twoimi zaślubinami. Ruszamy do Antiochii, a stamtąd dalej na Wschód, Jedwabnym Szlakiem.

Nie odpowiedziała. Łzy wzbierały w jej oczach i czułem, że w moich także. Tym razem to ona się odwróciła.

– Powinniśmy ci wcześniej powiedzieć, wiem, ale naprawdę zdecydowaliśmy się w czasie Paschy. Joszua chce odszukać Mędrców, którzy przybyli na jego narodziny, a ja będę się nim opiekował, bo muszę.

Odwróciła się do mnie.

– Musisz? Musisz? Wcale nie musisz! Możesz tu zostać i być moim przyjacielem, przyjść na moje wesele, zakradać się i rozmawiać ze mną tu albo w winnicy, moglibyśmy śmiać się i żartować, i nieważne, jak strasznie jest być żoną Akana, przynajmniej tyle by mi zostało. Przynajmniej tyle!

Poczułem, że robi mi się niedobrze. Chciałem ją zapewnić, że zostanę, będę czekał, że jeśli jest choć najmniejsza szansa, by jej życie nie stało się pustynią w ramionach jej paskudnego męża, mogę zachować nadzieję. Chciałem zrobić wszystko, co możliwe, by choć odrobinę ulżyć jej cierpieniu, nawet gdybym musiał puścić Joszuę samego. Ale myśląc tak, zdałem sobie sprawę, że Joszua musiał czuć to samo. Dlatego powiedziałem tylko:

– Przepraszam.

– A co z Joszuą, nie miał zamiaru nawet się pożegnać?

– Chciał, ale nie mógł. Żaden z nas nie może, to znaczy nie chcieliśmy oglądać, jak bierzesz ślub z Akanem.

– Tchórze. Zasługujecie na siebie nawzajem. Możecie chować się jeden za drugim jak greccy chłopcy. Idźcie sobie. Dajcie mi spokój.

Próbowałem wymyślić, co odpowiedzieć, ale w umyśle miałem tylko chaos i wstyd, więc zwiesiłem głowę i odszedłem.

Schodziłem już prawie z rynku, kiedy dogoniła mnie Maggie. Usłyszałem jej kroki i obejrzałem się.

– Powiedz mu, żeby spotkał się ze mną za synagogą, Biff. W noc przed moim ślubem, godzinę po zachodzie słońca.

– Nie jestem pewien, Maggie... On...

– Powiedz mu.

A potem pobiegła z powrotem do studni, nie oglądając się więcej.

Powiedziałem Joszui, a w noc przed zaślubinami Maggie, w noc przed naszym wyruszeniem na wędrówkę, Joszua zapakował trochę chleba i sera, i bukłak wina, i poprosił, żebym spotkał się z nim przy palmach daktylowych na rynku. Razem zjedliśmy kolację.

– Musisz iść – powiedział.

– Idę. Rankiem, razem z tobą. Myślisz, że teraz zrezygnuję?

– Nie, dzisiaj wieczorem. Musisz iść do Maggie. Ja nie mogę.

– Co? Znaczy: dlaczego?

Pewnie, byłem załamany, kiedy Maggie poprosiła o spotkanie z Joszuą, a nie ze mną, ale jakoś się z tym pogodziłem. No, w każdym razie tak, jak to możliwe ze złamanym sercem.

– Musisz zająć moje miejsce, Biff. Dziś prawie nie widać księżyca, a jesteśmy mniej więcej tego samego wzrostu. Po prostu nie mów za wiele, a ona pomyśli, że to ja. Może nie tak błyskotliwy jak zwykle, ale uzna, że niepokoję się podróżą.

– Bardzo chciałbym się spotkać z Maggie, ale ona wolała z tobą, więc czemu nie możesz tam pójść?

– Naprawdę nie wiesz?

– Naprawdę nie.

– No to uwierz mi na słowo. Zobaczysz. Zrobisz to dla mnie, Biff? Zajmiesz moje miejsce i będziesz mnie udawał?

– To by było oszustwo. A ty nigdy nie oszukujesz.

– Nie rób się nagle taki prawomyślny. Zresztą to nie ja będę oszukiwał, ale ty.

– Aha. W takim razie dobrze, pójdę.

Ale nie miałem nawet czasu na oszukiwanie. Noc była tak ciemna, że musiałem powoli szukać drogi przez wioskę, tylko przy świetle gwiazd, a kiedy skręciłem za róg naszej małej synagogi, uderzyła we mnie fala zapachu sandałowego drzewa i cytryn, i dziewczęcego potu, ciepłej skóry, wilgotnych warg na moich wargach, rąk na mojej szyi i nóg na mojej talii. Upadłem na plecy, a w głowie zapłonęło mi jaskrawe światło, a reszta świata istniała tylko poprzez zmysły dotyku, węchu i Boga. Tam, na ziemi przy synagodze, Maggie i ja zaspokoiliśmy pożądanie, jakie nosiliśmy w sobie od lat – moje dla niej i jej dla Joszuy. To, że żadne z nas nie wiedziało, co robi, nie sprawiało najmniejszej różnicy. To było czyste, stało się i było cudowne. Kiedy skończyliśmy, leżeliśmy tam, obejmując się nawzajem, na wpół rozebrani, bez tchu i zlani potem, a Maggie powiedziała:

– Kocham cię, Joszua.

– Kocham cię Maggie – odparłem.

A ona odrobinę rozluźniła objęcia.

– Nie mogłabym poślubić Akana bez... nie mogłam pozwolić ci odejść, gdybym... gdybyś o tym nie wiedział.

– On wie, Maggie.

Wtedy naprawdę się odsunęła.

– Biff?

– Och.

Mogła krzyknąć, mogła poderwać się i uciec, mogła zrobić każdą z tych setek rzeczy, jakie przeniosłyby mnie z nieba do piekła... Ale po zaledwie sekundzie przytuliła się znowu.

– Dzięki, że tu jesteś – szepnęła.

Wyruszyliśmy o świcie, a nasi ojcowie szli z nami aż do bram Seforis. Kiedy się rozstawaliśmy, mój ojciec dał mi młotek i dłuto, bym nosił je w sakwie.

– Z nimi zawsze zarobisz dosyć, by zapłacić za posiłek, gdziekolwiek się znajdziesz – powiedział.

Józef dał Joszui drewnianą miskę.

– Możesz jeść z niej posiłek, na który zarobi Biff. – Uśmiechnął się do mnie.

Przy bramie Seforis pocałowałem swojego ojca po raz ostatni. Przy bramie Seforis zostawiliśmy naszych ojców i ruszyliśmy w świat, by odnaleźć trzech Mędrców.

– Wracaj, Joszua, i przynieś nam wolność! – krzyknął za nami Józef.

– Idź z Bogiem – powiedział mój ojciec.

– Idę, idę – odrzekłem. – Jest tutaj, obok mnie.

Joszua milczał, dopóki słońce nie wzeszło wysoko i nie przystanęliśmy, by napić się wody ze studni.

– I co? – zapytał. – Odgadła, że to ty?

– Tak. Nie od początku, ale zanim się rozstaliśmy.

– Była na mnie zła?

– Nie.

– Była zła na ciebie?

Uśmiechnąłem się.

– Nie.

– Ty psie! – powiedział.

– Powinieneś dowiedzieć się od tego anioła, o co mu chodziło, kiedy mówił, że nie możesz poznać kobiety, Joszua. To naprawdę ważne.

– Teraz już wiesz, dlaczego nie mogłem tam pójść.

– Tak. Dziękuję.

– Będę za nią tęsknił. – Westchnął.

– Nie masz pojęcia, jak bardzo.

– Każdy szczegół. Chcę poznać każdy szczegół.

– Nie teraz. Nie kiedy ciągle jeszcze czuję jej zapach na rękach.

Joszua kopnął w ziemię.

– Jestem wściekły na ciebie, cieszę się wraz z tobą czy jestem o ciebie zazdrosny? Wytłumacz mi!

– Josh, w tej chwili, pierwszy raz odkąd pamiętam, jestem szczęśliwszy, będąc twoim przyjacielem, niż byłbym, będąc tobą. Nie odbieraj mi tego.

Teraz, kiedy myślę o tej nocy z Maggie za synagogą, gdzie zostaliśmy razem prawie do świtu, gdzie kochaliśmy się znowu i znowu, i zasypialiśmy nadzy na naszych ubraniach... Kiedy teraz o tym myślę, mam ochotę uciec stąd, z tego pokoju, od tego anioła i jego misji, znaleźć jezioro, zanurkować w nim i ukryć się przed okiem Boga w ciemnym, czarnym mule na samym dnie.

Dziwne.

CZĘŚĆ DRUGA

ZMIANA

Jezus był porządnym gościem, nie potrzebował tego całego śmiecia.

John Prine

9

Powinienem mieć jakiś plan, zanim podjąłem próbę ucieczki z pokoju hotelowego. Teraz to widzę. Ale wtedy skok przez drzwi w słodkie ramiona wolności wydawał się planem wystarczającym. Dotarłem aż do lobby. To było wspaniałe lobby, godne każdego pałacu, ale jeśli chodzi o wolność, potrzebuję jednak czegoś więcej. Zauważyłem – zanim Raziel wciągnął mnie z powrotem do windy, o mało nie zwichnąwszy mi przy tym ramienia – że w lobby jest bardzo wielu starych ludzi. Prawdę mówiąc, w porównaniu z moimi czasami, wszędzie jest bardzo wielu starych ludzi... no, może nie w telewizji, ale poza tym naprawdę wszędzie. Czy wyście tutaj już zapomnieli, jak się umiera? Czy może wykorzystujecie wszystkich młodych w telewizji, tak że poza nią nie pozostaje nic prócz siwych włosów i pomarszczonej skóry? W moich czasach, jeśli ktoś miał czterdziestkę, pora mu była myśleć, żeby się wynieść i zrobić miejsce młodszym. Jeśli wytrwał pięćdziesiąt lat, mijani żałobnicy patrzyli na niego z niechęcią, jakby umyślnie chciał im zepsuć interes. Tora twierdzi, że Mojżesz żył sto dwadzieścia lat. Domyślam się, że dzieci Izraela podążały za nim wszędzie, żeby się przekonać, gdzie wreszcie padnie. Pewnie robiono zakłady.

Jeśli uda mi się uciec aniołowi, to chyba nie zarobię na życie jako zawodowy żałobnik, skoro wy tutaj nie macie dość przyzwoitości, żeby umierać. Może i lepiej, bo musiałbym się uczyć wszystkich nowych pieśni pogrzebowych. Próbowałem namówić anioła, żeby oglądał MTV, bym mógł opanować słownictwo dzisiejszej muzyki. Ale

137

nawet z moim darem języków mam kłopoty z rozumieniem hip-hopu. Dlaczego można dać dupy albo dać ciała, a nosa trzeba mieć? Czemu jest kseroboj, a nie ma kserogirl? Czy młodafoka to foczka? Jak można mieć zlew, nie mając kuchni? Czy trzeba się wcześniej podjarać? Nie będę śpiewał żadnym umarłym matkom, dopóki się tego nie nauczę.

Wyprawa. Misja. Poszukiwanie Mędrców.

Najpierw powędrowaliśmy na wybrzeże. Ani Joszua, ani ja nigdy wcześniej nie widzieliśmy morza, więc kiedy wspięliśmy się na wzgórze niedaleko miasta Ptolemais i przed nami rozciągnęła się nieskończona akwamaryna Morza Śródziemnego, Joszua padł na kolana i podziękował swemu ojcu.

– Niemalże widać stąd krawędź świata – powiedział.

Zmrużyłem oczy w oślepiającym słońcu, naprawdę wypatrując tej krawędzi.

– Wydaje się taka jakby zakrzywiona – stwierdziłem.

– Co?

Joszua przebiegł wzrokiem horyzont, ale najwyraźniej nie dostrzegł krzywizny.

– Krawędź świata wydaje się zakrzywiona. Myślę, że jest okrągły.

– Co jest okrągłe?

– Świat. Myślę, że świat jest okrągły.

– Oczywiście, że jest. Jak talerz. Jeśli podpłyniesz do krawędzi, to spadniesz. Każdy żeglarz to wie.

– Nie okrągły jak talerz, ale okrągły jak kula.

– Nie bądź głupi. Gdyby świat był okrągły jak kula, to byśmy się z niego zsunęli.

– Nie, gdyby był lepki.

Joszua uniósł stopę i zajrzał pod spód. Popatrzył na mnie, potem na ziemię.

– Lepki?

Także zajrzałem pod podeszwę, w nadziei że zobaczę może podobne do stopionego sera pasemka lepkości, wiążące mnie z gruntem. Ale kiedy ma się Syna Bożego za najlepszego przyjaciela, człowiek zaczyna mieć dość przegrywania każdej dyskusji.

– To, że nic nie widać, nie znaczy jeszcze, że świat nie jest lepki.

Joszua przewrócił oczami.

– Chodźmy się wykąpać.

I ruszył w dół.

– A co z Bogiem? – spytałem. – Jego też nie widać.

Zatrzymał się w połowie zbocza i wyciągnął ręce ku lśniącemu akwamarynowemu morzu.

– Nie widać?

– To nędzny argument, Josh. – Pobiegłem za nim, krzycząc głośno. – Jeśli nie masz zamiaru się postarać, to nie będę więcej z tobą dyskutował. No więc, co wtedy, gdyby lepkość była podobna do Boga? Sam wiesz, jak opuszcza nasz lud i rzuca nas w niewolę, kiedy tylko przestajemy w Niego wierzyć. Ta lepkość mogłaby być podobna. I możesz lada chwila odlecieć w niebo, ponieważ nie wierzysz w lepkość.

– Dobrze, że masz coś, w co wierzysz, Biff. Ja idę do wody.

Zbiegł do plaży, zrzucając po drodze ubranie, a potem nagi zanurkował w falach.

Później, kiedy obaj wypiliśmy tyle słonej wody, że robiło się nam niedobrze, ruszyliśmy brzegiem w stronę miasta Ptolemais.

– Nie myślałem, że będzie takie słone – powiedział Joszua.

– Fakt – zgodziłem się. – Na oko trudno się domyślić.

– Dalej się gniewasz o tę swoją teorię lepkości okrągłej ziemi?

– Nie spodziewałem się, że zrozumiesz – odparłem. – Skoro jesteś prawiczkiem i w ogóle.

Joszua zatrzymał się i chwycił mnie za ramię, zmuszając, bym się odwrócił i spojrzał mu w twarz.

– Tę noc, którą spędziłeś z Maggie, ja spędziłem, modląc się do mojego ojca, by uwolnił mnie od myśli o was dwojgu. Nie odpowiedział mi. Było tak, jakbym próbował zasnąć na cierniowym łożu. Odkąd wyruszyliśmy, zaczynam o tym zapominać, a przynajmniej pozostawiam to za sobą. Ale ty bez przerwy rzucasz mi to w twarz.

– Masz rację – przyznałem. – Zapominam, jak wy, prawiczki, jesteście przeczuleni.

Wtedy po raz drugi, ale nie ostatni, Książę Pokoju mnie znokautował. Koścista pięść kamieniarza wylądowała tuż nad moim prawym okiem. Trafił mocniej niż poprzednim razem. Pamiętam białe mewy nade mną i maleńką smużkę chmur na niebie. Pamiętam pianę fal chlupiących o moją twarz, pozostawiających piasek w uszach. Pamiętam myśl, że powinienem wstać i trzepnąć Josha po łbie. Pamiętam też, jak pomyślałem, że jeśli wstanę, Josh przyłoży mi jeszcze raz, więc leżałem sobie przez chwilę i tylko myślałem.

– Więc czego właściwie chcesz? – zapytałem w końcu ze swego piaszczystego i wilgotnego łoża.

Stał nade mną z zaciśniętymi pięściami.

– Jeśli zamierzasz ciągle do tego wracać, musisz mi opowiedzieć o szczegółach.

– To mogę zrobić.

– I niczego nie opuszczać.

– Niczego?

– Muszę to wiedzieć, jeśli mam zrozumieć grzech.

– No dobra. Mogę już wstać? Uszy mam pełne piasku.

Pomógł mi się podnieść. I kiedy wkraczaliśmy do nadmorskiego miasta Ptolemais, uczyłem Joszuę o seksie.

Idąc wzdłuż wąskich, kamiennych uliczek między wysokimi kamiennymi murami...

– No więc większość tego, co się dowiedzieliśmy od rabbich, nie jest całkiem dokładna.

Obok mężczyzn siedzących przed domami i naprawiających sieci... Obok dzieci sprzedających kubki soku z granatów, kobiet wieszających między oknami sznury pełne ryb, żeby je wysuszyć...

– Na przykład, pamiętasz ten kawałek zaraz po tym, jak żona Lota zmieniła się w słup soli, a potem jego córki się upiły i cudzołożyły z nim?

– Tak, zaraz po zniszczeniu Sodomy i Gomory.

– No więc nie było to takie złe, jak się wydaje. Mijaliśmy fenickie kobiety, które śpiewały, uderzając w ryby, aby zmienić je w posiłek. Mijaliśmy stawy do odparowywania wody, gdzie dzieci zeskrobywały z kamieni sól i pakowały ją do worków.

– Ale cudzołóstwo to grzech, a cudzołóstwo z własnymi córkami to... sam nie wiem... podwójny grzech.

– Tak, ale jeśli zapomnisz o tym na moment i skupisz się na aspekcie dwóch młodych dziewcząt, nie jest to nawet w przybliżeniu tak straszne, jak się wydaje na początku.

– Och.

Mijaliśmy handlarzy sprzedających owoce, chleb i oliwę, przyprawy i kadzidło, zachwalających głośno jakość i magiczne właściwości swych towarów. W owych czasach wiele było magii na sprzedaż.

– A Pieśń Salomona, ta już jest bliższa i możesz tak jakby zrozumieć, czemu Salomon miał tysiąc żon. Prawdę mówiąc, ponieważ jesteś Synem Bożym, i w ogóle, nie sądzę, żeby czekały cię jakieś problemy w zdobyciu tylu dziewcząt. To znaczy: jeśli już zrozumiesz, co robisz.

– A dużo dziewcząt to dobrze?

– Oferma z ciebie i tyle.

– Myślałem, że będziesz bardziej konkretny. Co Maggie ma wspólnego z Lotem i Salomonem?

– Nie mogę ci opowiedzieć o mnie i Maggie. Po prostu nie mogę.

Minęliśmy grupkę prostytutek stojących przy drzwiach oberży. Twarze miały umalowane, suknie rozcięte z boku, by ukazywać lśniące od olejku nogi; gdy przechodziliśmy, wołały do nas w obcych językach i wykonywały tańce dłońmi.

– Co one mówią, u diabła? – zapytałem Joszuę. Lepiej ode mnie radził sobie z językami. Wydawało mi się, że używają greki.

– Coś o tym, jak lubią żydowskich chłopców, bo bez napletka lepiej czujemy kobiecy język.

Spojrzał na mnie, jakbym mógł to potwierdzić albo zaprzeczyć.

– Ile mamy pieniędzy? – spytałem.

Oberża wynajmowała do spania pokoje, zagrody w stajni i miejsca pod okapem. Zajęliśmy dwie sąsiednie zagrody, co dla nas było raczej luksusem, ale ważnym dla edukacji Joszuy. Czy w końcu nie wyruszyliśmy w podróż, aby mógł się nauczyć, jak zająć należne sobie miejsce Mesjasza?

– Nie jestem pewien, czy powinienem patrzeć – zastanowił się Joszua. – Pamiętasz, jak Dawid biegł po dachach i przypadkiem zobaczył Batszebę w kąpieli? A to uruchomiło cały łańcuch grzechu.

– Ale słuchanie nie powinno być problemem.

– Nie sądzę, żeby to było to samo.

– Na pewno nie chcesz sam spróbować, Josh? Wiesz, anioł nie wypowiadał się zbyt jasno na ten temat.

Prawdę mówiąc, sam byłem trochę przerażony. Moje doświadczenia z Maggie nie kwalifikowały mnie raczej do obcowania z jawnogrzesznicą.

– Nie, idź ty. Opisuj tylko, co się dzieje i co czujesz. Muszę zrozumieć grzech.

– No dobrze. Skoro nalegasz...

– Dziękuję, że robisz to dla mnie, Biff.

– Nie tylko dla ciebie, Josh. Dla naszego ludu.

W rezultacie mieliśmy dwie zagrody. Josh miał siedzieć w jednej, a ja – razem z wybraną przez siebie jawnogrzesznicą – miałem z sąsiedniej instruować go w pięknej sztuce cudzołóstwa.

Wróciliśmy przed wejście, by znaleźć odpowiednią asystentkę. To była ośmiojawnogrzesznicowa oberża, jeśli klasyfikować oberże w taki sposób. (Rozumiem, że teraz klasyfikuje się je za pomocą gwiazdek, ale nie wiem, jak przeliczać jedne na drugie). W każdym razie tego dnia na ulicy przed drzwiami stało osiem jawnogrzesznic. Były w różnym wieku – od ledwie o kilka lat starszych od nas po starsze od naszych matek. Prezentowały też pełen zakres kształtów i rozmiarów; łączyło je tyle, że wszystkie były ostro umalowane i dobrze naoliwione.

– One wszystkie wyglądają na takie... brzydkie.

– To jawnogrzesznice, Josh. Powinny wyglądać na niegodziwe. Wybierz którąś.

– Chodź, poszukamy innych.

Staliśmy o kilka domów od nich, ale wiedziały, że się im przyglądamy. Podszedłem bliżej i zatrzymałem się przed wyjątkowo wysoką.

– Przepraszam – powiedziałem. – Czy wiesz, gdzie moglibyśmy znaleźć inny zestaw jawnogrzesznic? Nie chcę cię urazić, po prostu mój przyjaciel i ja...

A ona rozsunęła bluzkę, odsłaniając pełne piersi, błyszczące olejkiem i kawałeczkami miki; odrzuciła na bok spódnicę, podeszła i stanęła tak, że jej udo wsunęło się za moje pośladki. Poczułem, jak szorstkie włosy między jej nogami drapią o moje udo, a jej uróżowane sutki musnęły mój policzek i w tym samym momencie sztywny pal zaczął sterczeć z mojej osoby.

– Ta będzie dobra, Josh.

Kiedy odprowadzaliśmy naszą jawnogrzesznicę, rozległo się wzniesione falujące zawodzenie pozostałych. (Znacie takie zawodzenie – to dźwięk syreny karetki. Dostaję erekcji, ile razy jakaś przejeżdża pod oknami, co wydawałoby się chorobliwe, gdybyście nie znali opowieści „Jak Biff jawnogrzesznicę wynajmował"). Jawnogrzesznica miała na imię Set. Była o półtorej głowy wyższa ode mnie, o skórze koloru dojrzałych daktyli, oczach wielkich i brązowych ze złotymi plamkami i o włosach tak czarnych, że w słabym świetle w stajni mieniły się błękitem. Miała idealną

budowę jawnogrzesznicy – szeroka, gdzie jawnogrzesznica powinna być szeroka, wąska, gdzie jawnogrzesznica powinna być
wąska, z delikatnymi kostkami i szyją, twardym sumieniem,
śmiała i skupiona na celu, kiedy już dostała pieniądze. Była Egip-
cjanką, ale nauczyła się greki i trochę łaciny, by płynnie prowadzić rozmowy o swoim fachu. Nasza sytuacja wymagała większej
kreatywności, niż Set była przyzwyczajona, ale westchnęła tylko ciężko i mruknęła coś, że „jak pieprzysz Żyda, zrób w łóżku
miejsce dla poczucia winy", po czym wciągnęła mnie do mojej
zagrody i zamknęła bramkę. (Tak, to były zagrody dla zwierząt.
W tej naprzeciwko Josha stał osioł).

– No więc co ona robi? – spytał Josh.

– Zdejmuje ze mnie ubranie.

– A teraz?

– Zdejmuje ubranie z siebie. O rany. Auć.

– Co jest? Cudzołożycie?

– Nie. Pociera całym swoim ciałem o moje, tak dość lekko.
Kiedy próbuję się ruszyć, daje mi w twarz.

– Jakie to uczucie?

– A jak myślisz? Takie, jakby ktoś dał ci w twarz, głupku.

– Chodzi mi o to, jak odczuwasz jej ciało. Czy czujesz grzesz-
ność? Czy masz wrażenie, jakby ocierał się o ciebie Szatan? Czy
pali jak ogień?

– Tak, trafiłeś. Prawie tak właśnie.

– Kłamiesz.

– Ożeż...

Wtedy Josh powiedział coś po grecku, czego nie zrozumiałem,
a jawnogrzesznica odpowiedziała – mniej więcej.

– Co powiedziała? – spytał Josh.

– Nie mam pojęcia. Wiesz, że marnie znam grecki.

– Ja znam dobrze, ale nie zrozumiałem, co mówi.

– Ma pełne usta.

Set uniosła głowę.

– Nie pełne – oświadczyła po grecku.

– Hej, zrozumiałem to!

– Ma cię w ustach?

– Tak.

– To ohydne.

– Wcale nie wydaje się ohydne.

– Nie?

– Nie, Josh. Muszę powiedzieć, że to naprawdę... o mój Boże!

– Co? Co się dzieje?

– Ona się ubiera.

Jawnogrzesznica powiedziała po grecku coś, czego nie zrozumiałem.

– Co mówiła? – spytałem.

– Że za te pieniądze, które jej daliśmy, już z tobą skończyła.

– I jak myślisz? Rozumiesz już, o co chodzi w cudzołóstwie?

– Niespecjalnie.

– W takim razie daj jej jeszcze trochę pieniędzy, Joszua. Zostaniemy tu, dopóki nie poznasz tego, co poznać powinieneś.

– Dobry z ciebie przyjaciel, że godzisz się to dla mnie znosić.

– Nie ma o czym mówić.

– Nie, naprawdę – zapewnił Joszua. – Nikt nie ma większej miłości od tej, gdy oddaje coś za przyjaciół swoich.

– To było niezłe, Josh. Powinieneś zapamiętać to na później.

Tym razem jawnogrzesznica mówiła dłużej.

– Chcesz wiedzieć, jakie to dla mnie uczucie, mały? To praca. Co oznacza, że jeśli mam ją wykonać, musisz zapłacić.

(Josh mi to później przetłumaczył).

– Co powiedziała? – spytałem.

– Żąda zapłaty za grzech.

– To znaczy?

– W tym przypadku, trzy szekle.

– To prawdziwa okazja. Zapłać jej.

Choćbym nie wiem jak próbował – a naprawdę próbowałem – jakoś nie potrafiłem przekazać Joszui tego, co chciał wiedzieć.

W ciągu następnego tygodnia zaliczyłem jeszcze pół tuzina jawnogrzesznic i odliczyłem im połowę naszych pieniędzy, a on dalej nie rozumiał. Zasugerowałem, że może to jedna z tych rzeczy, których powinien się dowiedzieć od czarownika Baltazara. Szczerze mówiąc, pojawiło się u mnie uczucie pieczenia przy siusianiu i byłem gotów na przerwę w nauczaniu przyjaciela pięknej sztuki grzechu.

– Tydzień, może mniej, morzem do Selucii, a potem niecały dzień marszu w głąb lądu, do Antiochii – stwierdził Joszua, kiedy porozmawiał z kilkoma pijącymi w oberży żeglarzami. – Lądem dwa do trzech tygodni.

– Więc morzem – powiedziałem.

Bardzo dzielnie, uznałem z dumą, biorąc pod uwagę, że nigdy w życiu nie postawiłem stopy na łodzi.

Znaleźliśmy rzymski statek handlowy o szerokim pokładzie i wysokiej rufie. Płynął do Tarsu, ale miał się zatrzymywać we wszystkich portach po drodze, w tym Selucii. Kapitanem był żylasty Fenicjanin o wąskiej twarzy, imieniem Tytus Inventius. Twierdził, że wyruszył na morze, kiedy miał cztery lata, a dwukrotnie dopłynął do krawędzi świata, zanim jeszcze jaja mu opadły, choć nigdy nie zdołałem odgadnąć, co jedno ma z drugim wspólnego.

– Co umiecie? Jakie znacie rzemiosło? – zapytał spod wielkiego słomkowego kapelusza Tytus.

Pilnował niewolników ładujących na statek amfory z winem i oliwą. Oczy miał jak dwa czarne paciorki osadzone w jaskiniach zmarszczek, uformowanych przez całe życie mrużenia oczu w słońcu.

– Ja jestem kamieniarzem – odparłem. – A ten to Syn Boży.

Uśmiechnąłem się szeroko. Uznałem, że taka wersja zasugeruje większą różnorodność niż zwykłych dwóch kamieniarzy.

Tytus zsunął słomkowy kapelusz na tył głowy i przyjrzał się Joshowi.

– Syn Boży, tak? A jak się to opłaca?

Joszua rzucił mi gniewne spojrzenie.

– Znam się na pracy w kamieniu i ciesielstwie, a obaj mamy mocne grzbiety.

– Praca w kamieniu rzadko bywa przydatna na statku. Byliście już kiedyś na morzu?

– Tak – zapewniłem.

– Nie – powiedział Joszua.

– On wtedy chorował – wyjaśniłem. – Ale ja pływałem po morzu.

Tytus parsknął śmiechem.

– No dobrze. Pomóżcie załadować te amfory. Zabieram do Sydonu transport świń. Postarajcie się zachować je przy życiu, a może wtedy będziecie dla mnie coś warci. Ale zapłacić i tak musicie.

– Ile? – spytał Joszua.

– A ile macie?

– Pięć szekli – powiedziałem.

– Dwadzieścia szekli – oznajmił Joszua.

Szturchnąłem Mesjasza pod żebro tak mocno, że aż się zgiął.

– Dziesięć szekli – poprawiłem się. – Pięć na każdego. To miałem na myśli, kiedy powiedziałem: pięć.

Czułem się tak, jakbym się targował sam ze sobą i jakby mi to całkiem nie wychodziło.

– Niech więc będzie dziesięć szekli plus wszelka robota, jaką dla was znajdę. Ale jeśli któryś zarzyga mi pokład, wypada za burtę, niezależnie od tego, ile zapłacił. Jasne?

– Absolutnie – potwierdziłem i pociągnąłem Josha na nabrzeże, gdzie niewolnicy nosili amfory.

Kiedy odeszliśmy już poza zasięg słuchu kapitana Tytusa, odezwał się Joszua:

– Musisz mu powiedzieć, że jesteśmy Żydami. Nie możemy zajmować się świniami.

Chwyciłem za uszy jedną z amfor i raźnie pociągnąłem do statku.

– Nic nie szkodzi, to są rzymskie świnie. Im to nie przeszkadza.

– Aha. No dobrze. – Joszua chwycił pełną amforę i zarzucił ją sobie na plecy. Wtedy dopiero zrozumiał i postawił z powrotem. – Czekaj, zaraz, to przecież nie ma sensu.

Następnego ranka wyruszyliśmy razem z odpływem: Joszua, ja, załoga w liczbie trzydziestu ludzi, Tytus i pięćdziesiąt rzekomo rzymskich świń.

Dopiero kiedy odbiliśmy od nabrzeża – Josh i ja przy jednym z długich wioseł – i wypłynęliśmy z portu, kiedy wciągnęliśmy wiosła, a wielki prostokątny żagiel wydął się nad pokładem jak brzuch łakomego dżinna, kiedy Joszua i ja wspięliśmy się na rufę, gdzie stał Tytus, trzymając jedno z dwóch długich wioseł sterowych, a ja spojrzałem w stronę lądu i zobaczyłem nie miasto, ale małą plamkę na horyzoncie – otóż dopiero wtedy odkryłem, że tkwi we mnie głęboki lęk przed żeglugą.

– Jesteśmy o wiele za daleko od lądu – powiedziałem. – O wiele za daleko. Naprawdę, Tytusie, powinieneś sterować bliżej brzegu.

Wskazałem ręką ląd, na wypadek gdyby Tytus nie był pewien, w którą stronę się zwrócić.

To ma sens, nie uważacie? To znaczy, dorastałem w pustynnej okolicy, w głębi lądu, gdzie rzeki niewiele się różnią od wilgotnych rowów. Mój lud przybył z pustyni. Ten jedyny raz, kiedy naprawdę musieliśmy pokonać morze, przeszliśmy pieszo. Żeglowanie wydawało się, no... nienaturalne.

– Gdyby Pan chciał, żebyśmy żeglowali, to rodzilibyśmy się z masztami.

– To najgłupsza rzecz, jaką w życiu powiedziałeś – uznał Joszua.

– Umiesz pływać? – zapytał Tytus.

– Nie – odparłem.

– Tak, umie – odparł Joszua.

Tytus złapał mnie za kark i wyrzucił za rufę statku.

10

Anioł i ja oglądaliśmy w telewizji film o Mojżeszu. Raziel się złościł, bo nie występowały w nim anioły. W dodatku nikt w całym filmie nie był podobny do żadnego Egipcjanina, jakiego w życiu spotkałem.

– Czy Mojżesz tak wyglądał? – spytałem anioła, który w przerwach w pluciu jadem na ekran, zjadał górną warstwę pizzy z kozim serem.

– Nie – odpowiedział. – Ale ten drugi jest podobny do faraona.

– Naprawdę?

– Aha.

Raziel wyssał z głośnym bulgotem przez słomkę resztkę coca-coli i przez cały pokój rzucił papierowy kubek prosto do kosza.

– Czyli byłeś tam w czasie Wyjścia?

– Trochę wcześniej. Organizowałem szarańczę.

– I jak było?

– Nie podobało mi się. Chciałem dostać plagę żab. Lubię żaby.

– Ja też lubię żaby.

– No to nie byłbyś zachwycony plagą. Szczepan nią kierował. Serafin. – Potrząsnął głową, jakby sądził, że znam jakieś smutne fakty na temat serafina. – Straciliśmy wiele żab. Westchnął.

– Ale to chyba lepiej. Nie można powierzać plagi żab komuś, kto lubi żaby. Gdybym ja się tym zajął, byłoby to raczej coś w rodzaju przyjacielskiego zjazdu żab.

– To nie byłoby skuteczne.

– I tak nie było, prawda? Rozumiesz, tę plagę wymyślił Mojżesz, Żyd. Dla Żydów żaby są nieczyste. I dla Żydów to była plaga. Dla Egipcjan to raczej spadająca z nieba wielka uczta z żabich udek. Mojżesz zupełnie tego nie załapał. Dobrze, że nie posłuchaliśmy go w kwestii plagi wieprzowiny.

– Naprawdę chciał sprowadzić plagę wieprzowiny? Świnie spadające z nieba?

– W kawałkach. Żeberka, szynki, golonka. Chciał, żeby wszystko było we krwi. No wiesz, nieczysta wieprzowina i nieczysta krew. Ale Egipcjanie zjedliby mięso. Przekonaliśmy go, żeby ograniczyć się do krwi.

– Chcesz powiedzieć, że Mojżesz był tępakiem?

To nie była ironia, choć zdawałem sobie sprawę, że pytam wiecznego tępaka nad tępakami. Mimo to...

– Nie, po prostu nie przejmował się efektami – wyjaśnił anioł. – Pan sprawił, że serce faraona było uparte, i nie chciał wypuścić Żydów. Choćbyśmy zrzucali z nieba całe krowy, on i tak by nie zmienił zdania.

– Byłby niezły widok – przyznałem.

– To ja zaproponowałem ognisty deszcz – pochwalił się anioł.

– I jak się udał?

– Był bardzo ładny. Skierowaliśmy go tylko na kamienne pałace i pomniki. Spalenie wszystkich Żydów uniemożliwiłoby osiągnięcie celu.

– Słusznie.

– Wiesz, dobrze sobie radzę z pogodą.

– Tak, wiem.

A potem przypomniałem sobie, jak Raziel niemal zamęczył naszego biednego kelnera Jesusa, każąc mu dostarczać kolejne porcje żeberek, kiedy były daniem dnia.

– Z początku wcale nie proponowałeś ognia, prawda? Proponowałeś, żeby spadł deszcz grillowanej wieprzowiny?

– Ten gość w ogóle nie jest podobny do Mojżesza – stwierdził Raziel.

Tamtego dnia, kiedy taplałem się w wodzie i próbowałem dogonić kupiecki statek, sunący pod wydętym żaglem po falach, po raz pierwszy zobaczyłem, że Raziel – tak jak mówi – dobrze sobie radzi z pogodą. Joszua stał wychylony przez reling i krzyczał na przemian do mnie i do Tytusa. Było jasne, że nawet przy tym lekkim wietrze nigdy nie doścignę statku, a kiedy patrzyłem w stronę brzegu, widziałem tylko wodę. Dziwne, jakie myśli przychodzą do głowy w takich chwilach. Pierwsze, co pomyślałem, to: „Ależ to idiotyczna śmierć". A potem: „Joszua nigdy nie da sobie beze mnie rady". I wtedy zacząłem się modlić – nie o własne ocalenie, ale o Joszuę. Modliłem się do Pana, by czuwał nad jego bezpieczeństwem, a potem o bezpieczeństwo i szczęście Maggie. Później, kiedy jakoś zrzuciłem z siebie koszulę i zacząłem powoli czołgać się w stronę brzegu – choć wiedziałem, że nigdy go nie zobaczę – wiatr ustał. Po prostu ustał. Morze się wygładziło, a jedynymi odgłosami, jakie słyszałem, były przerażone wrzaski załogi statku, który znieruchomiał, jakby rzucił kotwicę.

– Biff, w tę stronę! – krzyknął Joszua.

Obejrzałem się w wodzie i zobaczyłem, jak przyjaciel macha do mnie z rufy nieruchomego statku. Obok niego jak przerażone dziecko kulił się Tytus. Na maszcie ponad nim siedziała skrzydlata postać. Kiedy dopłynąłem i wystraszeni marynarze wciągnęli mnie na pokład, rozpoznałem w niej anioła Raziela. W przeciwieństwie do poprzednich wizyt, tym razem nosił szaty czarne jak smoła, a pióra jego skrzydeł lśniły błękitnoczarną barwą morza w świetle księżyca. Gdy stanąłem obok Joszui na uniesionym pokładzie rufowym, anioł sfrunął i wylądował delikatnie tuż przy nas. Tytus osłaniał głowę rękami, jakby się bronił przed napastnikiem; wyglądał, jak gdyby chciał się wtopić między deski.

– Ty – zwrócił się anioł do Fenicjanina i Tytus wyjrzał między rękami. – Tych dwóch ma nie spotkać żadna krzywda.

Tytus kiwnął głową, spróbował coś odpowiedzieć i zrezygnował, gdyż głos mu się łamał. Ja sam byłem trochę wystraszony.

Cały w czerni, anioł wyglądał przerażająco, chociaż stał po naszej stronie. Natomiast Joszua wydawał się całkiem swobodny.

– Dziękuję ci – powiedział do anioła. – To grzeszny pies, ale jest moim najlepszym przyjacielem.

– Dobrze sobie radzę z pogodą – odparł anioł.

I jakby to wszystko tłumaczyło, machnął wielkimi skrzydłami i uniósł się w powietrze. Martwa cisza trwała, dopóki nie zniknął nad horyzontem, potem wiatr znów wypełnił żagiel i woda zapluskała przed dziobem. Tytus zaryzykował rzut oka w swej skulonej pozycji, wyprostował się wolno i chwycił pod pachę jedno z wioseł sterowych.

– Potrzebna mi nowa koszula – zauważyłem.

– Weź jedną z moich – zaproponował Tytus.

– Powinniśmy żeglować trochę bliżej brzegu, nie sądzisz?

– Już się robi, dobry panie. Już się robi.

– Czyli dobrze się rozumiemy?

– Absolutnie – zapewnił Tytus.

– A niech to... – mruknął Joszua. – Znów zapomniałem spytać anioła o to poznawanie kobiet.

Przez resztę podróży Tytus był o wiele bardziej ustępliwy; co dziwne, nie musieliśmy też pracować przy ciężkich wiosłach, kiedy wchodziliśmy do portu, ani pomagać w rozładunku ani załadunku. Załoga starała się całkiem nas unikać i bez żadnej zachęty zajmowała się za nas świniami. Mój lęk przed żeglugą zniknął po jednym dniu. I kiedy stała bryza pchała nas na północ, razem z Joszuą obserwowaliśmy delfiny, które przybywały, by się bawić w odkosach dziobowych statku. Czasem leżeliśmy nocą na pokładzie, wdychając zapach cedru z belek kadłuba, słuchając trzeszczenia lin i żagli, i próbując sobie wyobrazić, co się stanie, kiedy odnajdziemy Baltazara. Gdyby nie bezustanne wypytywanie Joszuy o seks, byłaby to całkiem przyjemna podróż.

— Cudzołóstwo nie jest jedynym grzechem, Josh — próbowałem tłumaczyć. — Chętnie ci pomagam, ale czy każesz mi kraść, żebym mógł ci o tym opowiedzieć? Każesz mi kogoś zabić, żebyś mógł to zrozumieć?

— Nie. Różnica polega na tym, że nie chcę nikogo zabijać.

— No dobrze, spróbuję jeszcze raz. Ty masz swoje lędźwie, a ona ma swoje. I chociaż jedne i drugie nazywasz lędźwiami, są całkiem inne...

— Rozumiem mechanikę tego wszystkiego. Czego nie rozumiem, to uczucia, jakie się wtedy pojawia.

— No więc to jest przyjemne uczucie. Już mówiłem.

— Ale to nie wydaje się słuszne. Dlaczego Pan sprawia, że grzech jest przyjemny, a potem karze za niego?

— Słuchaj, a czemu sam nie spróbujesz? — spytałem. — Tak będzie taniej. Albo jeszcze lepiej: ożeń się. Wtedy to nawet nie będzie grzechem.

— Wtedy to nie będzie to samo, musisz przyznać — odparł Josh.

— Skąd mogę wiedzieć? Nigdy nie byłem żonaty.

— Czy dla ciebie to zawsze takie samo uczucie?

— No, w pewnym sensie tak.

— W jakim sensie?

— No, jak dotąd, grzech wydaje się wilgotny.

— Wilgotny?

— Tak. Ale trudno powiedzieć, czy tak jest zawsze. To tylko moje osobiste doświadczenia. Może powinniśmy zapytać jawnogrzesznicę?

— Mam lepszy pomysł. — Joszua rozejrzał się dookoła. — Spytam Tytusa. Jest starszy, a wygląda, jakby wiele nagrzeszył.

— Owszem. Jeśli doliczysz wrzucanie Żydów do oceanu, uznałbym go nawet za eksperta. Ale to nie znaczy...

Joszua pobiegł już jednak na tył, wspiął się po schodkach na pokład rufowy i podszedł do małego namiotu z otwartymi ściankami, służącego kapitanowi za kwaterę. Pod tym namiotem wypoczywał Tytus; leżał na stosie dywanów i popijał z bukłaka. Zobaczyłem, jak podaje go Joszui.

Kiedy tam dotarłem, Tytus właśnie mówił.

– Więc chcesz się dowiedzieć czegoś o pieprzeniu? No to, synu, trafiłeś we właściwe miejsce. Przerżnąłem tysiąc kobiet i z pięciuset chłopców, trochę owiec i świń, parę kur i jakiegoś przypadkowego żółwia. Czego chciałbyś się dowiedzieć?

– Nie zbliżaj się do niego, Josh! – zawołałem. Odebrałem Joszui bukłak i oddałem go Tytusowi. Odepchnąłem przyjaciela do tyłu. – Gniew boży może go trafić lada moment. Rany, z żółwiem to przecież musi być obrzydliwość.

Tytus drgnął, kiedy wspomniałem o gniewie bożym – jakby w każdej sekundzie anioł mógł powrócić i znowu przysiąść na jego maszcie.

Joszua nie ustąpił.

– Jeśli nie masz nic przeciwko temu, może w tej chwili trzymajmy się tej części z kobietami.

Poklepał Tytusa po ramieniu, by go uspokoić. Wiedziałem, jak to działa – Tytus poczuje, że strach spływa z niego niczym woda.

– Pieprzyłem wszystkie rasy kobiet, jakie tylko istnieją. Pieprzyłem Egipcjanki, Greczynki, Rzymianki, Żydówki, Etiopki i kobiety z miejsc, które jeszcze nie zostały nazwane. Pieprzyłem tłuste i chude, kobiety bez nóg, kobiety bez...

– Jesteś żonaty? – przerwał mu Joszua, nim żeglarz zaczął wyliczać, jak to pieprzył je na drągu, w przeciągu, w domu i po kryjomu...

– Mam żonę w Rzymie.

– Czy z własną żoną jest tak samo jak, powiedzmy, z jawnogrzesznicą?

– Co, pieprzenie? Nie, to coś zupełnie innego.

– Jest wilgotne – wtrąciłem. – Zgadza się?

– No, owszem, jest wilgotne. Ale nie...

Złapałem Joszuę za tunikę i zacząłem go odciągać.

– Teraz już wiesz. Słyszałeś, Josh. Daj sobie spokój. Dowiedziałeś się, że grzech jest wilgotny. Zapamiętaj to sobie. A teraz zjedzmy jakąś kolację.

Tytus śmiał się z nas.

– Wy, Żydzi, i ten wasz grzech... Gdybyście tak mieli więcej bogów, tobyście się tak nie martwili, że jednego rozgniewacie.

– Jasne – odpowiedziałem. – Akurat będę przyjmował duchowe porady od faceta, który pieprzy żółwie.

– Nie powinieneś zbyt łatwo osądzać innych, Biff – upomniał mnie Joszua. – Sam też nie jesteś bez grzechu.

– Ha, znowu to twoje „jestem świątobliwszy niż ty"! Od dzisiaj sam możesz sobie grzeszyć. Myślisz, że mi się podoba to sypianie z jawnogrzesznicami noc po nocy i opowiadanie ci o wszystkim raz za razem?

– No, owszem, tak myślę.

– Nie o to chodzi. Chodzi o to, że... chodzi o to... No, o winę. Znaczy... żółwie... Znaczy...

No dobra, straciłem głowę. Możecie mnie oskarżyć. Ale nigdy już nie popatrzę na żółwia, nie wyobrażając sobie, że jest molestowany przez parszywego fenickiego żeglarza. To was nie niepokoi? Więc wyobraźcie to sobie, najlepiej już. Ja zaczekam. Widzicie?

– On oszalał – stwierdził Tytus.

– Zamknij się, podła żmijo – rzucił mu Joszua.

– A co się z stało z sugestią, żeby nie osądzać? – spytał Tytus.

– To było do niego. Ze mną jest inaczej.

I nagle, kiedy to powiedział, Joszua posmutniał tak, że bardziej chyba nie pamiętam. Powlókł się ku zagrodzie dla świń, usiadł obok i oparł głowę na rękach, jak gdyby został właśnie ukoronowany wszystkimi troskami świata. Trzymał się z dala od ludzi, dopóki nie zeszliśmy ze statku.

Jedwabny Szlak, główna arteria wymiany handlowej, obyczajowej i kulturalnej rzymskiego świata i Dalekiego Wschodu, kończył się w miejscu, gdzie trafiał na morze – w Selucia Pieria, mieście portowym i twierdzy morskiej, które karmiło i strzegło Antiochii od czasów Aleksandra. Kiedy wraz z resztą załogi schodziliśmy z pokładu, kapitan Tytus zatrzymał nas przy trapie.

Wyciągnął przed siebie ręce. Joszua i ja wyciągnęliśmy swoje, a Tytus upuścił w nie monety, którymi zapłaciliśmy za podróż.

– Mogłem trzymać parę skorpionów, a jednak sięgnęliście bez wahania.

– To była uczciwa cena – zapewnił Joszua. – Nie musisz zwracać nam pieniędzy.

– O mało co nie utopiłem twojego przyjaciela. Przepraszam.

– Spytałeś, czy umie pływać, zanim wyrzuciłeś go za burtę. Miał szansę.

Spojrzałem Joszui w oczy, by sprawdzić, czy żartuje – ale było jasne, że wcale nie.

– Mimo wszystko – mruknął Tytus.

– Może więc i ty pewnego dnia dostaniesz swoją szansę – rzekł Joszua.

– Bardzo małą pieprzoną szansę – dodałem.

Tytus wyszczerzył zęby.

– Idźcie brzegiem zatoki, aż stanie się ona rzeką. To Orontes. Ruszycie jego lewym brzegiem, a dotrzecie do Antiochii przed nocą. Na rynku znajdziecie starą kobietę, która sprzedaje zioła i czary. Nie pamiętam jej imienia, ale ma tylko jedno oko i nosi tunikę w kolorze tyreńskiej purpury. Jeśli mag jest w Antiochii, ona będzie wiedziała, gdzie go szukać.

– Skąd znasz tę starą kobietę? – zdziwiłem się.

– Kupuję od niej proszek z tygrysiego penisa.

Joszua spojrzał na mnie pytająco.

– No co? – spytałem. – Miałem parę jawnogrzesznic, ale nie wymieniałem z nimi przepisów. – Zerknąłem na Tytusa. – A powinienem?

– To na kolana – wyjaśnił kapitan. – Bolą, kiedy pada deszcz.

Joszua ujął mnie za ramię i poprowadził trapem na ląd.

– Ruszaj z Bogiem, Tytusie.

– Powiedzcie o mnie dobre słowo czarnoskrzydłemu – poprosił Tytus.

Po chwili zanurzyliśmy się w tłumie kupców i żeglarzy wokół portu.

– Oddał nam pieniądze, bo anioł go wystraszył – powiedziałem. – Wiesz o tym?

– Zatem jego dobroć ukoiła lęk, a przy tym okazała się dla nas korzystna. Tym lepiej. Myślisz, że kapłani mają lepsze powody, by w czasie Paschy zarzynać owce na ołtarzach?

– Niech ci będzie. – Nie miałem pojęcia, co ma wspólnego jedno z drugim. (Ciągle się zastanawiałem, czy tygrysy nie mają nic przeciwko proszkowaniu ich penisów. Dzięki temu się nie przegrzewają, uznałem. Ale robota jest pewnie bardzo niebezpieczna). – Poszukajmy tej staruchy – zdecydowałem.

Brzeg rzeki Orontes okazał się strumieniem życia, barw, faktur i zapachów, od zatoki aż po rynek w Antiochii. Byli tu ludzie wszelkich rozmiarów i kolorów, jakie mogłem sobie wyobrazić, niektórzy w łachmanach, inni odziani w kosztowne jedwabie i purpurową materię z Tyru, podobno barwioną krwią jadowitego ślimaka. Poruszały się tędy wozy zaprzężone w woły, ręczne wózki i lektyki, niesione czasem aż przez ośmiu niewolników. Tłumu pilnowali rzymscy żołnierze konni i piesi, a żeglarze tuzina narodowości szaleli upojeni alkoholem, gwarem i poczuciem stałego lądu pod nogami. Kupcy, żebracy i jawnogrzesznice czekali na szczęśliwy traf, a samozwańczy prorocy wykrzykiwali dogmaty z pali cumowniczych w miejscach, gdzie statki czekały przy brzegu rzeki – świątobliwi mężowie stojący rzędem i wznoszący modły niby szereg hałaśliwych greckich kolumn. Dym – błękitny i aromatyczny – unosił się nad sunącym tłumem, niosąc zapachy przypraw i tłuszczu z palenisk na straganach z jedzeniem, gdzie mężczyźni i kobiety zachwalali swój towar rytmicznymi, powtarzanymi nawoływaniami, w uszach przechodnia zlewającymi się razem, jak gdyby jeden przekazywał swoją pieśń następnemu, by nie dało się doświadczyć choćby sekundy ciszy.

Jedynym choć trochę podobnym zjawiskiem, jakie dotąd widziałem, była kolumna pielgrzymów zmierzająca do Jeruzalem w czasie świąt – nigdy jednak nie oglądaliśmy tylu kolorów, nie słyszeliśmy takiego gwaru, nie czuliśmy takiego podniecenia. Zatrzymaliśmy się przy straganie i kupiliśmy gorący, czarny napój od mężczyzny noszącego na głowie spreparowanego ptaka. Pokazał nam, jak wytwarza ten napój z pestek owoców, które najpierw wyprażał, potem mełł na proszek i zalewał go wrzącą wodą. Całą tę historię przekazał pantomimą, jako że nie mówił w żadnym znanym nam języku. Zmieszał ów napój z miodem i podał nam, ale kiedy go skosztowałem, jakoś nie smakował właściwie. Wydawał się... sam nie wiem... zbyt ciemny. Zauważyłem niedaleko kobietę prowadzącą kozę, więc zabrałem kubek Joszui i pobiegłem za nią. Z jej pozwoleniem, trysnąłem mlekiem z wymienia prosto do obu kubków. Starzec protestował, jakbym popełnił świętokradztwo, ale ciepłe i pieniste mleko złagodziło gorycz czarnego napoju. Joszua wychylił swój kubek i poprosił starca o jeszcze dwa; wręczył też kobiecie miedziaka za pomoc. Drugi kubek podał starcowi do skosztowania, a ten, choć krzywił się mocno, w końcu wypił łyk. Na jego bezzębnych ustach pojawił się uśmiech, a kiedy odchodziliśmy, dogadywał się już z właścicielką kozy. Patrzyłem, jak miele ziarna w miedzianym walcu, a kobieta doi kozę do głębokiej glinianej misy. Obok na straganie sprzedawano przyprawy – czułem cynamon, goździki i curry, leżące w koszach na ziemi.

– Wiesz – odezwałem się do kobiety po łacinie – kiedy już wszystko sobie ustalicie, spróbujcie posypać napój odrobiną cynamonowego proszku. Wtedy powinien być idealny.

– Zgubisz swojego przyjaciela – odparła.

Joszua zderzał się z ludźmi w tłumie, chyba celowo, i mruczał dostatecznie głośno, bym go słyszał za każdym razem, kiedy trafił kogoś łokciem czy ramieniem.

– Uzdrowiłem go. Uzdrowiłem ją. Ulżyłem jej cierpieniu. Uzdrowiłem go. Pocieszyłem go. Ooo, ten zwyczajnie śmierdział. Uzdrowiłem ją. Oj, chybiłem. Uzdrowiony. Uzdrowiony. Pocieszona. Ukojony.

Ludzie odwracali się za nim – jak człowiek ogląda się za obcym, który nadepnął mu na nogę, tyle że uśmiechali się albo byli zdumieni, a nie poirytowani, jak mógłbym się spodziewać.

– Co robisz? – spytałem.

– Ćwiczę. Oj, paskudna grzybica. – Odwrócił się na pięcie tak szybko, że niemal wyrwał stopę z sandała, i trzepnął małego łysego człowieczka w potylicę. – Teraz już lepiej.

Łysy człowieczek odwrócił się, by sprawdzić, kto go uderzył. Joszua wycofywał się powoli.

– Jak twoje palce? – spytał po łacinie.

– Dobrze. – Łysy człowieczek uśmiechnął się, trochę ogłupiały i rozmarzony, jakby palce stóp właśnie przesłały mu wiadomość, że ze światem wszystko jest w najlepszym porządku.

– Idź z Bogiem i... – Joszua odwrócił się, podskoczył i wylądował, oburącz klepiąc jakiegoś przechodnia po ramionach. – Tak! Podwójne uzdrowienie! Idź z Bogiem, przyjacielu, dwa razy.

Sytuacja stawała się kłopotliwa. Ludzie szli za nami przez tłum – niezbyt wielu, ale może piątka czy szóstka, a każdy z rozmarzonym uśmiechem na twarzy.

– Joszua, może powinieneś, no, trochę się uspokoić?

– Czy uwierzysz, że wszyscy ci ludzie potrzebują uzdrowienia? Uzdrowiłem go. – Josh pochylił się i szepnął mi do ucha: – Ten typ miał syfilis. Po raz pierwszy od lat będzie dziś siusiał bez bólu. Przepraszam cię... – Znowu odwrócił się do tłumu. – Uzdrowiony, uzdrowiona, ukojony, pocieszony...

– Jesteśmy tu obcy, Josh. Zwracasz uwagę. To może nie być bezpieczne.

– Nie to, że są ślepi albo stracili kończyny. Będę musiał przestać, kiedy trafimy na coś poważniejszego. Uzdrowiony! Niech cię Bóg prowadzi. Och, nie mówisz po łacinie? Hm... Grecki? Hebrajski? Nie?

– Sam to odkryje, Josh – powiedziałem. – Powinniśmy znaleźć tę starą kobietę.

– No dobra... Uzdrowiona! – Josh mocno uderzył w twarz piękną kobietę.

Jej mąż, potężny mężczyzna w skórzanej tunice, nie wyglądał na zachwyconego. Wyjął zza pasa sztylet i ruszył w stronę Joszuy.

– Przepraszam pana. – Joszua nie cofnął się przed nim. – Nie było innej rady. Pomniejszy demon, musiałem go z niej wypędzić. Przeniosłem go do tego psa, o tam. Idźcie z Bogiem. Dziękuję, bardzo dziękuję.

Kobieta chwyciła męża za rękę i odwróciła go do siebie. Na policzku wciąż miała ślady palców Josha, ale się uśmiechała.

– Wróciłam.

Szarpnęła męża, a z niego nagle spłynął gniew. Popatrzył na Joszuę z wyrazem takiego lęku, że się wystraszyłem, że zemdleje. Upuścił sztylet i objął żonę. Joszua podbiegł i objął oboje.

– Czy możesz przestać? – prosiłem.

– Ale ja kocham tych ludzi.

– Kochasz, tak?

– Tak.

– Przecież on chciał cię zabić.

– Zdarza się. Nie zrozumiał. Teraz już wie.

– Miło, że się zorientował. Chodźmy poszukać tej starej kobiety.

– Dobrze. A potem wrócimy i wypijemy jeszcze po kubku tego gorącego napoju – rzekł Joszua.

Odnaleźliśmy wiedźmę, kiedy sprzedawała wiadro małpich stóp tłustemu kupcowi ubranemu w pasiasty jedwab. Na głowie miał szeroki, stożkowy kapelusz, upleciony z twardej trzciny.

– Ale to wszystko tylne stopy – protestował.

– Taka sama magia, a lepsza cena – zapewniła wiedźma.

Zsunęła szal, którym zasłaniała część twarzy, i ukazała mlecznobiałe oko. Najwyraźniej był to jej manewr zastraszający.

Kupiec się nie poddawał.

– Powszechnie wiadomo, że przednia łapka małpy to najlepszy talizman do przepowiadania przyszłości, ale tylne...

— Można by pomyśleć, że małpa coś przewidzi — wtrąciłem, a oni oboje popatrzyli na mnie, jakbym kichnął na ich falafel. Stara kobieta wyprostowała się, jakby chciała rzucić we mnie urokiem albo kamieniem. — Gdyby to była prawda... — ciągnąłem. — Znaczy, z tym przewidywaniem przyszłości małpią łapką... no wiecie, przecież taka małpa ma aż cztery... te łapki, znaczy... no i... ehm... nieważne.

— Za ile to? — spytał Joszua, wyjmując z kosza staruchy garść suszonych jaszczurek.

Kobieta odwróciła się do niego.

— Nie dasz rady tylu zużyć — oświadczyła.

— Są bezwartościowe — uznał kupiec, machając tylnymi łapkami i stopami dwóch i pół byłych małp. Wyglądały całkiem jak małe ludzkie stopy, tyle że były owłosione i miały dłuższe palce.

— Gdybyś był małpą, na pewno by się przydały, żeby nie wlec tyłka po ziemi — powiedziałem, jak zawsze dążąc do porozumienia.

— To ilu potrzebuję? — chciał wiedzieć Joszua.

— A ile twoich wielbłądów ma zatwardzenie? — spytała starucha.

Joszua wrzucił jaszczurki z powrotem do kosza.

— No, tego...

— A one działają? — zainteresował się kupiec. — Na zatkane wielbłądy, oczywiście?

— Nigdy nie zawodzą.

Kupiec poskrobał się po brodzie małpią łapką.

— Zapłacę, ile żądasz za te bezwartościowe małpie stopy, jeśli dorzucisz garść jaszczurek.

— Zgoda — powiedziała szybko wiedźma.

Kupiec rozwiązał sakwę, którą nosił na ramieniu, po czym wrzucił do niej małpie łapki i suszone jaszczurki.

— A jak się je podaje? Trzeba zaparzyć z nich herbatę i dać wielbłądowi do picia?

— Nie, z drugiego końca — odparła wiedźma. — Wtykasz je w całości. Potem liczysz do stu i odskakujesz na bok.

Kupiec szeroko otworzył oczy, potem zmrużył je i zwrócił się do mnie:

– Mały, jeżeli umiesz liczyć do stu, to mam dla ciebie robotę.

– Naprawdę chciałby pracować dla wielmożnego pana – zapewnił go Joszua. – Ale musimy odszukać mędrca Baltazara.

Starucha zasyczała i cofnęła się w kąt straganu. Przesłoniła sobie całą twarz z wyjątkiem mlecznego oka.

– Skąd wiecie o Baltazarze?

Wysunęła przed siebie dłonie z palcami jak szpony. Widziałem, że drży.

– Baltazar! – wrzasnąłem na nią i mało brakowało, a wyskoczyłaby przez tylną ściankę straganu. Parsknąłem i już chciałem zbaltazarować ją jeszcze raz, kiedy przeszkodził mi Joszua.

– Baltazar przybył stąd do Betlejem, by być świadkiem moich narodzin – powiedział. – Potrzebna mi jego rada. Jego mądrość.

– Pragniesz objąć ciemność, pragniesz obcować z demonami, pragniesz latać na dżinnie jak Baltazar? Nie chcę cię widzieć przy moim straganie. Odejdź stąd!

Wykonała znak złego oka, który w jej przypadku był całkiem zbędny.

– Nie, nie, nie – uspokoiłem ją. – Nic z tych rzeczy. Mag zostawił w domu Joszuy trochę, ee... kadzidła. Chcemy mu je zwrócić.

Starucha przyjrzała mi się zdrowym okiem.

– Kłamiesz.

– Zgadza się, kłamie – potwierdził Josh.

– BALTAZAR! – wrzasnąłem jej prosto w twarz. Nie miało to takiego efektu jak za pierwszym razem, więc byłem trochę zawiedziony.

– Przestań – rzuciła.

Joszua ujął jej pomarszczoną dłoń.

– Babciu – rzekł. – Tytus Inventius, kapitan naszego statku, twierdził, że wiesz, gdzie szukać Baltazara. Pomóż nam, proszę.

Stara kobieta uspokoiła się. I kiedy już myślałem, że zaraz się uśmiechnie, przejechała pazurami po dłoni Joszuy i odskoczyła.

— Tytus Inventius to drań! — krzyknęła.

Joszua przyglądał się, jak w zadrapaniach wzbiera krew. Przez moment zdawało się, że zemdleje. Nigdy nie mógł zrozumieć, dlaczego ktoś jest gwałtowny albo niedobry. Trzeba będzie pół dnia, żeby mu wytłumaczyć, czemu ta wiedźma go podrapała, ale w tej chwili byłem wściekły.

— Wiesz co? Wiesz co? Wiesz co? — Machałem jej palcem przed nosem. — Podrapałaś Syna Bożego! Módl się o swój tyłek, ot co!

— Mag wyniósł się z Antiochii i niech lepiej nie wraca! — zaskrzeczała.

Tłusty kupiec obserwował całe zajście w milczeniu, ale teraz zaczął się śmiać tak głośno, że ledwie słyszałem, jak starucha chrypi swoje przekleństwa.

— A więc chcesz spotkać Baltazara, Synu Boży?

Joszua oderwał wzrok od swoich ran.

— Tak. Czy znasz go, panie?

— A myślisz, że dla kogo są te małpie stopy? Chodźcie ze mną.

Odwrócił się na pięcie i odszedł, nie mówiąc już ani słowa.

Ruszyliśmy za nim uliczką tak wąską, że ramionami dotykał niemal ścian po obu stronach. Obejrzałem się jeszcze na staruchę i krzyknąłem:

— Twój tyłek, wiedźmo! Zapamiętaj moje słowa!

Syknęła i znów wykonała znak złego oka.

— Dreszcz przechodzi na jej widok — stwierdził Josh, znów oglądając zadrapania na ręku.

— Nie osądzaj tak łatwo, Josh. Sam też czasem wywołujesz lekkie dreszcze.

— Jak myślisz, gdzie nas prowadzi ten człowiek?

— Pewnie w jakieś miejsce, gdzie będzie mógł nas zamordować i zabić.

— Tak, przynajmniej jedno z tych dwóch.

11

O d mojej próby ucieczki, nie mogę skłonić anioła, żeby choć na chwilę wyszedł z pokoju. Nawet po jego ukochaną *Panoramę seriali*. (Owszem, mogłem spróbować, kiedy poszedł kupić swój pierwszy numer, ale wtedy o tym nie myślałem, więc dajcie spokój). Dzisiaj próbowałem go namówić, żeby mi przyniósł mapę.

– Bo nikt nie będzie znał tych miejsc, o których piszę. Dlatego – tłumaczyłem. – Mam używać tych idiomów, żeby ludzie rozumieli, co mówię, więc dlaczego odwoływać się do nazw, które zniknęły tysiące lat temu? Potrzebna mi mapa.

– Nie – odparł anioł.

– Kiedy piszę, że droga zajęła nam dwa miesiące na wielbłądach, co to powie ludziom, którzy w kilka godzin mogą przeskoczyć ocean? Muszę poznać współczesne odległości.

– Nie – odparł anioł.

(Czy wiecie, że w hotelach przykręcają nocną lampkę do szafki, przez co staje się bezużyteczna jako instrument perswazji dla kogoś, kto próbuje przekonać upartego anioła do swojego sposobu myślenia? Pomyślałem, że warto o tym powiedzieć. Szkoda – to taka solidna lampka).

– Ale jak mogę opowiadać o heroicznych dziełach archanioła Raziela, jeśli nie jestem w stanie podać lokalizacji jego czynów? Mam napisać „A potem, mniej więcej na lewo od Wielkiego Muru, pojawił się ten szczurzy bękart Raziel i wyglądał jak wszystkie demony, biorąc pod uwagę, że może pokonał wielką odległość, a może i nie"? Czy wolisz raczej „Wtedy, zaledwie milę od portu Ptolemais, spłynęła na nas łaska lśniącej wspaniałości archanioła Raziela"? No więc jak ma być?

(Wiem, co myślicie: anioł uratował mi życie, kiedy Tytus wyrzucił mnie za burtę, i powinienem być wobec niego bardziej wyrozumiały, zgadza się? Nie powinienem manipulować tą biedną istotą, która otrzymała ego, ale żadnej wolnej woli ani zdolności do twórczego myślenia, tak? To fakt, słuszna uwaga. Ale pamiętajcie, że anioł interweniował tylko dlatego, że Joszua modlił się o moje ocalenie. I jeszcze to, że przez te lata mógłby oszczędzić nam wielu kłopotów, gdyby zechciał pomagać trochę częściej. Nie zapominajcie również, że – choć był może najpiękniejszą istotą, jaką w życiu widziałem – Raziel był również patentowanym tumanem. Mimo wszystko odwołanie się do ego poskutkowało).

– Zdobędę dla ciebie mapę.

Niestety, portier znalazł tylko mapę świata dostarczaną przez współpracujące z hotelem linie lotnicze. Następny etap naszej podróży miał na niej piętnaście centymetrów i kosztowałby trzydzieści tysięcy mil w programie Friendly Flyer. Mam nadzieję, że to trochę wyjaśnia sytuację.

Kupiec nazywał się Ahmad Mahadd Ubaidullaganji, ale powiedział, że możemy do niego mówić: Mistrzu. Mówiliśmy: Ahmadzie. Poprowadził nas przez miasto na zbocze wzgórza, gdzie czekała jego karawana. Miał setkę wielbłądów, które prowadził wzdłuż Jedwabnego Szlaku, wraz z tuzinem ludzi, dwiema kozami, trzema końmi i zaskakująco brzydką kobietą imieniem Kanuni. Zabrał nas do swojego namiotu, większego niż oba domy, w których się wychowywaliśmy, razem wzięte. Usiedliśmy na cennych dywanach, a Kanuni podawała nam nadziewane daktyle i nalewała wina z dzbana w kształcie smoka.

– No więc, czego Syn Boży chce od mojego przyjaciela Baltazara? – zapytał Ahmad.

I zanim zdążyliśmy odpowiedzieć, prychnął i wybuchnął śmiechem, aż ramiona mu się trzęsły i o mało nie rozlał wina. Miał okrągłą twarz, wysokie kości policzkowe i wąskie oczy ze zmarszczkami w kącikach – od śmiechu i pustynnego wiatru.

– Wybaczcie, przyjaciele, ale nigdy jeszcze nie przebywałem w obecności syna boga. Który bóg jest twoim ojcem, tak przy okazji?

– No... jedyny Bóg – odpowiedziałem.

– Tak – potwierdził Joszua. – Właśnie on.

– A czy wasz Bóg ma jakieś imię?

– Tato – odparł Josh.

– Nie wolno nam wymawiać Jego imienia.

– Tato – powtórzył Ahmad. – Podoba mi się. – Znów zachichotał. – Wiedziałem, że jesteście Hebrajczykami i nie wolno wam wymawiać imienia waszego Boga, chciałem tylko sprawdzić, czy jednak to zrobicie. Tato... Świetne.

– Nie chciałbym być niegrzeczny – wtrąciłem. – I oczywiście jesteśmy wdzięczni za posiłek, ale robi się późno, a obiecałeś, że zaprowadzisz nas do Baltazara.

– Rzeczywiście tak uczynię. Wyruszamy o świcie.

– Wyruszamy dokąd? – spytał Joszua.

– Do Kabulu. To miasto, w którym Baltazar obecnie mieszka.

Nigdy nie słyszałem o Kabulu i miałem wrażenie, że to niedobrze.

– Jak daleko leży Kabul?

– Na wielbłądach powinniśmy tam dotrzeć w niecałe dwa miesiące.

Gdybym wiedział to, co wiem teraz, wstałbym wtedy i wykrzyknął: „Przekleństwo, człeku, to przecież ledwie piętnaście centymetrów i trzydzieści tysięcy mil Friendly Flyer!". Ale że tego nie wiedziałem, rzuciłem tylko:

– Szlag!

– Zabiorę was do Kabulu – rzekł Ahmad. – Ale co potraficie, co pomoże zapłacić za waszą podróż?

– Znam się na ciesielstwie – odparł Joszua. – Mój ojczym nauczył mnie, jak naprawiać wielbłądzie siodła.

– A ty? – Spojrzał na mnie. – Co umiesz?

Pomyślałem o moich doświadczeniach w kamieniarstwie i natychmiast odrzuciłem ten pomysł. Moje szkolenie w fachu wiejskiego głupka, do którego – sądziłem – zawsze mogę powrócić, też raczej by nie pomogło. Zyskałem niedawno nowy zawód w edukacji seksualnej, ale jakoś nie wydawało się, by było na nią zapotrzebowanie podczas dwumiesięcznej wędrówki z czternastoma mężczyznami i jedną brzydką kobietą. A zatem: co potrafiłem, jaki talent mógłby ułatwić mi drogę do Kabulu?

– Gdyby ktoś w karawanie wyciągnął nogi, jestem świetnym żałobnikiem – oświadczyłem. – Chcesz posłuchać pieśni?

Ahmad aż się zatrząsł ze śmiechu. Potem zawołał Kanuni, która przyniosła jego sakwę. Wziął ją, pogrzebał w środku i wyciągnął kupione u staruchy suszone jaszczurki.

– Trzymaj, będą ci potrzebne – rzekł.

Wielbłądy gryzą. Wielbłąd może bez żadnego powodu człowieka opluć, nadepnąć, kopnąć, ryknąć na niego, czknąć albo pierdnąć. W najlepszej sytuacji są uparte, w najgorszej nieznośne i nie do wytrzymania. Jeśli je sprowokować, gryzą. Jeśli wetknąć odwodnionego płaza głęboko po łokieć w wielbłądzi tyłek, wielbłąd uważa się za sprowokowanego; podwójnie, jeśli procedura jest wykonywana podczas snu zwierzęcia. Wielbłądy potrafią się skradać. I gryzą.

– Mogę ci to uleczyć – powiedział Joszua, oglądając wielkie ślady zębów na moim czole.

Podążaliśmy z karawaną Ahmada Jedwabnym Szlakiem, który ani nie był prawdziwym szlakiem, ani nie był zrobiony z jedwabiu. Był w rzeczywistości wąską ścieżką przez kamienistą, niegościnną, pustynną wyżynę tam, gdzie dzisiaj jest Syria, prowadzącą w niegościnną pustynną nizinę tam, gdzie dziś jest Irak.

– Powiedział: sześćdziesiąt dni na wielbłądach. Czy to nie oznacza, że powinniśmy jechać, a nie iść piechotą?

– Tęsknisz za swoimi wielbłądzimi przyjaciółmi, co? – Josh wyszczerzył zęby w tym swoim zarozumiałym uśmiechu Syna Bożego. A może to był jego zwyczajny uśmiech?

– Jestem po prostu zmęczony. Przez pół nocy musiałem się do nich podkradać.

– Wiem – przyznał Joszua. – Sam musiałem wstać o świcie, żeby przed wyruszeniem naprawić siodło. Narzędzia Ahmada pozostawiają sporo do życzenia.

– Nie krępuj się i bądź sobie męczennikiem, Josh. Po prostu zapomnij, co robiłem przez noc. Ja chcę tylko powiedzieć, że powinniśmy jechać wierzchem, a nie iść pieszo.

– Tak będzie – obiecał Josh. – Ale jeszcze nie teraz.

Wszyscy mężczyźni z karawany jechali, choć kilku z nich, a także Kanuni, konno. Wielbłądy niosły potężne ładunki żelaznych narzędzi, sproszkowanych barwników i drzewa sandałowego, przeznaczonego dla Orientu. W pierwszej napotkanej oazie Ahmad wymienił konie na cztery dodatkowe wielbłądy i ja i Joszua mogliśmy wreszcie pojechać. Wieczorami jedliśmy z resztą ludzi, dzieląc z nimi gotowany ryż albo chleb z pastą sezamową, niekiedy kawałek sera, ugnieciony groch z czosnkiem, czasem także piliśmy ten czarny napój, który odkryliśmy w Antiochii (zmieszany z daktylowym cukrem i po dodaniu pienistego koziego mleka i cynamonu, co było moją sugestią). Ahmad spożywał posiłki samotnie w swoim namiocie, reszta na powietrzu, pod otwartym zadaszeniem, które wznosiliśmy, by osłaniało nas przed słońcem w najgorętszej porze dnia. Na pustyni dzień jest tym cieplejszy, im trwa dłużej, więc najgorętsza pora przypada na popołudnie, zanim zachód słońca ściągnie gorące wiatry, by wyssały ze skóry resztki wilgoci.

Żaden z ludzi Ahmada nie mówił po hebrajsku ani aramejsku. Opanowali jednak dostatecznie potoczną łacinę i grekę, by pokpiwać ze mnie i Joszuy na dowolny temat; ich ulubionym była, oczywiście, moja funkcja głównego odtwardzacza wielbłądów. Pochodzili z pół tuzina różnych krain, z których o wielu nawet nie słyszeliśmy. Niektórzy byli czarni jak Etiopczycy, mieli wysokie czoła i długie, zgrabne ręce i nogi; inni krępi i krzywonodzy, z potężnymi ramionami, wysokimi kośćmi policzkowymi i długimi cienkimi wąsami, jak Ahmad. Ani jeden nie wydawał się gruby, leniwy czy powolny. Nie minął nawet tydzień od wyruszenia z Antiochii, a zorientowaliśmy się, że do opieki i prowadzenia karawany wielbłądów wystarczy tylko dwójka. Nie mogliśmy zrozumieć, czemu ktoś tak skąpy jak Ahmad zatrudniał tylu zbytecznych pracowników.

– Bandyci – wytłumaczył nam Ahmad, próbując znaleźć dla swego potężnego ciała jakąś wygodniejszą pozycję na grzbiecie wielbłąda. – Potrzebowałbym tylko dwóch takich ćwoków jak wy, gdyby chodziło jedynie o doglądanie zwierząt. To strażnicy. Myślicie, że po co wieziemy wszystkie te łuki i lance?

– No tak... – Rzuciłem Joszui złośliwe spojrzenie. – Nie widziałeś tych lanc? To strażnicy. Ehm, Ahmadzie... Czy Josh i ja też nie powinniśmy dostać lanc... Znaczy, kiedy znajdziemy się już na terenach bandytów?

– Bandyci śledzą nas od pięciu dni – oświadczył Ahmad.

– Niepotrzebne nam lance – stwierdził Joszua. – Nie każę bliźniemu grzeszyć aktem kradzieży. Jeśli ktoś chciałby mieć coś mojego, wystarczy mu poprosić, a chętnie to oddam.

– Oddaj mi resztę swoich pieniędzy – powiedziałem.

– Nie licz na to.

– Przecież mówiłeś...

– Tak, ale nie do ciebie.

169

Przez większość nocy Joszua i ja spaliśmy pod gołym niebem, obok namiotu Ahmada. Jeśli noc była szczególnie zimna, kładliśmy się między wielbłądami; znosiliśmy ich parskania i stękania, a one za to osłaniały nas od wiatru. Strażnicy sypiali w dwuosobowych namiotach, z wyjątkiem dwójki, która przez całą noc trzymała wartę. Często, kiedy obóz już ucichł, leżeliśmy z Joszuą, patrząc w gwiazdy, i rozważaliśmy wielkie problemy życia.

– Jak myślisz, Josh, ci bandyci obrabują nas i zabiją czy tylko obrabują?

– Obrabują, a potem zabiją, moim zdaniem – odparł. – Na wypadek, gdyby przeoczyli coś, co ukryliśmy, mogą nas torturować, żeby się dowiedzieć o kryjówce.

– Słusznie – przyznałem.

– Myślisz, że Ahmad uprawia seks z Kanuni? – zapytał Josh.

– Wiem, że tak. Powiedział mi.

– I myślisz, że jak to jest? Z nimi, znaczy? On taki gruby, a ona taka... no wiesz?

– Szczerze mówiąc, Josh, wolałbym o tym nie myśleć. Ale dzięki, że skierowałeś moje myśli na ten obrazek.

– Chcesz powiedzieć, że potrafisz ich sobie razem wyobrazić?

– Przestań, Joszua. Nie umiem ci wytłumaczyć, jak to jest grzeszyć. Musisz sam spróbować. Czego zażądasz potem? Będę musiał kogoś zamordować, żeby ci wyjaśnić, jak to jest z zabijaniem?

– Nie. Nie chcę zabijać.

– Może to akurat będziesz musiał robić, Josh. Nie sądzę, by Rzymianie sobie poszli tylko dlatego, że ich o to poprosisz.

– Znajdę sposób. Po prostu teraz jeszcze go nie znam.

– Czy nie byłoby zabawne, gdybyś jednak nie był Mesjaszem? Rozumiesz, przez całe życie powstrzymujesz się od obcowania z kobietami, a na końcu się dowiadujesz, że jesteś tylko pomniejszym prorokiem?

– Tak, to by było zabawne – przyznał Joszua. Ale się nie uśmiechnął.

– W pewnym sensie?

Odkąd się dowiedzieliśmy, że śledzą nas bandyci, podróż upływała zaskakująco szybko. Dzięki nim mieliśmy o czym rozmawiać, a nasze grzbiety stawały się bardziej giętkie, jako że bez przerwy odwracaliśmy się w siodłach i obserwowaliśmy horyzont. Kiedy po dziesięciu dniach na szlaku postanowili zaatakować, ogarnął nas niemal smutek.

Ahmad, jadący zwykle na czele karawany, tym razem został z tyłu, obok nas.

– Bandyci zaatakują z zasadzki w tej przełęczy przed nami – powiedział.

Droga wsuwała się do wąwozu o stromych zboczach. Na krawędziach stały wielkie głazy i rzeźbione wiatrem wieże.

– Kryją się za tymi głazami po obu stronach – wyjaśnił Ahmad. – Nie patrzcie, bo nas zdradzicie.

– Skoro wiesz, że zaatakują, dlaczego nie staniemy, żeby się bronić? – zapytał Joszua.

– Zaatakują tak czy inaczej. Lepsza zasadzka, o której wiemy, od takiej, o której nie mamy pojęcia. A oni nie wiedzą, że wiemy.

Zauważyłem, że krępi strażnicy z wąsami wyciągają z toreb za siodłami krótkie łuki. Potem delikatnie, jak człowiek mógłby strzepywać z rzęs nić pajęczyny, zakładają cięciwy. Ktoś, kto obserwowałby ich z daleka, z trudem zauważyłby jakiekolwiek ruchy.

– Co mamy robić? – zapytałem Ahmada.

– Próbujcie nie dać się zabić. Zwłaszcza ty, Joszua. Baltazar bardzo by się rozgniewał, gdybym dotarł na miejsce z wieścią o twojej śmierci.

– Czekaj... – zdziwił się Joszua. – Baltazar wie, że przybywamy?

– Oczywiście. – Ahmad się zaśmiał. – Kazał mi was szukać. Myślisz, że pomagam każdej parze dzieciaków, które pojawią się na rynku w Antiochii?

– Dzieciaków? – Na chwilę zapomniałem o zasadzce.

– Jak dawno kazał ci nas szukać?

– Nie wiem. Zaraz po tym, jak wyjechał z Antiochii do Kabulu, jakieś dziesięć lat temu. To teraz nieważne. Muszę wracać do Kanuni, ona boi się bandytów.

– Pozwól im dobrze się jej przyjrzeć – poradziłem. – Zobaczymy, kto się kogo przestraszy.

– Nie patrzcie na granie – rzucił jeszcze Ahmad i odjechał.

Bandyci ruszyli z obu stron wąwozu jak zsynchronizowane lawiny, poganiając swoje wielbłądy do granic utraty równowagi i pchając przed sobą rzeki kamieni i piasku. Było ich dwudziestu pięciu, może trzydziestu, wszyscy ubrani na czarno; połowa na wielbłądach, wymachująca mieczami i maczugami, połowa pieszo, z włóczniami do przebijania jeźdźców.

Kiedy nie mogli już zatrzymać tego zjazdu ze zboczy, nasi strażnicy rozdzielili karawanę, zostawiając pustą drogę w miejscu, gdzie obie szarże miały się spotkać. Rozpęd okazał się tak wielki, że bandyci nie potrafili już zmienić kierunku jazdy. Trzy ich wielbłądy upadły, próbując wyhamować.

Nasi ludzie stanęli w dwóch grupach – na przodzie trójka z długimi lancami, za nimi łucznicy. Kiedy byli gotowi, wypuścili w bandytów strzały. Każdy, który padał, pociągał za sobą dwóch lub trzech towarzyszy, aż w ciągu kilku sekund szarża zmieniła się w prawdziwą lawinę toczących się kamieni, ludzi i wielbłądów. Wielbłądy ryczały; słyszeliśmy trzask pękających kości i wrzaski ludzi, kiedy w krwawej masie staczali się na ścieżkę Jedwabnego Szlaku. Gdy któryś próbował wstać i ruszyć na naszych strażników, strzała powalała go na miejscu. Jeden z bandytów poderwał się wraz ze swym wielbłądem i pognał do tylnej części karawany, ale tam trzech lansjerów zrzuciło go z wierzchowca w fontannach krwi. Każde poruszenie w wąwozie ściągało strzałę. Bandyta ze złamaną nogą próbował odczołgać się na zbocze wąwozu, ale strzała trafiła go w tył głowy.

Usłyszałem za sobą wycie i zanim zdążyłem się obejrzeć, Joszua przejechał galopem, mijając łuczników i lansjerów po naszej stronie. Pędził ku masie konających i martwych bandytów. Zeskoczył z siodła i jak szaleniec biegał wokół ciał, machał rękami i wrzeszczał ile sił w płucach, aż zaczął chrypieć, kiedy zdarł sobie gardło.

– Przestańcie! Przestańcie!

Jeden z bandytów poruszył się, próbując wstać. Nasi łucznicy napięli cięciwy, ale Joszua rzucił się, powalił rannego na ziemię i osłonił własnym ciałem. Usłyszałem, jak Ahmad nakazuje wstrzymać ostrzał.

Lekki wiatr oczyścił wąwóz z kłębów pyłu. Zaryczał wielbłąd ze złamaną nogą, ale strzał w oko skrócił jego cierpienia. Ahmad wyrwał strażnikowi lancę i podjechał do Joszuy osłaniającego rannego bandytę.

– Odsuń się, Joszuo – nakazał z bronią gotową do ciosu. – Trzeba to skończyć.

Joszua się rozejrzał. Wszyscy napastnicy byli martwi, tak samo jak wszystkie ich zwierzęta. Strumyki krwi płynęły w pyle na ziemi, a muchy zbierały się już na ucztę. Joszua szedł przez to pole trupów, aż jego pierś zetknęła się ze spiżowym grotem lancy Ahmada. Łzy spływały mu po policzkach.

– To było złe! – wychrypiał.

– To bandyci. Gdybyśmy ich nie zabili, oni by nas pozabijali i zabrali wszystko, co mamy. Czy twój własny Bóg, twój ojciec, nie niszczy tych, co zgrzeszyli? A teraz odsuń się, Joszuo. Niech to się zakończy.

– Nie jestem moim ojcem i ty też nie. Nie zabijesz tego człowieka.

Ahmad opuścił lancę i pokręcił ze smutkiem głową.

– On i tak umrze, Joszuo.

Wyczuwałem, że strażnicy obok kręcą się niepewnie. Nie wiedzieli co robić.

– Podaj mi bukłak – nakazał Joszua.

Ahmad rzucił mu bukłak, zawrócił i odjechał tam, gdzie czekali na niego strażnicy. Joszua podał wodę rannemu i przytrzymał mu głowę, gdy ten pił. Strzała sterczała bandycie z brzucha, a czarna tunika błyszczała od krwi. Joszua delikatnie zakrył mu dłonią oczy, jakby mówił, by zasnął, po czym wyrwał strzałę i odrzucił ją na bok. Bandyta nawet nie drgnął. Joszua przyłożył dłoń do rany.

Od chwili, gdy Ahmad nakazał strażnikom przerwać ostrzał, żaden się nie poruszył. Patrzyli. Po kilku minutach Joszua odsunął się z uśmiechem, a bandyta usiadł. I w tej samej chwili padł martwy, ze strzałą sterczącą mu z czoła.

– Nie!

Joszua odwrócił się i spojrzał w stronę karawany. Strażnik, który wystrzelił, nadal trzymał łuk, jak gdyby szykował się do wypuszczenia następnej strzały, by zakończyć sprawę. Wrzeszcząc z wściekłości, Joszua zrobił gest, jakby otwartą dłonią uderzał powietrze. Strażnik spadł z wielbłąda i runął na ziemię.

– Dość tego! – wrzeszczał Joszua.

Kiedy strażnik usiadł, jego oczy przypominały dwa srebrne księżyce. Był ślepy.

Przez dwa dni żaden z nas się nie odzywał. Joszua i ja zostaliśmy odesłani na sam koniec karawany, bo strażnicy się nas bali. W końcu wypiłem łyk wody i podałem bukłak Joszui. On także się napił i oddał mi go z powrotem.

– Dzięki – powiedział.

Uśmiechnął się i wiedziałem, że wróci do siebie.

– Wiesz co, Joszua? Wyświadcz mi przysługę.

– Co takiego?

– Przypominaj mi, żeby cię nie wkurzać, dobrze?

Miasto Kabul zostało wzniesione na pięciu poszarpanych wzgórzach. Ulice biegły tarasami, a domy częściowo wbudowano w zbocza. Architektura nie zdradzała ani śladu wpływów rzymskich czy greckich – większe budynki miały dachy kryte dachówką i podwinięte na rogach do góry. Zanim nasza wyprawa dobiegła końca, mieliśmy z Joszuą oglądać ten styl w całej Azji. Mieszkali tu ludzie chudzi i żylaści, którzy wyglądali jak Arabowie, ale bez tego połysku skóry, który daje bogata w oliwę dieta. Ich twarze jednak wydawały się bardziej wychudzone, pomarszczone od zimnych i suchych wiatrów pustyni. Na rynku spotkaliśmy kupców i handlarzy z Chin, oraz ludzi podobnych do Ahmada i jego łuczników – pochodzących z rasy, którą Chińczycy nazywali krótko „barbarzyńcami".

– Chińczycy tak się boją mojego ludu, że dla obrony zbudowali mur wysoki jak najwyższe pałace, szeroki jak najszersze aleje w Rzymie, a ciągnący się dziesięć razy dalej, niż sięga wzrok – powiedział Ahmad.

– Aha – mruknąłem, myśląc „Ty kłamliwy worku flaków".

Joszua nie odzywał się do Ahmada od bitwy z bandytami, ale uśmiechnął się drwiąco, słysząc opowieść o wielkim murze.

– Mniejsza – rzekł Ahmad. – Dzisiaj zatrzymamy się w zajeździe. Jutro zabiorę was do Baltazara. Jeśli wyruszymy wcześniej, dotrzemy na miejsce koło południa. Potem będziecie już kłopotem czarownika, nie moim. Spotkamy się przed zajazdem o świcie.

Tej nocy oberżysta z żoną podali nam przyprawioną mocno baraninę z ryżem, a do tego jakiś rodzaj piwa, też warzonego z ryżu. Spłukało nam z gardeł dwa miesiące pustynnego kurzu, a umysły spowiło przyjemną mgiełką. Aby zaoszczędzić pieniędzy, zapłaciliśmy za sienniki pod szerokim, wygiętym okapem budynku. I choć dobrze było po raz pierwszy od miesięcy znowu mieć dach nad głową, trochę mi brakowało patrzenia w gwiazdy przed snem. Przez długi czas leżałem tam przytomny i na wpół pijany. Joszua zasnął snem niewiniątka.

Następnego dnia Ahmad czekał na nas przed zajazdem z dwoma afrykańskimi strażnikami i dwoma jucznymi wielbłądami.

– Pospieszcie się! – zawołał. – Dla was to może koniec podróży, ale ja tylko zbaczam z drogi.

Rzucił nam po skórce z chleba i kawałku sera, z czego wywnioskowałem, że śniadanie mamy zjeść po drodze.

Wyjechaliśmy z Kabulu i zagłębiliśmy się w labirynt wąwozów, które meandrami wiły się przez skaliste góry. Wyglądały, jakby Bóg uformował je z gliny, a potem zostawił do wypalenia na słońcu, aż glina nabrała głębokiej złocistej barwy, odbijając światło w rozpryskach, które pochłaniały cienie i niszczyły mrok. W południe nie miałem już pojęcia, gdzie się znaleźliśmy; nie mógłbym też przysiąc, że nie przejeżdżamy po wielekroć przez te same wąwozy. Jednakże strażnicy Ahmada znali drogę i w końcu za zakrętem zobaczyliśmy strome zbocze kanionu, wysokie na jakieś dwieście stóp, a od innych urwisk różniące się tym, że miało okna i balkony – pałac wykuty w nagiej skale. U podstawy tkwiły okute żelazem wrota, które wyglądały, jakby dwudziestu mężczyzn nie mogło ich poruszyć.

– Dom Baltazara – oznajmił Ahmad.

Kazał wielbłądowi uklęknąć i zsunął się na ziemię.

Joszua trącił mnie swoim kijem.

– Hej, spodziewałeś się czegoś takiego?

Pokręciłem głową.

– Sam nie wiem, czego się spodziewałem. Ale chyba czegoś... bo ja wiem... mniejszego.

– Gdybyś musiał, potrafiłbyś znaleźć drogę powrotną przez te kaniony?

– Nie. A ty?

– Nie ma szans.

Ahmad poczłapał do wrót i szarpnął za zwisający z otworu powróz. Gdzieś w środku usłyszeliśmy bicie wielkiego dzwonu (dopiero później odkryliśmy, że to dźwięk gongu). Drzwiczki we wrotach uchyliły się, a przez nie wysunęła głowę jakaś dziewczyna.

– Czego?

Miała okrągłą twarz i wysokie kości policzkowe, zdradzające pochodzenie z Orientu, a nad oczami wymalowane wielkie błękitne skrzydła.

– Ahmad. Ahmad Mahadd Ubaidullaganji. Przyprowadziłem Baltazarowi chłopca, na którego czekał. – Ahmad wskazał nas.

Dziewczyna przyjrzała się nam sceptycznie.

– Chudy jakiś. To na pewno ten?

– To on. Przekaż Baltazarowi, że jest mi za to coś winien.

– A kto to jest ten obok?

– To jego głupi przyjaciel. Bez dodatkowych opłat.

– Przywiozłeś małpie łapki? – zapytała jeszcze dziewczyna.

– Tak. Oraz inne zioła i minerały, o które prosił Baltazar.

– Dobrze, zaczekaj tam. – Zamknęła drzwiczki i po sekundzie otworzyła je znowu. – Przyślij tych dwóch, samych. Baltazar musi ich sprawdzić. Potem rozliczy się z tobą.

– Daj spokój z tą tajemniczością, kobieto. Setki razy bywałem w domu Baltazara. Przestań marudzić i otwórz wrota.

– Cisza! – krzyknęła dziewczyna. – Wielki Baltazar nie pozwoli drwić z siebie. Przyślij tu chłopców, samych.

Potem zatrzasnęła drzwiczki, a z wysokich okien słyszeliśmy echo jej chichotu.

Ahmad pokręcił głową i wskazał nam wrota.

– Idźcie. Nie wiem, co on wymyślił. Po prostu wejdźcie tam.

Joszua i ja zeskoczyliśmy na ziemię, zdjęliśmy z wielbłądów nasze sakwy i ostrożnie zbliżyliśmy się do wielkich wrót. Joszua zerknął na mnie, jakby nie był pewien, co robić, po czym wyciągnął rękę do wiszącego powrozu, ale wtedy wrota uchyliły się ze zgrzytem – akurat tyle, żebyśmy mogli wejść pojedynczo, a i wtedy bokiem. W środku panowała całkowita ciemność – prócz wąskiego paska światła, który niczego nie ukazywał. Joszua raz jeszcze spojrzał na mnie i uniósł brwi.

– Jestem tylko głupim przyjacielem bez dodatkowych opłat – przypomniałem i skłoniłem się. – Ty pierwszy.

Joszua przecisnął się przez wrota, a ja za nim. Przeszliśmy ledwie kilka kroków i usłyszeliśmy, jak zatrzasnęły się z hukiem gromu. Zostaliśmy w kompletnej ciemności. Jestem pewien, że czułem, jak coś ociera mi się o stopy.

Błysnęło nagle i przed nami wyrosła wielka kolumna czerwonego dymu, widoczna w padającym z góry świetle. Zapach siarki drapał w nosie. Joszua zakaszlał i obaj odskoczyliśmy, gdy z dymu wynurzyła się ogromna postać. Była... a raczej był... wysoki jak dwóch mężczyzn, choć bardzo chudy. Nosił długą purpurową szatę, haftowaną złotem i srebrem w dziwaczne symbole, z kapturem, więc nie widzieliśmy twarzy, a tylko rozjarzone czerwone ślepia na tle czerni. Trzymał lampę, jakby chciał przyjrzeć się nam w jej blasku.

– Szatan – mruknąłem do Joszuy.

Tak mocno przyciskałem plecy do żelaznych wrót, że czułem, jak przez tunikę wbijają mi się w skórę płatki rdzy.

– To nie Szatan – stwierdził Joszua.

– Kto narusza świętość mojej fortecy? – zahuczał olbrzym.

Prawie się posiusiałem, słysząc ten głos.

– Jestem Joszua z Nazaretu – odparł Joszua. Starał się mówić spokojnie, ale głos mu się załamał przy słowie „Nazaret". – A to jest Biff, również z Nazaretu. Szukamy Baltazara. Przybył do Betlejem, kiedy się narodziłem, wiele lat temu. Szukał mnie. Muszę mu zadać wiele pytań.

– Baltazar nie należy już do tego świata.

Mroczny olbrzym sięgnął pod szatę i wydobył jaśniejący sztylet, który uniósł wysoko, a potem wbił we własną pierś. Zajaśniał błysk eksplozji, a potem rozległ się ryk, jakby ktoś ugodził lwa. Joszua i ja odwróciliśmy się i zaczęliśmy drapać żelazne wrota, rozpaczliwie szukając zamka. Obaj wydawaliśmy z siebie nieartykułowane i przerażone odgłosy, które mogę opisać jedynie jako werbalną wersję ucieczki, rodzaj przedłużonego, rytmicznego jęku, przerywanego tylko wtedy, kiedy któremuś brakło już w płucach powietrza.

Wtedy usłyszałem śmiech, a Joszua chwycił mnie za ramię. Śmiech rozbrzmiewał coraz głośniej. Joszua obrócił mnie twarzą do śmierci w purpurze. Kiedy spojrzałem, mroczna postać zrzuciła kaptur, odsłaniając uśmiechniętą czarną twarz i ogoloną głowę człowieka – bardzo wysokiego, ale jednak człowieka. Rozchylił szatę i przekonałem się, że to rzeczywiście człowiek. Człowiek, stojący na ramionach dwóch młodych Azjatek, ukrytych pod połami bardzo długiej szaty.

– Zażartowałem z was – powiedział.

I zachichotał.

Zeskoczył z ramion kobiet, odetchnął głęboko i zgiął się wpół ze śmiechu. Łzy ciekły z jego wielkich orzechowych oczu.

– Powinniście zobaczyć swoje miny. Widziałyście, dziewczęta?

Kobiety, odziane w proste płócienne szaty, nie były tak rozbawione. Sprawiały raczej wrażenie zakłopotanych i trochę zniecierpliwionych, jakby wolały być teraz gdzie indziej i robić cokolwiek innego.

– Baltazar? – zapytał Joszua.

– Tak – przyznał Baltazar. Wyprostował się i był teraz niewiele wyższy ode mnie. – Przepraszam, ale rzadko miewam tu gości. Więc ty jesteś Joszua?

– Tak – potwierdził Joszua trochę zirytowany.

– Nie poznałem cię bez powijaków. A to twój sługa?

– Mój przyjaciel Biff.

– Na jedno wychodzi. Zabierz swojego przyjaciela. Wejdźcie. Dziewczęta zajmą się Ahmadem.

Odszedł korytarzem wiodącym w głąb góry, a długa purpurowa szata wlokła się za nim niczym ogon smoka.

Staliśmy obok wrót, dopóki nie uświadomiliśmy sobie, że kiedy Baltazar skręci za róg, znowu zostaniemy w ciemnościach. Pogoniliśmy więc za nim.

A kiedy biegliśmy korytarzem, myślałem, jak daleko dotarliśmy i kogo zostawiliśmy za sobą, i czułem, że zaraz brzuch mnie rozboli z żalu.

– Mędrzec? – rzuciłem do Joszuy.

– Matka nigdy mnie nie okłamała – zapewnił.

– A przynajmniej ty nic o tym nie wiesz – odpowiedziałem.

12

No więc, udając pewną nadmierną aktywność pęcherza, udało mi się wymykać do łazienki tak często, że dokończyłem Ewangelię Mateusza. Nie wiem, co to za Mateusz ją napisał, ale z pewnością nie nasz. Nasz Mateusz był prawdziwym czarodziejem, jeśli chodzi o liczby (czego można oczekiwać od poborcy podatków), ale nie potrafił własnego imienia napisać palcem na piasku, żeby nie zrobić przy tym co najmniej trzech błędów. Ten, który pisał Ewangelię, wyraźnie miał swoje informacje z drugiej, może nawet trzeciej ręki. Nie do mnie należy krytyka, ale przepraszam, on w ogóle o mnie nie wspomniał. Ani razu. Wiem, że moje protesty są wbrew nakazowi pokory, której nauczał Joszua, ale przecież byłem jego najlepszym kumplem. Nie wspominając już o tym, że ten Mateusz (jeśli naprawdę tak miał na imię) bardzo starannie opisuje genealogię Joszuy aż do króla Dawida, ale kiedy Joszua już się rodzi i trzech mędrców zjawia się w stajence betlejemskiej, nic o nim nie słychać aż do trzydziestego roku życia. Trzydziestego! Jakby nic się nie działo między żłobem a tą chwilą, kiedy Jan nas ochrzcił. Rany...

W każdym razie teraz już rozumiem, dlaczego zostałem wskrzeszony, by napisać tę Ewangelię. Jeśli reszta tego „Nowego Testamentu" jest podobna do księgi Mateusza, naprawdę potrzebowali kogoś, kto opisze życie Joszuy porządnie. Kogoś, kto tam naprawdę był. Czyli mnie.

Nie mogę uwierzyć, że w ogóle o mnie nie wspomina. Ledwie się powstrzymuję, żeby nie spytać Raziela, jak, u diabła, do tego doszło. Pewnie zjawił się sto lat spóźniony, żeby poprawić tego Mateusza. Och, to przerażająca myśl – zostałem wycięty z powodu anioła-idioty. Nie mogę tak tego zostawić.

A zakończenie? Skąd on je wytrzasnął?

Zobaczę, co ma do powiedzenia następny gość, ten Marek, ale nie żywię wielkich nadziei.

Pierwsze, co zauważyłem w fortecy Baltazara, to że nie było w niej kątów prostych. W ogóle żadnych kątów, kropka. Tylko łuki. Kiedy szliśmy za magiem po korytarzach i z piętra na piętro, nie znaleźliśmy nawet prostokątnego stopnia, jedynie prowadzące z poziomu na poziom spiralne rampy. I chociaż forteca ciągnęła się na całej ścianie urwiska, żadne pomieszczenie nie znajdowało się dalej niż o jedno przejście od okna. Gdy już weszliśmy powyżej poziomu gruntu, wszędzie przez okna docierało dzienne światło, i to nieprzyjemne uczucie, jakie ogarnęło nas za wrotami, szybko zniknęło. Skała miała kolor bardziej żółty niż wapień z Jeruzalem, ale była tak samo gładka. Ogólnie odnosiło się wrażenie, że spaceruje się po wypolerowanych wnętrznościach jakiejś ogromnej żywej istoty.

– Czy to ty zbudowałeś tę fortecę, Baltazarze? – spytałem.

– Ależ nie – odparł, nie odwracając głowy. – Zawsze tu była. Musiałem tylko usunąć wypełniający ją kamień.

– Och – mruknąłem, nie dowiedziawszy się absolutnie niczego.

Nie napotkaliśmy żadnych drzwi, a jedynie niezliczone otwarte przejścia i okrągłe portale, prowadzące do komnat najrozmaitszych kształtów i wymiarów.

– Dziewczęta przebywają tutaj – rzucił Baltazar, kiedy mijaliśmy owalne przejście, zasłonięte sznurami paciorków.

– Dziewczęta? – zdziwiłem się.

– Dziewczęta? – zdziwił się Joszua.

– Tak, dziewczęta, wy ciamajdy. Istoty ludzkie, takie jak wy, tylko że są bystrzejsze i ładniej pachną.

181

Przecież wiedziałem, o czym mówi. To znaczy: widzieliśmy dwie z nich, prawda? Wiedziałem, co to są dziewczęta.

Maszerował dalej, aż dotarliśmy do jedynych drzwi, jakie napotkałem od wejścia do fortecy – kolejne wielkie, obite żelazem, zamknięte na trzy żelazne sztaby, grube jak moja ręka, i ciężki mosiężny zamek z dziwnymi znakami. Mag przystanął i przyłożył do nich ucho. Potem odwrócił się do nas i po raz pierwszy zobaczyłem, że jest bardzo stary, mimo dźwięcznego śmiechu i sprężystego kroku.

– Dopóki tu jesteście, możecie chodzić, gdzie tylko zechcecie, ale nie wolno wam otwierać tych drzwi. *Xiong zai*.

– *Xiong zai* – powtórzyłem, na wypadek gdyby Joszua nie dosłyszał.

– *Xiong zai*. – Josh kiwnął głową z całkowitym brakiem zrozumienia.

Baltazar wprowadził nas do wielkiej komory. Jedwabne zasłony zwisały ze sklepienia, a podłogę pokrywały piękne dywany i poduszki. Na kilku niskich stołach czekały wino, owoce, ser i chleb.

– Odpoczywajcie i się posilajcie – zachęcił nas. – Wrócę, jak tylko zakończę sprawy z Ahmadem.

I wyszedł, zostawiając nas samych.

– No dobra – powiedziałem. – Dowiedz się od niego, co ci tam potrzebne, a potem wracamy na szlak i ruszamy do następnego mędrca.

– Nie jestem pewien, czy to nastąpi tak szybko. Możemy tu spędzić sporo czasu. Może nawet lata.

– Lata? Joszua, jesteśmy w samym środku jakiegoś odludzia, nie możemy siedzieć tu latami!

– Biff, wyrastaliśmy w środku odludzia. Jaka to różnica?

– Dziewczęta – stwierdziłem.

– Co z nimi?

– Nie zaczynaj.

Usłyszeliśmy głośny śmiech na korytarzu, a zaraz potem zjawili się Baltazar z Ahmadem. Rozsiedli się między poduszkami i zaczęli jeść rozłożone sery i owoce.

– Ahmad opowiadał mi, że próbowałeś ocalić jednego z bandytów – zaczął Baltazar. – I przy okazji oślepiłeś któregoś z jego ludzi, nawet go nie dotykając. Imponujące.

Joszua zwiesił głowę.

– To była masakra.

– Przykre. Ale nie zapominaj, że mistrz Lao-tzu powiedział, iż broń jest instrumentem nieszczęścia, a ci, którzy używają przemocy, nie umierają naturalną śmiercią.

– Ahmadzie – odezwał się Joszua. – Co się stanie z tym strażnikiem, którego...

– Na nic mi się już nie przyda – odparł Ahmad. – Szkoda, naprawdę, był najlepszym łucznikiem. Zostawię go w Kabulu. Prosił, żeby oddać należną mu zapłatę żonie w Antiochii i drugiej żonie w Dunhuang. Myślę, że zostanie żebrakiem.

– Kto to jest Lao-tzu? – zapytałem.

– Będziesz miał mnóstwo czasu, by dowiedzieć się o mistrzu Lao-tzu – odpowiedział Baltazar. – Jutro przydzielę wam nauczyciela, który pokaże wam *qi*, drogę Smoczego Oddechu, ale na razie jedzcie i odpoczywajcie.

– Potraficie uwierzyć w takiego czarnego Chińczyka? – Ahmad się zaśmiał. – Widzieliście kiedy coś podobnego?

– Nosiłem lamparcią skórę szamana, kiedy twój ojciec był zaledwie mrugnięciem w wielkiej rzece gwiazd. Opanowałem zwierzęcą magię, kiedy ty uczyłeś się chodzić. Poznałem tajemnice świętych egipskich tekstów magicznych, zanim jeszcze wyrosła ci broda. Jeżeli nieśmiertelność kryje się w mądrościach chińskich mistrzów, to będę Chińczykiem tak długo, jak będzie mi to potrzebne, niezależnie od koloru mej skóry i miejsca mego urodzenia.

Usiłowałem odgadnąć wiek Baltazara. Z tego, co mówił, wynikało, że jest naprawdę bardzo stary, gdyż sam Ahmad nie należał już do najmłodszych. Ale krok miał sprężysty, a z tego, co zauważyłem, miał także wszystkie zęby, i to w doskonałym stanie. Nie przejawiał śladu słabości czy zdziecinnienia, jakie obserwowałem u starców w naszej wiosce.

– W jaki sposób zachowujesz tyle sił, Baltazarze? – zapytałem.

– Magia. – Uśmiechnął się.

– Nie ma żadnej magii prócz tej, którą zsyła Pan – oświadczył Joszua.

Baltazar poskrobał się po brodzie.

– A więc zapewne też żadnej bez Jego przyzwolenia, co, Joszuo? – odpowiedział spokojnie.

Joszua przygarbił się i zwiesił głowę.

Ahmad wybuchnął śmiechem.

– Jego magia nie jest aż tak tajemnicza, chłopcy. Baltazar ma osiem młodych konkubin, które wyciągają trucizny z tego starego ciała. W ten sposób zachowuje młodość.

– Święta pięta! Osiem? – Byłem zdumiony. Podniecony. Zazdrosny.

– Czy ten pokój z drzwiami okutymi żelazem ma jakiś związek z twoją magią? – spytał z powagą Joszua.

Baltazar przestał się uśmiechać. Zaskoczony Ahmad spoglądał to na niego, to na Josha.

– Pokażę wam wasze sypialnie – rzekł Baltazar. – Powinniście się wykąpać i iść na spoczynek. Od jutra lekcje. Pożegnajcie się z Ahmadem, nieprędko znów go zobaczycie.

Nasze pokoje były przestronne, większe niż domy, w których dorastaliśmy, z dywanami na podłodze, krzesłami z egzotycznego drewna, rzeźbionymi w postaci lwów i smoków, oraz stołem, na którym stał dzban i misa do mycia. W każdym pokoju było też biurko i szafka pełna narzędzi do pisania i malowania, oraz coś, czego żaden z nas jeszcze nigdy nie widział: łóżko. Między pokojem Josha i moim ściana sięgała tylko połowy wysokości, więc mogliśmy leżeć w łóżkach i rozmawiać przed snem, tak jak w drodze przez pustynię.

Pierwszej nocy zauważyłem, że Joszua jest czymś głęboko zatroskany.

– Wydajesz się... sam nie wiem.. głęboko zatroskany, Josh.

– To ci bandyci. Czy mogłem ich wskrzesić?

– Wszystkich? Nie mam pojęcia. A mogłeś?

– Zastanawiałem się nad tym. Myślałem, że zdołam sprawić, by znów chodzili i oddychali. Myślałem, że zdołam przywrócić im życie. Ale nawet nie spróbowałem.

– Dlaczego?

– Bo się bałem, że gdybym to zrobił, zabiliby nas i obrabowali. Jest tak, jak powiedział Baltazar: ci, którzy używają przemocy, nie umierają naturalną śmiercią.

– Tora mówi: „oko za oko, ząb za ząb". Byli bandytami.

– A czy byli bandytami zawsze? Czy zostaliby bandytami w latach, które nadejdą?

– Pewnie. Kto raz został bandytą, zawsze będzie bandytą. Składają przysięgę czy coś w tym rodzaju. Poza tym nie ty ich zabiłeś.

– Ale ich nie ocaliłem i oślepiłem łucznika. To nie było sprawiedliwe.

– Rozzłościłeś się.

– To żadne wytłumaczenie.

– Jak to, żadne wytłumaczenie? Jesteś Synem Bożym. Bóg potopem usunął wszystkich na całej ziemi, bo się rozgniewał.

– Nie jestem pewien, czy to było słuszne.

– Słucham?

– Musimy jechać do Kabulu. Spróbuję przywrócić temu człowiekowi wzrok... jeśli zdołam.

– Joszua, to łóżko jest najwygodniejszym miejscem, w jakim się znalazłem. Możemy zaczekać z tym wyjazdem do Kabulu?

– Chyba tak.

Joszua milczał przez dłuższy czas i już myślałem, że zasnął. Nie chciałem jeszcze spać, ale też nie miałem ochoty na dalszą rozmowę o martwych bandytach.

– Hej, Josh?

– Co?

– Jak myślisz, co jest w tym pokoju za żelaznymi drzwiami? Jak on to nazwał?

– *Xiong zai.*

– Właśnie, *Xiong zai.* Jak myślisz, co to takiego?

– Nie wiem, Biff. Może powinniśmy zapytać naszego nauczyciela.

– *Xiong zai* oznacza dom zguby w mowie feng shui – wyjaśniła Drobne Stópki Boskiego Tańca Radosnego Orgazmu.

Klęczała przed niskim kamiennym stolikiem, na którym stały ceramiczny czajnik i filiżanki. Miała na sobie czerwoną jedwabną szatę, wyszywaną w złote smoki i przewiązaną czarnym pasem. Jej włosy były czarne i tak długie, że wiązała je w węzeł, by nie wlokły się po podłodze, kiedy podaje nam herbatę. Twarz w kształcie serca o skórze gładkiej jak polerowany alabaster; jeśli kiedykolwiek przebywała na słońcu, to wszelkie ślady tego zdarzenia dawno zniknęły. Nosiła też drewniane sandały, jedwabnymi wstążkami utrzymywane na stopach, które – jak można wnioskować z jej imienia – były maleńkie. Minęły trzy dni lekcji, nim zebrałem się na odwagę i spytałem ją o zamknięty pokój.

Nalała herbaty wykwintnie, ale bez zbędnych ceremonii, jak przez te trzy dni przed zajęciami. Ale tym razem, zanim podała mi filiżankę, dolała jeszcze kroplę płynu z maleńkiej porcelanowej buteleczki, jaką nosiła zawieszoną na łańcuszku na szyi.

– Co jest w tej buteleczce, Radosna?

Nazywałem ją Radosną. Pełne imię było za długie i niewygodne w użyciu podczas rozmowy. Kiedy próbowałem innych zdrobnień (Drobne Stópki, Boski Taniec i Orgazm), nie reagowała przychylnie.

– Trucizna – powiedziała z uśmiechem Radosna. Wargi w tym uśmiechu były wstydliwe i dziewczęce, ale oczy uśmiechały się tysiącletnią przebiegłością.

– Ach...

Spróbowałem herbaty. Była mocna i aromatyczna, jak wcześniej; dziś jednak wyczułem w niej sugestię goryczy.

– Biff, czy domyślisz się, jaka jest dzisiejsza lekcja? – spytała Radosna.

– Myślałem, że powiesz mi, co jest w tym pokoju domu zguby.

– Nie, to nie jest dzisiejsza lekcja. Baltazar nie chce, żebyś wiedział, co jest w tym pokoju. Zgaduj dalej.

Palce rąk i nóg zaczęły mi drętwieć i nagle uświadomiłem sobie, że nie czuję skóry na głowie.

– Nauczysz mnie, jak robić ten ognisty proszek, którego użył Baltazar, kiedy tu przybyliśmy?

– Nie, głuptasie.

Śmiech Radosnej pobrzmiewał muzycznym dźwiękiem plusku czystego strumyka na kamieniach. Pchnęła mnie lekko w pierś, a ja upadłem na plecy, niezdolny do wykonania żadnego ruchu.

– Dzisiejsza lekcja to... jesteś gotów?

Stęknąłem. Tylko tyle mogłem zrobić. Usta też miałem sparaliżowane.

– Dzisiejsza lekcja to: jeśli ktoś doleje ci trucizny do herbaty, nie pij jej.

– Uch-och... – wybełkotałem.

– No tak – rzekł Baltazar. – Widzę, że Drobne Stópki Boskiego Tańca Radosnego Orgazmu ujawniła, co trzyma w tej małej buteleczce na szyi. – Zaśmiał się i oparł na poduszkach.

– On nie żyje? – zapytał Joszua.

Dziewczęta ułożyły moje sparaliżowane ciało obok Joszuy, a potem uniosły mnie, żebym mógł patrzeć na Baltazara. Cudowna Brama Niebiańskiej Wilgoci Numer Sześć, którą dopiero poznałem i nie zdążyłem jeszcze nazwać, wpuściła mi jakieś krople do oczu, by pozostały wilgotne, gdyż wyraźnie straciłem zdolność mrugania.

– Nie – uspokoił Josha Baltazar. – Nie jest martwy. Tylko rozluźniony.

Joszua dźgnął mnie palcem w żebra, na co oczywiście nie zareagowałem.

– Naprawdę rozluźniony – stwierdził.

Cudowna Brama Niebiańskiej Wilgoci Numer Sześć wręczyła Joszui fiolkę z kroplami, po czym wyszła wraz z innymi dziewczętami.

– Może nas widzieć i słyszeć? – spytał Joszua.

– O tak, jest całkowicie przytomny.

– Hej, Biff, uczę się o Chi! – krzyknął mi Josh prosto w ucho. – Płynie wszędzie wokół nas. Nie można jej zobaczyć, usłyszeć ani wyczuć, ale jest.

– Nie musisz tak krzyczeć – powiedział Baltazar.

Co i ja bym powiedział, gdybym mógł mówić.

Joszua wpuścił mi krople do oczu.

– Przepraszam. – Zwrócił się do Baltazara: – Ta trucizna... skąd ona pochodzi?

– Studiowałem u pewnego mędrca w Chinach. Był nadwornym trucicielem cesarza. On mnie tego nauczył, wraz z wieloma innymi elementami magii pięciu pierwiastków.

– Na co cesarzowi jest potrzebny truciciel?

– Pytanie, jakie mógłby zadać tylko wieśniak.

– Odpowiedź, jakiej tylko głupek mógłby udzielić – odparł Joszua.

Baltazar się roześmiał.

– Niech więc tak będzie, dziecię gwiazdy. Pytanie szczerze zadane zasługuje na szczerą odpowiedź. Otóż cesarz ma wielu przeciwników, których chciałby się pozbyć. Ale co ważniejsze, ma też wielu przeciwników, którzy chcieliby pozbyć się jego. Ów mędrzec przez większość czasu sporządzał więc głównie odtrutki.

– Czyli istnieje antidotum na tę truciznę? – upewnił się Joszua, kłując mnie palcem w żebra po raz drugi.

– W swoim czasie. W swoim czasie. Napij się jeszcze wina, Joszua. Chciałbym podyskutować z tobą o trzech klejnotach Tao. Trzy klejnoty Tao to współczucie, umiarkowanie i pokora...

Godzinę później przyszły cztery chińskie dziewczyny, podniosły mnie, wytarły podłogę w miejscu, gdzie ją zaśliniłem, i przeniosły do mojego pokoju. Kiedy mijały okute żelazem drzwi, usłyszałem skrobanie, a głos w mojej głowie powiedział: „Otwórz te drzwi, mały". Dziewczęta jednak nic nie zauważyły. W moim pokoju umyły mnie, wlały mi w usta mocny bulion, ułożyły na łóżku i zamknęły mi oczy.

Słyszałem, jak wchodzi Joszua i jak się krząta, szykując do snu.

– Baltazar obiecał, że niedługo każe Radosnej podać ci odtrutkę – zapewnił. – Ale najpierw musisz opanować pewną lekcję. Twierdzi, że to chińska metoda nauczania. Dziwna, nie sądzisz?

Gdybym potrafił wydać z siebie głos, zgodziłbym się, że istotnie bardzo dziwna.

No więc już wiecie:
Konkubin Baltazara było osiem, a ich imiona brzmiały:

Drobne Stópki Boskiego Tańca Radosnego Orgazmu,
Cudowne Wrota Niebiańskiej Wilgoci Numer Sześć,
Kusicielka Złotego Blasku Księżyca Plonów,
Delikatna Postać Dwóch Psów Fu Walczących pod Kocem,
Kobieca Strażniczka Trzech Tuneli Nadmiernej Przyjaźni,
Jedwabiste Poduszki Niebiańskiej Miękkości Obłoków,
Strączki Grochu w Sosie z Kaczki z Chrupkim Makaronem,

oraz

Sue.

Zastanawiałem się, jak każdy mężczyzna, nad pochodzeniem, motywacjami i tak dalej. A że każda z konkubin była piękniejsza od poprzedniej – niezależnie od porządku, w jakim by się je ustawiło, co jest niezwykłe – po kilku tygodniach nie mogłem już opanować ciekawości, drapiącej mój mózg niczym kot w koszyku. Zaczekałem na jedną z tych rzadkich okazji, kiedy zostałem sam z Baltazarem, i zapytałem.

– Dlaczego Sue?

– Zdrobnienie od Susanna – wyjaśnił Baltazar.

No i macie.

Ich pełne imiona były trochę niewygodne, a próba wymówienia ich po chińsku dawała dźwięk, jakby ktoś zrzucił ze schodów worek sztućców (ting, tong, yang, wing itd.), więc Joszua i ja nazywaliśmy dziewczęta tak:

Radosna,
Numer Sześć,
Księżyc,
Dwa Psy Fu,
Tunele,
Poduszki,
Strączki,

oraz oczywiście

Sue,

której nie potrafiłem skrócić.

Oprócz grupy mężczyzn, którzy co dwa tygodnie dostarczali z Kabulu zapasy, a przy okazji wykonywali wszystkie ciężkie prace, osiem kobiet zajmowało się wszystkim. Mimo położenia na odludziu i oczywistego bogactwa fortecy, nie było tu żadnych straży. Uznałem, że to interesujące.

Przez następny tydzień Radosna uczyła mnie znaków, które musiałem poznać, by przeczytać *Księgę boskich eliksirów albo dziewięć trójnogów Żółtego Cesarza* oraz *Księgę płynnej perły w dziewięciu cyklach oraz dziewięciu eliksirów boskich nieśmiertelnych.* Plan był taki, że kiedy już dobrze poznam te starożytne teksty, mogę pomagać Baltazarowi w jego poszukiwaniach nieśmiertelności. Co zresztą było przyczyną, dla której się tu znaleźliśmy, powodem, że Baltazar podążył za gwiazdą do Betlejem po narodzinach Joszuy i polecił Ahmadowi wypatrywać Żyda, pytającego o afrykańskiego maga. Baltazar pragnął nieśmiertelności i wierzył, że klucz do niej znajdzie u Joszuy. Oczywiście wtedy nie mieliśmy o tym pojęcia.

Moja koncentracja przy studiowaniu znaków była wyjątkowo silna, wspomagana jeszcze przez fakt, że nie mogłem poruszyć żadnym mięśniem. Co rano Dwa Psy Fu i Poduszki (obie nazwane tak ze względu na swe krągłe kształty, którym najwyraźniej towarzyszyła spora siła) wyciągały mnie z łóżka, wyciskały nad latryną, kąpały, wlewały we mnie bulion, a potem niosły do biblioteki i sadzały na krześle. Radosna zaczynała wykład o chińskich znakach, które malowała wilgotnym pędzelkiem na wielkich tabliczkach ustawionych na sztalugach. Czasami inne dziewczęta zostawały także i ustawiały moje ciało w różnych pozycjach, które je śmieszyły. I chociaż powinienem się irytować tym poniżaniem, to, prawdę mówiąc, obserwowanie, jak paroksyzmy dziewczęcego śmiechu wstrząsają Poduszkami i Dwoma Psami Fu, szybko stało się najciekawszym punktem moich sparaliżowanych dni.

W południe Radosna robiła przerwę. Dwie lub więcej z pozostałych dziewcząt wyciskały mnie nad latryną, wlewały więcej bulionu, a potem drażniły się ze mną bezlitośnie, aż wracała Radosna, klaskała głośno i odsyłała je mocno zbesztane. (Radosna była tu główną konkubiną i bały się jej, mimo drobnych stópek).

Czasami podczas tych przerw Joszua opuszczał lekcje i składał mi wizytę w bibliotece.

— Dlaczego pomalowałyście go na niebiesko? — zapytał kiedyś.

191

– Dobrze wygląda w niebieskim – odparła Strączki.

Dwa Psy Fu i Tunele stały obok z mokrymi pędzlami i podziwiały swe dzieło.

– Nie będzie z tego zadowolony, kiedy już dostanie antidotum, to mogę wam obiecać. – Po czym Joszua zwrócił się do mnie: – A wiesz, rzeczywiście całkiem dobrze wyglądasz taki niebieski. Biff, wstawiłem się za ciebie u Radosnej, ale uważa, że jeszcze nie opanowałeś tej lekcji. Ale opanowałeś, prawda? Przestań oddychać na sekundę, jeśli odpowiedź brzmi: tak.

Przestałem.

– Tak myślałem. – Joszua schylił się do mojego ucha. – Chodzi o ten pokój za żelaznymi drzwiami. To jest ta lekcja, którą masz sobie przyswoić. Mam przeczucie, że gdybym zapytał o ten pokój, teraz stałbym oparty obok ciebie. – Wyprostował się. – Muszę już iść. Sam rozumiesz, trzy klejnoty do nauki. Jestem przy współczuciu. To nie takie trudne, jak się wydaje.

Dwa dni później Radosna przyniosła mi do pokoju herbatę. Spod swej szaty w smoki wyciągnęła małą buteleczkę i podsunęła mi ją przed oczy.

– Widzisz te dwa małe koreczki, biały z jednej strony naczynia, a czarny z drugiej? Pod tym czarnym jest trucizna, którą ci podałam. Pod białym jest antidotum. Myślę, że opanowałeś już swoją lekcję.

Zaśliniłem się w odpowiedzi. Miałem szczerą nadzieję, że nie pomyliła koreczków.

Przechyliła buteleczkę nad filiżanką herbaty, a potem wlała mi herbatę do gardła. Połowa oblała mi tunikę.

– Minie trochę czasu, nim zacznie działać. Możesz doznać pewnych niewygód, nim trucizna całkiem zniknie z ciała.

Radosna upuściła buteleczkę do jej gniazda w szczelinie chińskich piersi, pocałowała mnie w czoło i wyszła. Gdybym mógł, zaśmiałbym się z niebieskiej farby, którą miała na wargach. Ha!

Pewnych niewygód, mówiła. Przez prawie dziesięć dni niczego nie czułem, a potem nagle wszystko wróciło. Wyobraźcie sobie, że wytaczacie się z łóżka prosto do... bo ja wiem... do jeziora wrzącego oleju.

– Jęczący Jozafacie! Joszua, zaraz wyczołgam się z własnej skóry.

Byliśmy w naszej kwaterze, jakąś godzinę po przyjęciu antidotum. Baltazar wysłał Joszuę, by mnie odszukał i przyprowadził do biblioteki. Pewnie chciał sprawdzić, jak sobie radzę.

Josh położył mi dłoń na czole, ale zamiast zwykłego ukojenia, jakie przynosił ten gest, miałem wrażenie, że położył mi na skórze rozżarzone żelazo. Odepchnąłem jego ręce.

– Dzięki, ale to nie pomaga.

– Może kąpiel? – zaproponował.

– Próbowałem. Rany, to mnie doprowadzi do obłędu!

Skakałem w kółko, bo nie wiedziałem, co jeszcze mógłbym zrobić.

– Może Baltazar ma coś, co ci pomoże...

– Prowadź – powiedziałem. – Wszystko lepsze niż siedzenie tutaj.

Ruszyliśmy korytarzem, kilka poziomów w dół, do biblioteki. Kiedy schodziliśmy jedną ze spiralnych ramp, chwyciłem Joszuę za ramię.

– Josh, przyjrzyj się tej rampie! Widzisz coś?

Obejrzał powierzchnię, potem się odchylił, by zbadać boczne ściany.

– Nie. A powinienem?

– Te ściany, podłoga, sklepienie... Niczego nie zauważyłeś?

Rozejrzał się.

– Są z litej skały?

– Tak, ale co jeszcze? Patrz dobrze. Przypomnij sobie domy, które budowaliśmy w Seforis. Czy teraz też niczego nie widzisz?

– Nie ma śladów po narzędziach?

– Właśnie. Przez ostatnie dwa tygodnie wciąż gapiłem się na sufity i ściany, bo nie miałem nic lepszego do oglądania. Nie ma żadnych śladów użycia dłuta, kilofa, młotka, niczego. Całkiem jakby wszystkie te pomieszczenia przez tysiące lat rzeźbił wiatr, ale wiesz przecież, że tak nie było.

– Co z tego wynika? – spytał Josh.

– Z tego wynika, że z Baltazarem i dziewczętami chodzi o coś więcej, niż on mówi.

– Powinniśmy ich zapytać.

– Nie, nie powinniśmy, Josh. Nie rozumiesz? Musimy odkryć, co się dzieje, ale tak, żeby nie odgadli, że wiemy.

– Dlaczego?

– Dlaczego! Dlaczego! Bo kiedy ostatni raz zadałem pytanie, zostałem otruty. Dlatego. I myślę, że gdyby Baltazar nie wierzył, że masz coś, na czym mu zależy, nigdy nie zobaczyłbym odtrutki.

– Ale ja niczego nie mam – oświadczył szczerze Joszua.

– Może masz coś, o czym nie wiesz, i nie wolno ci zwyczajnie zapytać, co to takiego. Musimy być podstępni. Sprytni. Przebiegli.

– Ale ja sobie z tym nie radzę...

Objąłem przyjaciela ramieniem.

– Nie zawsze tak świetnie jest być Mesjaszem, co?

13

Mógłbym skopać tyłek temu gnojkowi – oświadczył anioł.

Podskakiwał na łóżku i wymachiwał pięścią w stronę ekranu.

– Razielu – powiedziałem. – Jesteś aniołem Pana, a on to zawodowy zapaśnik. Myślę, że zdolność skopania jego gnojkowatego tyłka rozumie się sama przez się.

Trwało to już od kilku dni. Anioł odkrył w sobie nową pasję. Recepcja dzwoniła z dziesięć razy i dwa razy przysłali portiera z prośbą, żeby się uspokoił.

– Poza tym oni tylko udają.

Raziel spojrzał na mnie, jakbym go spoliczkował.

– Nie zaczynaj od początku. To nie są aktorzy. – Padł na wznak na łóżko. – Ooo, ooo, widziałeś? Przyłożyła mu krzesłem. I luzik, zasuwaj, dziewczyno! Ostra jest.

Tak to teraz wygląda. Talk-show z jakimiś wybitnymi ignorantami, seriale i zapasy. A anioł strzeże pilota jakby to była Arka Przymierza.

– Właśnie dlatego – powiedziałem – anioły nigdy nie otrzymały wolnej woli. Powód widzimy tutaj. Ponieważ cały swój czas poświęcalibyście na coś takiego.

– Doprawdy? – Raziel przyciszył telewizor, chyba po raz pierwszy od paru dni. – Wytłumacz mi zatem, Lewi, który zwany jesteś Biffem: jeśli oglądając to, źle wykorzystuję tę odrobinę wolności, jaką otrzymałem przy wypełnianiu tej misji, co pomyślisz o swoim ludzie?

– Przez „mój lud" rozumiesz wszystkie ludzkie istoty? – Grałem na czas. Nie pamiętałem, żeby kiedykolwiek wcześniej anioł wygłosił jakąś sensowną uwagę, więc nie byłem przygotowany. – Ale to nie moja wina. Byłem martwy przez dwa tysiące lat. Nie dopuściłbym do czegoś takiego.

– Aha... – Anioł skrzyżował ręce na piersi i przyjął pozę niedowierzania, którą podpatrzył u jakiegoś gangsta-rapera z MTV.

Jeśli już czegoś się nauczyłem od Jana Chrzciciela, to że im szybciej człowiek przyzna się do błędu, tym szybciej będzie mógł popełniać nowe i lepsze. Aha... i żeby nie wkurzać Salome. To też było niezłe.

– No dobra, spapraliśmy – przyznałem.

– I o to biega – odparł anioł, wyraźnie bardzo z siebie zadowolony.

Tak? A gdzie był, kiedy potrzebowaliśmy go wraz z jego mieczem sprawiedliwości w fortecy Baltazara? Pewnie w Grecji i oglądał zapasy.

Kiedy dotarliśmy do biblioteki, Baltazar siedział przy ciężkim, rzeźbionym w smoki stoliku, jadł kawał sera i popijał winem. Tunele i Strączki wylewały na jego łysą głowę żółty wosk i rozprowadzały go drewnianymi łopatkami. Sztalugi i tabliczki z moich lekcji stały oparte o półki pełne zwojów i woluminów.

– Dobrze ci w niebieskim – zauważył Baltazar.

– Tak, wszyscy mi to mówią.

Farba, kiedy już wyschła, nie dawała się zmyć. Ale przynajmniej skóra przestała mnie swędzieć.

– Wejdźcie, siadajcie. Napijcie się wina. Rano przywieźli ser z Kabulu. Spróbujcie.

Joszua i ja zajęliśmy miejsca na krzesłach, naprzeciwko maga. Josh, całkowicie w swoim stylu, zlekceważył moją radę i wprost zapytał Baltazara o drzwi.

Wesoły czarownik nagle spoważniał.

– Istnieją tajemnice, z którymi musicie nauczyć się żyć. Czy wasz własny Bóg nie powiedział Mojżeszowi, że nikt nie może spojrzeć na Jego twarz, a prorok się z tym pogodził? Tak i wy musicie pogodzić się z tym, że nie możecie wiedzieć, co jest w pokoju za żelaznymi drzwiami.

– On zna Torę, Proroków i Pisma również – zapewnił mnie Joszua. – Baltazar wie o Salomonie więcej niż wszyscy rabini i kapłani w Izraelu.

– I świetnie, Josh. – Wręczyłem mu kawałek sera, żeby miał jakieś zajęcie. I zwróciłem się do Baltazara: – Ale zapomniałeś o boskim tyłku.

Człowiek nie może włóczyć się z Mesjaszem przez większą część życia, żeby nie liznąć przy tym Tory.

– Co? – zdziwił się mag.

W tej właśnie chwili dziewczęta chwyciły za brzegi stwardniałej woskowej skorupy i jednym szybkim ruchem zerwały ją z głowy Baltazara.

– Au, wy drapieżne harpie! Nie możecie mnie ostrzegać, kiedy chcecie to robić? Wynocha!

Dziewczęta zachichotały, kryjąc pełne satysfakcji uśmieszki za delikatnymi wachlarzami, malowanymi w bażanty i kwiaty śliwy. Wybiegły z biblioteki, pozostawiając za sobą echo dziewczęcego śmiechu.

– Nie ma na to jakiegoś łatwiejszego sposobu? – zdziwił się Joszua.

Baltazar zmarszczył gniewnie brwi.

– Nie wydaje ci się, że gdyby taki sposób istniał, to przez dwieście lat bym go odkrył?

Joszua upuścił ser.

– Dwieście lat?

– Masz fryzurę, jaką lubisz, więc jej nie zmieniaj – wtrąciłem. – Choć trudno to nazwać fryzurą w ścisłym sensie.

Baltazara to nie rozbawiło.

– O co chodzi z tym boskim tyłkiem?

– Taka moda raczej się nie przyjmie – dodałem.

Wstałem i podszedłem do półki, na której zauważyłem egzemplarz Tory. Na szczęście był to kodeks – coś podobnego do współczesnej książki; inaczej musiałbym przez dwadzieścia minut przewijać zwój i straciłbym cały dramatyczny efekt. Szybko znalazłem Księgę Wyjścia.

– O, tutaj mam fragment, o który ci chodzi. „I znowu rzekł: Nie będziesz mógł oglądać mojego oblicza, gdyż żaden człowiek nie może oglądać mojego oblicza i pozostać przy życiu". Zgadza się? A potem Pan kładzie rękę na Mojżeszu, kiedy przechodzi, i mówi: „A gdy cofnę rękę, ujrzysz mię z tyłu, lecz oblicza mojego tobie nie ukażę".

– I co? – zdziwił się Baltazar.

– Czyli Bóg pozwolił Mojżeszowi oglądać swój tyłek. Zatem, skoro wykorzystałeś ten przykład, winien nam jesteś boski tyłek. Dlatego powiedz, co się dzieje w tym pokoju za żelaznymi drzwiami.

Genialne. Umilkłem i rozkoszując się zwycięstwem, studiowałem błękit moich paznokci.

– To najgłupsza rzecz, jaką słyszałem – oświadczył Baltazar. Chwilowe zmieszanie zastąpił spokój i lekkie rozbawienie mistrza wobec prób uczniów. – A jeśli powiem, że wiedza o tym, co znajduje się za żelaznymi drzwiami, jest dla was teraz zbyt niebezpieczna, natomiast kiedy ukończycie szkolenie, nie tylko poznacie tę wiedzę, ale też da wam wielką moc? Gdy uznam, że jesteście gotowi, obiecuję, że pokażę wam, co przebywa za tymi drzwiami. Ale wy musicie obiecać, że będziecie pilnie studiować i przykładać się do lekcji. Czy możecie to zrobić?

– Czy zabraniasz nam zadawania pytań? – upewnił się Joszua.

– Ależ nie. Po prostu na pewien czas odmawiam niektórych odpowiedzi. A możecie mi wierzyć, czas to jedna z rzeczy, których mi nie brakuje.

Joszua spojrzał na mnie.

– Wciąż nie wiem, czego powinienem się tutaj nauczyć, ale jestem pewien, że jeszcze się nie nauczyłem.

Błagał wzrokiem, by nie naciskać w tej sprawie. Postanowiłem ustąpić. Zresztą nie miałem ochoty znów skosztować trucizny.

– Ile one potrwają? – zapytałem. – Znaczy, te lekcje?

– Niektórzy z uczniów potrzebują lat, by poznać naturę Chi. Ale w czasie nauki niczego wam nie zabraknie.

– Lat? Możemy się zastanowić?

– Jak długo chcecie. – Baltazar wstał. – Muszę teraz pójść do komnaty dziewcząt. Lubią pocierać nagimi piersiami o moją głowę zaraz po woskowaniu, kiedy jest najgładsza.

Przełknąłem ślinę. Joszua uśmiechnął się tylko, patrząc na blat stołu. Często się zastanawiałem – nie tylko wtedy, ale właściwie bez przerwy – czy Joszua posiadł umiejętność wyłączania w razie potrzeby wyobraźni. Na pewno... Inaczej nie wiem, jak mógłby przezwyciężać pokusy. Ja przeciwnie, byłem niewolnikiem swej wyobraźni, a ona teraz szalała wizjami masażu głowy Baltazara.

– Zostaniemy. Będziemy się uczyć. Zrobimy to co konieczne – rzekłem.

Joszua wybuchnął śmiechem. Dopiero po chwili uspokoił się na tyle, by mówić.

– Tak, zostaniemy i będziemy się uczyć, Baltazarze. Ale najpierw muszę wrócić do Kabulu i zakończyć pewną sprawę.

– Oczywiście – zgodził się Baltazar. – Możesz jechać już jutro. Któraś z dziewcząt wskaże ci drogę. Ale teraz muszę się pożegnać.

Czarownik wyszedł. Joszua znowu dostał ataku śmiechu, a ja zacząłem się zastanawiać, jak wyglądałbym z ogoloną głową.

Rankiem przyszła do naszego pokoju Radosna, ubrana w strój pustynnego kupca: luźna tunika, miękkie skórzane buty i pantalony. Włosy ukryła pod turbanem, a w ręku trzymała długą szpicrutę. Poprowadziła nas korytarzem, sięgającym głęboko we wnętrze góry, a kończącym się na stromej ścianie urwiska. Po sznurowej drabince dotarliśmy na szczyt płaskowyżu, gdzie czekały już Poduszki i Sue z trzema wielbłądami, osiodłanymi i wyekwipowanymi na krótką wyprawę. Na płaskowyżu znajdowała się niewielka farma, kilka klatek pełnych kur, trochę kóz i parę świń w zagrodzie.

– Trudno będzie sprowadzić te wielbłądy po sznurowej drabince – zauważyłem.

Radosna zmarszczyła brwi i owinęła twarz turbanem tak, że tylko oczy pozostały odkryte.

– Jest ścieżka na sam dół – wyjaśniła.

Ukłuła wielbłąda szpicrutą i odjechała. Joszua i ja musieliśmy szybko wdrapywać się na wierzchowce, by za nią nadążyć.

Ścieżka prowadząca z płaskowyżu była akurat tak szeroka, by przeszedł nią pojedynczy rozkołysany wielbłąd. Przekonałem się jednak, że z dołu nie da się jej wypatrzyć – tak jak wejścia do tego wąwozu, w którym znajdowała się główna brama. Dodatkowy środek bezpieczeństwa dla fortecy bez żadnych straży – tak wtedy pomyślałem.

– Pewnie jest zła, bo nie może się nade mną znęcać – zgadywałem.

– Rozumiem, że mogło to zepsuć jej nastrój – zgodził się Joszua. – Może gdybyś pozwolił wielbłądowi się ugryźć... Wiesz, mnie to zawsze poprawia humor.

Wyprzedziłem go i jechałem dalej bez słowa. Naprawdę można się zdenerwować, kiedy człowiek wynajduje coś tak rewolucyjnego jak sarkazm, a potem widzi, jak marnie wykorzystują jego odkrycie amatorzy.

W Kabulu Radosna rozpoczęła poszukiwania oślepionego strażnika, pytając każdego napotkanego niewidomego żebraka, czy nie widział ślepego łucznika, który trochę ponad tydzień temu przybył z karawaną wielbłądów.

Joszua i ja szliśmy za nią i rozpaczliwie usiłowaliśmy zachować powagę za każdym razem, kiedy się na nas obejrzała. Joszua chciał jej wskazać zasadniczy błąd stosowanej metody, ja natomiast wolałem smakować jej bezmyślność jako swego rodzaju bierną zemstę za to, że mnie otruła. W jej zachowaniu nie było tej pewności i kompetencji, jakie okazywała w fortecy. Wyraźnie była nie w swoim żywiole i bardzo mnie to bawiło.

– Rozumiesz – tłumaczyłem Joszui – to, co robi Radosna, jest ironiczne, choć nie wynika z jej intencji. To podstawowa różnica między ironią i sarkazmem. Ironia może się pojawiać spontanicznie, ale sarkazm wymaga udziału woli. Sarkazm trzeba tworzyć.

– Poważnie? – spytał Josh.

– Po co ja w ogóle marnuję na ciebie czas...

Pozwoliliśmy Radosnej szukać ślepca jeszcze przez godzinę, nim poradziliśmy, żeby zaczęła raczej wypytywać widzących, a także ludzi z wielbłądzich karawan. Kiedy posłuchała, szybko zostaliśmy skierowani do świątyni, gdzie podobno oślepiony strażnik wybrał sobie terytorium.

– Tam jest – stwierdził Joszua.

Wskazał żebraka w łachmanach, przyzywającego wiernych wchodzących i wychodzących ze świątyni.

– Wygląda na to, że nie było mu łatwo – uznałem.

Byłem zdumiony, że strażnik, jeden z najbardziej żywotnych (i przerażających) ludzi, jakich poznałem, w tak krótkim czasie stał się istotą tak żałosną. Z drugiej strony, nie brałem pod uwagę efektów teatralnych.

– Doznał wielkiej niesprawiedliwości – oświadczył Joszua.

Podszedł i delikatnie położył dłoń na ramieniu ślepca.

– Bracie, przybyłem, by ulżyć ci w cierpieniu.

– Ulitujcie się nad niewidomym. – Strażnik zakołysał drewnianą miseczką.

– Uspokój się. – Joszua zasłonił mu dłonią oczy. – Kiedy cofnę rękę, znów będziesz widział.

Na jego twarzy pojawił się wyraz koncentracji. Łzy spływały mu po policzkach i kapały na bruk. Przypomniałem sobie, jak bez trudu uzdrawiał ludzi w Antiochii, i zrozumiałem, że wysiłek nie wynika z samego aktu, ale z poczucia winy, że to właśnie on oślepił nieszczęśnika. Kiedy cofnął rękę i odstąpił, obaj ze strażnikiem zadygotali.

Radosna odsunęła się od nas i zasłoniła twarz, jakby chciała się ochronić przed złym powietrzem.

– Czy widzisz? – zapytał Joszua.

– Widzę, ale nic się nie zgadza. Ludzie wydają się niebiescy.

– Nie, on jest niebieski. Pamiętasz go? To mój przyjaciel Biff.

– Zawsze byłeś niebieski?

– Nie, dopiero od niedawna.

Zdawało się, że strażnik dopiero teraz zobaczył Joszuę. Wyraz oszołomienia na jego twarzy ustąpił nienawiści. Skoczył, wyciągając spod łachmanów sztylet. I jednym szybkim ciosem przebiłby pierś mojego przyjaciela, gdyby w ostatniej chwili Radosna nie podcięła mu nóg. Mimo to poderwał się natychmiast i zaatakował znowu. Zdążyłem unieść rękę, by dźgnąć go palcami w oczy akurat w chwili, gdy Radosna kopnęła go w tył głowy. Upadł w agonii.

– Moje oczy! – wrzeszczał.

– Przepraszam – mruknąłem.

Radosna odtrąciła kopnięciem sztylet poza jego zasięg. Chwyciłem Joszuę i odepchnąłem go do tyłu.

– Lepiej odejdźmy stąd, nim znowu będzie mógł widzieć – poradziłem.

– Ale przecież chciałem tylko mu pomóc – tłumaczył Joszua. – Oślepienie go było pomyłką.

– Josh, jego to nie interesuje. Wie tylko, że jesteś nieprzyjacielem. Wie, że chce cię zniszczyć.

– Sam nie wiem, co właściwie robię. Nawet kiedy próbuję uczynić to co właściwe, wszystko się źle kończy.

– Musimy iść – powiedziała Radosna.

Chwyciła Josha pod jedno ramię, a ja pod drugie, i razem go odciągnęliśmy, nim strażnik zdołał wrócić do siebie i spróbować ponownie.

Radosna miała listę zakupów, które Baltazar polecił jej przywieźć z Kabulu. Przez jakiś czas szukaliśmy w koszach minerału zwanego cynobrem, z którego mieliśmy uzyskać rtęć, a także pewnych barwników i przypraw. Joszua podążał za nami w oszołomieniu, dopóki nie trafiliśmy na kupca sprzedającego czarne ziarna do przyrządzania napoju, jaki piliśmy w Antiochii.

– Kup mi trochę – odezwał się Joszua. – Radosna, kup trochę tych ziaren.

Tak zrobiła, a Joszua przez całą drogę powrotną do fortecy ściskał worek z ziarnami niczym niemowlę. Jechaliśmy w milczeniu i dopiero tuż przed początkiem ukrytej ścieżki na płaskowyż przygalopowała do mnie Radosna.

– Jak on to zrobił? – spytała.

– Co?

– Widziałam, jak wyleczył oczy tego człowieka. Jak to zrobił? Znam wiele rodzajów magii, ale nie zauważyłam żadnych rzucanych zaklęć, żadnych mieszanych eliksirów.

– Rzeczywiście, to bardzo potężna magia.

Obejrzałem się, czy Josh przypadkiem nie słucha. Tulił swoje ziarna kawy i mamrotał pod nosem, tak jak przez całą drogę. Pewnie się modlił.

– Powiedz mi, jak to się robi – poprosiła Radosna. – Pytałam Joszuę, ale on tylko recytuje coś i wygląda jak ogłupiały.

– Dobrze, mogę ci wytłumaczyć, ale ty za to mi powiesz, co jest za żelaznymi drzwiami.

– Nie mogę. Mogę jednak zaproponować inną wymianę. – Odsunęła z twarzy turban i się uśmiechnęła. W świetle księżyca była oszałamiająco piękna, nawet w męskim ubraniu. – Znam ponad tysiąc sposobów dawania mężczyźnie rozkoszy, a to tylko te, które opanowałam osobiście. Inne dziewczęta też znają wiele sztuczek i chętnie ci je pokażą.

– Tak, ale na co mi się to przyda? Po co mi wiedzieć, jak dawać mężczyźnie rozkosz?

Radosna zerwała turban z głowy i trzepnęła mnie nim po głowie. Obłoczek kurzu odpłynął w mrok.

– Jesteś głupi, jesteś niebieski, a kiedy następnym razem cię otruję, na pewno użyję czegoś, na co nie ma antidotum!

Czyli nawet mądra i nieprzenikniona Radosna może się zdenerwować... Uśmiechnąłem się.

– Przyjmę wasze skromne dary – oświadczyłem tak pompatycznie, jak tylko potrafi dorastający chłopak. – W zamian nauczę was największego sekretu naszej magii. Sekretu, który jest moim wynalazkiem. Nazywa się sarkazm.

– Kiedy wrócimy do domu, zrobimy sobie kawę – odezwał się Joszua.

Niełatwo było przeciągać proces tłumaczenia, w jaki sposób Joszua przywrócił strażnikowi wzrok – zwłaszcza że nie miałem o tym pojęcia. Ale dzięki starannemu prowadzeniu na manowce, ściemnianiu, wykrętom, podstępom i całkowitym bredniom zdołałem wymienić brak wiedzy na miesiące bezwstydnego polerowania laski przez piękną Radosną i jej śliczne podwładne. W jakiś sposób zmniejszyło się u mnie pragnienie wiedzy o tym, co jest za żelaznymi drzwiami, i wyjaśnienia innych tajemnic fortecy Baltazara; byłem całkiem zadowolony, za dnia opanowując wyznaczone przez maga lekcje, a nocą do granic wysilając wyobraźnię nad matematycznymi kombinacjami. Pewną wadą tej sytuacji było to, że Baltazar zabiłby mnie, gdyby się dowiedział, że korzystam z uroków jego konkubin, ale czy wykradziony owoc nie jest słodszy? Och, być młodym i zakochanym (w ośmiu chińskich konkubinach).

Tymczasem Joszua przystąpił do studiów z typowym dla siebie zapałem, pchany w dużej części kawą, którą pił co rano i tak wibrował z entuzjazmu, że niemal czuło się to przez podłogę.

– Spójrz tylko, Biff. Widzisz? Zapytany, mistrz Konfucjusz odpowiedział: „Za krzywdę płać sprawiedliwością, a za dobro dobrem”. A jednak Lao-tzu mówi: „Za krzywdę dobrem odpłacaj”. Nie rozumiesz?

Joszua prawie tańczył, wlokąc za sobą wstęgi zwojów, w nadziei że jakoś się zarażę entuzjazmem dla starożytnych tekstów. A ja próbowałem. Naprawdę.

– Nie, nie rozumiem. Tora mówi „oko za oko, ząb za ząb". To jest sprawiedliwość.

– Otóż to. Uważam, że Lao-tzu ma rację. Dobroć jest ważniejsza od sprawiedliwości. Jeśli szukasz sprawiedliwości poprzez karę, możesz jedynie sprawić więcej cierpienia. To nie może być słuszne! A to przecież rewelacja!

– Nauczyłem się dzisiaj, jak gotować kozią urynę, żeby uzyskać materiał wybuchowy – powiedziałem.

– To też niezłe – przyznał Joszua.

Coś takiego mogło się zdarzyć o każdej porze. Joszua przybiegał rozgorączkowany z biblioteki, często w środku nocy, przerywał mi jakiś złożony, śliski węzeł ze Strączkami, Poduszkami i Tunelami – gdy Numer Sześć zaznajamiała nas z pięciuset nefrytowymi bożkami różnej głębokości i faktury – odwracał wzrok, bym mógł się wytrzeć, a potem wciskał mi w rękę jakiś tom i zmuszał do czytania fragmentu, a sam opisywał entuzjastycznie myśli jakiegoś dawno zmarłego mędrca.

– Mistrz mówi: „istota doskonalsza potrafi w istocie pokonać żądzę, ale istota niższa, kiedy napotyka żądzę, oddaje się wyuzdanym ekscesom". On pisze o tobie, Biff. Ty jesteś niższą istotą.

– Bardzo mi to pochlebia – zapewniłem, patrząc, jak Numer Sześć smętnie pakuje swoich bożków do ogrzewanej mosiężnej skrzynki, gdzie zamieszkiwali. – Dziękuję, że przyszedłeś, by mi to powiedzieć.

Powierzono mi zadanie opanowania *waidan*, czyli alchemii świata zewnętrznego. Moja wiedza miała pochodzić z manipulacji elementami fizycznymi. Joszua za to uczył się *neidan*, alchemii wnętrza. Jego wiedza miała pochodzić ze studiowania własnej wewnętrznej natury poprzez kontemplację mistrzów. Gdy więc Joszua czytał zwoje i księgi, ja spędzałem czas, mieszając rtęć z ołowiem, fosfor z siarką, węgiel drzewny z kamieniem filozoficznym, i próbowałem jakoś pojąć naturę Tao. Joszua uczył się być Mesjaszem, ja uczyłem się truć ludzi i wysadzać rzeczy. Świat wydawał się uporządkowany. Ja byłem szczęśliwy, Joszua był szczęśliwy, Baltazar był szczęśliwy, a dziewczęta... dziewczęta były zapracowane. Wprawdzie codziennie mijałem żelazne drzwi (a natrętny głos nie ustępował), ale to, co kryło się za nimi, przestało być dla mnie istotne, podobnie jak kilkanaście innych pytań, które wraz z Joszuą powinniśmy zadać naszemu wspaniałomyślnemu gospodarzowi.

Zanim się obejrzeliśmy, minął rok, po nim dwa kolejne i obchodziliśmy w fortecy siedemnaste urodziny Joszuy. Baltazar nakazał dziewczętom, by przygotowały ucztę z chińskich smakołyków, a po niej do późnej nocy piliśmy wino. (Jeszcze długo, nawet kiedy wróciliśmy już do Izraela, w urodziny Josha zawsze jedliśmy chińskie potrawy. Jak słyszałem, stało się to tradycją nie tylko wśród tych z nas, którzy znaliśmy Joszuę, ale wśród Żydów na całym świecie).

– Czy wspominasz czasem dom? – zapytał mnie Josh w noc swego urodzinowego przyjęcia.

– Czasem – odrzekłem.

– A o czym myślisz?

– O Maggie. Niekiedy o moich braciach. Niekiedy o matce i ojcu, ale zawsze o Maggie.

– Po tych wszystkich swoich doświadczeniach od tego czasu, nadal myślisz o Maggie?

Joszua coraz mniej się interesował naturą pożądania. Początkowo sądziłem, że ma to związek z jego studiami, ale wtedy zrozumiałem, że zaciekawienie niknie wobec wspomnień o Maggie.

– Joszua, moje wspomnienia o Maggie nie dotyczą tego, co się zdarzyło w noc przed wyruszeniem na naszą wędrówkę. Kiedy szedłem na to spotkanie, nie sądziłem, że będziemy się kochać. Pocałunek byłby czymś więcej, niż się spodziewałem. Myślę o Maggie, ponieważ zrobiłem dla niej miejsce w swoim sercu, i to miejsce jest puste. Zawsze będzie. Zawsze było. Ona kochała ciebie.

– Przykro mi, Biff. Nie wiem, jak to uleczyć. Zrobiłbym to, gdybym umiał.

– Wiem, Josh. Wiem. – Nie chciałem rozmawiać o domu, ale Joszua zasługiwał na to, by zrzucić z siebie to, co go dręczy. A komu jeśli nie mnie miał się zwierzyć? – Czy ty myślisz o domu?

– Tak. Dlatego spytałem. Wiesz, dziewczęta gotowały dziś bekon i to przypomniało mi dom.

– Czemu? Nie przypominam sobie, żeby ktokolwiek w domu gotował bekon.

– Wiem. Ale gdybyśmy trochę zjedli, nikt w domu by się nie dowiedział.

Wstałem i podszedłem do ścianki rozdzielającej nasze pokoje. Przez okno świecił księżyc i w jego blasku twarz Joszuy jaśniała w ten irytujący sposób, jak to się czasem zdarzało.

– Joszua, jesteś Synem Bożym. Jesteś Mesjaszem. Z tego wynika... no, sam nie wiem... wynika, że jesteś Żydem! Nie możesz jeść bekonu!

– Bóg nie dba o to, czy jemy bekon. Czuję to.

– Naprawdę? A w sprawie cudzołóstwa nie zmienił zdania?

– Nie.

– Masturbacji?

– Też nie.

– Zabijania? Kradzieży? Dawania fałszywego świadectwa? Pożądania żony bliźniego swego i tak dalej? Wciąż ma tę samą opinię?

– Tak.

– Tylko bekon... Ciekawe. Można by się spodziewać, że w proroctwach Izajasza znajdzie się coś na temat bekonu.

– Owszem, to zastanawiające.

– Będziesz potrzebował czegoś więcej, by wprowadzić nas do Królestwa Bożego, Josh. Bez urazy... Nie możemy wrócić do domu z nowiną „Hej, jestem Mesjaszem, Bóg chciał, żebyście jedli bekon".

– Wiem, Biff. Musimy się jeszcze wiele nauczyć. Ale przynajmniej śniadania będą bardziej urozmaicone.

– Idź już spać, Josh.

Czas mijał, a ja rzadko widywałem Joszuę poza posiłkami i kiedy kładliśmy się spać. Prawie cały czas zajmowała mi nauka i pomoc dziewczętom w utrzymywaniu porządku w fortecy. Tymczasem Josh prawie cały czas spędzał z Baltazarem, co w końcu miało stać się problemem.

– To nie jest dobre, Biff – powiedziała po chińsku Radosna. Poznałem jej mowę dostatecznie dobrze i teraz rzadko kiedy odzywała się do mnie po grecku lub po łacinie. – Baltazar za bardzo zbliża się do Joszuy. Ostatnio prawie wcale nie posyła po żadną z nas, by towarzyszyła mu w łożu.

– Nie sugerujesz chyba, że Joszua i Baltazar no... hm... bawią się w pasterzy? Ponieważ wiem, że to nieprawda. Joszui nie wolno.

Oczywiście anioł powiedział, że Josh nie może poznać kobiety. Nie wspominał o dziwacznym afrykańskim czarowniku.

– Och, jak dla mnie mogą się pieprzyć, aż im oczy powypadają. Ale Baltazar nie może się zakochać. Jak sądzisz, czemu jest nas aż osiem?

– Myślałem, że to kwestia budżetu.

– Nie zauważyłeś, że żadna z nas nie spędza z Baltazarem dwóch nocy z rzędu, albo że rozmawiamy z nim tylko o tym, co jest konieczne dla naszych obowiązków i nauk?

Zauważyłem, ale nie przyszło mi do głowy, że to coś niezwykłego. W podręcznikach nie doszliśmy jeszcze do rozdziału o wzajemnych stosunkach maga i konkubiny.

– I co?

– Mam wrażenie, że on się zakochuje w Joszui. To niedobrze.

– W tej sprawie jestem z tobą. Wcale mi się nie podobało, kiedy ostatnim razem ktoś się w nim zakochał. Dlaczego dla ciebie to takie ważne?

– Nie mogę ci powiedzieć. Ale wyczuwam ostatnio większe poruszenie w domu zguby – odparła Radosna. – Musisz mi pomóc. Jeśli mam rację, trzeba Baltazara powstrzymać. Jutro będziemy ich obserwować, kiedy zaczniemy regulować przepływ Chi w bibliotece.

– Nie, Radosna. Tylko nie biblioteczne Chi. Rzeczy w bibliotece są za ciężkie. Nie znoszę tamtejszego Chi.

Chi albo *Qi*: Oddech Smoka, odwieczna energia płynąca przez wszelkie rzeczy; w równowadze, w jakiej znajdować się powinna, jest w połowie yin, w połowie yang, w połowie światłem, w połowie mrokiem, w połowie męska, w połowie żeńska. Chi w bibliotece zawsze się plątało, podczas gdy Chi w pokojach, gdzie były tylko poduszki albo leciutkie meble, wydawało się dobrze uregulowane i zbalansowane. Nie wiem czemu, ale podejrzewałem, że ma to związek z chęcią Radosnej, by zmuszać mnie do przenoszenia ciężkich przedmiotów.

Następnego ranka Radosna i ja poszliśmy do biblioteki, by pod pozorem przekierowywania bibliotecznego Chi szpiegować Joszuę i Baltazara. Radosna niosła skomplikowany mosiężny instrument, który nazywała zegarem Chi – miał podobno wykrywać przepływy energii. Kiedy tylko weszliśmy, mag okazał wyraźną irytację.

– Czy musicie to robić teraz?

Radosna skłoniła się nisko.

– Bardzo przepraszam, panie, ale to nagły wypadek.

Obejrzała się na mnie i zaczęła wydawać rozkazy niczym rzymski centurion.

– Przesuń ten stolik tam, nie widzisz, że spoczywa na jądrach tygrysa? A potem ustaw te krzesła przodem do wejścia, stoją na pępku smoka. Mamy szczęście, że nikt jeszcze nie złamał tu nogi.

– Szczęście, akurat – mruczałem, mocując się z ciężkim rzeźbionym stołem.

Żałowałem, że Radosna nie sprowadziła do pomocy dwójki dziewcząt. Studiowałem feng shui od ponad trzech lat i wciąż nie umiałem wykryć nawet śladu Chi, napływającego ani odpływającego. Joszua godził się z istnieniem tej nieuchwytnej energii, tłumacząc, że to jedynie orientalna metoda wyrażania Boga, obecnego wokół nas i we wszystkim. Może pomagało mu to w osiągnięciu jakiegoś duchowego zrozumienia, ale jeśli chodziło o ustawianie mebli, było równie skuteczne jak tresowana owca.

– Może pomogę? – zaproponował.

– Nie! – krzyknął Baltazar i wstał. – Będziemy kontynuować w moich komnatach – oznajmił. Spojrzał na nas z niechęcią. – Pod żadnym pozorem nie wolno nam przeszkadzać.

Objął Joszuę za ramię i wyprowadził na korytarz.

– To tyle z naszego szpiegowania – stwierdziłem.

Radosna sprawdziła zegar Chi i klepnęła dłonią w szafkę pełną materiałów do nauki kaligrafii.

– To z całą pewnością tkwi na rogu wołu – oświadczyła. – Trzeba to przesunąć.

– Oni już poszli – przypomniałem. – Nie musimy dłużej udawać.

– A kto udaje? Ta szafka przekierowuje całe yin do holu, gdy tymczasem yang krąży niczym drapieżny ptak...

– Przestań, Radosna. Wymyślasz to wszystko.

Opuściła rękę z mosiężnym aparatem.

– Wcale nie.

– Właśnie, że tak. – Pomyślałem, że warto zaryzykować, by się przekonać. – Wczoraj sprawdzałem yang w tym pomieszczeniu. Jest w doskonałej równowadze.

Radosna opadła na kolana, potem na czworakach wpełzła pod jeden z wielkich, rzeźbionych smoczych stołów. Tam zwinęła się w kłębek i rozpłakała.

– Nie umiem tego! Baltazar żąda, żebyśmy wszystkie się nauczyły, ale ja nigdy nie mogłam zrozumieć. Jeśli życzysz sobie Eleganckiej Tortury Tysiąca Rozkosznych Dotknięć, potrafię ją wykonać; chcesz kogoś otruć, wykastrować, wysadzić, jestem właściwą osobą. Ale całe to feng shui jest zwyczajnie...

– Głupie? – zasugerowałem.

– Nie, chciałam powiedzieć: za trudne. Teraz rozgniewałam Baltazara i nie dowiemy się, co się dzieje między nim a Joszuą. A musimy.

210

– Mogę się dowiedzieć – oznajmiłem, polerując paznokcie o materiał tuniki. – Ale muszę wiedzieć, po co się dowiaduję.

– A jak się dowiesz?

– Znam sposoby bardziej subtelne i chytre niż cała wasza chińska alchemia i kierowanie energii.

– I kto teraz zmyśla?

Prawie całkiem straciłem w ich oczach wiarygodność, przeciągając grę z wymianą tajemnej wiedzy hebrajskiej na usługi seksualne aż do etapu, kiedy przypisałem sobie odebranie tablic z Dziesięcioma Przykazaniami oraz skonstruowanie Arki Przymierza. (Co? To nie moja wina. To Joszua nigdy nie pozwalał mi być Mojżeszem, kiedy bawiliśmy się jako dzieci).

– A jeśli się dowiem, powiesz mi, o co chodzi?

Główna konkubina przygryzła lakierowany paznokieć i zastanowiła się.

– A jeśli ci powiem, obiecujesz, że nikomu nie powtórzysz? Nawet swojemu przyjacielowi Joszui?

– Obiecuję.

– Rób zatem co należy. Ale nie zapominaj o swoich lekcjach ze *Sztuki wojny*.

Rozważyłem słowa Sun-tzu, których uczyła mnie Radosna: „Bądź niezwykle subtelny, aż do granic nieprecyzyjności. Bądź niezwykle tajemniczy, aż do granic bezgłośności. W ten sposób możesz pokierować losem nieprzyjaciela". Dlatego, po starannym rozważeniu strategii, analizując w myślach i odrzucając kolejne scenariusze, opracowawszy coś, co wydawało się prawie niezawodnym planem, i upewniwszy się, że chwila jest idealna, przystąpiłem do akcji. Tej samej nocy, kiedy leżałem w swoim łóżku, a Joszua w swoim, przywołałem całą swoją subtelność i tajemniczość.

– Hej, Josh – odezwałem się. – Czy Baltazar cię sodomizuje?

– Nie!

– A vice versa?

– Absolutnie nie!

– A masz wrażenie, że by chciał?

Milczał przez sekundę, nim odpowiedział.

– Ostatnio stał się bardzo troskliwy. I chichocze ze wszystkiego, co powiem. Dlaczego pytasz?

– Bo Radosna uważa, że nie byłoby dobrze, gdyby się w tobie zakochał.

– Niedobrze, jeśli oczekuje jakiejś sodomizacji, to pewne. Bo będziemy tu mieli bardzo rozczarowanego maga.

– Nie, to coś gorszego. Ona nie chce mi powiedzieć, ale coś bardzo, bardzo złego.

– Biff, zdaję sobie sprawę, że możesz tak nie uważać, ale w mojej opinii sodomizowanie Syna Bożego jest naprawdę bardzo, bardzo złe.

– Słuszna uwaga. Ale wydaje mi się, że jej chodzi o coś związanego z tym, co się kryje za żelaznymi drzwiami. Dopóki nie odgadnę, w czym rzecz, nie możesz dopuścić, żeby Baltazar cię pokochał.

– Założę się, że był tym z mirrą – stwierdził Joszua. – Drań. Przyniósł najtańszy podarunek, a teraz chciałby mnie sodomizować. A do tego matka mówiła mi, że po tygodniu mirra się popsuła.

Wspominałem wam już, że Josh nie był fanem mirry?

14

Tymczasem w hotelu Raziel zrezygnował z nadziei na karierę zawodowego zapaśnika i powrócił do swych ambicji zostania Spidermanem. Podjął tę decyzję, kiedy mu przypomniałem, że w Księdze Rodzaju Jakub zmaga się z aniołem i zwycięża. Krótko mówiąc, człowiek może pokonać anioła. Raziel upierał się, że niczego takiego nie pamięta, a ja miałem ochotę przynieść mu z łazienki Biblię i pokazać odpowiedni wers. Jednakże zacząłem dopiero czytać Ewangelię Marka i straciłbym książkę, gdyby anioł ją odkrył.

Myślałem, że Mateusz jest marny, bo przeskoczył od narodzin Joszuy od razu do jego chrztu, ale Marek nie przejmuje się nawet narodzinami. Całkiem jakby Joszua od razu wyskoczył dorosły z głowy Zeusa (no dobrze, słaba metafora, ale wiecie, o co mi chodzi). Marek zaczyna od chrztu, w wieku trzydziestu lat! Skąd ci faceci wytrzasnęli te historie? „Spotkałem kiedyś w knajpie gościa. Najlepszy kumpel jego siostry był przy chrzcie Joszuy bar Józefa z Nazaretu, a to jest jego opowieść tak, jak zapamiętałem".

Ale przynajmniej Marek wspomina o mnie – raz. Za to całkiem bez kontekstu, jakbym sobie po prostu siedział i nic nie robił, a Joszua akurat przechodził i poprosił, żebym się z nim zabrał. Marek opowiada też o demonie imieniem Legion. Owszem, pamiętam go. W porównaniu z tym, którego przywołał Baltazar, Legion to mięczak.

– Spytałem Baltazara, czy się we mnie durzy – oświadczył Joszua przy kolacji.

– No, nie – jęknęła Radosna.

Jedliśmy w kwaterze dziewcząt. Ładnie tu pachniało, a one podczas jedzenia masowały nam ramiona. Akurat tego potrzebowaliśmy po całym dniu ciężkiej nauki.

– Nie powinieneś mu zdradzać, że się czegoś domyślamy. Co powiedział?

– Że ma za sobą trudne zerwanie i nie jest gotów do następnego związku. Potrzebuje czasu, żeby lepiej poznać siebie. Ale będzie szczęśliwy, jeśli zostaniemy przyjaciółmi.

– Kłamie – stwierdziła Radosna. – Od stu lat nie przeżył zerwania.

– Josh, jesteś taki łatwowierny – powiedziałem. – Faceci zawsze kłamią w takich sprawach. Cały problem w tym, że nie wolno ci poznawać kobiet. To znaczy, że nie rozumiesz najbardziej fundamentalnej natury mężczyzn.

– To znaczy?

– Jesteśmy kłamliwymi wieprzami. Powiemy cokolwiek, byle tylko dostać to, na czym nam zależy.

– To prawda – zgodziła się Radosna, a dziewczęta przytaknęły.

– Ale mężczyzna będący istotą wyższą nawet na czas jednego posiłku nie zbacza z drogi cnoty – przypomniał Joszua. – Tak twierdzi Konfucjusz.

– Oczywiście – przyznałem. – Ale jest istotą wyższą, więc potrafi wyrwać dziewczynę bez uciekania się do kłamstwa. Mówiłem o pozostałych z nas.

– Czyli powinna mnie niepokoić ta wyprawa, na którą chce mnie zabrać?

Radosna kiwnęła z powagą głową, a inne dziewczęta poszły za jej przykładem.

– Nie rozumiem czemu – zdziwiłem się. – Jaka wyprawa?

– Mówi, że wyjedziemy tylko na parę tygodni. Chce udać się do świątyni w jakimś mieście w górach. Wierzy, że świątynię zbudował Salomon. Nazywa ją Świątynią Pieczęci.

– A po co masz z nim jechać?

– Chce mi coś pokazać.

– Uch-och – powiedziałem.

– Uch-och – powtórzyły dziewczęta, całkiem podobnie do greckiego chóru, tyle że oczywiście mówiły po chińsku.

W ciągu tygodnia przed wyjazdem Joszuy i Baltazara udało mi się namówić Strączki, by w czasie swego dyżuru w łożu Baltazara podjęła ogromne ryzyko. Wybrałem Strączki nie dlatego, że była najsilniejsza i najzwinniejsza z dziewcząt, choć była; nie dlatego, że miała najlżejszy krok i najlepiej umiała się skradać, choć to także prawda. Wybrałem ją dlatego, że właśnie ona nauczyła mnie robić z brązu odlewy chińskich liter oznaczających moje imię (na mój stempel) i wierzyłem, że najdokładniej pobierze odcisk z klucza, jaki Baltazar nosił na łańcuszku na szyi. (Tak, istniał też klucz do okutych żelazem drzwi. Radosna wygadała się, gdzie Baltazar go trzyma, ale była wobec niego zbyt lojalna, by cokolwiek wykraść. Strączki za to była dość niestała w swej lojalności, a ostatnio spędzałem w niej sporo czasu).

– Zanim wrócicie, będę wiedział, co się tu dzieje – szepnąłem do ucha Joszuy, zanim dosiadł swego wielbłąda. – Dowiedz się od Baltazara ile zdołasz.

– Spróbuję. Ale bądź ostrożny. Nic nie rób, dopóki nie wrócę. Sądzę, że ta wyprawa, cokolwiek mamy w jej trakcie zobaczyć, ma związek z domem zguby.

– Planuję tylko się rozejrzeć. Uważaj na siebie.

Stałem z dziewczętami na płaskowyżu i machałem, dopóki Joszua z magiem, prowadząc za sobą jucznego wielbłąda z zapasami, nie zniknęli nam z oczu. Potem kolejno zeszliśmy po sznurowej drabince do tunelu w ścianie urwiska. Wejście oraz sam tunel miały przez jakieś trzydzieści łokci szerokość pozwalającą na to, by przeszedł tamtędy jeden człowiek – jeśli się schylił. Co chwila udawało mi się uderzać o skałę łokciem albo ramieniem; w efekcie mogłem się popisywać umiejętnością przeklinania w czterech językach.

Zanim wróciłem do komnaty pierwiastków, gdzie praktykowaliśmy sztukę Dziewięciu Eliksirów, Strączki zdążyła rozgrzać małe palenisko i teraz wrzucała bryłki mosiądzu do niewielkiego kamiennego tygla. Na podstawie woskowego wycisku przygotowaliśmy woskową kopię klucza, z niej zrobiliśmy gipsową formę, którą rozgrzaliśmy, żeby wytopić wosk. Teraz mieliśmy jedyną szansę, by odlać klucz – ponieważ kiedy metal zastygnie już w formie, można go wydobyć, jedynie rozbijając gips.

Kiedy usunęliśmy formę, zobaczyłem, że Strączki trzyma w dłoni coś, co wygląda jak mały mosiężny smok na patyku.

– Niezły klucz – stwierdziłem.

Jedyne zamki, jakie dotąd spotykałem, były wielkimi żelaznymi mechanizmami. Nic aż tak eleganckiego, żeby pasowało do takiego klucza.

– Kiedy chcesz go wykorzystać? – zapytała Strączki.

Oczy otwierała szeroko, jak podniecone dziecko. W takich chwilach mógłbym się w niej zakochać, ale na szczęście zawsze powstrzymywały mnie wyrafinowanie Radosnej, matczyna troska Poduszek, gibkość Numeru Sześć czy dowolny z czarów, jakie rzucały na mnie każdego dnia. Doskonale rozumiałem strategię Baltazara, dzięki której nie pokochał żadnej z nich. Sytuację Joszuy trudniej było pojąć. Lubił towarzystwo dziewcząt; wymieniał opowieści z Tory na legendy o smokach burzy i małpim królu. Twierdził, że w kobietach jest wrodzona wewnętrzna łagodność, jakiej nie widział jeszcze u żadnego mężczyzny, i że lubi z nimi przebywać. Siła, z jaką opierał się ich fizycznym urokom, zdumiewała mnie nawet bardziej niż inne cudowne wyczyny, których świadkiem byłem przez lata. Trudno to porównywać z aktem wskrzeszenia kogoś z martwych, ale odepchnięcie pięknej kobiety naprawdę wymaga odwagi, przekraczającej moją zdolność rozumienia.

– Teraz już sam się wszystkim zajmę – oświadczyłem Strączkom.

Nie chciałem wciągać jej w tę sprawę, na wypadek gdyby coś źle się potoczyło.

– Kiedy? – zapytała.

Chodziło jej o to, kiedy spróbuję otworzyć drzwi.

– Dziś wieczorem, kiedy wy wszystkie odejdziecie, by zamieszkać w krainie rozkosznych snów.

Czule uszczypnąłem ją w nosek, a ona zachichotała. Wtedy po raz ostatni widziałem ją w jednym kawałku.

W nocy korytarze fortecy oświetlał tylko padający przez okna blask gwiazd i księżyca. Gdy gdzieś szliśmy, braliśmy gliniane lampki oliwne, a wtedy serpentynowe korytarze jeszcze bardziej przypominały wnętrzności ogromnego stwora, połykającego mętne pomarańczowe światełko. Po kilku latach u Baltazara mogłem wędrować po części mieszkalnej fortecy bez żadnego światła, niosłem więc niezapaloną lampkę aż do pokoju dziewcząt. Przystanąłem przy zasłonie z paciorków i nasłuchiwałem ich cichego pochrapywania.

Kiedy już się oddaliłem, zapaliłem lampkę, używając jednego z ogniowych patyczków, które sam wynalazłem; stosowałem w nich te same chemikalia, co przy wytwarzaniu wybuchowego czarnego prochu. Ogniowy patyczek puknął cicho, kiedy potarłem nim o kamienną ścianę; mógłbym przysiąc, że z korytarza przede mną dobiegło echo. Gdy dotarłem do żelaznych drzwi, wyczułem płonącą siarkę i zdziwiłem się trochę, że zapach sięga tak daleko. Ale wtedy zobaczyłem Radosną – stała przy drzwiach, trzymając lampkę i zwęglone resztki ogniowego patyczka, którym ją zapaliła.

– Pokaż mi klucz – powiedziała.

– Jaki klucz?

– Nie udawaj głupiego. Widziałam, co zostało z formy w komnacie pierwiastków.

Wyjąłem ukryty za pasem klucz i wręczyłem jej. Obracając go w palcach, przyglądała mu się w świetle lampki.

– Strączki to odlewała – stwierdziła rzeczowo. – Czy ona też brała wycisk?

Przytaknąłem. Radosna nie wyglądała na zagniewaną, a Strączki jako jedyna z dziewcząt znała się dostatecznie na metalurgii, żeby wykonać odlew. Po co więc miałem zaprzeczać?

– Najtrudniejsze było pewnie zrobienie wycisku – stwierdziła Radosna. – Baltazar bardzo pilnie strzeże tego klucza. Muszę spytać, co zrobiła, by odwrócić jego uwagę. Ta wiedza może być przydatna, nie sądzisz? Dla nas obojga.

Uśmiechnęła się uwodzicielsko, podeszła do drzwi i odsunęła mosiężną płytkę, zasłaniającą dziurkę od klucza. W tej samej chwili doznałem wrażenia, jakby ktoś przejechał mi po plecach lodowatym sztyletem.

– Nie! – Chwyciłem ją za rękę. – Nie rób tego!

Ogarnęło mnie skręcające wnętrzności uczucie wstrętu.

– Nie możemy!

Radosna znowu się uśmiechnęła i odepchnęła moją rękę.

– Odkąd tu przybyłam, widziałam wiele niezwykłych rzeczy, ale żadna nie była groźna. Zaplanowałeś to, więc tak samo jak ja pragniesz się dowiedzieć, co jest za tymi drzwiami.

Chciałem ją powstrzymać, starałem się nawet wyrwać jej klucz, ale chwyciła mnie za rękę i wbiła palec w jeden z punktów nacisku, od czego zdrętwiało mi całe ramię. Uniosła brew, jakby pytała: „Naprawdę chcesz próbować, wiedząc, co mogę ci zrobić?".

Odstąpiłem.

Wsunęła smoczy klucz do zamka i przekręciła trzy razy. Rozległo się stukanie maszynerii, delikatniejsze, niż kiedykolwiek słyszałem... Radosna wyjęła klucz i odsunęła trzy ciężkie żelazne sztaby. A kiedy otworzyła drzwi, dmuchnęło, jakby coś przebiegło bardzo szybko obok nas. Moja lampka zgasła.

Później Joszua opowiedział mi, co się działo, a ja zgrałem jakoś czas. Kiedy Radosna i ja otwieraliśmy drzwi do komnaty zwanej domem zguby, Joszua z Baltazarem biwakowali w jałowych górach w miejscu, które dzisiaj jest Afganistanem. Noc była czysta, a gwiazdy lśniły zimnym, błękitnym blaskiem niby samotność albo nieskończoność. Obaj zjedli już kolację złożoną z chleba i sera, po czym usiedli blisko ognia, by wypić flaszkę wzmocnionego wina, dla Baltazara już drugą tego wieczoru.

– Mówiłem ci o proroctwie, które kazało mi ciebie szukać, kiedy przyszedłeś na świat?

– Mówiłeś o gwieździe. Moja matka opowiadała mi o gwieździe.

– Tak. Trzech nas było, którzy podążyli za gwiazdą. Spotkaliśmy się przypadkiem w górach na wschód od Kabulu i razem dokończyliśmy podróż. Ale gwiazda nie była powodem, dla którego wyruszyłem. Była dla nas raczej sposobem nawigacji. Podjęliśmy tę wyprawę, gdyż każdy z nas spodziewał się czegoś u jej końca.

– Mnie? – spytał Joszua.

– Tak, ale nie po prostu ciebie, tylko czegoś, co miałeś ze sobą przynieść. W świątyni, do której się udajemy, znajduje się zestaw glinianych tabliczek, bardzo starych. Kapłani twierdzą, że pochodzą z czasów Salomona. Przepowiadają nadejście dziecka, mającego władzę nad złem i moc zwyciężania śmierci. Głoszą, że dziecko będzie mieć klucz do nieśmiertelności.

– Ja? Do nieśmiertelności? Nic z tego.

– Myślę, że tak. Po prostu jeszcze o tym nie wiesz.

– Jestem pewien, że nie – upierał się Joszua. – Owszem, wskrzeszałem już ludzi z martwych, ale nigdy na długo. Lepiej mi teraz idzie uzdrawianie, ale przywracanie do życia wciąż wymaga pracy. Muszę się jeszcze dużo uczyć.

– Dlatego właśnie cię uczyłem i dlatego zabieram cię do świątyni, żebyś sam mógł przeczytać te tabliczki. Ale musisz posiadać moc nieśmiertelności.

– Nie, poważnie. Nic o tym nie wiem.

– Mam dwieście sześćdziesiąt lat, Joszuo.

219

– Słyszałem o tym, ale nie potrafię ci pomóc. Zresztą dobrze się trzymasz jak na dwustusześćdziesięciolatka.

Wtedy w głosie Baltazara zabrzmiała rozpacz.

– Joszuo, wiem, że masz władzę nad złem. Biff opowiadał mi, jak w Antiochii wypędzałeś demony.

– Takie pomniejsze – wyjaśnił skromnie Joszua.

– Musisz więc mieć też władzę nad śmiercią. Inaczej nic mi z tego nie przyjdzie.

– To, czego potrafię dokonać, pochodzi od mego ojca. Nie prosiłem o to.

– Joszuo, przy życiu utrzymuje mnie pakt z demonem. Jeśli nie masz władzy zapowiedzianej w proroctwie, to nigdy nie będę wolny, nigdy nie zaznam spokoju, nie poznam miłości. W każdej chwili mojego życia koncentruję umysł na kontrolowaniu demona. Jeśli moja wola osłabnie, nastąpi katastrofa, jakiej świat jeszcze nie widział.

– Wiem, jak to jest – odparł Joszua. – Nie wolno mi poznać kobiety. Co prawda mówił mi to anioł, a nie demon. Ale i tak, rozumiesz, czasem jest trudno. Naprawdę lubię twoje konkubiny. Wczorajszego wieczoru Poduszki masowała mi plecy po długim dniu nauki i zacząłem doznawać potężnej...

– Na Złotą Polędwicę Cielęcia! – wykrzyknął Baltazar.

Poderwał się na nogi, a oczy miał rozszerzone ze zgrozy. Biegając jak szaleniec w ciemności, zaczął siodłać swojego wielbłąda. Joszua podążał za nim i próbował uspokajać, w obawie, że lada chwila starzec dostanie ataku.

– Co? Co się stało?

– Wyrwał się! – odparł mag. – Pomóż mi się pakować. Musimy wracać. Demon wyrwał się na wolność.

Stałem przerażony w ciemności, czekając, aż nadciągnie katastrofa i zapanuje chaos, cierpienia i choroby oraz całkowity brak manifestacji dobra. I wtedy Radosna zapaliła ogniowym patyczkiem nasze lampki. Żelazne drzwi stały otworem, odsłaniając bardzo mały pokój o ścianach także wyłożonych żelazem. W środku było akurat tyle miejsca, by pomieścić małe łóżko i krzesło. Czarne żelazne ściany pokrywały złote symbole pentagramów i heksów oraz kilkanaście innych, jakich jeszcze nigdy nie widziałem. Radosna przysunęła do nich lampkę.

– To znaki uwięzienia – powiedziała.

– Słyszałem dochodzące stąd głosy.

– Niczego tu nie było, kiedy otworzyłam drzwi. Widziałam przez sekundę, zanim zgasła lampka.

– A co ją zgasiło?

– Wiatr?

– Nie wydaje mi się. Poczułem, jak coś ociera się o mnie w przelocie.

Wtedy właśnie w pokoju dziewcząt ktoś krzyknął i natychmiast rozległ się chór krzyków – pierwotnych wrzasków absolutnej grozy i cierpienia. Oczy Radosnej błysnęły od łez.

– Co ja zrobiłam?

Chwyciłem ją za rękaw i pociągnąłem korytarzem w stronę pokoju dziewcząt. Po drodze złapałem dwie ciężkie włócznie podtrzymujące gobelin. Podałem jej jedną. Mijaliśmy zakręty i już widziałem przed nami pomarańczowe światło, a po chwili zobaczyliśmy płomienie na ścianach – to paliła się oliwa z rozbitych lamp. Krzyki wznosiły się coraz wyżej, ale co kilka sekund z chóru ubywał jakiś głos, aż pozostał tylko jeden. Stanęliśmy przed zasłoną z paciorków przy wejściu do komnaty konkubin, a wtedy i on zamilkł, a pod nasze nogi potoczyła się urwana ludzka głowa.

Stwór wynurzył się zza zasłony, nie zważając na liżące kamień płomienie. Jego masywne cielsko wypełniało korytarz, gadzia skóra na ramionach i długich, szpiczastych uszach szorowała o ściany i strop.

– Cześć, mały – powiedział takim głosem, jakby ktoś ostrzem miecza drapał kamień. Wielkie jak talerze oczy jarzyły się żółtym blaskiem. – Nie spieszyłeś się z tym.

221

W drodze powrotnej Baltazar opowiadał Joszui o demonie.

– Nazywa się Hak i jest demonem dwudziestego siódmego stopnia; przed upadkiem był niszczycielskim aniołem. O ile wiem, pierwszy wezwał go Salomon, by pomagał przy budowie wielkiej świątyni, ale coś się nie udało i z pomocą dżinna Salomon zdołał odesłać demona do piekła. Prawie dwieście lat temu w Świątyni Pieczęci odnalazłem pieczęć Salomona oraz inkantację przywołującą demona.

– Aha – mruknął Joszua. – Więc dlatego się tak nazywa. Myślałem, że ma to jakiś związek z pieczeniem.

– Musiałem zostać akolitą i przez długie lata studiować wraz z kapłanami, zanim dopuścili mnie do pieczęci. Czym jednak jest kilka lat wobec nieśmiertelności? Otrzymałem tę nieśmiertelność, ale tylko dopóty, dopóki demon przebywa na ziemi. A kiedy przebywa na ziemi, musi być karmiony, Joszuo. To jest klątwa, która spada na dozorcę tego niszczyciela. Trzeba go karmić.

– Nie rozumiem. Żywi się twoją wolą?

– Nie, żywi się ludzkimi istotami. Tylko moja wola go powstrzymuje, a raczej powstrzymywała, dopóki nie zbudowałem żelaznego pokoju i nie umieściłem na ścianach złotych symboli, które mogą uwięzić demona. Od dwudziestu lat trzymam go w fortecy, dzięki czemu miałem trochę spokoju. Wcześniej towarzyszył mi bez przerwy, wszędzie, gdzie się udałem.

– Czy nie ściągał na ciebie nieprzyjaciół?

– Nie. Jeśli nie przyjmie swej żarłocznej formy, tylko ja mogę zobaczyć Haka. W nieżarłocznej formie jest nieduży, wielkości dziecka, i nie może wyrządzić wielkich szkód. Tyle że bywa niezwykle irytujący. Ale kiedy się żywi, ma pełne dziesięć łokci wzrostu, a jednym ciosem pazurów może rozerwać człowieka. Nie, Joszuo, wrogowie nie stwarzali mi problemów. Jak myślisz, dlaczego w fortecy nie ma żadnych straży? W latach, zanim zamieszkały ze mną dziewczęta, raz napadli mnie bandyci. To, co się z nimi stało, jest teraz w Kabulu legendą. Nikt więcej nie próbował. Problem polega na tym, że jeśli moja wola osłabnie, on znów odzyska wolność, jak za Salomona. Nie wiem, co mogłoby go wtedy powstrzymać.

– A nie możesz odesłać go z powrotem do piekła? – zapytał Joszua.

– Mógłbym, z pomocą pieczęci i właściwej inkantacji. Po to właśnie jechaliśmy do Świątyni Pieczęci. Jeżeli jesteś Mesjaszem zapowiadanym przez Izajasza i przez gliniane tabliczki w świątyni, to pochodzisz w prostej linii od Dawida, a zatem od Salomona. Wierzę, że potrafisz odesłać demona, a mnie ochronić przed losem, jaki by mnie czekał po jego odejściu.

– Czemu? Co się stanie, jeśli demon wróci do piekła?

– Przyjmę na siebie aspekt prawdziwego wieku. Po tylu latach podejrzewam, że będzie to kupka pyłu. Ale ty posiadasz dar nieśmiertelności. Możesz do tego nie dopuścić.

– Czyli ten demon z piekieł krąży swobodnie, a my wracamy do fortecy bez Pieczęci Salomona i inkantacji, żeby właściwie... co zrobić?

– Mam nadzieję, że jeszcze raz zapanuję nad nim swoją wolą. Ten pokój zawsze dotąd go powstrzymywał. Nie wiedziałem, naprawdę nie wiedziałem...

– O czym nie wiedziałeś?

– Że miłość do ciebie skruszy moją wolę.

– Kochasz mnie?

– Skąd mogłem wiedzieć? – Mag westchnął ciężko.

A Joszua, mimo dramatycznych okoliczności, wybuchnął śmiechem.

– Oczywiście, że kochasz, ale nie mnie, tylko to, co reprezentuję. Nie mam jeszcze pewności, co zrobię, ale wiem, że przybyłem w imieniu mojego ojca. Kochasz życie tak bardzo, że wyzwałeś piekło, bo je zachować. To naturalne, że kochasz tego, który dał ci owo życie.

– A więc potrafisz wypędzić demona i zachować moje życie?

– Oczywiście, że nie. Mówię tylko, że rozumiem, co czujesz.

Nie wiem, jak znalazła siłę, ale drobniutka Radosna wysunęła się zza mnie i cisnęła włócznią mocno jak żołnierz. (Ja sam czułem, że na widok demona uginają się pode mną kolana). Spiżowe ostrze trafiło chyba między dwie pancerne łuski na piersi potwora i pchane ciężkim drzewcem wbiło się głęboko na piędź. Demon sapnął i zaryczał, otwierając wielką paszczę i ukazując rzędy ostrych zębów. Chwycił włócznię i próbował ją wyrwać, a wielkie muskuły drżały mu od wysiłku. Popatrzył smętnie na ostrze, potem na Radosną.

– Och, biada ci, bowiem zabiłaś mnie i całkiem umieram – oświadczył.

A potem upadł na wznak, a kamienna podłoga zadygotała od uderzenia jego wielkiego cielska.

– Co on powiedział? Co powiedział? – dopytywała się Radosna, wbijając mi paznokcie w ramię. Demon mówił po hebrajsku.

– Że go zabiłaś.

– Aha – mruknęła z satysfakcją konkubina. (To dziwne, ale takie „Aha" we wszystkich językach brzmi tak samo).

Zacząłem przesuwać się powoli, by sprawdzić, czy któraś z dziewcząt pozostała przy życiu. Wtedy demon usiadł.

– Żartowałem tylko – stwierdził. – Nie jestem zabity.

Wyrwał z piersi włócznię łatwiej, niż ktoś mógłby odpędzać muchę.

Cisnąłem swoją włócznię, ale nie czekałem, by zobaczyć, gdzie uderzy. Złapałem Radosną za rękę i rzuciłem się do ucieczki.

– Dokąd? – spytała.

– Daleko.

– Nie.

Chwyciła mnie za tunikę i pociągnęła za róg tak, że prawie rozbiłem sobie czaszkę o ścianę.

– Do przejścia na urwisko.

Znajdowaliśmy się teraz w całkowitej ciemności – żadne nie pamiętało, by porwać ze sobą lampkę. Musiałem wierzyć, że Radosna pamięta rozkład tych kamiennych hal.

Biegnąc, słyszeliśmy, jak demon ociera się o ściany; od czasu do czasu klął po hebrajsku, gdy trafiał na niski strop. Może i widział w ciemności, ale niewiele lepiej od nas.

– Schyl się – rzuciła Radosna i pchnęła mi głowę w dół, kiedy wkroczyliśmy do wąskiego przejścia prowadzącego na urwisko.

Musiałem przykucnąć w tunelu, tak samo jak potwór w kucki pokonywał normalne korytarze. I nagle uświadomiłem sobie, jak genialny był pomysł Radosnej, by wybrać tę drogę. Widzieliśmy już blask księżyca w otworze wyjścia, kiedy usłyszałem, jak demon trafia w przewężenie.

– Szlag! Auć! Wy oszukańcze szczury! Zgryzę zębami wasze głowy jak kandyzowane daktyle!

– Co powiedział? – spytała Radosna.

– Że jesteś słodka i niezwykle delikatna.

– Wcale tego nie mówił.

– Wierz mi, nie chcesz, żebym przetłumaczył to wierniej.

Straszliwy zgrzyt dobiegł z głębi tunelu, gdy wspinaliśmy się po sznurowej drabince na płaskowyż. Radosna pomogła mi wstać, a potem wciągnęła drabinkę. Pobiegliśmy do stajni, gdzie zwykle leżały wielbłądzie siodła i inny ekwipunek. Były tylko trzy wielbłądy – zabrali je Joszua z Baltazarem – i żadnych koni, więc nie rozumiałem, po co marnujemy czas. Radosna podbiegła jednak do cysterny za stajnią i napełniła wodą dwa bukłaki.

– Bez wody nie dotrzemy do Kabulu – wyjaśniła.

– A co będzie, kiedy już dotrzemy do Kabulu? Ktoś może nam pomóc? Co to za stwór, u diabła?

– Gdybym wiedziała, czy otwierałabym te drzwi?

Była zadziwiająco spokojna jak na kogoś, komu straszliwa bestia zabiła właśnie wszystkie przyjaciółki.

– Chyba nie. Ale nie widziałem, żeby stamtąd wybiegł. Poczułem coś, ale nie tej wielkości.

– Działaj, Biff. Nie myśl. Działaj.

Podała mi bukłak, a ja zanurzyłem go w wodzie, nasłuchując przez bulgotanie, czy nie zbliża się potwór. Słyszałem tylko beczenie kóz i dudnienie krwi w uszach. Radosna zakorkowała bukłak i pobiegła otwierać zagrody. Wygoniła zwierzęta na zewnątrz.

– Idziemy! – krzyknęła do mnie.

Pobiegła do ścieżki prowadzącej na ukrytą drogę. Wyciągnąłem bukłak z cysterny i jak najszybciej ruszyłem za nią. Księżyc świecił dość jasno i marsz nie był trudny, ale po tym, co widziałem w świetle dnia, wolałem bez przewodnika nie pokonywać śmiertelnych zakrętów ścieżki.

Pokonaliśmy niemal pierwszy etap, kiedy usłyszałem przerażające wycie i coś ciężkiego wylądowało w pyle przed nami. Kiedy odzyskałem oddech, podszedłem i znalazłem pokrwawione ścierwo kozy.

– Tam.

Radosna wskazała na zbocze, gdzie coś przesuwało się między kamieniami. Kiedy uniosło łeb, poznałem lśniące żółte ślepia.

– Z powrotem. – Radosna ściągnęła mnie z drogi.

– Czy to jedyna droga w dół?

– Ona albo skok w przepaść. To przecież forteca, zapomniałeś? Wejście i wyjście nie powinny być łatwe.

Dotarliśmy z powrotem do sznurowej drabinki, zrzuciliśmy ją w dół i zaczęliśmy schodzić. Radosna dotarła już do półki i ukryła się w otworze tunelu, kiedy coś ciężkiego trafiło mnie w ramię. Ręka zdrętwiała mi od uderzenia i wypuściłem z palców drabinkę – na szczęście, kiedy spadałem, stopy zaplątały się w szczeble i zawisłem głową w dół, zaglądając do otworu, gdzie czekała Radosna. Słyszałem, jak koza, która mnie trafiła, z przerażonym beczeniem spada w przepaść; potem rozległ się głuchy stuk i jej wrzask ucichł.

– Hej, mały! Jesteś Żydem, prawda? – odezwał się z góry potwór.

– Nie twój interes – odpowiedziałem.

Radosna chwyciła wiszącą drabinkę i wciągnęła mnie do tunelu w chwili, gdy przeleciała następna koza. Upadłem twarzą w dół i prychałem, próbując nabrać powietrza i jednocześnie wypluć z ust pył.

– Dawno już nie jadłem Żyda. Dobry Żyd dodaje ciała. To właśnie kłopot z Chińczykami, możesz zjeść sześciu czy siedmiu, a po półgodzinie znów jesteś głodny. Bez urazy, panienko.

– Co powiedział? – spytała Radosna.

– Mówi, że lubi koszerne jedzenie. Ta drabinka go utrzyma?

– Sama ją robiłam.

– No świetnie...

Usłyszeliśmy trzeszczenie lin, kiedy zawisło na nich cielsko potwora.

15

Joszua i Baltazar wjechali do Kabulu w porze, kiedy po ulicach krążyli tylko zbóje i nierządnice (po północy nierządnice oferowały „zbójecką zniżkę", by promować interes). Stary mag zamknął oczy, uśpiony rozkołysanym krokiem swego wierzchowca – wyczyn, który u Joszuy wzbudził zdumienie nie mniejsze niż cała sprawa z demonem, jako że on sam na wielbłądzie prawie cały czas walczył, by nie zwymiotować – nazywają to morską chorobą pustyni.

Teraz uderzył starca w nogę luźnym końcem uzdy, a mag chrapnął i się ocknął.

– Co się stało? Gdzie jesteśmy?

– Czy możesz stąd zapanować nad demonem, starcze? Czy jesteśmy już dość blisko, byś przejął nad nim kontrolę?

Baltazar zamknął oczy i Joszua przestraszył się, że znowu zasypia – choć dłonie drżały mu z nieokreślonego wysiłku. Po kilku sekundach rozwarł powieki.

– Nie wiem.

– Ale wiedziałeś, że się wydostał.

– To było jak fala bólu w mej duszy. Nie utrzymuję bliskiego kontaktu z demonem przez cały czas. Ale prawdopodobnie wciąż jesteśmy za daleko.

– Konie – rzekł Joszua. – Konie będą szybsze. Trzeba obudzić właściciela stajni.

Poprowadził ich pustymi ulicami do stajni, gdzie zostawiliśmy wielbłądy, kiedy wróciliśmy do miasta, żeby uzdrowić oślepionego strażnika.

W środku nie paliły się lampy, ale półnaga nierządnica stała w bramie w uwodzicielskiej pozie.

– Specjalna zniżka dla zbójów – powiedziała po łacinie. – Dwóch za cenę jednego, ale żadnych zwrotów, gdyby staruszek nie dał rady.

Joszua już tak dawno nie słyszał tej mowy, że odpowiedział dopiero po chwili.

– Dziękuję, ale nie jesteśmy zbójami.

Wyminął ją i uderzył pięścią w drzwi. Kiedy czekał, przesunęła mu paznokciem po kręgosłupie.

– A kim jesteście? Może trafi się inna zniżka.

Joszua nawet się nie obejrzał.

– On to dwustusześćdziesięcioletni mag, a ja jestem albo Mesjaszem, albo beznadziejnym oszustem.

– Hm... Tak, myślę, że jest specjalna promocja dla oszustów, ale mag musi zapłacić pełną cenę.

Joszua słyszał poruszenie w domu właściciela stajni i głos, wołający, by powstrzymał konie – właściciele stajni zawsze to mówią, kiedy każą człowiekowi czekać. Odwrócił się do nierządnicy i delikatnie dotknął jej czoła.

– Idź i nie grzesz więcej – powiedział po łacinie.

– Jasne. A jak zarobię na życie, ty dupku?

Akurat wtedy właściciel stajni otworzył drzwi. Był niski, miał krzywe nogi i wąsy, nadające mu wygląd zasuszonego suma.

– Co jest takiego ważnego, że nie może tego załatwić moja żona?

– Twoja żona?

Nierządnica wyminęła Joszuę i weszła do domu. Po drodze przesunęła mu paznokciami po karku.

– Straciłeś okazję – rzuciła.

– Kobieto, a co ty tu właściwie robisz? – zdziwił się właściciel stajni.

Radosna wybiegła na platformę i wydobyła spod szaty krótki czarny sztylet o szerokim ostrzu. Końce sznurowej drabinki kołysały się przed nią – potwór schodził coraz niżej.

– Nie, Radosna. – Sięgnąłem, by wciągnąć ją z powrotem do tunelu. – Nie możesz go zranić.

– Nie bądź taki pewny.

Obejrzała się, uśmiechnęła do mnie, a potem dwa razy przejechała sztyletem po pionowej linie drabinki, tak że pozostało z niej tylko kilka całych włókien. Potem sięgnęła o kilka szczebli wyżej i przecięła drugą linę. Nie mogłem uwierzyć, jak łatwo ostrze radzi sobie z powrozem.

Cofnęła się w głąb tunelu i uniosła sztylet, aż odbił światło gwiazd.

– Szkło – wyjaśniła. – Z wulkanu. Jest tysiąc razy ostrzejsze niż dowolna żelazna klinga.

Schowała sztylet i wciągnęła mnie głębiej w tunel, ale tak, żebyśmy mogli obserwować wejście i skalną półkę.

Słyszałem, jak potwór się zbliża. W otworze wejścia pojawił się kontur wielkiej, uzbrojonej w pazury stopy, potem drugiej. Wstrzymaliśmy oddechy, gdy potwór dotarł do naciętej części drabinki. Widać było już prawie całe masywne udo, a jedna ze szponiastych łap sięgnęła do niższego szczebla... i wtedy drabinka pękła. Potwór zawisł ukośnie na pojedynczej linie przed wylotem tunelu. Patrzył prosto na nas. Wściekłość w ślepiach na moment ustąpiła miejsca zaskoczeniu. Skórzaste nietoperze uszy uniosły się w zaciekawieniu.

– Hej... – powiedział.

Wtedy pękła druga lina, a on runął w dół i zniknął nam z oczu.

Podbiegliśmy do otworu i wyjrzeliśmy poza krawędź. Od dna wąwozu dzieliło nas przynajmniej tysiąc stóp, jednak w ciemności widzieliśmy najwyżej kilkaset. Ale było to kilkaset stóp wyraźnie bezpotworzego urwiska.

– Ładnie – pochwaliłem Radosną.

– Musimy iść. Teraz.

– Nie sądzisz, że to go załatwiło?

– A słyszałeś, jak uderza o ziemię?

– Nie – przyznałem.

– Ja też nie – odparła. – Lepiej stąd chodźmy.

Nasze bukłaki zostawiliśmy na płaskowyżu, więc Radosna chciała wziąć inne z kuchni, ale powlokłem ją za kołnierz do głównej bramy.

– Musimy uciec stąd jak najdalej. Śmierć z pragnienia jest najmniejszym z moich zmartwień.

Wróciliśmy do centralnych regionów fortecy i przez okna wpadało dosyć światła, by pokonywać korytarze bez lampy – to dobrze, bo nie pozwoliłbym się Radosnej zatrzymać, żeby ją zapalić. Kiedy zbiegliśmy rampą na trzeci poziom, szarpnęła mnie tak, że prawie upadłem. Odwróciłem się do niej, wściekły jak kot.

– Co? Uciekajmy stąd! – wrzasnąłem.

– Nie. To jest ostatni poziom z oknami. Nie wyjdę przez wrota, dopóki nie sprawdzę, czy nie ma przed nimi tego stwora.

– Nie bądź śmieszna, człowiek na szybkim koniu potrzebuje z pół godziny, żeby objechać fortecę.

– A jeśli nie spadł na sam dół? Jeśli wspiął się z powrotem?

– To by trwało parę godzin. Chodź, Radosna, będziemy całe mile stąd, zanim on dotrze z drugiej strony.

– Nie.

Podcięła mi nogi i wylądowałem płasko na plecach na kamiennej podłodze. Zanim wstałem, przebiegła przez pokój i wychyliła się za okno. Podszedłem, a ona przytknęła palec do warg.

– Jest tam, na dole. Czeka.

Odsunąłem ją i wyjrzałem. Rzeczywiście, bestia tkwiła przed żelaznymi wrotami, gotowa złapać pazurami skrzydło, szarpnąć i otworzyć na oścież, kiedy tylko zdejmiemy sztaby.

– Może nie potrafi wejść? – szepnąłem. – Nie umiał się przedostać przez tamte żelazne drzwi.

– Nie zrozumiałeś tych symboli w całym pokoju, prawda?

Pokręciłem głową.

– To były znaki uwięzienia, powstrzymujące dżinna albo demona. Główne wrota takich nie mają. Nie przeszkodzą mu.

– Więc dlaczego nie wchodzi?

– Po co ma nas gonić, skoro i tak do niego przyjdziemy?

Wtedy potwór uniósł łeb, a ja odskoczyłem od okna.

– Chyba mnie nie zauważył – szepnąłem zdenerwowany, spryskując Radosną śliną.

Potwór zaczął pogwizdywać. To była wesoła melodyjka, lekka – coś, co można sobie gwizdać przy polerowaniu czaszki ostatniej ofiary.

– Na nikogo się nie czaję ani nic – powiedział znacznie głośniej, niż gdyby po prostu mówił do siebie. – Nie, ja nie z tych. Po prostu stanąłem tu sobie na chwilę. Ale chyba nikogo nie ma, więc pójdę swoją drogą.

Znów zaczął gwizdać. Usłyszeliśmy kroki, cichnące powoli wraz z gwizdaniem. Nie oddalały się, tylko cichły... Radosna i ja wyjrzeliśmy przez okno – potwór w dole wykonywał teatralną pantomimę marszu; gwizdanie przeszło w syk.

– Co jest?! – wrzasnąłem z okna, teraz już zły. – Myślałeś, że nie wyjrzymy?

Potwór wzruszył ramionami.

– Warto było spróbować. Zgadłem, że nie mam do czynienia z geniuszami, kiedy w ogóle otworzyliście tamte drzwi.

– Co on powiedział? Co mówi? – powtarzała Radosna za moimi plecami.

– Powiedział, że nie uważa cię za zbyt mądrą.

– A ty mu powiedz, że to nie ja tkwiłam tyle lat w ciemności i musiałam sama się ze sobą bawić.

Odsunąłem się i spojrzałem na nią.

– Myślisz, że zmieściłby się w tym oknie?

Zmierzyła je wzrokiem.

– Tak.

– W takim razie mu nie powiem. Mógłby się rozzłościć.

Radosna odepchnęła mnie, wskoczyła na parapet, odwróciła się twarzą do środka, podciągnęła szatę i wysiusiała się na zewnątrz. Miała niesamowite wyczucie równowagi. Sądząc z dobiegającego z dołu warczenia, jej celność też była na niezłym poziomie.

Skończyła i zeskoczyła. Wyjrzałem na potwora, który jak mokry pies strząsał z uszu mocz.

– Przepraszam! – zawołałem. – Problemy językowe. Nie wiedziałem jak przetłumaczyć.

Potwór ryknął; mięśnie barków napięły się pod łuskami. Wyprowadził cios, a jego pięść przebiła na wylot okute żelazem wrota.

– Uciekamy – powiedziała Radosna.

– Dokąd?

– Do korytarza na urwisko.

– Odcięłaś drabinkę.

– Po prostu uciekamy.

Pociągnęła mnie za sobą, prowadząc przez ciemność, tak jak poprzednio.

– Schyl się! – krzyknęła sekundę po tym, jak przy użyciu czułych, wykrywających kamienne sufity nerwów na czole uświadomiłem sobie, że dotarliśmy do wąskiego korytarza.

Byliśmy w połowie drogi do urwiska, gdy usłyszałem, jak potwór trafia w skałę i przeklina.

Przez chwilę trwała cisza, a potem rozległ się przeraźliwy zgrzyt, tak głośny, że musieliśmy zatykać sobie uszy. Potem wyczuliśmy zapach palonego ciała.

Nastał świt, gdy Joszua z Baltazarem wjechali do wąwozu, skąd prowadziło główne wejście do fortecy.

– No i jak? – zapytał Joszua. – Wyczuwasz demona?

Baltazar pokręcił głową.

– Przybyliśmy za późno.

Wskazał miejsce, gdzie kiedyś tkwiły żelazne wrota. Teraz pozostał tylko stos pogiętych, połamanych kawałków, i jakieś resztki wiszące na tym, co kiedyś było wielkimi zawiasami.

– Coś ty narobił, w imię Szatana? – mruknął Joszua.

Zeskoczył z konia i wbiegł do fortecy, zostawiając Baltazara samego, by podążał za nim.

Hałas w wąskim przejściu był tak głośny, że sztyletem Radosnej odciąłem kawałki rękawów mojej szaty i wcisnęliśmy je sobie do uszu. Potem zapaliłem ogniowy patyczek, by sprawdzić, co robi potwór.

I stanęliśmy oboje z rozdziawionymi ustami, patrząc, jak bestia wydziera kamień ze ścian korytarza. Szpony rozmazywały się od szybkości, dym, pył i kamienne odpryski wzlatywały w powietrze, łuski żarzyły się od tarcia i odrastały natychmiast po spaleniu. Nie dotarł daleko, może jakieś pięć stóp w naszą stronę, ale w końcu poszerzy tunel dostatecznie, by wyciągnąć nas jak borsuk termity z kopca. Teraz rozumiałem, dlaczego na ścianach fortecy nie było śladów narzędzi. Stwór poruszał się tak szybko, że dosłownie ścierał ściany szponami i łuskami – wycinał kamień, a równocześnie go polerował.

Zdążyliśmy dwa razy wejść na szczyt płaskowyżu po tym, co zostało z drabinki, ale za każdym potwór obiegał fortecę i zaganiał nas z powrotem, nim dotarliśmy do drogi. Za drugim razem wciągnął drabinkę na górę, nim wrócił do fortecy i podjął piekielne rycie.

– Skoczę, zanim pozwolę mu mnie dorwać – oznajmiłem Radosnej.

Spojrzała za krawędź, w nieskończoną ciemność pod nami.

– Tak zrób – powiedziała. – I daj mi znać, jak ci leci.

– Tak zrobię. Ale najpierw się pomodlę.

I modliłem się. Modliłem się tak gorąco, że krople potu wystąpiły mi na czoło i pociekły po zaciśniętych powiekach. Tak gorąco, że przycichł nawet bezustanny zgrzyt łusek potwora o skałę. Przez jedną chwilę byłem pewien, że istnieję tylko ja i Bóg. Jak miał w zwyczaju wobec mnie, Bóg zachowywał milczenie. Nagle zrozumiałem, jak zawiedziony musiał się czuć Joszua, gdy pytał, jaką podążyć ścieżką, jakie podjąć działanie, i w odpowiedzi słyszał tylko ciszę.

Kiedy znów otworzyłem oczy, nad górami weszło słońce i do korytarza wlało się światło. W blasku dnia potwór wyglądał jeszcze bardziej przerażająco. Cały był zachlapany krwią i posoką po masakrze w komnacie dziewcząt, i choć nieubłaganie wydzierał skałę, wokół niego krążyły muchy. Próbowały na nim siadać i natychmiast padały martwe na ziemię. Smród martwego ciała i palonych łusek niemal odbierał oddech; już samo to prawie wystarczało, by skłonić mnie do skoku. Bestii pozostało do nas jeszcze trzy, może cztery łokcie; co kilka minut cofała się, po czym sięgała łapą, by chwycić nas w swoje szpony.

Radosna i ja kuliliśmy się na skalnej półce nad przepaścią, szukając jakiegokolwiek zaczepu, chwytu z góry, z dołu czy z boku na ścianie urwiska, byle tylko oddalić się od potwora. Lęk wysokości stał się nagle czymś nieistotnym.

Zaczynałem już czuć podmuch wzbudzony szponami potwora, kiedy sięgał do nas przez otwór, gdy nagle usłyszeliśmy głęboki basowy głos Baltazara, wołającego coś z tunelu. Potwór wypełniał sobą cały prześwit, więc nie widziałem, co się dzieje za nim, ale odwrócił się i jego płasko zakończony ogon przemknął obok nas, niemal zdzierając nam skórę. Radosna wyrwała szklany sztylet i chlasnęła dwa razy, kalecząc łuski, jednak najwyraźniej nie zabolało go aż tak, żeby się odwrócił.

– Baltazar cię poskromi, ty synu jaszczurczego gównojada! – wrzasnęła Radosna.

Musieliśmy gwałtownie się uchylić przed czymś, co przeleciało przez otwór, popłynęło w powietrzu i runęło ku ziemi, znikając nam z oczu. Skrzeczało przy tym jak nurkujący sokół.

– Co to było? – spytała Radosna.

Wpatrywała się w pustkę, by zobaczyć, czym rzucił potwór.

– To był Baltazar – odparłem.

– Oj...

Joszua szarpnął za szeroki, płaski ogon i demon odwrócił się, warcząc wściekle. Joszua nie puszczał ogona, choć pazury świsnęły mu tuż przed twarzą.

– Jak masz na imię, demonie? – zapytał.

– Nie pożyjesz tak długo, by wymówić me imię – rzekł demon.

Znów uniósł szpony.

Joszua szarpnął ogon i demon znieruchomiał.

– Nie. To nie tak. Jak masz na imię?

– Mam na imię Hak – odparł demon. Opuścił łapę w geście kapitulacji. – Znam cię. Jesteś tym chłopcem, prawda? Mówili o tobie za dawnych dni.

– Pora, żebyś wrócił do domu.

– A mogę najpierw zjeść tę dwójkę za wylotem tunelu?

– Nie. Szatan na ciebie czeka.

– Są naprawdę denerwujący. Dziewczyna mnie obsikała.

– Nie.

– Wyświadczę ci tym przysługę.

– Nie chcesz ich już krzywdzić, prawda?

Demon położył uszy po sobie i skłonił wielką głowę.

– Nie. Nie chcę ich krzywdzić.

– Nie jesteś już rozgniewany – powiedział Joszua.

Potwór potrząsnął łbem. Stał zgięty wpół w wąskim tunelu, ale teraz padł przed Joszuą jak długi i zakrył pazurami oczy.

– Ale ja ciągle jestem! – wrzasnął Baltazar.

Joszua się obejrzał. Starzec był brudny i pokrwawiony, szatę miał podartą w miejscach, gdzie przebiły ją połamane przy upadku kości. Wyleczył się w ciągu zaledwie minut, ale nie poprawiło mu to humoru.

– Przeżyłeś ten upadek?

– Mówiłem ci: dopóki demon przebywa na Ziemi, jestem nieśmiertelny. Ale to pierwszy raz. Nigdy wcześniej nie był w stanie mi zaszkodzić.

– Już tego nie zrobi.

– Panujesz nad nim? Bo ja nie.

Joszua odwrócił się i położył dłoń na głowie demona.

– Ta zła istota spoglądała kiedyś w twarz Boga. Ten potwór służył kiedyś w niebie, wśród piękna, żył w łasce, chodził w świetle. Teraz jest narzędziem cierpienia. Jest ohydny z wyglądu i fałszywy z natury.

– Moment! Nie przesadzaj! – odezwał się demon.

– Chciałem przez to powiedzieć, że nie można go winić za to, kim się stał. Nigdy nie miał tego, co masz ty i każda ludzka istota. Nigdy nie miał wolnej woli.

– To takie smutne – wymruczał demon.

– Na jedną chwilę, Haku, dam ci posmakować tego, czego nigdy nie zaznałeś. Na jedną chwilę obdarzę cię wolną wolą.

Demon chlipnął.

Joszua zabrał dłoń z jego łba, puścił ogon i wyszedł z wąskiego tunelu na korytarz fortecy.

Baltazar stał obok i czekał, aż demon się wynurzy.

– Naprawdę potrafisz to zrobić? Dać mu wolną wolę?

– Przekonamy się, prawda?

Hak wyczołgał się i stanął prosto – teraz musiał tylko pochylać głowę. Wielkie lepkie łzy spływały mu po łuskach na policzkach, po paszczy, i kapały na kamienną podłogę, sycząc jak kwas.

– Dziękuję – warknął.

– Wolna wola... – powiedział Baltazar. – Jak się z nią czujesz?

Demon złapał starca jak szmacianą lalkę i wcisnął sobie pod pachę.

– Czuję, że mam ochotę znowu cię zrzucić z tego pieprzonego urwiska!

– Nie – rzekł Joszua.

Przyskoczył i dotknął piersi demona. Rozległo się głośne puknięcie, kiedy powietrze wypełniło próżnię w miejscu, gdzie stał Hak. Baltazar upadł na podłogę i jęknął.

– Wiesz, ta wolna wola to jednak nie był dobry pomysł – stwierdził.

– Przepraszam. Współczucie pokonało rozsądek.

– Nie czuję się dobrze...

Mag usiadł ciężko na podłodze i chrapliwie wypuścił powietrze.

Kiedy Radosna i ja wyszliśmy z tunelu, Joszua pochylał się nad Baltazarem, który się starzał w oczach.

– Ma dwieście sześćdziesiąt lat – stwierdził Josh. – Teraz, kiedy Hak odszedł, czas zaczyna go doganiać.

Skóra maga poszarzała, a białka oczu pożółkły. Radosna usiadła na podłodze i oparła głowę starca na kolanach.

– Gdzie potwór? – spytałem.

– Wrócił do piekła – odparł Josh. – Pomóż mi zanieść Baltazara do łóżka. Potem wszystko wytłumaczę.

Przenieśliśmy Baltazara do jego sypialni. Radosna próbowała wlać mu do ust trochę bulionu, ale zasnął z czarką przy wargach.

– Można mu pomóc? – spytałem, nie zwracając się do nikogo konkretnego.

Radosna pokręciła głową.

– On nie jest chory. On jest po prostu stary.

– Napisane zostało „Wszystko ma swój czas" – rzekł Joszua. – Nie mogę tego odmienić. Czas przeszedł w końcu i na Baltazara. – Spojrzał na Radosną i uniósł brew. – Obsiusiałaś demona? – spytał.

– Nie ma co się skarżyć. Zanim tu przybyłam, znałam z Hunan człowieka, który dobrze by za to zapłacił.

Baltazar wytrwał jeszcze dziesięć dni. Pod koniec wyglądał bardziej jak obciągnięty skórą szkielet niż jak człowiek. W ostatnich dniach błagał Joszuę, by wybaczył mu próżność. Wzywał nas do swojego łoża i raz po raz powtarzał to samo, gdyż zapominał, co mówił kilka godzin wcześniej.

– Znajdziesz Kaspra w Świątyni Niebiańskiego Buddy, w górach na wschodzie. W bibliotece jest mapa. Kasper cię nauczy. To prawdziwie mądry człowiek, nie taki szarlatan jak ja. Pomoże ci stać się tym, kim powinieneś, Joszuo, byś mógł dokonać tego, co musisz. A ty, Biff, cóż, może jednak nie będziesz taki bezużyteczny. Tam, gdzie wyruszacie, jest bardzo zimno. Kupcie po drodze futra i wymieńcie wielbłądy na takie z dłuższą sierścią i dwoma garbami.

– On majaczy – stwierdziłem.

– Nie – zaprotestowała Radosna. – Naprawdę są takie wielbłądy z dłuższą sierścią i dwoma garbami.

– Och... Przepraszam.

– Joszuo! – zawołał jeszcze Baltazar. – Jeśli nawet nic więcej, to zapamiętaj trzy klejnoty...

Po czym starzec zamknął oczy i przestał oddychać.

– Umarł? – spytałem.

Joszua przyłożył ucho do piersi starca.

– Umarł.

– O co chodzi z tymi klejnotami?

– Trzy klejnoty Tao: współczucie, umiarkowanie i pokora. Baltazar mówił, że współczucie wiedzie do odwagi, umiarkowanie do szczodrości, a pokora do przywództwa.

– Dziwne – uznałem.

– Współczucie – szepnął Josh i skinieniem głowy wskazał Radosną, która szlochała bezgłośnie nad ciałem Baltazara.

Objąłem ją za ramiona, a ona odwróciła się i łkała mi na piersi.

– Co teraz zrobię? Baltazar nie żyje. Moje przyjaciółki nie żyją. A wy dwaj odchodzicie.

– Jedź z nami – zaproponował Joszua.

– Ehm... Pewnie, jedź z nami.

Ale Radosna nie pojechała z nami. Zostaliśmy w fortecy Baltazara jeszcze sześć miesięcy, czekając, aż minie zima, nim wyruszymy ku górom na wschodzie. Zmyłem krew w komnacie dziewcząt, a Radosna pomagała Joszui tłumaczyć niektóre ze starożytnych tekstów w bibliotece Baltazara. We trójkę jedliśmy posiłki, czasami Radosna i ja szliśmy razem do łóżka, przez pamięć dawnych dni. Ale wydawało się, że z fortecy odpłynęło życie. Kiedy nadszedł czas wyjazdu, Radosna poinformowała nas o swojej decyzji.

– Nie mogę jechać z wami i szukać Kaspra. Kobiet nie wpuszczają do klasztorów, a nie mam ochoty mieszkać w jakiejś nędznej wiosce w pobliżu. Baltazar zostawił mi dużo złota i wszystko, co jest w bibliotece, ale tutaj, w górach, nic mi z tego nie przyjdzie. Nie zostanę w tym grobowcu, mając za towarzystwo tylko duchy moich przyjaciółek. Wkrótce zjawi się Ahmad, tak jak zjawia się każdej wiosny. Pomoże mi przewieźć skarbiec i zwoje do Kabulu. Tam kupię wielki dom, wynajmę służących i każę im sprowadzać sobie młodych chłopców do zepsucia.

– Też chciałbym mieć jakiś plan. – Westchnąłem.

– I ja – zgodził się Josh.

We trójkę uczciliśmy osiemnaste urodziny Josha, spożywając tradycyjne chińskie dania. Następnego ranka osiodłaliśmy wielbłądy i przygotowaliśmy się do jazdy na wschód.

– Na pewno sobie poradzisz do przyjazdu Ahmada? – upewnił się Joszua.

– Nie martw się o mnie. Ucz się, jak być Mesjaszem – odparła i pocałowała go mocno w usta.

Wyrywał się, a kiedy wsiadał na wielbłąda, wciąż był zaczerwieniony.

– A ty – zwróciła się do mnie – odwiedź mnie w Kabulu, kiedy będziecie wracać do Izraela. Inaczej rzucę na ciebie taką klątwę, że nigdy się od niej nie uwolnisz.

Zdjęła z szyi małą fiolkę yin-yang z trucizną i antidotum, i wsunęła mi przez głowę łańcuszek. Dla kogoś innego mogło się to wydać dziwnym podarunkiem, ale ja byłem uczniem czarodziejki i dla mnie był idealny. Potem wsunęła mi za pas szklany sztylet.

240

– Nieważne, ile to potrwa, musisz mnie znowu odwiedzić. Daję słowo, że nie pomaluję cię na niebiesko.

Obiecałem jej, pocałowaliśmy się, wsiadłem na wielbłąda i odjechaliśmy z Joszuą. Znowu starałem się nie oglądać na kolejną kobietę, która skradła mi serce.

Jechaliśmy o pięćdziesiąt sążni od siebie, każdy zamyślony nad swoją przeszłością i przyszłością, nad tym, kim się stanie... Dopiero po kilku godzinach dogoniłem Joszuę i przełamałem milczenie.

Wspominałem, jak Radosna uczyła mnie czytać i mówić po chińsku, mieszać eliksiry i trucizny, oszukiwać w grach hazardowych, robić sztuczki magiczne i gdzie należy dotykać kobietę. A wszystko to, nie oczekując niczego w zamian.

– Czy wszystkie kobiety są silniejsze i lepsze ode mnie?

– Tak – odparł.

Minął dzień, nim znów zaczęliśmy rozmawiać.

CZĘŚĆ TRZECIA

WSPÓŁCZUCIE

Tora! Tora! Tora!

Okrzyk bojowy rabinów-kamikaze

16

Wdwunastym dniu podróży według wskazówek starannie wykreślonej mapy Baltazara dotarliśmy do muru.

– I jak? – spytałem. – Co sądzisz o tym murze?

– Jest wielki – stwierdził Joszua.

– Nie aż taki wielki – odparłem.

Długa kolejka czekała na przejście przez ogromną bramę, gdzie dziesiątki urzędników zbierało podatki od prowadzących karawany. Same wartownie przy bramie były wielkie jak któryś z pałaców Heroda, a konne patrole jeździły po szczycie muru, daleko jak okiem sięgnąć. Mieliśmy jeszcze dobrą milę do bramy, a kolejka prawie się nie posuwała.

– Będziemy tu czekać cały dzień – narzekałem. – Po co w ogóle zbudowali coś takiego? Jeśli ktoś potrafi wznieść taki mur, to z pewnością może wystawić armię dostatecznie wielką, by pokonała wszelkich najeźdźców.

– Ten mur wzniósł Lao-tzu – odparł Joszua.

– Ten dawny mistrz, który napisał Tao? Nie wydaje mi się.

– A co Tao ceni ponad wszystko inne?

– Współczucie? Może którąś z tych dwóch pozostałych klejnotowych cech?

– Nie. Bezczynność. Kontemplację. Niezmienność. Konserwatyzm. Mur to sposób obrony kraju, który ceni bezczynność. Jednak taki mur nie tylko broni mieszkańców, ale też ich więzi. Dlatego Baltazar wskazał nam tę drogę. Chciał, bym dostrzegł błąd w Tao. Nie może być wolnym ktoś, kto wyrzeka się działania.

– Czyli poświęcił tyle czasu, ucząc nas Tao, żebyśmy zobaczyli, że jest błędne?

– Nie, wcale nie błędne. Nie w całości. Wskazywane przez Tao współczucie, pokora i umiarkowanie to cechy człowieka prawego. Ale nie bezczynność. Ci ludzie są niewolnikami bezczynności.

– Pracowałeś jako kamieniarz, Josh. – Wskazałem potężny mur. – Myślisz, że coś takiego powstało w wyniku bezczynności?

– Mag nie nauczał nas o działaniu w sensie pracy, ale o działaniu w sensie zmiany. Dlatego najpierw poznawaliśmy Konfucjusza: wszystko powinno wynikać z porządku naszych ojców, prawa, manier... Konfucjusz jest jak Tora: to reguły, których należy przestrzegać. A Lao-tzu jest nawet bardziej konserwatywny; twierdzi, że kto nic nie robi, ten nie narusza żadnych reguł. Podczas gdy w rzeczywistości trzeba czasem złamać tradycję, trzeba podjąć działanie, trzeba zjeść bekon. Tego właśnie próbował mnie nauczyć Baltazar.

– Już raz to mówiłem, Josh... a wiesz, jak lubię bekon. Nie sądzę, żeby Mesjasz mógł przynieść tylko bekon. To nie wystarczy.

– Zmiana – rzekł Joszua. – Mesjasz musi przynieść zmianę. Zmiana pojawia się wskutek działania. Baltazar powiedział mi kiedyś: „Nie ma czegoś takiego jak konserwatywny bohater". Bardzo mądry był ten starzec.

Myślałem o starym magu, spoglądając na mur ciągnący się przez wzgórza, a potem na kolejkę podróżnych przed nami. Koło bramy wyrosło małe miasteczko, by zaspokajać potrzeby czekających wędrowców z Jedwabnego Szlaku. Wzdłuż kolejki chodzili sprzedawcy, zachwalający jedzenie i napoje.

– Dajmy sobie spokój – zdecydowałem. – Jak długi może być ten mur? Objedziemy go dookoła.

Miesiąc później, kiedy wróciliśmy do tej samej bramy i czekaliśmy w kolejce, by przez nią przejść, Joszua zapytał:

– No i co teraz myślisz o tym murze? Wiesz, widziałeś go o wiele więcej.

– Uważam, że jest ostentacyjny i nieprzyjemny – oświadczyłem.
– Jeśli nie mają jeszcze dla niego nazwy, powinieneś to zaproponować.

I stało się tak, że przez wieki mur był znany jako Ostentacyjny i Nieprzyjemny Chiński Mur. Przynajmniej mam nadzieję, że tak się stało. Nie ma go na mojej mapie Friendly Flyer, więc nie jestem całkiem pewien.

Górę, na której zboczu stał klasztor Kaspra, zobaczyliśmy z bardzo daleka. Jak inne szczyty w sąsiedztwie, wbijała się w niebo niczym gigantyczny ząb. U podnóża leżała wioska, otoczona górskimi pastwiskami. Zatrzymaliśmy się w niej, by odpocząć i napoić wielbłądy. Wszyscy mieszkańcy wyszli nam na spotkanie; dziwili się naszym niezwykłym oczom i kędzierzawym włosom Joszuy, jakbyśmy byli bogami zesłanymi tu z nieba (co chyba było prawdą w przypadku Josha, ale człowiek zapomina o takich rzeczach, kiedy długo z kimś przebywa). Stara bezzębna kobieta, mówiąca chińskim dialektem podobnym do tego, którego nauczyła mnie Radosna, przekonała nas, by zostawić wielbłądy we wsi. Kościstym palcem pokazała nam ścieżkę i było oczywiste, że dla zwierząt jest ona zbyt wąska i zbyt stroma.

Wieśniacy podali nam ostro przyprawione mięso i misy spienionego mleka do popicia. Zawahałem się i zerknąłem na Joszuę. Tora zabrania spożywania mięsa i mleka podczas tego samego posiłku.

– Wydaje mi się, że to całkiem podobne do kwestii bekonu – stwierdził Joszua. – Nie sądzę, by Pana interesowało, czy popijemy naszego jaka czarą mleka.

– Jaka?

– Mięso jest z jaka. Stara kobieta mi powiedziała.

– Grzech czy nie, nie będę tego jadł. Wypiję tylko mleko.

– To również mleko jaka.

– To nie piję.

– Użyj własnego osądu. W przeszłości tak dobrze ci przecież służył, jak choćby, no... kiedy postanowiłeś, że należy objechać mur dookoła.

– Wiesz – powiedziałem, znużony tym ciągłym powracaniem do sprawy muru. – Nigdy nie mówiłem, że możesz używać sarkazmu, kiedy tylko przyjdzie ci ochota. Uważam, że wykorzystujesz mój wynalazek w sposób, w jaki nie powinien być wykorzystywany.

– Na przykład przeciwko tobie?

– No widzisz? Widzisz, o co mi chodzi?

Opuściliśmy wioskę rankiem następnego dnia, biorąc tylko trochę ryżowych kulek, nasze bukłaki i skromną resztkę pieniędzy. Trzy wielbłądy zostawiliśmy pod opieką bezzębnej kobiety, która obiecała, że przypilnuje ich do naszego powrotu. Będę za nimi tęsknił. To były solidne dwugarbne zwierzaki, kupione w Kabulu. Dobrze się na nich jeździło, a co ważniejsze, żaden nie próbował mnie ugryźć.

– Oni zjedzą nasze wielbłądy, wiesz? Nie minie godzina od naszego wyjścia, a już pierwszy będzie się kręcił na rożnie.

– Nie zjedzą wielbłądów.

Joszua jak zawsze wierzył w ludzką dobroć.

– Nie wiedzą, co to takiego. Pomyślą, że to po prostu wysokie jedzenie. Zjedzą je. Przecież jedyne mięso, jakie tu mają, to jak.

– Nie wiesz nawet, co to jest jak.

– Właśnie że wiem – zapewniłem.

Ale powietrze było już zbyt rozrzedzone, a ja zbyt zmęczony, by od razu wykazać prawdę moich słów.

Słońce kryło się już za górą, kiedy wreszcie stanęliśmy przed klasztorem. Poza wielkimi drewnianymi wrotami z małą klapką, był w całości zbudowany z czarnego bazaltu, tak jak góra, na której się wznosił. Wyglądał bardziej jak twierdza niż miejsce kultu.

– Ciekawe, czy wszyscy trzej twoi mędrcy mieszkają w fortecach – powiedziałem.

– Uderz w gong – polecił Joszua.

Przed bramą wisiał gong z brązu i owinięta skórą pałka, a obok tabliczka z napisem w języku, którego nie potrafiłem odczytać. Uderzyłem w gong. Czekaliśmy. Uderzyłem znowu. I znowu czekaliśmy. Słońce zaszło i na zboczu zrobiło się bardzo zimno. Zjedliśmy ryżowe kulki, wypiliśmy większą część wody i czekaliśmy. Stłukłem gong do nieprzytomności i klapka się uchyliła. Słaby blask z wnętrza oświetlił gładkie policzki Chińczyka mniej więcej w naszym wieku.

– Czego chcecie? – zapytał po chińsku.

– Przyszliśmy zobaczyć się z Kasprem – odparłem. – Baltazar nas przysyła.

– Kasper nikogo nie przyjmuje. Wasz aspekt jest niejasny, a wasze oczy zbyt okrągłe.

Zatrzasnął klapkę.

Tym razem to Joszua walił w gong, aż mnich powrócił.

– Pokaż no mi tę pałkę – powiedział i wyciągnął rękę przez okienko.

Joszua podał mu pałkę i odstąpił.

– Odejdźcie stąd i wróćcie rano – nakazał mnich.

– Ale my szliśmy przez cały dzień – poskarżył się Joszua. – Jesteśmy zmarznięci i głodni.

– Życie jest cierpieniem – stwierdził mnich i zatrzasnął klapkę, pozostawiając nas prawie w całkowitej ciemności.

– Może tego właśnie mieliśmy się nauczyć – powiedziałem. – Wracajmy do domu.

– Nie – sprzeciwił się Joszua. – Zaczekamy.

Przespaliśmy tę noc przed bramą, przytuleni do siebie, by nie tracić ciepła. Rankiem mnich otworzył klapkę.

– Wciąż tu jesteście?

Nie widział nas, gdyż leżeliśmy bezpośrednio pod jego okienkiem.

– Tak – odpowiedziałem. – Możemy już zobaczyć się z Kasprem?

Wyciągnął szyję przez okienko, potem cofnął się i wysunął drewnianą miseczkę, z której polał wodą nasze głowy.

– Odejdźcie. Wasze stopy są zniekształcone, a wasze brwi zrośnięte w sposób sugerujący groźbę.

– Ale...

Zatrzasnął klapkę. Cały dzień spędziliśmy pod bramą; ja chciałem zejść na dół, Joszua upierał się, żeby czekać. Kiedy zbudziliśmy się następnego ranka, mieliśmy szron na włosach i czułem, że bolą mnie nawet kości.

Mnich otworzył klapkę o pierwszym brzasku.

– Jesteście tak głupi, że cech wioskowych głupków używa was jako wzorca przy egzaminach – powiedział.

– Prawdę mówiąc, jestem członkiem cechu wioskowych głupków – odparowałem.

– W takim razie – rzekł mnich – idźcie stąd.

Przeklinałem elokwentnie w pięciu językach i już zaczynałem wyrywać sobie włosy z głowy, kiedy zauważyłem, że po niebie sunie coś dużego. Kiedy się zbliżyło, rozpoznałem anioła w jego aspekcie czarnej szaty i skrzydeł. Niósł płonącą wiązkę chrustu i smoły, i wlókł za sobą warkocz ognia i czarnego dymu. Przeleciał nad nami kilka razy i zniknął za horyzontem, pozostawiając dymne ślady układające się w chińskie znaki. Wypisana na niebie wiadomość brzmiała: PODDAJ SIĘ, DOROTKO!

Tak tylko was wkręcam (jak mawiał czasem Baltazar). Tak naprawdę Raziel nie wypisał na niebie PODDAJ SIĘ, DOROTKO. Razem z aniołem oglądaliśmy wczoraj w telewizji *Czarnoksiężnika z Krainy Oz* i scena pod bramami Oz przypomniała mi, jak z Joszuą czekaliśmy przed bramą klasztoru. Raziel powiedział, że identyfikuje się z Gladiolą, Dobrą Czarownicą Północy (moim zdaniem bardziej by pasowała latająca małpa, ale mam wrażenie, że wybrał po prostu kogoś z włosami blond). Muszę wyznać, że czułem sympatię do Stracha na Wróble, ale nie wierzę, żebym miał ochotę śpiewać o braku mózgu. Prawdę mówiąc, wśród tych muzycznych lamentów nad brakiem mózgu, serca i odwagi, czy ktoś zauważył, że nie mieli ani jednego penisa? U Lwa i Blaszanego Drwala byłoby widać, a kiedy Strach na Wróble zostaje wybebeszony, nie pokazują przecież na ekranie latającej małpy, wymachującej zagubionym słomianym fiutem, prawda? Chyba wiem, jaką piosenkę bym śpiewał:

Chętnie leżałbym na błoniach,
Pośród kwiatów waląc konia,
Kiedy pieśń wypełnia serce me.
Liliom dodałbym urody,
Gdyż mój fiut jak rumak młody
Byłby pewnie. Ach ptaszka mieć chcę.

I kiedy komponowałem ten opus, przyszło mi nagle do głowy, że wprawdzie Raziel zawsze wyglądał na mężczyznę, ale nie mam pojęcia, czy anioły w ogóle mają płeć. W końcu on jest przecież jedynym, którego poznałem.

Poderwałem się z krzesła i stanąłem przed nim, w samym środku popołudniowego festiwalu *Looney Tunes*.

– Razielu, czy jesteś wyposażony?

– Wyposażony?

– Czy masz freda, fiuta, laskę... Masz?

– Nie – odparł anioł, zdziwiony, że o to pytam. – A po co byłby mi potrzebny?

– Do seksu. Czy anioły uprawiają seks?

– No owszem, ale nie używamy tego.

– Czyli istnieją anioły żeńskie i anioły męskie?

– Tak.

251

– I uprawiasz seks z żeńskimi aniołami?

– Zgadza się.

– A z czym uprawiasz ten seks?

– Z żeńskimi aniołami, przecież mówię.

– Nie... Czy masz organ płciowy?

– Tak.

– Pokażesz?

– Nie mam go ze sobą.

– Aha.

Zrozumiałem, że są pewne sprawy, o których naprawdę wolałbym nie wiedzieć.

W każdym razie nie napisał nic na niebie. W ogóle nie widzieliśmy już Raziela, ale po trzech dniach mnisi wpuścili nas do klasztoru. Powiedzieli, że wszystkim każą czekać trzy dni. To eliminuje tych nieszczerych.

Cała piętrowa budowla stanowiąca klasztor została wzniesiona z surowych kamieni, takiej wielkości, z jaką mógłby poradzić sobie jeden człowiek. Tylna część zagłębiała się w zbocze góry. Budynek stanął chyba pod istniejącą wcześniej skalną przewieszką, by odsłaniać żywiołom jak najmniejszą część dachu. Ta część wznosiła się stromo i pokrywały ją terakotowe dachówki, wyraźnie po to, żeby nie dopuścić do nagromadzenia śniegu.

Niski, bezwłosy mnich w szacie koloru szafranu przeprowadził nas przez zewnętrzny brukowany dziedziniec i przez surową bramę do wnętrza budynku. Podłogi były tu kamienne, a choć nieskazitelnie czyste, to jednak wygładzone nie bardziej od bruku na dziedzińcu. Nieliczne wycięte wysoko w ścianach okna przypominały raczej szczeliny strzeleckie i, po zamknięciu drzwi, do środka wpadało niewiele światła. Powietrze było gęste od dymu kadzidła; wibrowało chórem męskich głosów, śpiewających rytmiczną, monotonną pieśń, która dobiegała zewsząd i znikąd równocześnie; wywoływała wrażenie, że wibrują mi żebra i kolana. Choć śpiewali w języku, którego nie rozumiałem, przekaz był jasny – przywoływali coś, co wykracza poza granice tego świata.

Weszliśmy za mnichem po wąskich stopniach do wąskiego korytarza. Z obu stron miał szeregi wąskich, sięgających mi do pasa otworów. Gdy je mijaliśmy, zobaczyłem, że prowadzą do cel mnichów, dostatecznie dużych, by pomieścić leżącego, niewysokiego człowieka. W każdej na podłodze leżała pleciona mata, a pod ścianą naprzeciw drzwi zwinięte wełniane przykrycie, ale nie dostrzegłem żadnych przedmiotów osobistych ani miejsca, gdzie można je przechowywać. Nie było drzwi, by zamknąć je dla zachowania prywatności. Krótko mówiąc, cele były całkiem podobne do miejsca, w którym się wychowywałem, co jednak nie sprawiło, że bardziej mi się spodobały. Rozpieściło mnie prawie pięć lat relatywnego bogactwa fortecy Baltazara. Tęskniłem za miękkim łóżkiem i kilkoma chińskimi konkubinami, które by mnie karmiły i nacierały ciało aromatycznymi olejkami. (Przecież mówiłem, że byłem rozpieszczony).

W końcu mnich wprowadził nas do rozległego otwartego pomieszczenia z wysokim kamiennym sklepieniem i uświadomiłem sobie, że nie jest ono dziełem człowieka – znaleźliśmy się w wielkiej grocie. Na jej drugim końcu zobaczyłem kamienny posąg mężczyzny; siedział ze skrzyżowanymi nogami, oczy miał zamknięte, a dłonie wyciągnięte przed sobą, z palcami ułożonymi tak, że wskazujący i kciuk tworzyły zamknięte okręgi. Oświetlony pomarańczowymi płomykami świec, z wiszącym nad ogoloną głową obłokiem kadzidlanego dymu, wyglądał jak pogrążony w modlitwie. Mnich, nasz przewodnik, zniknął gdzieś w mroku spowijającym boczne części groty, a Joszua i ja zbliżyliśmy się do posągu, stąpając ostrożnie po szorstkiej kamiennej posadzce.

(Rzeźbione wizerunki dawno już przestały budzić nasze zdziwienie i oburzenie. Szeroki świat i dzieła sztuki, jakie oglądaliśmy podczas wędrówki, ostudziły naszą gorliwość nawet wobec tego surowego przykazania. „Bekon", stwierdził krótko Joszua, kiedy go o to zapytałem).

Z tej wielkiej hali dobiegał śpiew, który słyszeliśmy od chwili wejścia do klasztoru. Kiedy mijaliśmy cele mnichów, oceniliśmy, że musi być ich przynajmniej dwudziestu, łączących głosy w monotonnym brzęczeniu, choć echa w grocie sprawiały, że równie dobrze mógł być tylko jeden – albo tysiąc.

Kiedy podeszliśmy do posągu, próbując ocenić, z jakiego kamienia go wyrzeźbiono, otworzył oczy.

– Czy to ty, Joszuo? – zapytał w bezbłędnym aramejskim.

– Tak – potwierdził Joszua.

– A on kim jest?

– To mój przyjaciel, Biff.

– Od teraz będzie się zwał Dwudziesty Pierwszy, kiedy trzeba będzie go wezwać, a ty będziesz Dwudziestym Drugim. Dopóki przebywacie tutaj, nie macie imion.

Posąg nie był posągiem, oczywiście – to był Kasper. Pomarańczowy blask świec i całkowity bezruch sprawiły, że tylko się wydawało, że jest z kamienia. Przypuszczam, że daliśmy się oszukać również dlatego, że spodziewaliśmy się Chińczyka. Tymczasem Kasper wyglądał, jakby pochodził z Indii. Skórę miał jeszcze ciemniejszą niż my, a na czole czerwoną plamkę, jakie widywaliśmy u indyjskich kupców w Kabulu i Antiochii. Trudno byłoby ocenić jego wiek, nie miał bowiem włosów ani zarostu, a także zmarszczek na twarzy.

– On jest Mesjaszem – oświadczyłem. – Synem Bożym. Przybyłeś, by zobaczyć go po narodzinach.

Kasper wciąż nie zmieniał wyrazu twarzy.

– Mesjasz musi umrzeć, jeśli chcecie się uczyć – rzekł. – Zabijcie go jutro.

– Przepraszam?

– Jutro się dowiecie. Nakarmić ich – polecił Kasper.

Z mroku wynurzył się następny mnich, prawie identyczny z pierwszym. Ujął Joszuę za ramię i wyprowadził nas ze świątyni w grocie z powrotem do cel. Tam pokazał Joszui i mnie nasze sypialnie. Odebrał nam sakwy i odszedł, by wrócić po kilku minutach z miseczką ryżu i kubkiem słabej herbaty dla każdego. Potem znowu odszedł. Przez cały czas nie odezwał się ani słowem.

– Prawdziwy gaduła z niego – zauważyłem.

Joszua włożył do ust garść ryżu i skrzywił się – ryż był zimny i niesłony.

– Jak myślisz? – spytał. – Czy powinienem się martwić tym, co powiedział Kasper, że jutro Mesjasz umrze?

– Pamiętasz, że nigdy nie byłeś całkiem pewien, czy jesteś Mesjaszem, czy nie?

– Owszem.

– No więc jutro, jeśli nie zabiją cię zaraz o świcie, powiedz im to.

Następnego ranka mnich Numer Siedem zbudził Joszuę i mnie, bijąc nas w stopy bambusowym kijem. Trzeba go pochwalić, że uśmiechnął się, kiedy w końcu starłem z oczu sen, ale niewielka to pociecha. Numer Siódmy był niski i chudy, miał wysokie kości policzkowe i szeroko rozstawione oczy. Nosił długą pomarańczową szatę z surowej bawełny, i chodził boso. Był gładko ogolony, także na głowie – z wyjątkiem związanego sznurkiem cienkiego warkoczyka, wyrastającego z czubka głowy. Wyglądał, jakby mógł być w każdym wieku, od siedemnastu do trzydziestu pięciu lat – nie dało się tego określić. (Jeśli interesuje was wygląd mnichów od Drugiego do Szóstego i od Ósmego do Dwudziestego, wyobraźcie sobie dziewiętnaście razy Numer Siódmy. A przynajmniej tacy mi się wydawali przez pierwsze kilka miesięcy. Jestem przekonany, że później – jeśli pominąć fakt, że byliśmy wyżsi i okrągłoocy – też zaczęliśmy pasować do tego opisu. Kiedy człowiek stara się zrzucić więzy jaźni, niepowtarzalny wygląd staje się przeszkodą. Dlatego nazywają to „uniformem". Ale przepraszam, za bardzo wybiegłem w przód).

Numer Siódmy pokazał nam okno, wyraźnie używane jako latryna, poczekał, aż z niego skorzystamy, a potem zabrał nas do małego pokoju, gdzie przy niskim stoliku, z nogami skrzyżowanymi w pozornie niemożliwej pozycji, siedział Kasper. Numer Siódmy skłonił się i odszedł, a Kasper poprosił – znowu w naszym ojczystym aramejskim – byśmy usiedli.

Usiedliśmy więc naprzeciw niego na podłodze – nie, właściwie nie; nie usiedliśmy, a raczej położyliśmy się na bokach, wsparci na łokciach, tak jak przy niskich stołach w domu. Usiedliśmy dopiero wtedy, gdy Kasper wyjął spod stolika bambusowy kij i ruchem szybkim jak atakująca kobra trzepnął nas kolejno po głowach.

– Powiedziałem: usiądźcie – rzekł.

Wtedy usiedliśmy.

– O rany – jęknąłem, rozcierając rosnącego za uchem guza.

– Słuchajcie. – Kasper uniósł kij, by wyraźnie dać nam do zrozumienia, o co mu chodzi.

Słuchaliśmy, jakby lada chwila mieli całkiem wyłączyć dźwięk i trzeba było zrobić zapas. Wydaje mi się, że na chwilę wstrzymałem oddech.

– Dobrze – pochwalił Kasper.

Odłożył kij i nalał herbaty do trzech prostych czarek na stoliku.

Patrzyliśmy na tę parującą herbatę... Tylko patrzyliśmy. Kasper roześmiał się jak mały chłopiec; widoczne jeszcze przed chwilą władczość i powaga całkiem zniknęły z jego twarzy. Mógłby być teraz dobrodusznym wujem. Właściwie to – mimo wyraźnie indyjskich rysów – bardzo mi przypominał Józefa, ojczyma Josha.

– Żadnego Mesjasza – powiedział, przechodząc na chiński. – Rozumiecie?

– Tak – odpowiedzieliśmy.

W ułamku sekundy bambusowy kij znalazł się w jego dłoni, a drugi koniec odbił się od głowy Joszuy. Osłoniłem głowę rękami, czekając na cios, który nie nadszedł.

– Czy uderzyłem Mesjasza? – zapytał Joszuę Kasper.

Joszua wydawał się szczerze zdumiony. Milczał, rozcierając głowę, gdy kolejny cios trafił go nad drugim uchem. W kamiennym pokoju dźwięk uderzenia zabrzmiał ostro i głośno.

– Czy uderzyłem Mesjasza? – powtórzył Kasper.

Ciemnobrązowe oczy Josha nie ukazywały ani bólu, ani lęku, a tylko dezorientację – taką jak dezorientacja cielęcia, któremu kapłan ze Świątyni właśnie poderżnął gardło.

Kij świsnął znowu, ale tym razem złapałem go w powietrzu, wyrwałem Kasprowi z dłoni i wyrzuciłem przez wąskie okno za jego plecami.

– Błagam o wybaczenie, mistrzu – powiedziałem. – Ale jeśli jeszcze raz go uderzysz, zabiję cię.

Kasper wstał, ale bałem się na niego spojrzeć (na Joszuę też, muszę przyznać).

– Ego – rzekł mnich. I bez słowa wyszedł z pokoju.

Przez kilka minut Joszua i ja siedzieliśmy w milczeniu, myśląc i rozcierając guzy. No cóż, odbyliśmy interesującą podróż i w ogóle, ale Joszua nie nauczy się raczej, jak być Mesjaszem, od kogoś, kto tłucze go kijem, ile razy się o tym wspomni. A przecież, o ile wiem, przybył właśnie po naukę. Trzeba więc ruszać dalej.

Wypiłem stojącą przede mną czarkę herbaty, potem tę, którą zostawił Kasper.

– Dwóch Mędrców zaliczonych, został jeden – powiedziałem. – Lepiej zjedzmy jakieś śniadanie, skoro mamy wyruszyć.

Joszua spojrzał na mnie tak samo zdziwiony, jak przed chwilą na Kaspra.

– Myślisz, że potrzebny mu ten kij?

Mnich Numer Siedem oddał nam sakwy, skłonił się głęboko i wrócił do klasztoru, zamykając bramę. Joszua i ja staliśmy obok gongu. Był jasny ranek i widzieliśmy, jak nad wioską w dole unoszą się smugi dymu z palenisk.

– Powinniśmy poprosić o śniadanie – powiedziałem. – Czeka nas długa droga w dół.

– Ja nie idę – oświadczył Joszua.

– Chyba żartujesz.

– Wiele mogę się tu nauczyć.

– Na przykład, jak przyjmować lanie?

– Możliwe.

– Nie jestem pewien, czy Kasper przyjmie mnie z powrotem. Nie był chyba ze mnie zadowolony.

– Groziłeś, że go zabijesz.

– Wcale nie. Ostrzegłem, że go zabiję. To wielka różnica.

– Więc nie masz zamiaru tu zostać?

I oto padło pytanie: czy chcę zostać z moim najlepszym przyjacielem, jeść zimny ryż, spać na zimnej posadzce, godzić się na maltretowanie przez obłąkanego mnicha i zapewne skończyć z rozłupaną czaszką, czy chcę odejść? Ale dokąd? Do domu? Z powrotem do Kabulu i Radosnej? Mimo dalekiej podróży, wydawało się, że łatwiej wracać drogą, którą przyszedłem. Przynajmniej zdążyłem ją już trochę poznać. Ale jeśli wolałem łatwe wybory, to co w ogóle tutaj robiłem?

– Na pewno chcesz zostać, Josh? Nie możemy poszukać Melchiora?

– Wiem, że wielu rzeczy muszę się tu nauczyć.

Joszua chwycił pałkę i uderzył w gong. Po chwili otworzyło się okienko we wrotach i w otworze pojawiła się twarz mnicha, którego jeszcze nie znaliśmy.

– Idźcie sobie – powiedział. – Naturę macie tępą, a wasz oddech cuchnie jak tyłek jaka.

Zatrzasnął klapkę.

Joszua uderzył w gong jeszcze raz.

– Nie podoba mi się to gadanie o zabiciu Mesjasza. Nie mogę tu zostać, Joszua. Nie, jeśli on nadal zamierza cię bić.

– Mam przeczucie, że oberwę jeszcze parę razy, zanim nauczę się tego, co chce mi pokazać.

– Muszę odejść.

– Tak, musisz.

– Ale mógłbym zostać.

– Nie. Zaufaj mi, musisz zostawić mnie teraz, żebyś nie zrobił tego później. Zobaczymy się jeszcze.

Odwrócił się ode mnie i stanął twarzą do wrót.

– Aha... Czyli nic więcej nie wiesz, ale to wiesz? Tak nagle?

– Tak. Idź, Biff. Żegnaj.

Ruszyłem w dół wąską ścieżką i prawie spadłem w przepaść, kiedy usłyszałem, że otwiera się klapka we wrotach.

– Dokąd idziesz?! – krzyknął mnich.

– Do domu – odpowiedziałem.

– I dobrze. Idź, postrasz jakieś dzieci swoją wybitną ignorancją.

– Tak zrobię.

Starałem się opanować drżenie ramion, ale miałem uczucie, jakby przez mięśnie grzbietu ktoś wyrywał ze mnie duszę. Nie zawrócę, przyrzekłem sobie. Powoli, z trudem podążałem ścieżką w dół, przekonany, że już nigdy nie zobaczę Joszuy.

17

Życie w hotelu wpadło w monotonną rutynę, przez co przypomina mi tamte dni w Chinach. Godziny jawy wypełniam spisywaniem tych stron, oglądaniem telewizji, drażnieniem anioła i wymykaniem się do łazienki, gdzie czytam Ewangelie. Myślę, że to ostatnie wpycha godziny snu w pejzaż koszmarów, przez co budzę się wyczerpany. Skończyłem Marka i on też opowiada o zmartwychwstaniu, o dziełach poza czasem śmierci mojej i Joszuy. Historia jest podobna do opowiedzianej przez tego Mateusza, wydarzenia trochę poplątane, ale zasadniczo to historia Joszuowej posługi. Jednakże to opowieść o ostatnim tygodniu Paschy napełnia mnie lękiem. Anioł nie zdołał ukryć przede mną, że nauki Joszuy przetrwały i zyskały wielką popularność. (Przestał nawet zmieniać kanał, kiedy w TV wspominają o Joszui, jak to robił na samym początku). Ale czy to właśnie jest księga, z której czerpane są nauki Joszuy? Śnię o krwi, o cierpieniu, o samotności tak wielkiej, że nawet echo nie może jej przetrwać, i zrywam się z krzykiem, mokry od potu. Nawet kiedy się budzę, samotność pozostaje jeszcze przez chwilę.

Zeszłej nocy, kiedy się przebudziłem, zdawało mi się, że widzę u stóp swego łóżka kobietę, a obok niej anioła. Rozpostarte czarne skrzydła dotykały ścian z obu stron pokoju. Potem, zanim się zorientowałem, anioł otulił kobietę skrzydłami, a ona zniknęła w ich cieniu i już jej nie było. Myślę, że wtedy naprawdę się obudziłem, bo anioł leżał obok, na sąsiednim łóżku i patrzył w ciemność. Jego oczy były jak czarne perły i odbijały czerwone mrugające światła

260

ostrzegawcze, świecące słabo przez okno ze szczytów budynków po drugiej stronie ulicy. Nie było skrzydeł, czarnej szaty ani kobiety. Tylko Raziel, zapatrzony w mrok.

– Koszmary? – zapytał.

– Wspomnienia – odpowiedziałem.

Czy spałem? Pamiętam to samo mrugające czerwone światło, tak samo słabe, igrające na policzku i grzbiecie nosa kobiety z mojego koszmaru (tylko tyle widziałem z jej twarzy). A te eleganckie linie pasowały do zakamarków mojej pamięci jak klucz do zapadek zamka; uwalniały cynamon, drzewo sandałowe i śmiech słodszy niż najpiękniejszy dzień dzieciństwa.

Dwa dni po moim odejściu z klasztoru uderzyłem w gong przed bramą, a klapka uchyliła się i zobaczyłem twarz niedawno ogolonego mnicha. Skóra na głowie wciąż była o kilkanaście odcieni jaśniejsza niż ta na jego twarzy.

– Czego? – zapytał.

– Wieśniacy zjedli nasze wielbłądy – powiedziałem.

– Odejdź stąd. W nieprzyjemny sposób wydymasz nozdrza, a twoja dusza jest bryłowata.

– Wpuść mnie, Joszua. Nie mam dokąd pójść.

– Nie mogę cię tak zwyczajnie wpuścić – szepnął Josh. – Musisz odczekać trzy dni, jak wszyscy. – A potem dodał głośno, wyraźnie, tak by być słyszanym w środku: – Wydajesz się zarażony Beduinami! Odejdź!

Stałem tam. I czekałem, Po kilku minutach otworzył klapkę.

– Zarażony Beduinami? – spytałem.

– Nie czepiaj się. Jestem nowy. Przyniosłeś jedzenie i wodę, żeby tu przeżyć?

– Tak. Ta bezzębna kobieta sprzedała mi trochę suszonego wielbłądziego mięsa. To danie dnia.

– Na pewno jest nieczyste – uznał Josh.

– Bekon, Joszua. Zapomniałeś?

– A tak. Przepraszam. Spróbuję wynieść ci trochę herbaty i derkę, ale raczej nie zaraz.

– Więc Kasper pozwoli mi wrócić?

– Nie mógł zrozumieć, dlaczego w ogóle odszedłeś. Powiedział, że jeśli już ktoś potrzebuje nauczyć się dyscypliny, no, zresztą sam wiesz. Myślę, że dostaniesz jakąś karę.

– Przepraszam, że cię opuściłem.

– Nie opuściłeś. – Uśmiechnął się. Ze swoją dwukolorową głową wyglądał głupiej niż normalnie. – Powiem ci, że jednej rzeczy już się tu nauczyłem.

– Czego?

– Kiedy ja będę szefem, to gdy ktoś zapuka, będzie mógł wejść. Zmuszać kogoś, kto szuka pociechy, żeby stał na zimnie, to garnek zjełczałego masła jaka.

– Amen – rzekłem.

Zatrzasnął klapkę, co było najwyraźniej nakazanym sposobem jej zamykania. Stałem przed bramą i zastanawiałem się, jak Joszua – gdy w końcu nauczy się już być Mesjaszem – umieści w kazaniu frazę „garnek zjełczałego masła jaka". Akurat tego potrzeba nam, Żydom, myślałem: kolejnych restrykcji żywieniowych.

Mnisi rozebrali mnie do naga i lali na głowę zimną wodę, potem szorowali energicznie szczotkami zrobionymi ze szczeciny dzika, potem oblewali gorącą wodą, znowu szorowali, potem znów zimną, aż wrzeszczałem, żeby przestali. Wtedy ogolili mi głowę, przy okazji szczodrze znacząc ją zadrapaniami, spłukali przyklejone do ciała włosy, podali świeżą pomarańczową szatę, derkę i drewnianą miseczkę na ryż. Później dostałem jeszcze łapcie uplecione z jakiejś trawy i sam zrobiłem sobie skarpety z tkanej sierści jaka. Przez sześć lat było to miarą mojego bogactwa: szata, koc, miseczka, łapcie i skarpety.

Kiedy Mnich Numer Osiem prowadził mnie na spotkanie z Kasprem, myślałem o moim dawnym przyjacielu Bartłomieju i o tym, jak bardzo podobałaby mu się ta nowo osiągnięta skromność. Często opowiadał, jak jego patriarcha, cynik Diogenes, przez lata nosił ze sobą miseczkę, aż raz zobaczył człowieka pijącego ze zwiniętej dłoni. Powiedział wtedy: „Byłem głupcem, dźwigając przez tyle lat ciężar miseczki, kiedy całkiem dobre naczynie znajduje się na końcu mego ramienia".

No, owszem, pewnie, może to i dobre dla Diogenesa, ale ponieważ było to wszystko, co miałem, to gdyby ktoś próbował odebrać mi miseczkę, straciłby owo naczynie na końcu ramienia.

Kasper siedział na podłodze w tym samym małym pokoiku: oczy zamknięte, dłonie złożone na kolanach. Joszua siedział naprzeciwko w tej samej pozycji. Mnich Numer Osiem skłonił się i wyszedł, a Kasper otworzył oczy.

– Usiądź.

Usiadłem.

– Są cztery reguły, których złamanie powoduje wydalenie z klasztoru. Pierwsza: mnich nie ma stosunków płciowych z nikim, aż do poziomu zwierzęcia.

Joszua spojrzał na mnie i zgarbił się, jakby oczekiwał, że powiem coś, co rozgniewa Kaspra.

– Jasne – zgodziłem się. – Żadnych stosunków.

– Druga: mnich, czy w klasztorze, czy w wiosce, nie weźmie żadnej rzeczy, która nie jest mu dana. Trzecia: jeśli mnich umyślnie odbierze życie człowiekowi albo podobnemu do człowieka, czy to ręką, czy bronią, zostanie wydalony.

– Podobnemu do człowieka? – zdziwiłem się.

– Zobaczysz – odparł Kasper. – Czwarta: mnich, który twierdzi, że osiągnął stany nadludzkie, albo twierdzi, że posiadł mądrość świętych, gdy w rzeczywistości tak nie jest, zostanie wydalony. Czy zrozumieliście te cztery reguły?

– Tak – potwierdziłem.

Joszua kiwnął głową.

– Pamiętajcie, że nie ma żadnych okoliczności łagodzących. Jeśli inni mnisi osądzą, że popełnicie którekolwiek z tych wykroczeń, musicie odejść z klasztoru.

Znów powiedziałem: „tak", a Kasper przeszedł do trzynastu reguł, za złamanie których mnich może być zawieszony i usunięty na dwa tygodnie (pierwsza złamała mi serce: „żadnej emisji nasienia, chyba że we śnie"). A potem dziewięćdziesiąt wykroczeń, za które czeka niepomyślne odrodzenie, o ile grzech nie będzie odpokutowany (ich zakres obejmował wiele rzeczy, od niszczenia dowolnej roślinności albo umyślnego pozbawienia życia zwierzęcia, poprzez siedzenie z kobietą na otwartej przestrzeni, po wyznanie laikowi, że ma się nadludzkie moce, nawet jeśli ma się je rzeczywiście). Ogólnie, poznaliśmy niesamowitą liczbę reguł, ponad sto o normach zachowania, dziesiątki o rozstrzyganiu dyskusji... Pamiętajcie jednak, że byliśmy Żydami, wychowanymi pod wpływem faryzeuszy, którzy w zasadzie każde zdarzenie codziennego życia osądzali według prawa mojżeszowego. U Baltazara studiowaliśmy Konfucjusza, którego filozofia była właściwie rozszerzonym systemem etykiety. Nie wątpiłem, że Joszua sobie poradzi, istniała też szansa, że i mnie się uda, jeśli tylko Kasper nie będzie zbyt swobodnie używał bambusowego kija i jeśli zdołam dostatecznie często wywoływać nocne zmazy. (Hej, przecież miałem osiemnaście lat i właśnie przeżyłem pięć z nich w fortecy pełnej dostępnych konkubin. Przyzwyczaiłem się, jasne?).

– Mnichu Numer Dwudziesty Drugi – zwrócił się Kasper do Joszuy – zaczniesz od nauki siedzenia.

– Ja umiem siedzieć – wtrąciłem.

– A ty, Numerze Dwudziesty Pierwszy, ostrzyżesz jaka.

– To jest tylko takie powiedzenie, prawda?

Nie było.

Jak jest niezwykle wielkim, niezwykle kudłatym, podobnym do bawołu zwierzęciem, uzbrojonym w groźne z wyglądu czarne rogi. Jeśli widzieliście kiedyś bawołu, wyobraźcie go sobie noszącego na całym ciele perukę z włosami wlokącymi się po ziemi. Potem spryskajcie go piżmem, gnojówką i skwaśniałym mlekiem – i macie jaka. W oborze w jaskini mnisi trzymali jedną samicę, którą za dnia wypuszczali, by pasła się na górskich ścieżkach. Nie wiem czym. Wydawało się, że nie ma tu dość roślinności, by wykarmić zwierzaka tych rozmiarów (jak jest w kłębie wyższy niż ja). Ale przecież zdawało się, że w całej Judei nie ma dość roślinności, by wystarczyło dla stada kóz, a mimo to pasterstwo jest jednym z głównych zajęć. Cóż ja mogę o tym wiedzieć?

Jak dostarczał akurat tyle mleka i sera, by przypomnieć mnichom, że z jednego jaka nie uzyskają dość mleka i sera dla dwudziestu dwóch mnichów. Zwierzę było też źródłem szorstkiej wełny, którą należało ścinać dwa razy w roku. Ten chwalebny obowiązek – wraz z grabieniem gnoju i wyczesywaniem z sierści trawy i rzepów – spadł na mnie.

O jakach nie trzeba wiedzieć wiele, poza tym, o czym wspomniałem wyżej. Z wyjątkiem pewnej ważnej informacji. Kasper uznał, że powinienem odkryć ją drogą praktyki: jaki nienawidzą strzyżenia.

Mnisi Ósmy i Siódmy zabandażowali mnie, nastawili połamane nogi i rękę i oczyścili z nawozu jaka, dokładnie wdeptanego w moje ciało. Opisałbym wam różnice między tymi dwoma poważnymi uczniami, ale nie potrafię. Celem wszystkich mnichów było uwolnienie się od ego, własnej jaźni, i poza kilkoma dodatkowymi zmarszczkami na twarzach starszych mężczyzn, wszyscy wyglądali tak samo, ubierali się tak samo i zachowywali tak samo. Ja przeciwnie – mimo ogolonej głowy i szafranowej szaty, bardzo się od nich różniłem, gdyż miałem połowę ciała w bandażach i trzy z czterech kończyn ujęte w bambusowe łupki.

Po katastrofie z jakiem Joszua czekał do nocy, nim przekradł się do mojej celi. W korytarzu rozbrzmiewały ciche pochrapywania mnichów, a lekkie turbulencje nietoperzy, które przez klasztor docierały do swojej groty, niosły się wśród kamiennych ścian niby śmiertelne tchnienia epileptycznych cieni.

– Boli? – zapytał Joszua.

Mimo chłodu pot spływał mi z twarzy.

– Ledwie oddycham.

Siódmy i Ósmy nastawili mi złamane żebra, ale i tak każdy oddech był jak nóż wbity w pierś.

Joszua położył mi dłoń na czole.

– Wyjdę z tego, Josh. Nie musisz się tak męczyć.

– A dlaczego nie? – zdziwił się. – Nie mów za głośno.

Po kilku sekundach ból minął i znowu mogłem oddychać. Wtedy zasnąłem, a może zemdlałem z wdzięczności, trudno powiedzieć. Gdy przebudziłem się o świcie, Joszua wciąż klęczał przy mnie, wciąż z dłonią na moim czole. Usnął w tej pozycji.

Zaniosłem wyczesaną wełnę jaka Kasprowi, który śpiewał w wielkiej grocie świątyni. Był tego spory pakunek, który ułożyłem za mnichem na ziemi i wycofałem się.

– Czekaj – rzekł Kasper, unosząc palec. Dokończył inkantację i zwrócił się do mnie: – Herbata – rzekł.

Poszedł pierwszy, a ja za nim, do małego pokoiku, gdzie przyjmował mnie i Joszuę zaraz po naszym przybyciu.

– Siądź – nakazał. – Siądź, nie czekaj.

Usiadłem i patrzyłem, jak rozpala węgiel drzewny na małym kamiennym palenisku. Używał łuku i kołka, by rozniecić płomienie najpierw na suchym mchu, a potem rozdmuchać je, by zajął się węgiel.

– Wynalazłem patyczki, które natychmiast się zapalają – powiedziałem. – Mógłbym nauczyć...

Kasper spojrzał na mnie gniewnie i znów wystawił palec, jakby chciał nim strącić z powietrza moje słowa.

– Siedź – rzekł. – Nie mów. Nie czekaj.

Zagotował wodę w miedzianym kociołku, potem wylał wrzątek na herbaciane liście w glinianym naczyniu. Ustawił na stoliku dwie małe czarki i zaczął nalewać do nich herbatę.

– Uważaj, głupku! – krzyknąłem. – Rozlewasz wszystko na stół!

Kasper uśmiechnął się i odstawił naczynie.

– Jak mogę podać ci herbatę, jeśli twoja czarka jest już pełna?

– Co? – odpowiedziałem elokwentnie.

Przypowieści nigdy nie były moją mocną stroną. Jeśli człowiek chce coś powiedzieć, niech mówi. Dlatego, oczywiście, Joszua i buddyści byli dla mnie idealnym towarzystwem, jako wzór bezpośrednich rozmówców.

Kasper nalał sobie herbaty, potem odetchnął głęboko i zamknął oczy. Minęła chyba pełna minuta, nim znów je otworzył.

– Jeżeli wiesz już wszystko, jak mogę cię czegoś nauczyć? Musisz opróżnić czarkę, zanim naleję ci herbaty.

– Czemu od razu nie mówiłeś?

Chwyciłem czarkę i wylałem herbatę przez to samo okno, przez które wcześniej wyrzuciłem kij Kaspra. Potem energicznie postawiłem ją na stoliku.

– Jestem gotów – oświadczyłem.

– Idź do świątyni i usiądź – polecił Kasper.

Bez herbaty? Wyraźnie wciąż miał pretensję o te moje prawie groźby. Wycofałem się do drzwi i pokłoniłem (uprzejmość, jakiej nauczyła mnie Radosna).

– Jeszcze jedno – odezwał się Kasper.

Zatrzymałem się i czekałem.

– Numer Siódmy uznał, że nie przeżyjesz nocy. Numer Ósmy zgodził się z nim. Jak to się stało, że jesteś nie tylko żywy, ale też cały i zdrowy?

Zastanowiłem się sekundę, nim odpowiedziałem – coś, co robię nieczęsto.

– Być może owi mnisi zbyt wysoko cenią własne opinie. Mogę tylko mieć nadzieję, że nie wywarli złego wpływu na myślenie innych.

– Idź, usiądź – rzekł Kasper.

Siedzenie – tym się zajmowaliśmy. Pragnienie siedzenia w bezruchu, by słyszeć muzykę wszechświata, było najwyraźniej tym, co nas tu prowadziło przez pół świata. Uwolnienia się od ego – nie indywidualności, ale tego, co nas odróżnia od wszystkich innych istot.

– Kiedy siedzisz, siedź. Kiedy oddychasz, oddychaj. Kiedy jesz, jedz – mawiał Kasper.

Chodziło mu o to, że każdy element naszej istoty powinien istnieć w danej chwili, całkowicie świadom teraźniejszości, bez przeszłości ani przyszłości, niczego oddzielającego nas od wszystkiego, co jest.

Mnie, Żydowi, trudno było istnieć jedynie w chwili teraźniejszej. Bez przeszłości, gdzie jest wina? Bez przyszłości, gdzie jest strach? A bez winy i strachu, kim jestem ja?

– Myśl o swej skórze jako czymś, co łączy cię z resztą wszechświata, nie czymś, co cię od niego oddziela – tłumaczył mi Kasper, próbując nauczyć esencji tego, co znaczy oświecenie. Przyznawał jednak, że to jest coś, czego nie da się nauczyć. Mógł nauczyć metod. Kasper potrafił siedzieć.

Według legendy (którą ułożyłem w całość z niedomówień rzucanych przez mistrza i uczniów) Kasper zbudował ten klasztor jako miejsce do siedzenia. Wiele lat temu przybył do Chin z Indii, gdzie przyszedł na świat jako książę, by nauczać cesarza prawdziwego sensu buddyzmu, zagubionego w długich latach tworzenia dogmatów i nadinterpretacji pism.

Kiedy przybył, zapytał go cesarz:

– Co osiągnąłem za wszystkie swe dobre uczynki?

– Nic – odparł Kasper.

Cesarz był przerażony myślą, że przez wiele lat na darmo okazywał wielkoduszność swemu ludowi.

– A zatem – rzekł – jaka jest esencja buddyzmu?

– Niezmierna puszka – odparł Kasper.

Cesarz nakazał wypędzić Kaspra ze świątyni, a wtedy młody mnich podjął dwa postanowienia. Po pierwsze, przygotuje sobie lepszą odpowiedź na następny raz, kiedy ktoś zada mu to pytanie. I po drugie, nim zacznie rozmowę z kimś ważnym, musi nauczyć się lepiej mówić po chińsku. Zamierzał bowiem odpowiedzieć „niezmierna pustka", ale pomylił słowa.

Legenda mówiła dalej, że Kasper przybył do groty, gdzie teraz wznosi się klasztor, i usiadł, by medytować. Postanowił siedzieć w niej, dopóki nie osiągnie oświecenia. Dziewięć lat później zszedł z góry, a mieszkańcy wioski czekali na niego z pożywieniem i darami.

– Mistrzu, pragniemy twego świątobliwego przewodnictwa! – zawołali. – Co możesz nam powiedzieć?

– Naprawdę muszę się wysiusiać – odparł Kasper.

A po tych słowach wszyscy wieśniacy zrozumieli, że osiągnął stan umysłu wszystkich Buddów, czy też „bezumysł", jak to nazywaliśmy.

Wieśniacy błagali Kaspra, by z nimi został, i pomogli mu wznieść klasztor przy tej właśnie jaskini, gdzie doznał oświecenia. Podczas budowy wiele razy napadali ich groźni bandyci. A choć Kasper wierzył, że żadnej istoty nie należy pozbawiać życia, to uważał również, że ludzie powinni mieć jakąś możliwość obrony. Medytował więc o tym, aż opracował metodę samoobrony, opartą na rozmaitych poruszeniach, których nauczył się od joginów w swych ojczystych Indiach. Pokazał ją wieśniakom, a potem wszystkim mnichom, którzy przybywali do klasztoru. Nazwał ją kung-fu, co tłumaczy się luźno jako „metoda, dzięki której niscy łysi faceci potrafią spuścić porządne lanie".

Nasze szkolenie w kung-fu zaczęło się od skakania po słupkach. Po śniadaniu i porannych medytacjach mnich Numer Trzeci, który wydawał się najstarszy w klasztorze, zaprowadził nas na dziedziniec. Zobaczyliśmy tam stos palików, wysokich na jakieś dwie stopy i grubych na szerokość dłoni. Kazał nam ustawić je pionowo w linii prostej, mniej więcej co pół kroku. Potem mieliśmy wskoczyć na jeden z palików i stanąć na nim w równowadze. Większą część poranka spędziliśmy na podnoszeniu się z szorstkich kamieni bruku, ale w końcu obaj stanęliśmy na jednej nodze na pionowych słupkach.

– Co teraz? – spytałem.

– Teraz nic – odpowiedział Numer Trzeci. – Po prostu stójcie.

No więc staliśmy. Godzinami. Słońce przesuwało się po niebie, nogi i grzbiet zaczynały boleć, spadaliśmy raz po raz, a Numer Trzeci krzyczał na nas i kazał znowu wskakiwać na paliki. Kiedy zapadł zmierzch i obaj staliśmy bez upadku od kilku godzin, Numer Trzy powiedział:

– A teraz przeskoczcie na sąsiedni słupek.

Usłyszałem ciężkie westchnienie Joszuy. Spojrzałem na szereg słupków i widziałem, jakie nas czeka cierpienie, jeśli mamy skakać po całym tym płocie. Joszua stał na końcu szeregu, obok mnie, więc musiał przeskoczyć na mój słupek. Czyli ja nie tylko powinienem skoczyć na sąsiedni i wylądować bez upadku, ale też postarać się, by przy starcie nie przewrócić tego, na którym dotąd stałem.

– Już! – rzucił Numer Trzeci.

Skoczyłem i nie trafiłem z lądowaniem. Słupek zachwiał się pode mną i głową naprzód runąłem na kamienie. Pod powiekami błysnęło mi białe światło, a strumień ognia popłynął po karku. Zanim zdążyłem się otrząsnąć, potoczył się na mnie Joszua.

– Dzięki – szepnął, wdzięczny, że wylądował na miękkim Żydzie zamiast na twardych kamieniach.

– Jeszcze raz – nakazał Numer Trzeci.

Ustawiliśmy słupki i wskoczyliśmy na nie znowu. Tym razem udało się nam przy pierwszej próbie. Potem czekaliśmy na polecenie kolejnego skoku. Księżyc wzniósł się jasny i pełny, a my obaj spoglądaliśmy na linię słupków i myśleliśmy, ile czasu minie, zanim dotrzemy na sam koniec, jak długo Numer Trzeci każe nam tu tkwić... i wspominaliśmy opowieść o tym, jak Kasper siedział w grocie przez dziewięć lat. Nie pamiętam, żebym czuł kiedyś taki ból, a to poważne wyznanie u człowieka, który został niedawno stratowany przez jaka. Próbowałem sobie wyobrazić, ile zmęczenia i pragnienia zniosę, nim spadnę...

I nagle Numer Trzeci powiedział:

– Wystarczy. Idźcie spać.

– To wszystko? – zapytał Joszua. Zeskoczył i skrzywił się przy lądowaniu. – Po co ustawialiśmy dwadzieścia słupków, jeśli użyliśmy tylko trzech?

– A czemu myślicie o dwudziestu, skoro możecie stanąć tylko na jednym? – odpowiedział Numer Trzeci.

– Muszę się wysiusiać – oznajmiłem.

– Otóż to – pochwalił mnich.

No i tak to wygląda: buddyzm.

Co rano wychodziliśmy na dziedziniec i ustawialiśmy słupki inaczej, przypadkowo. Numer Trzeci dodawał też słupki o różnej wysokości i średnicy. Czasami mieliśmy przeskakiwać z jednego na drugi jak najszybciej, kiedy indziej staliśmy w miejscu godzinami, gotowi ruszyć w jednej chwili, gdy tylko Numer Trzeci wyda polecenie. Chodziło chyba o to, żebyśmy niczego nie mogli przewidzieć, nie mogli wczuć się w rytm ćwiczenia. Musieliśmy stale trwać w gotowości do skoku w dowolnym kierunku, bez żadnego przygotowania. Numer Trzeci nazywał to kontrolowaną spontanicznością i przez pierwsze sześć miesięcy w klasztorze tyle samo czasu spędzaliśmy na słupkach, co siedząc pogrążeni w medytacjach. Joszuę natychmiast ogarnął entuzjazm dla tych ćwiczeń i kung-fu. Ja byłem – jak to ujmują buddyści – bardziej tępy.

Oprócz normalnych obowiązków gospodarskich w klasztorze, uprawy zagonów i dojenia jaka (zadanie, jakiego miłosiernie nigdy mi nie powierzono), co mniej więcej dziesięć dni grupa sześciu mnichów schodziła z miseczkami do wioski, by zebrać od mieszkańców jałmużnę – zwykle ryż i herbatę, czasami ciemne sosy, masło jaka, ser, przy rzadkich okazjach płótno na nowe szaty. Przez pierwszy rok Joszui ani mnie nie pozwalano na opuszczanie klasztoru, ale zacząłem zauważać pewne niezwykłe zachowania. Po każdej wyprawie po jałmużnę do wioski, czterech czy pięciu mnichów znikało na parę dni w górach. Nikt o tym nie wspominał ani przed wyruszeniem, ani po powrocie, ale zachodziła jakaś rotacja – mnisi chodzili na te wyprawy co trzeci, czwarty raz, oprócz Kaspra, który wyruszał częściej.

Wreszcie zebrałem się na odwagę i zapytałem o to Kaspra.

– To specjalne medytacje – wyjaśnił. – Nie jesteś jeszcze gotów. Idź i usiądź.

Na większość pytań odpowiedź brzmiała: „Idź i usiądź", a moja uraza oznaczała, że nie pokonałem przywiązania do ego, a zatem moje medytacje do niczego nie prowadzą. Za to Joszua wydawał się całkowicie pogodzony z tym, co tu robiliśmy. Potrafił godzinami siedzieć nieruchomo, a potem wykonywać ćwiczenia na słupkach, jakby poświęcił te godziny na rozgrzewkę.

– Jak ty to robisz? – pytałem. – Jak potrafisz o niczym nie myśleć i nie zasnąć?

To była jedna z głównych przeszkód na mojej drodze ku oświeceniu. Jeśli za długo siedziałem nieruchomo, zapadałem w sen i najwyraźniej rozlegający się w korytarzach odgłos chrapania zakłócał medytacje innych mnichów. Sugerowanym lekarstwem na tę przypadłość były duże ilości zielonej herbaty. Rzeczywiście pozwalała zachować przytomność, ale stan „bezumysłu" zastępowała ciągłymi myślami o pęcherzu. Przyznam, że przed upływem roku osiągnąłem całkowitą świadomość pęcherza. Taki Joszua za to potrafił w pełni uwolnić się od ego, zgodnie z naukami. W dziewiątym miesiącu naszego pobytu w klasztorze, w środku najsroższej zimy, jaką mogę sobie wyobrazić, Joszua, zrzuciwszy wszelkie ograniczenia próżności i jaźni, stał się niewidzialny.

18

Byłem wśród was, jadłem, rozmawiałem i chodziłem, chodziłem i chodziłem, całe godziny, podczas których nie musiałem zawracać z powodu ściany na drodze. Anioł obudził mnie rano i wręczył nowe ubranie, dziwne w dotyku, ale znajome z wyglądu (z telewizji). Dżinsy, bluza i tenisówki, do tego skarpety i bokserki.

– Włóż to. Zabieram cię na spacer – powiedział Raziel.

– Jakbym był psem – zauważyłem.

– Dokładnie jakbyś był psem.

Anioł także miał na sobie kostium współczesnego Amerykanina, i choć nadal był oszałamiająco przystojny, wyglądał bardzo nieswojo, jakby te ciuchy ktoś przybił mu do ciała płonącymi gwoździami.

– Dokąd idziemy?

– Już ci mówiłem, na spacer.

– Skąd wziąłeś ubrania?

– Zadzwoniłem na dół i Jesus je przyniósł. W hotelu jest sklep z odzieżą. Chodźmy już.

Raziel zamknął za nami drzwi, a klucz schował do kieszeni dżinsów, razem z pieniędzmi. Ciekawe, czy miał już kiedyś kieszenie. Mnie by nie przyszło do głowy, żeby z nich korzystać. Nie odezwałem się ani słowem, kiedy zjeżdżaliśmy windą do lobby i szliśmy do głównych drzwi. Nie chciałem niczego zepsuć, powiedzieć czegoś, co przywróci aniołowi rozsądek. Hałas na ulicy wydawał się cudowny: samochody, młoty pneumatyczne, jacyś wariaci mamroczący do siebie... To światło! Te zapachy! Wydawało się, że musiałem być w szoku, kiedy za pierwszym razem przybyliśmy tu z Jeruzalem. Nie pamiętałem, żeby to miejsce było tak jaskrawe.

Ruszyłem ulicą, ale anioł chwycił mnie za ramię. Palce wbiły mi się w skórę jak szpony.

– Wiesz, że nie zdołasz mi umknąć, a jeśli spróbujesz, dogonię cię i połamię nogi, żebyś już nigdy nie mógł biegać? Wiesz, że gdybyś uciekł choćby na kilka minut, nie zdołasz się przede mną ukryć? Wiesz, że potrafię cię znaleźć, jak kiedyś znajdowałem każdego z twojego ludu? Wiesz o tym wszystkim?

– Tak. Puść mnie. Chodźmy.

– Nie cierpię chodzenia. Widziałeś kiedyś, jak orzeł patrzy na wróbla? Tak właśnie się czuję wobec ciebie i twojego chodzenia.

Powinienem chyba wyjaśnić, o czym mówił Raziel, kiedy powiedział, że kiedyś znajdował każdego z mojego ludu. Wydaje się, że wieki temu pracował jako Anioł Śmierci, ale zwolnili go z obowiązków, bo marnie sobie radził. Sam przyznaje, że uwielbia historie o okrutnym losie (to może tłumaczyć jego fascynację serialami). W każdym razie, kiedy czytacie w Torze, że Noe żył dziewięćset lat, a Mojżesz sto czterdzieści, jak myślicie, kto prowadził chórek wykonujący „Więzy ciała z siebie zrzuć"? Wtedy otrzymał aspekt czarnych skrzydeł, o którym już opowiadałem. I chociaż go zwolnili, pozwolili zachować strój roboczy. (Uwierzycie, że Noe zdołał odsunąć zgon o osiemset lat, tłumacząc aniołowi, że ma zaległości w papierach? Czy Raziel nie mógłby być taki niekompetentny także w tej misji?).

– Patrz, Razielu, pizza! – Wskazałem mu szyld. – Kup nam pizzę!

Wyjął z kieszeni i wręczył mi trochę pieniędzy.

– Ty to zrób. Potrafisz, prawda?

– Tak, w moich czasach mieliśmy już handel – mruknąłem sarkastycznie. – Nie było pizzy, ale handel istniał.

– Dobrze. A potrafisz obsłużyć to urządzenie? – Wskazał skrzynkę, gdzie za szybą leżały gazety.

– Jeśli nie otwiera się tą małą dźwignią, to nie.

Anioł się zaniepokoił.

– Jak to jest, że otrzymujesz dar języków i nagle potrafisz zrozumieć każdą mowę, a nie ma daru, który nauczyłby cię, jak w tych czasach działają różne urządzenia? Wytłumacz mi to.

– Wiesz, może gdybyś tak nie ściskał pilota do telewizora, nauczyłbym się ich używać.

Chodziło mi o to, że dowiedziałbym się z telewizji czegoś więcej o zewnętrznym świecie, ale Raziel zrozumiał, że chciałbym poćwiczyć naciskanie guzików i zmianę kanałów.

– Nie wystarczy wiedzieć, jak działa telewizor. Musisz wiedzieć, jak działa wszystko w tym świecie.

Anioł odwrócił się i przez okno wystawowe pizzerii patrzył na ludzi, którzy podrzucali krążki ciasta.

– Czemu, Razielu? Czemu powinienem wiedzieć, jak funkcjonuje ten świat? Jeśli już, to dotąd próbowałeś nie dopuścić, żebym się czegokolwiek dowiedział.

– Już nie. Zjedzmy pizzę.

– Razielu...

Nie chciał powiedzieć nic więcej, ale przez resztę dnia włóczyliśmy się po mieście, wydawaliśmy pieniądze, rozmawialiśmy z ludźmi... Uczyłem się. Późnym popołudniem Raziel zapytał kierowcę autobusu, gdzie mógłby spotkać Spidermana. Mógłbym wytrzymać jeszcze dwa tysiące lat, nie oglądając tego rozczarowania, jakie zobaczyłem na twarzy anioła, gdy kierowca mu odpowiedział. Wróciliśmy tutaj, do naszego pokoju, i Raziel westchnął.

– Brakuje mi niszczenia miast pełnych ludzi – rzekł.

– Rozumiem, o co ci chodzi – powiedziałem, chociaż to mój najlepszy przyjaciel sprawił, że takie rzeczy wyszły z mody. Ale aniołowi należały się te słowa. Istnieje wielka różnica między dawaniem fałszywego świadectwa a ratowaniem czyichś uczuć. Nawet Joszua to wiedział.

– Przerażasz mnie, Joszua – powiedziałem, zwracając się do bezcielesnego głosu, który unosił się przede mną w świątyni. – Gdzie jesteś?

– Jestem wszędzie i nigdzie – oznajmił głos Joszuy.

– Więc jak to się dzieje, że twój głos rozlega się przede mną? Wcale mi się to nie podobało. Owszem, te lata w towarzystwie Joszuy uodporniły mnie na różne nadprzyrodzone zjawiska, ale medytacje nie doprowadziły jeszcze do stanu, w którym nie reagowałbym na niewidzialność przyjaciela.

– Jak przypuszczam, naturą głosu jest, że musi skądś dobiegać, ale tylko po to, by można było go wydać.

Kasper siedział w świątyni; słysząc naszą rozmowę, wstał i podszedł do mnie. Nie wydawał się zagniewany, ale z drugiej strony nigdy się taki nie wydawał.

– Dlaczego? – zapytał, co oznaczało:

Dlaczego gadasz i przeszkadzasz wszystkim w medytacjach tym piekielnym hałasem, ty barbarzyńco?

– Joszua osiągnął oświecenie – wyjaśniłem.

Kasper milczał, co oznaczało:

I co? Przecież o to właśnie chodzi, niegodny pomiocie poharatanego brzytwą jaka.

– I teraz jest niewidzialny.

– *Mu* – zabrzmiał głos Joszuy. *Mu* oznacza po chińsku *nic poza nicością*.

W akcie wyraźnie niekontrolowanej spontaniczności Kasper wrzasnął jak mała dziewczynka i wyskoczył na cztery stopy w górę. Mnisi spojrzeli na nas, przerywając śpiew.

– Co to było?

– To Joszua.

– Jestem uwolniony od jaźni, uwolniony od ego – oświadczył Joszua.

Coś pisnęło i owiał nas paskudny odór.

Popatrzyłem na Kaspra, a on pokręcił głową. Popatrzył na mnie, a ja wzruszyłem ramionami.

– Czy to ty? – zapytał Joszuę Kasper.

– Ja w takim sensie, że jestem cząstką wszystkich rzeczy, czy w takim, że to ja wypuściłem ten gefilte gaz? – upewnił się Josh.

– To drugie.

– Nie.

– Kłamiesz – stwierdziłem, równie mocno zdziwiony tym, jak faktem, że nie widzę przyjaciela.

– Powinienem teraz przestać z wami rozmawiać. Posiadanie głosu oddziela mnie od wszystkiego, co jest.

Po tych słowach ucichł, a Kasper wyglądał, jakby ogarniała go panika.

– Nie odchodź, Joszuo – powiedział. – Zostań jaki jesteś, skoro musisz, ale zjaw się jutro o świcie w pokoju herbacianym. – Kasper popatrzył na mnie. – Ty też przyjdź – polecił.

– Rano mam ćwiczyć na słupkach – przypomniałem.

– Jesteś zwolniony. A gdyby Joszua jeszcze z tobą dzisiaj rozmawiał, przekonaj go, by dzielił z nami egzystencję.

Po czym odszedł szybko, w sposób bardzo nieoświecony.

Tej nocy zasypiałem już w mojej celi, kiedy usłyszałem jakiś pisk, a potem rozbudził mnie nieopisanie paskudny smród.

– Joszua?

Wyczołgałem się z celi na korytarz. Wysoko na ścianach wąskie szczeliny wpuszczały światło księżyca, ale nie zobaczyłem niczego prócz delikatnego błękitnego blasku na kamieniach.

– Joszua, czy to ty?

– Skąd wiedziałeś? – zdziwił się bezcielesny głos Joszuy.

– No wiesz... Prawdę mówiąc, strasznie śmierdzisz, Josh.

– Kiedy ostatnio zeszliśmy do wioski po jałmużnę, jakaś kobieta dała Numerowi Czternastemu i mnie tysiącletnie jajo. Leży mi na żołądku.

– Nie rozumiem czemu. Myślałem, że nie powinno się już zjadać jajka po... no nie wiem... jakichś dwustu latach.

– Oni je zakopują, zostawiają na jakiś czas, a potem wykopują.

– Czy dlatego cię nie widzę?

– Nie, to efekt moich medytacji. Oswobodziłem się od wszystkiego. Osiągnąłem wolność absolutną.

– Byłeś wolny, odkąd opuściliśmy Galileę.

– To nie to samo. To właśnie chciałem ci powiedzieć: że nie mogę uwolnić naszego ludu spod władzy Rzymian.

– Dlaczego nie?

– Bo to nie jest prawdziwa wolność. Każdą wolność, którą można komuś dać, można również odebrać. Mojżesz nie musiał prosić faraona, by uwolnił nasz lud, nasz lud nie potrzebował wyzwolenia z niewoli babilońskiej, niepotrzebne im uwolnienie spod władzy Rzymian. Nie mogę dać im wolności. Wolność jest w ich sercach, muszą ją tylko odnaleźć.

– Chcesz powiedzieć, że nie jesteś Mesjaszem?

– Jak mógłbym być? Jak nędzna istota może wierzyć, że ofiaruje coś, co przecież do niej nie należy?

– Jeśli nie ty, to kto, Josh? Anioły, cuda, twoja zdolność uzdrawiania i pocieszania? Kto jeszcze mógłby być wybrańcem oprócz ciebie?

– Nie wiem. Niczego nie wiem. Chciałem się pożegnać. Pozostanę przy tobie jako cząstka wszystkich rzeczy, ale nie będziesz mnie dostrzegał, dopóki nie osiągniesz oświecenia. Nie wyobrażasz sobie, jakie to uczucie, Biff. Jesteś wszystkim, kochasz wszystko i nie potrzebujesz niczego.

– Jasne. Czyli buty nie będą ci już potrzebne, tak?

– To, co posiadasz, staje pomiędzy tobą a wolnością.

– Dla mnie to brzmi jak potwierdzenie. Ale wyświadcz mi pewną przysługę, dobrze?

– Oczywiście.

– Wysłuchaj, co Kasper będzie miał ci jutro do powiedzenia.

I daj mi czas na wymyślenie inteligentnej odpowiedzi dla kogoś, kto jest niewidzialny i szalony, pomyślałem. Joszua był naiwny, ale przecież nie głupi. Musiałem znaleźć coś, co pozwoli mi uratować Mesjasza, żeby potem on uratował nas wszystkich.

– Idę do świątyni, żeby siedzieć. Zobaczę cię rano.

– Nie, jeśli ja zobaczę cię pierwszy.

– Zabawne – stwierdził Josh.

Kiedy tego ranka zobaczyłem Kaspra w pokoju herbacianym, wydawał się bardzo stary. Jego kwatera składała się z celi nie większej niż moja, ale położonej tuż przy pokoju herbacianym; miała też drzwi, które mógł zamykać. Rankiem w klasztorze panował chłód i widziałem parę naszych oddechów, gdy Kasper gotował wodę na herbatę. Po chwili zauważyłem trzeci kłąb pary, unoszący się po mojej stronie stołu, chociaż nikogo tam nie było.

– Dzień dobry, Joszuo – powiedział Kasper. – Spałeś czy jesteś wolny od takich potrzeb?

– Nie, nie potrzebuję już snu – odparł Josh.

– Wybacz Dwudziestemu Pierwszemu i mnie, ale nadal musimy się odżywiać.

Kasper nalał nam herbaty, a z półki, gdzie trzymał herbaciane liście, zdjął dwie ryżowe kulki. Podał mi jedną.

– Nie mam swojej miseczki.

Trochę się obawiałem, że Kasper się na mnie rozgniewa. Ale skąd mogłem wiedzieć? Mnisi zawsze jadali śniadanie razem. Sytuacja była niezwykła.

– Ręce masz czyste – stwierdził Kasper.

Wypił łyk herbaty i przez chwilę siedział swobodnie, nie mówiąc ani słowa. Pokój zagrzał się od ognia, na którym Kasper gotował wodę, i teraz nie widziałem już oddechu Joszuy.

Najwyraźniej przezwyciężył też kłopoty żołądkowe po spożyciu tysiącletniego jajka. Zaczynałem się denerwować – Numer Trzeci na pewno czekał już na nas na dziedzińcu, gdzie mieliśmy przyjść na ćwiczenia. Już miałem się odezwać, gdy Kasper uniósł palec, nakazując milczenie.

– Joszuo – rzekł. – Czy wiesz, co to jest bodhisattwa?

– Nie, mistrzu. Nie wiem.

– Gautama Budda był bodhisattwą. Dwudziestu siedmiu patriarchów, którzy przyszli po nim, także było bodhisattwami. Niektórzy mówią, że ja jestem bodhisattwą, ale to nie jest moje stwierdzenie.

– Nie ma Buddów – oświadczył Joszua.

– Istotnie – zgodził się Kasper. – Ale kiedy ktoś osiągnie miejsce buddystości i zrozumie, że nie ma Buddy, albowiem wszystko jest Buddą, kiedy zyska oświecenie, ale podejmie decyzję, by nie ewoluować do nirwany, dopóki nie osiągną jej przed nim wszystkie świadome istoty, wtedy staje się bodhisattwą. Zbawcą. Bodhisattwa, podejmując taką decyzję, dowodzi, że posiadł jedyne, co można posiąść: współczucie dla cierpień innych ludzi. Czy rozumiesz?

– Chyba tak. Ale decyzja, by stać się bodhisattwą, wygląda mi na akt ego, odrzucenie oświecenia.

– Tak bowiem jest, Joszuo. To samolubne działanie.

– Czy prosisz mnie, bym został bodhisattwą?

– Gdybym powiedział do ciebie: miłuj bliźniego swego jak siebie samego, czy nakazywałbym ci egoizm?

Na chwilę zapadła cisza. Spojrzałem w miejsce, skąd dochodził głos Joszuy i zobaczyłem, że mój przyjaciel znów staje się widoczny.

– Nie – odrzekł.

– Dlaczego? – zapytał Kasper.

– Miłuj bliźniego swego jak siebie samego... – Josh zamilkł na długą chwilę i wyobrażałem sobie, że szuka odpowiedzi w niebie, jak często czynił. – On bowiem jest tobą, ty jesteś nim, a wszystko, co w ogóle warto kochać, to wszystko.

Joszua zmaterializował się na naszych oczach, całkowicie ubrany. Niewidzialność wcale mu nie zaszkodziła.

Kasper uśmiechnął się i nagle zniknęły te dodatkowe lata, widoczne dotąd na jego twarzy. Osiągnął spokój i przez chwilę wydawał się młody jak my.

– Słusznie, Joszuo. Jesteś istotą prawdziwie oświeconą.

– Będę bodhisattwą dla mego ludu – oświadczył Joszua.

– Dobrze. A teraz idź ostrzyc jaka.

Upuściłem ryżową kulkę.

– Co?

– Ty zaś odszukasz Numer Trzeci i rozpoczniesz swoje ćwiczenia na słupkach.

– Pozwól mnie ostrzyc jaka – poprosiłem. – Już to robiłem.

Joszua położył mi dłoń na ramieniu.

– Nic mi nie będzie.

Kasper mówił dalej:

– A przy następnym księżycu, po powrocie z jałmużną, obaj wyruszycie z grupą mnichów w góry, na specjalne medytacje. Wasza nauka rozpocznie się jeszcze dzisiaj. Przez dwa dni nie dostaniecie posiłku, a jeszcze przed zachodem słońca macie mi oddać wasze derki.

– Ale ja już jestem oświecony – zaprotestował Joszua.

– Dobrze. Ostrzyż jaka – odparł mistrz.

Chyba nie powinienem być zdziwiony, kiedy następnego dnia Joszua zjawił się w jadalni bez żadnego draśnięcia, niosąc belę sierści jaka. Inni mnisi wcale nie wydawali się zaskoczeni. Prawdę mówiąc, bardzo trudno jest zaskoczyć buddyjskiego mnicha, zwłaszcza znającego kung-fu. Tak byli skupieni na chwili obecnej, że człowiek musiałby stać się prawie niewidzialny i absolutnie bezgłośny, żeby się do takiego podkraść. A nawet wtedy zwykłe wyskoczenie na niego z okrzykiem „Buu!" nie wystarczało, by wstrząsnąć jego czakrą. Aby uzyskać jakąś reakcję, należałoby walnąć mnicha w głowę kijem bojowym, a gdyby usłyszał jego świst w powietrzu, istnieje spora szansa, że by go złapał, wyrwał i rozbił nim człowieka na miazgę. Więc nie, nie zdziwili się, kiedy Joszua bez najmniejszego zadrapania dostarczył kudłaty plon.

– Jak? – spytałem, gdyż było to wszystko, co chciałem obecnie wiedzieć.

– Wytłumaczyłem jej, co robię – wyjaśnił Josh. – Stała całkiem nieruchomo.

– Tak zwyczajnie powiedziałeś, co masz zamiar zrobić?

– Tak. Nie bała się, więc się nie opierała. Cały lęk bierze się z tego, że usiłujemy przewidzieć przyszłość, Biff. Kiedy wiesz, co nadejdzie, już się nie boisz.

– To nieprawda. Ja przecież wiedziałem, co nadejdzie. A konkretnie, że ten jak cię stratuje, a ja nie radzę sobie z uzdrawianiem nawet w przybliżeniu tak dobrze jak ty... I bałem się.

– Och, czyli się pomyliłem. Przepraszam. Pewnie zwyczajnie cię nie lubi.

– W to mogę uwierzyć – przyznałem usatysfakcjonowany.

Joszua usiadł na podłodze naprzeciw mnie. Podobnie jak ja, też miał nic nie jeść, ale pozwolili nam pić herbatę.

– Głodny?

– Tak, a ty?

– Umieram z głodu. Jak ci się spało w nocy? Znaczy, bez przykrycia?

– Było zimno, ale wykorzystałem nasze szkolenie i udało mi się zasnąć.

– Ja próbowałem, ale dygotałem przez całą noc. Josh, przecież jeszcze nie zaczęła się zima. Kiedy spadnie śnieg, zamarzniemy tu na śmierć bez derek. Nienawidzę zimna.

– Musisz stać się zimnem – odparł Joszua.

– Bardziej cię lubiłem, zanim doznałeś oświecenia – stwierdziłem.

Kasper zaczął osobiście nadzorować nasze treningi. Był przy nas bez przerwy, kiedy przeskakiwaliśmy ze słupka na słupek, musztrował bezlitośnie, kiedy w ramach ćwiczeń kung-fu wykonywaliśmy złożone ruchy dłoni i stóp. (Miałem dziwne wrażenie, że widziałem już te gesty, zanim nam je pokazał, a potem przypomniałem sobie Radosną i jej skomplikowane tańce w fortecy Baltazara. Czy to mag był uczniem Kaspra, czy na odwrót?). Kiedy siedzieliśmy pogrążeni w medytacjach, czasami przez całą noc, stał za nami ze swoim bambusowym prętem i co pewien czas tłukł nas nim po głowach, bez żadnego powodu.

– Dlaczego on nas bije? Przecież niczego nie zrobiłem – poskarżyłem się Joszui przy herbacie.

– Nie uderza, by cię ukarać, ale by ci ułatwić pozostawanie w chwili teraźniejszej.

– No więc teraz pozostaję w chwili teraźniejszej i chwilowo mam ochotę tak mu przylać, żeby się zesrał.

– Tak naprawdę wcale nie chcesz.

– Ach, tak? To co, powinienem chcieć stać się tym, co wysra, kiedy go spiorę?

– Tak, Biff – odparł z powagą Josh. – Musisz być tym, co wysra.

Ale nie potrafił zachować takiej miny. Zaczął parskać herbatą, aż w końcu trysnął z nozdrzy fontanną gorącego płynu i padł na ziemię w ataku śmiechu. Inni mnisi, którzy wyraźnie podsłuchiwali, także zachichotali. Paru turlało się po podłodze i trzymało rękami za brzuchy.

Bardzo trudno jest trwać w gniewie, kiedy pełna sala łysych facetów w pomarańczowych szatach zaczyna chichotać. Buddyzm.

Kasper kazał nam czekać dwa miesiące, nim zabrał na te specjalne medytacje, zatem trwała już zima, kiedy podjęliśmy monumentalną wyprawę. Napadało tyle śniegu, że aby dotrzeć na ćwiczenia, co rano musieliśmy dosłownie drążyć tunel. Zanim pozwalano nam zacząć, Joszua i ja odkopywaliśmy ze śniegu cały dziedziniec, więc niekiedy mijało południe, nim przystępowaliśmy do lekcji. Kiedy indziej wiatr z gór dmuchał tak mocno, że nie widzieliśmy dalej niż na kilka cali od twarzy. Wtedy Kasper wymyślał specjalne zajęcia, które odbywaliśmy w budynku.

Joszua i ja nie dostaliśmy z powrotem naszych derek, więc przynajmniej ja co wieczór zasypiałem, trzęsąc się z zimna. Wprawdzie wąskie okna zasłonięto okiennicami, a piecyki na węgiel drzewny stanęły we wszystkich używanych pomieszczeniach, jednak przez całą zimę ani razu nie zrobiło się naprawdę ciepło. Z ulgą się przekonałem, że inni mnisi także nie byli niewrażliwi; powszechną postawą na śniadaniu było owinięcie się całym ciałem wokół parującego kubka herbaty, tak by nie zmarnować nawet odrobiny bezcennego ciepła. Ktoś, kto zajrzałby do jadalni i zobaczył nas skulonych w naszych pomarańczowych szatach, mógłby pomyśleć, że wszedł na parujący zagon ogromnych dyń.

Inni, wśród nich Joszua, potrafili chociaż w medytacjach znaleźć ucieczkę od chłodu. Osiągnęli bowiem stan, jak mi tłumaczyli, w którym potrafili generować własne ciepło. Osobiście wciąż próbowałem się tego nauczyć. Niekiedy zastanawiałem się, czy nie wspiąć się po skale w głębi świątyni; grota zwężała się tam i setki kosmatych nietoperzy hibernowało na sklepieniu w ogromnej masie futra i skóry. Smród panował pewnie straszny, ale przynajmniej było ciepło.

Kiedy wreszcie nadeszła pora, by wyruszyć na pielgrzymkę, generowanie własnego ciepła szło mi nie lepiej niż na początku. Kiedy więc Kasper zaprowadził pięciu z nas do gabinetu, z ulgą przyjąłem od niego wełniane nogawice i buty.

– Życie jest cierpieniem – rzekł, wręczając nogawice Joszui. – Ale praktyczniej jest kroczyć przez nie na zdrowych nogach.

Wyruszyliśmy o świcie. Poranek wstał krystalicznie czysty, a w nocy wściekły wicher zwiał z podnóża góry większość śniegu. Kasper sprowadził naszą piątkę w dół, do wioski. Czasami brnęliśmy w śniegu do piersi, czasami przeskakiwaliśmy po odsłoniętych czubkach głazów – nagle nasze ćwiczenia na słupkach wydały się bardziej sensowne, niż uważałem za możliwe. Na zboczu ześliźnięcie się z takiego głazu mogło nas strącić w wypełnioną puchem szczelinę, gdzie byśmy się podusili pod pięćdziesięcioma stopami śniegu.

Wieśniacy powitali nas bardzo uroczyście. Wychodzili z kamiennych i glinianych domów, by napełnić nasze miseczki ryżem i warzywami, potrząsali małymi mosiężnymi dzwonkami albo dęli w rogi jaków, po czym szybko wycofywali się do swoich ognisk i zatrzaskiwali drzwi przed zimnem. Wszystko odbywało się radośnie, ale pospiesznie. Kasper zaprowadził nas do domu bezzębnej staruchy, którą Joszua i ja poznaliśmy dawno temu. Tam ułożyliśmy się do snu na sianie jej niewielkiej obory, między kozami i parą jaków. (Jej jaki były o wiele mniejsze od samicy, którą trzymaliśmy w klasztorze; przypominały rozmiarem zwykłe bydło. Dowiedziałem się później, że nasze zwierzę było potomkiem dzikich jaków, żyjących wysoko w górach, a jej pochodziły z odmiany udomowionej od tysięcy lat).

Kiedy wszyscy zasnęli, wymknąłem się do domu staruchy, żeby poszukać jakiegoś jedzenia. Był to niewielki kamienny budynek z dwiema izbami. Frontową słabo rozjaśniało pojedyncze okno, zasłonięte wyprawioną i naciągniętą zwierzęcą skórą, która blask księżyca w pełni zmieniała w mgliste żółte lśnienie. Rozróżniałem tylko kształty, nie same obiekty, ale macałem rękami wokół siebie, aż natrafiłem na coś, co musiało być torbą rzepy. Wydobyłem z worka guzowatą bulwę, oczyściłem dłonią, wbiłem w nią zęby i zacząłem chrupać kruchą, ziemistą rozkosz. Do tej chwili nie przepadałem za rzepą, ale właśnie postanowiłem, że zostanę tutaj, dopóki całej zawartości worka nie przeniosę do własnego żołądka. I nagle usłyszałem jakiś szelest w drugiej izbie.

Przestałem żuć i nasłuchiwałem. I nagle zobaczyłem kogoś w przejściu między izbami. Wstrzymałem oddech.

Wtedy usłyszałem głos staruchy, recytującej po chińsku z tym jej szczególnym akcentem:

– Odebrać życie człowiekowi lub podobnemu do człowieka. Wziąć rzecz, która nie jest dana. Twierdzić, że ma się nadludzkie moce.

Chwilę to trwało, ale zrozumiałem, że stara kobieta wymienia reguły, za złamanie których mnich może być wydalony z klasztoru. Kiedy stanęła w mglistym blasku padającym z okna, powiedziała:

– Mieć stosunek płciowy z kimkolwiek, aż do poziomu zwierzęcia.

I w tym momencie zdałem sobie sprawę, że bezzębna starucha jest naga. Nadgryziony kęs rzepy wypadł mi z ust i potoczył się po szacie. Starucha, teraz już całkiem blisko mnie, wyciągnęła rękę. Myślałem, że chce złapać tę rzepę, ale ona chwyciła to, co miałem pod szatą.

– Czy masz nadludzką moc? – zapytała, ciągnąc za moją męskość. A ta, ku mojemu zdumieniu, przytaknęła.

Muszę zaznaczyć, że minęły prawie dwa lata, odkąd opuściliśmy fortecę Baltazara, a kolejne sześć miesięcy od dnia, kiedy demon wyrwał się na wolność i zabił wszystkie dziewczęta prócz Radosnej – tym samym redukując moje rezerwy partnerek seksualnych. Chcę zapewnić, że ściśle przestrzegałem klasztornych reguł i pozwalałem jedynie na takie nocne emisje, które następowały we śnie (chociaż nauczyłem się całkiem sprawnie kierować moje sny ku odpowiednim tematom, więc cała ta umysłowa dyscyplina i medytacje nie były całkiem bezużyteczne).

Jednakże znalazłem się w stanie osłabienia woli oporu, kiedy stara kobieta, choć koścista i bezzębna, groźbami i strachem skłoniła mnie, bym wykonał z nią to, co Chińczycy nazywają Zakazanym Tańcem Małpy. Pięć razy.

Wyobraźcie sobie mój smutek, kiedy człowiek, który miał zbawić świat, znalazł mnie rankiem z kanciastym supłem ciała chińskiej staruchy oralnie uczepionym cielesnej pagody wydłużalnej rozkoszy. Ja sam chrapałem w transcendentalnym, rzepotrawiennym zapomnieniu.

– Achhhhhh! – zawołał Joszua.

Odwrócił się do ściany i zarzucił sobie szatę na głowę.

– Achhhhhh! – odpowiedziałem, zbudzony z drzemki zdegustowanym okrzykiem przyjaciela.

– Achhhhhh! – dodała stara kobieta. Tak myślę. (Jej zdolność mowy była szczodrze ograniczona, choć to ja sam stwierdzam tę szczodrość).

– O rany, Biff... – jąkał się Joszua. – Nie możesz... Żądza to... Rany, Biff!

– Co? – spytałem, jakbym nie wiedział.

– Obrzydziłeś mi seks już na zawsze – oświadczył. – Kiedy tylko o nim pomyślę, ujrzę w myślach ten obrazek.

– A więc?

Odepchnąłem staruchę i przegnałem ją do drugiej izby.

– A więc... – Josh odwrócił się, spojrzał mi w oczy, a potem uśmiechnął się tak szeroko, że zagroził bezpieczeństwu własnych uszu. – A więc dzięki.

Wstałem i skłoniłem się.

– Jestem tu po to, by ci służyć.

I uśmiechnąłem się także.

– Kasper kazał mi cię znaleźć. Jest gotów do wymarszu.

– Dobrze. Tylko może... no wiesz... lepiej się pożegnam.

Skinąłem w stronę drugiej izby.

Joszua zadrżał.

– Bez urazy! – zawołał do staruchy, która wolała się nie pokazywać. – Po prostu byłem zaskoczony.

– Chcesz rzepę? – spytałem, podnosząc bulwiasty smakołyk.

Joszua odwrócił się i ruszył do drzwi.

– O rany, Biff – powiedział, wychodząc.

19

Kolejny dzień spędzony na wędrówkach po mieście w towarzystwie anioła, kolejny sen o kobiecie stojącej przy moim łóżku. Obudziłem się, rozumiejąc w końcu – po tylu latach – co musiał czuć Joszua, przynajmniej czasami, jako jedyny ze swego rodzaju. Wiem, powtarzał nam wielokrotnie, że jest synem człowieczym, zrodzonym z kobiety, jednym z nas, ale jednak ojcowskie dziedzictwo czyniło go innym. Teraz, kiedy właściwie mam pewność, że jestem jedynym człowiekiem na Ziemi, który chodził po niej dwa tysiące lat temu, odczuwam bolesną świadomość, co to znaczy być kimś innym, jednym jedynym. Jestem samotny. Dlatego pewnie Joszua tak często wyprawiał się w te góry, tak długo przebywał w towarzystwie stwora.

Ostatniej nocy śniłem, że anioł rozmawia z kimś w pokoju, kiedy śpię. I we śnie słyszałem, jak mówi: „Może najlepiej byłoby go zabić, kiedy już skończy. Skręcić mu kark i wepchnąć ciało do kanału burzowego". Dziwne jednak, że w głosie anioła nie było ani śladu złości. Wprost przeciwnie, brzmiał bardzo smutno. Stąd wiem, że to był sen.

Nigdy bym nie przypuszczał, że będę się cieszył z powrotu do klasztoru, ale po brnięciu przez pół dnia w śniegu perspektywa wilgotnych kamiennych ścian i ciemnych korytarzy była tak kusząca, jak wizja ognia na kominku. Połowa ryżu, jaki przynieśliśmy z wyprawy, została natychmiast ugotowana i umieszczona w bambusowych rurach średnicy dłoni i długich jak męska noga. Połowę jarzyn wyniesiono do magazynu, a drugą zapakowano do sakw razem z solą. Kolejne bambusowe rury napełniono zimną herbatą. Mieliśmy akurat tyle czasu, by rozgrzać się trochę przy ogniu. Potem Kasper kazał nam zabrać rury i sakwy, i wyruszyliśmy w góry. Jakoś nigdy nie zauważyłem, żeby mnisi udający się na te tajemnicze medytacje brali ze sobą tyle żywności. A skoro tyle jej było – o wiele więcej, niż moglibyśmy zjeść przez te cztery czy pięć dni – dlaczego Joszua i ja musieliśmy pościć, przygotowując się do wyprawy?

Marsz w górę przez pewien czas był nawet łatwiejszy, jako że wiatr oczyścił ścieżkę ze śniegu. Dopiero gdy dotarliśmy na wysokie hale, gdzie pasły się jaki, a zaspy były głębokie, droga stała się trudniejsza. Zmienialiśmy się na czele kolumny, torując szlak.

Wspinaliśmy się coraz wyżej. Powietrze tak się rozrzedziło, że nawet przyzwyczajeni do gór mnisi często musieli przystawać, by łapać oddech. A równocześnie wiatr przenikał nasze szaty i nogawice, jakbyśmy wcale ich nie mieli. To, że brakowało powietrza do oddychania, a równocześnie od ruchu tego powietrza marzliśmy do kości, jest chyba ironiczne. Jednakże trudno mi było to docenić nawet wtedy.

– Dlaczego nie mógłbyś zwyczajnie iść do rabbich i uczyć się być Mesjaszem jak wszyscy? – zwróciłem się do Joszuy. – Czy w historii o Mojżeszu występuje jakiś śnieg? Nie. Czy pan objawił się Mojżeszowi w postaci śnieżnej zaspy? Nie wydaje mi się. Czy Eliasz wstąpił do nieba w rydwanie z lodu? Nie. Czy Daniel wyszedł ze śnieżnej zawiei bez żadnej rany? Też nie. Nasz lud dba o ogień, Josh, nie o lód. Nie przypominam sobie śniegu w całej Torze. Pan zapewne nawet nie odwiedza miejsc, gdzie pada śnieg. To straszna pomyłka, w ogóle nie należało tu przychodzić, powinniśmy wracać do domu, jak tylko to wszystko się skończy, a konkludując: nie czuję własnych stóp.

– Daniel nie wyszedł z ognia – zauważył spokojnie Joszua.

– Wiesz, trudno mieć pretensje. Ale pewnie było tam dość ciepło.

– Daniel wyszedł bez żadnej rany z jaskini lwów.

– Tutaj – oznajmił Kasper, przerywając dalszą dyskusję. Złożył pakunki na ziemi i usiadł.

– Gdzie?

Stanęliśmy pod niską przewieszką, osłonięci od wiatru i częściowo od śniegu, ale trudno byłoby uznać to za schronienie. Mimo to mnisi, nie wyłączając Joszuy, zrzucili bagaże i usiedli, przyjmując pozę medytacji. Dłonie ułożyli w mudrę wszechogarniającego współczucia (która, co zaskakujące, ma taki sam układ, jakiego ludzie współcześni używają do powiedzenia „OK"; zastanawiające).

– Nie możemy się tutaj zatrzymać. Tutaj nie ma żadnego tutaj – powiedziałem.

– Otóż to – zgodził się Kasper. – Spróbuj to kontemplować.

Usiadłem więc.

Joszua i pozostali wydawali się całkiem nieczuli na zimno. Moje ubranie i rzęsy pokrył szron, a tymczasem wokół nich zaczął się topić drobny pył lodowych kryształków, pokrywający ziemię i kamienie. Całkiem jakby w ich ciałach płonął ogień. Kiedy cichł wiatr, widziałem obłoki pary nad Kasprem – to jego zmoczona szata oddawała wilgoć zimnemu powietrzu. Kiedy z Joszuą uczyliśmy się medytacji, mówiono nam, że powinniśmy być nadświadomi wszystkiego dookoła, połączeni... Jednakże w tej chwili moi towarzysze zapadli w trans, stan separacji, rozłączenia. Zbudowali sobie coś w rodzaju myślowego schronienia, w którym siedzieli zadowoleni, gdy tymczasem ja dosłownie zamarzałem na śmierć.

– Joszua, musisz mi pomóc – powiedziałem, ale mojemu przyjacielowi nie drgnął nawet jeden mięsień.

Stuknąłem go w ramię, nie doczekałem się jednak reakcji. Próbowałem zwrócić na siebie uwagę któregoś z pozostałej czwórki, ale oni również jakby nie czuli moich szturchnięć. W pewnej chwili nawet pchnąłem Kaspra, tak mocno, że się przewrócił, ale trwał w pozycji siedzącej i przypominał posąg Buddy, który spadł z piedestału.

A jednak, dotykając towarzyszy, czułem promieniujące z nich ciepło. Ponieważ nie było szansy, bym nauczył się osiągać taki trans dość szybko, by ocalić życie, nie miałem wyboru – musiałem skorzystać z ich transu.

Na początku ułożyłem mnichów w stos, pilnując tylko, by łokcie i kolana ustawiać z dala od oczu i kroczy, z szacunku, w duchu nieskończenie współczującego Buddy i w ogóle. Co prawda promieniowali imponującym ciepłem, ale przekonałem się, że w ten sposób mogę ogrzać tylko jedną stronę ciała na raz. Usadziłem więc moich towarzyszy w kręgu, twarzami na zewnątrz, dzięki czemu powstała chroniąca mnie przed zimnem otoczka komfortu. Prawdę mówiąc, przydałoby się jeszcze ze dwóch mnichów, żeby rozciągnąć ich na górze tego szałasu z ciał i zyskać osłonę od wiatru, ale życie jest cierpieniem, jak nauczał Budda. Zatem cierpiałem. Zagrzałem herbatę na głowie Numeru Siódmego, a rurę z ryżem wsadziłem Kasprowi pod pachę, dzięki czemu zjadłem ciepły posiłek i mogłem zasnąć z pełnym brzuchem.

Obudził mnie taki odgłos, jakby cała rzymska armia próbowała wyssać anchois z Morza Śródziemnego. Otworzyłem oczy, zobaczyłem źródło tego hałasu i o mało nie upadłem na plecy, próbując się cofnąć. Wielki kudłaty stwór, o połowę wyższy od człowieka, próbował wyssać z bambusowej rury herbatę. Ale herbata zamarzła i wyglądało na to, że jeśli stwór nie przestanie, za chwilę wciągnie do żołądka czubek własnej głowy. Owszem, był trochę podobny do człowieka, tyle że całe ciało porastała mu długa biała sierść. Oczy miał wielkie jak cielę, o krystalicznie błękitnych tęczówkach i maleńkich źrenicach. Długie czarne rzęsy splatały się przy każdym mrugnięciu. Miał długie czarne pazury u dłoni, wyglądających jak ludzkie, ale dwa razy większych. Jedyną odzież stanowiły buty, zrobione chyba ze skóry jaka. Pokaźny sprzęt dyndający stworowi między nogami pozwolił mi odgadnąć, że mam do czynienia z samcem.

Spojrzałem na mnichów, by sprawdzić, czy ktoś zauważył, że kudłata bestia kradnie nasze zapasy, ale wszyscy tkwili pogrążeni w głębokim transie. Stwór znów possał rurę, a potem łapą stuknął w nią z boku, jak gdyby chciał obruszyć zawartość. Popatrzył na mnie prosząco. Groza, jaką odczuwałem, rozwiała się w jednej chwili, gdy spojrzałem w jego oczy – nie było w nich żadnego błysku agresji, śladu przemocy czy groźby. Sięgnąłem po rurę z herbatą, którą podgrzałem na głowie Numeru Siódmego. Potrząsnąłem nią, aż zachlupotała, dowodząc, że nie zamarzła podczas mojej drzemki, i podałem stworowi. Sięgnął nad Joszuą, chwycił rurę, wyrwał z niej korek i zaczął pić łapczywie.

Wykorzystałem ten moment, by kopnąć przyjaciela w nerkę.

– Josh, ocknij się! Musisz to zobaczyć!

Nie zareagował, więc wyciągnąłem rękę i zatkałem mu palcami nos. Aby opanować medytację, uczeń musi najpierw opanować oddech. Zbawca prychnął i wyrwał się z transu, sapiąc i szarpiąc się w moim chwycie. Patrzył na mnie gniewnie, kiedy wreszcie go puściłem.

– Co? – zapytał.

Wskazałem za niego. Joszua odwrócił się i zobaczył wielkiego, kudłatego, białego typa w pełnej krasie.

– Święta pięta!

Wielki Futrzak odskoczył, obejmując rurę z herbatą jak zagrożone niemowlę. Wydał odgłos, który nie całkiem był artykułowaną wypowiedzią (ale gdyby był, też tłumaczyłoby się go jako „święta pięta").

Przyjemnie było patrzeć, jak absolutna samokontrola Joszuy odpływa, odsłaniając miękkie podbrzusze zmieszania.

– Co... To znaczy, kto... To znaczy, co to takiego?

– Nie Żyd – zauważyłem usłużnie, wskazując na dwa łokcie napletka.

– Przecież widzę, że nie Żyd, ale niewiele to wnosi, prawda?

Dziwne, ale wydawało się, że sytuacja bawi mnie o wiele bardziej niż dwóch pozostałych, wyraźnie przestraszonych.

– Pamiętasz, jak Kasper podawał nam reguły obowiązujące w klasztorze, a my nie wiedzieliśmy, o co mu chodzi, kiedy mówił, że nie wolno zabić człowieka ani podobnego do człowieka?

– No tak.

– No więc on jest chyba podobny do człowieka.

– No dobra.

Joszua wstał i przyjrzał się Wielkiemu Futrzakowi. Wielki Futrzak wyprostował się i przyjrzał Joszui, przechylając głowę z boku na bok.

Joszua się uśmiechnął.

Wielki Futrzak odpowiedział uśmiechem. Czarne wargi, bardzo długie i ostre kły...

– Wielkie zęby – zauważyłem. – Bardzo wielkie zęby.

Joszua podał stworowi rękę. Stwór wyciągnął swoją i bardzo delikatnie ujął wielką łapą drobną dłoń Mesjasza... po czym poderwał go w powietrze, złapał w uścisku i chwycił tak mocno, aż rozanielone oczy wyszły Joshowi z orbit.

– Ratunku! – pisnął.

Długim niebieskim językiem stwór polizał mu czubek głowy.

– Lubi cię – stwierdziłem.

– On mnie kosztuje...

Wspomniałem, jak mój przyjaciel nieustraszenie szarpnął za ogon demona Haka, jak z całkowitym spokojem stawiał czoło tak wielu niebezpieczeństwom. Wspomniałem okazje, kiedy mnie uratował, zarówno przed zewnętrznym zagrożeniem, jak i przed samym sobą. I myślałem o łagodności w jego oczach, głębszych niż samo morze.

– Nie. Lubi cię – powiedziałem. Uznałem, że spróbuję innego języka, a wtedy może stwór lepiej zrozumie znaczenie moich słów. – Lubisz Joszuę, prawda? Tak, lubisz. Tak, lubisz. Śtfól jubi Ziosiuę, cio? Jubi, jubi.

Dziecięcy język jest uniwersalny. Słowa się różnią, ale znaczenie i ton są takie same.

Stwór trącił Josha nosem pod brodę, a potem znów polizał mu głowę. Tym razem na skórze mojego przyjaciela pozostał parujący ślad zabarwionej zieloną herbatą śliny.

– Błe. – Josh się skrzywił. – Co to za istota?

– To yeti – wyjaśnił Kasper. Stał za mną, wyraźnie rozbudzony z transu. – Obrzydliwy człowiek śniegu.

– Więc to się dzieje, kiedy ktoś pieprzy owce! Obrzydliwość – wykrzyknąłem.

– Nie obrzydliwość – poprawił mnie Joszua. – Obrzydliwy. Yeti liznął go po policzku. Joszua spróbował go odepchnąć.

– Czy coś mi grozi? – zapytał Kaspra.

Ten wzruszył ramionami.

– Czy pies ma naturę Buddy?

– Proszę cię, Kasprze... To było pytanie o zastosowaniu praktycznym, bez związku z rozwojem duchowym.

Yeti sapnął i znów liznął policzek Joszuy. Domyślałem się, że język ma szorstki jak kot, bo skóra Mesjasza zaczerwieniła się już od tarcia.

– Nadstaw drugi policzek, Josh – poradziłem. – Żeby obcierał je po równo.

– Zapamiętam to sobie – rzekł Joszua. – Kasprze, czy on zrobi mi krzywdę?

– Nie wiem. Żaden z nas jeszcze nigdy nie znalazł się tak blisko niego. Zwykle przychodzi, kiedy jesteśmy w transie, i znika z żywnością. Mamy szczęście, jeśli w ogóle uda nam się go zobaczyć.

– Postaw mnie na ziemi, proszę – zwrócił się Josh do stwora. – Proszę, puść mnie.

Yeti ostrożnie postawił Joszuę na nogi. Tymczasem inni mnisi budzili się z transu. Numer Siedemnasty zapiszczał, widząc stwora tak blisko siebie. Yeti przykucnął i odsłonił zęby.

– Przestań! – warknął Josh do Numeru Siedemnastego. – Przestraszyłeś go!

– Daj mu ryżu – poradził Kasper.

Sięgnąłem po ogrzaną wcześniej bambusową rurę i wręczyłem ją yeti. Zerwał pokrywkę i zaczął wygrzebywać ryż długim palcem; zlizywał z dłoni ziarenka, jakby to były próbujące uciekać termity.

Joszua wycofywał się powoli i teraz stanął obok Kaspra.

– Dlatego tu przychodzicie? Dlatego po powrocie z wioski tak dużo żywności zabieracie w góry?

Kasper skinął głową.

– Jest ostatnim ze swojej rasy. Nie ma nikogo, kto by mu pomógł zdobywać pożywienie. Nikogo, z kim mógłby rozmawiać.

– Ale czym jest? Co to jest yeti?

– Lubimy myśleć o nim jak o darze. Jest wizją jednego z wielu żywotów, które może przeżyć człowiek, zanim osiągnie nirwanę. Wierzymy, że jest tak bliski istoty doskonałej, jak to tylko możliwe na tej płaszczyźnie egzystencji.

– Skąd wiesz, że jest jedyny?

– Powiedział mi.

– On mówi?

– Nie, śpiewa. Zaczekaj.

Patrzyliśmy, jak yeti się posila, a mnisi podchodzili do niego kolejno i składali przed nim swoje pojemniki z żywnością i herbatą. Yeti tylko z rzadka unosił głowę, jak gdyby cały jego świat ograniczał się do tej bambusowej rury z ryżem. A jednak widać było, że za błękitnymi oczami umysł stwora liczy, ocenia, racjonuje dostarczone zapasy.

– Gdzie on mieszka? – zapytałem Kaspra.

– Nie wiemy. Myślę, że gdzieś w jaskini. Nigdy nas do niej nie zabrał, a my nie szukamy.

Kiedy już cała żywność została ułożona przed yeti, Kasper skinął na mnichów. Zaczęli wycofywać się spod przewieszki w śnieg, kłaniając się stworowi, gdy go mijali. Yeti spoglądał za nami. Za każdym razem, kiedy się oglądałem, on ciągle patrzył. W końcu oddaliliśmy się tak, że był jedynie sylwetką na tle białego zbocza. Gdy wreszcie wydostaliśmy się z doliny i nawet chroniąca nas przewieszka zniknęła z oczu, usłyszeliśmy pieśń yeti. Nic – nawet gra na baranim rogu w domu, wojenne okrzyki bandytów czy śpiew żałobników – nic, co w życiu słyszałem, nie poruszyło mnie tak, jak ta pieśń. Była wysokim zawodzeniem, ale z przerwami i rytmem – jak stłumiony odgłos bijącego serca – i niosła się przez całą dolinę. Yeti ciągnął swe przejmujące nuty o wiele dłużej, niż pozwoliłyby na to ludzkie płuca. Efekt był taki, jakby ktoś wlewał mi do gardła wielką beczkę smutku, aż zdawało się, że runę albo eksploduję z żalu. To był głos tysiąca płaczących z głodu dzieci, dziesięciu tysięcy wdów wyrywających sobie włosy nad grobami mężów, chór aniołów śpiewających ostatnią pieśń pogrzebową w dzień śmierci Boga. Zatkałem uszy i osunąłem się na kolana w śnieg. Spojrzałem na Joszuę – łzy spływały mu po twarzy. Inni mnisi stali przygarbieni, jakby się osłaniali przed gradem. Kasper kulił się, patrząc na nas, i widziałem, że naprawdę jest już bardzo stary. Może nie tak stary jak Baltazar, ale miał na twarzy cierpienie.

– Widzisz więc – powiedział – że jest jedynym ze swej rasy. Jest samotny.

Nie trzeba było znać języka yeti, jeśli go miał, by wiedzieć, że Kasper ma rację.

– Nie jest – sprzeciwił się Joszua. – Wracam do niego.

Kasper chwycił go za ramię, próbując zatrzymać.

– Wszystko jest tak, jak być powinno – rzekł.

– Nie – odparł Joszua. – Nie jest.

Kasper cofnął rękę, jakby wsunął ją w ogień – dziwna reakcja, widziałem bowiem mnicha, który w ramach ćwiczeń kung-fu naprawdę włożył rękę w ogień. I nie zareagował tak gwałtownie.

– Zostaw go – powiedziałem, nie wiedząc wtedy dlaczego.

Joszua ruszył samotnie do doliny. Nie odezwał się już do nas ani słowem.

– Wróci, kiedy nadejdzie czas – powiedziałem.

– Co ty tam wiesz – burknął Kasper wyraźnie nieoświeconym tonem. – Przez tysiąc lat będziesz odpracowywał swoją karmę jako żuk gnojak, zanim wyewoluujesz do etapu bycia tępym.

Nie odpowiedziałem, Pokłoniłem się tylko, a potem ruszyłem za moimi braćmi-mnichami do klasztoru.

Minął tydzień, nim Joszua do nas wrócił, i jeszcze dzień, zanim znaleźliśmy czas, żeby porozmawiać. Siedzieliśmy w jadalni, a Joszua jadł swój ryż oraz mój. Tymczasem wiele myślałem o sytuacji obrzydliwego człowieka śniegu, a co ważniejsze, jego pochodzeniu.

– Myślisz, Josh, że kiedyś było ich więcej?

– Tak. Nigdy tyle, ile ludzi, ale o wiele więcej.

– A co się z nimi stało?

– Nie jestem pewien. Kiedy yeti śpiewa, widzę w głowie obrazy. Zobaczyłem, jak ludzie przybyli w te góry i wybili yeti. Nie miały instynktu walki, większość stała w miejscu i patrzyła, jak ich mordują, zdumiona ukrytym w ludziach złem. Inne uciekały wyżej i wyżej w góry. Wydaje mi się, że ten nasz miał partnerkę i rodzinę. Umarli z głodu albo od jakiejś choroby, nie jestem pewien.

– Czy jest człowiekiem?

– Nie sądzę, żeby był człowiekiem – odparł Joszua.

– Czy jest zwierzęciem?

– Nie, nie wydaje mi się też, by był zwierzęciem. On wie, kim jest. I wie, że jest ostatni.

– Myślę, że wiem, czym on jest.

Joszua spojrzał na mnie ponad brzegiem miseczki.

– No?

– Pamiętasz małpie stopy, które Baltazar kupował od tej starej kobiety w Antiochii? Wyglądały jak ludzkie.

– Tak.

– I musisz przyznać, że yeti jest bardzo podobny do człowieka. Bardziej podobny niż jakiekolwiek inne stworzenie, prawda? Więc może jest stworzeniem, które staje się człowiekiem? Może nie jest ostatnim ze swojej rasy, ale pierwszym z naszej? Zacząłem się nad tym zastanawiać, bo Kasper ciągle tłumaczy, jak to musimy odpracowywać naszą karmę w różnych inkarnacjach, jako różne stworzenia. W każdym życiu uczymy się więcej i możemy się odrodzić jako wyższa istota. I wiesz, może tak samo jest z innymi stworzeniami? Może kiedy yeti musi zamieszkać tam, gdzie jest cieplej, traci futro. Albo kiedy małpy muszą, sam nie wiem, hodować bydło i owce, robią się wyższe? Nie wszystkie naraz, ale przez wiele inkarnacji. Może stworzenia ewoluują tak, jak według Kaspra ewoluuje dusza? Jak myślisz?

Joszua przez chwilę gładził się po brodzie i patrzył na mnie, jakby był pogrążony w myślach. A równocześnie miałem uczucie, że lada chwila może wybuchnąć śmiechem. Zastanawiałem się nad tym przez cały tydzień. Ta teoria męczyła mnie przez wszystkie moje medytacje, wszystkie ćwiczenia – od czasu naszej pielgrzymki do doliny yeti. Pragnąłem uznania, jeżeli nie czegoś więcej.

– Biff – rzekł. – To najgłupsza teoria, jaką wymyśliłeś.

– Więc uważasz, że to niemożliwe?

– Dlaczego Pan miałby stwarzać istoty tylko po to, żeby potem wymarły? Czemu miałby na to pozwolić?

– A co z potopem? Wszyscy zginęli oprócz Noego i jego rodziny.

– Ale to było dlatego, że ludzie stali się niegodziwi. Yeti nie jest niegodziwy. Jeśli już, to jego rasa wyginęła, ponieważ nie była zdolna do niegodziwości.

– Ty jesteś Synem Bożym, więc mi to wytłumacz.

– Wolą bożą jest – odparł Joszua – by yeti zniknęły.

– Bo nie ma w nich ani śladu niegodziwości? – spytałem sarkastycznie. – A jeśli yeti nie jest człowiekiem, to nie jest też grzeszny. Czyli jest niewinny.

Joszua kiwnął głową, wpatrzony w swą pustą miseczkę.

– Tak. Jest niewinny.

Wstał i skłonił mi się, czego prawie nigdy nie robił, chyba że w ramach zajęć.

– Jestem teraz zmęczony, Biff. Będę spał i się modlił...

– Przepraszam, Josh, nie chciałem cię zasmucać. Pomyślałem, że to interesująca teoria.

Uśmiechnął się do mnie słabo, po czym zwiesił głowę i powlókł się do celi.

Przez kolejne lata Joszua w każdym miesiącu przynajmniej tydzień spędzał z yeti w górach. Wyprawiał się do niego nie tylko z każdą grupą mnichów, ale często sam, by zniknąć na całe dnie, a latem nawet tygodnie. Nigdy nie opowiadał, co tam robi; zdradził mi tylko, że yeti zabrał go do jaskini, gdzie mieszkał, i pokazał kości swego ludu. Mój przyjaciel odnalazł coś w kontaktach z człowiekiem śniegu i choć nie miałem odwagi, by zapytać, podejrzewam, że łączyło ich przekonanie, że obaj są istotami wyjątkowymi. Niezależnie od związków, jakie mogli odczuwać z Bogiem i wszechświatem, w tamtym miejscu i czasie mieli tylko siebie. Byli samotni.

Kasper nie zabraniał Joszui tych pielgrzymek. Jak mógł, starał się udawać, że nie dostrzega nieobecności Numeru Dwudziestego Drugiego. Widziałem jednak, że jest niespokojny za każdym razem, gdy Joszua znikał.

Obaj nadal ćwiczyliśmy na słupkach, a po dwóch latach skoków i balansowania, do szkolenia dołączono taniec i użycie broni. Joszua nie chciał brać w rękę żadnej broni; odmawiał ćwiczenia dowolnej sztuki, która mogłaby skrzywdzić inną istotę. Nie chciał nawet bambusowymi kijami naśladować walki na miecze czy piki. Kasper początkowo irytował się tą postawą, a nawet zagroził, że wydali Josha z klasztoru. Ustąpił jednak, kiedy wziąłem go na stronę i opowiedziałem o łuczniku, którego Joszua oślepił podczas wędrówki do fortecy Baltazara. Wraz z dwoma starszymi mnichami, którzy służyli kiedyś jako żołnierze, opracował dla Josha ćwiczenia w walce bez broni; sztuka ta nie obejmowała żadnych ataków ani ciosów, ale wykorzystywała energię atakującego przeciw niemu. Ponieważ uprawiał ją jedynie Joszua (i czasami także ja), mnisi nazwali ją *Żyd-dô* (wymawiali z chińska *dżud-do*), co oznacza *drogę Żyda*.

Oprócz ćwiczeń kung-fu i *Żyd-dô*, na polecenie Kaspra uczyliśmy się mówić i pisać w sanskrycie. Większość świętych ksiąg buddyzmu powstała w tym języku i czekały dopiero na tłumaczenie na chiński – którego z Joszuą używaliśmy już płynnie.

– To język mojego dzieciństwa – wyznał Kasper, nim zaczęliśmy lekcje. – Musicie go poznać, jeśli chcecie poznać słowa Gautamy Buddy, ale będzie wam też potrzebny, gdy zechcecie podążyć za waszą dharmą do kolejnego celu.

Joszua i ja spojrzeliśmy na siebie. Dawno już nie rozmawialiśmy o opuszczeniu klasztoru i wspomnienie o tym nas zaniepokoiło. Rutyna daje poczucie bezpieczeństwa, a w klasztorze życie toczyło się zgodnie z rutyną.

– Kiedy mamy odejść, mistrzu? – spytałem.

– Kiedy nadejdzie czas – odpowiedział.

– A jak poznamy, że nadszedł czas odejścia?

– Wtedy dobiegnie końca czas pozostawania.

– A dowiemy się tego, ponieważ w końcu udzielisz nam odpowiedzi prostej i zrozumiałej zamiast mętnej i niejasnej?

– Czy młoda kijanka zna wszechświat dorosłej żaby?

– Oczywiście nie – przyznał Joszua.

– Zgadza się – potwierdził mistrz. – Pomedytujcie o tym.

A kiedy wraz z Joszuą wkroczyliśmy do świątyni, by zacząć medytacje, mruknąłem:

– Mówię poważnie: jeszcze pożałuje, że nauczył mnie walczyć.

– Jestem tego pewien. Ja już żałuję.

– Wiesz, nie musi być jedynym ze skopanym tyłkiem, kiedy nadejdzie wreszcie czas kopania tyłków.

Joszua spojrzał na mnie, jakbym wyrwał go z drzemki.

– Przez cały ten czas, który spędzamy na medytacjach, co ty właściwie robisz, Biff?

– Medytuję... czasami. Wsłuchuję się w głos wszechświata i takie tam.

– Ale na ogół po prostu siedzisz?

– Nauczyłem się spać z otwartymi oczami.

– To ci nie pomaga w drodze do oświecenia.

– Wiesz, kiedy już osiągnę nirwanę, chcę być dobrze wypoczęty.

– Nie martw się o to. Nie warto marnować czasu.

– Ale przecież mam wewnętrzną dyscyplinę. Drogą praktyki nauczyłem się wywoływać spontaniczne nocne emisje.

– To duże osiągnięcie – stwierdził sarkastycznie Mesjasz.

– Nabijaj się, proszę bardzo. Ale kiedy wrócimy do Galilei, ty będziesz próbował ludziom sprzedać to swoje „miłuj bliźniego swego, bo on jest tobą", a ja zaproponuję program „nocne zmazy na życzenie". I zobaczymy, kto będzie miał więcej chętnych.

Joszua uśmiechnął się szeroko.

– Sądzę, że obu nam pójdzie lepiej niż kuzynowi Janowi z jego „trzymaj ich pod wodą, dopóki nie zgodzą się z tym, co głosisz".

– Od lat o nim nie myślałem. Myślisz, że nadal to robi?

Wtedy właśnie Numer Drugi, z bardzo surową i nieoświeconą miną, ruszył ku nam przez salę z bambusowym kijem w dłoni.

– Przepraszam, Josh, ale przechodzę do bezumysłu.

Przybrałem pozycję lotosu, palce ułożyłem w mudrę współczującego Buddy i raz dwa wyruszyłem w siedzącą wędrówkę ku jedności i takietamności.

Mimo zawoalowanych sugestii Kaspra, że będziemy musieli wyruszyć, znowu popadliśmy w rutynę. Obejmowała naukę czytania i pisania sutr w sanskrycie, ale też wizyty Joszuy u yeti. Nabrałem takiej sprawności w sztukach walki, że potrafiłem rozbić głową kamienną płytę, grubą jak moja ręka; potrafiłem podkraść się do najbardziej czujnego mnicha, przyłożyć mu w ucho i wrócić do pozycji kwiatu lotosu, zanim zdążył się odwrócić i wyrwać mi z piersi bijące serce. (Prawdę mówiąc, nikt nie był pewien, czy to w ogóle możliwe. Codziennie mnich Numer Trzeci ogłaszał, że nadeszła pora na ćwiczenie „wyrywania z piersi bijącego serca" i codziennie wzywał ochotników. Po kilku chwilach, gdy nikt się nie zgłaszał, przechodził do następnego ćwiczenia, zwykle

„okaleczania przeciwnika wachlarzem". Wszyscy się zastanawiali, czy Numer Trzeci to potrafi, ale nikt nie chciał sprawdzać. Wiedzieliśmy, jak ci buddyjscy mnisi lubią nauczać. W jednej chwili człowiek jest zwyczajnie ciekawy, w następnej łysy facet trzyma mu przed nosem pulsujący kawał mięcha, a on się zastanawia, skąd ten nagły przeciąg w piersiowym fragmencie szaty. Nie, dzięki; aż tak nam na tej wiedzy nie zależało).

Tymczasem Joszua nabrał takiej wprawy w unikaniu ciosów, jakby znowu stał się niewidzialny. Nawet najlepsi z walczących mnichów (do których ja sam się nie zaliczałem) mieli kłopoty z trafieniem mojego przyjaciela, a często mimo wysiłków lądowali na wznak na bruku. Joszua podczas ćwiczeń wydawał się najszczęśliwszy; śmiał się, o włos unikając pchnięcia miecza, który trafiłby go w oko. Czasem odbierał Numerowi Trzeciemu pikę, po czym kłaniał się i wręczał mu ją, szczerząc zęby – jak gdyby posiwiały stary żołnierz upuścił broń, a nie pozwolił jej sobie wyrwać. Kiedy Kasper oglądał te pokazy, schodził z dziedzińca, kręcąc głową i mamrocząc coś o ego. Reszta z nas zwijała się ze śmiechu z opata. Nawet Numery Drugi i Trzeci, bardzo surowo przestrzegający dyscypliny, błysnęli kilkoma uśmiechami spod swych wiecznie zmarszczonych groźnie brwi.

To był dobry czas dla Joszuy. Medytacje, modły, ćwiczenia i odwiedziny u yeti pomagały mu zapomnieć o tym gigantycznym brzemieniu, które musiał dźwigać. Po raz pierwszy wydawał się naprawdę szczęśliwy. Dlatego zdumiałem się, kiedy pewnego dnia wszedł na dziedziniec zalany łzami. Rzuciłem pikę, z którą ćwiczyłem, i podbiegłem do niego.

– Joszua?

– On nie żyje – odpowiedział.

Objąłem go, a on szlochał mi w ramionach. Miał na sobie nogawice i buty, więc od razu zrozumiałem, że wrócił z wyprawy w góry.

– Kawał lodu oderwał się od stropu jaskini. Znalazłem go pod nim. Zmiażdżonego. Zamarzł na kamień.

– Więc nie mogłeś...

Odsunął się, trzymając mnie za ramiona.

– To koniec. Nie przyszedłem na czas. Nie tylko nie mogłem go ocalić, ale nie było mnie przy nim, by go pocieszyć.

– Owszem, byłeś – odparłem.

Joszua chwycił mnie mocno za ramiona i potrząsnął, jakbym wpadł w histerię, a on próbował mnie z niej wyrwać. Potem nagle puścił i wzruszył ramionami.

– Idę do świątyni się modlić.

– Niedługo do ciebie dołączę. Piętnasty i ja mamy jeszcze przećwiczyć trzy manewry.

Mój sparringpartner czekał cierpliwie na skraju dziedzińca. Trzymał w dłoni pikę i patrzył na nas.

Joszua dotarł już prawie do drzwi, gdy się obejrzał.

– Biff, wiesz, jaka jest różnica między modlitwą i medytacją?

Pokręciłem głową.

– Modlitwa jest rozmową z Bogiem. Medytacja to słuchanie. Większą część ostatnich sześciu lat słuchałem. I wiesz, co usłyszałem?

Nadal milczałem.

– Absolutnie nic, Biff. A teraz to ja mam Mu coś do powiedzenia.

– Przykro mi z powodu twojego przyjaciela – zapewniłem.

– Wiem. – Odwrócił się i ruszył dalej.

– Josh! – zawołałem.

Przystanął i spojrzał na mnie przez ramię.

– Nie dopuszczę, żeby coś takiego spotkało ciebie. Wiesz o tym, prawda?

– Wiem – odparł.

Wszedł do środka, żeby urządzić ojcu świątobliwą awanturę.

Następnego ranka Kasper wezwał nas do pokoju herbacianego. Opat wyglądał, jakby nie spał od wielu dni. Nie wiem, ile naprawdę miał lat, ale w oczach widziałem wieki cierpienia.

– Siądźcie – nakazał, a my posłuchaliśmy. – Starzec z góry nie żyje.

– Kto?

– Tak nazywaliśmy yeti: starcem z góry. Przeszedł do następnego życia, a wam pora odejść.

Joszua milczał. Siedział ze złożonymi dłońmi i wpatrywał się w blat stołu.

– A co jedno ma z drugim wspólnego? – spytałem. – Dlaczego mamy odejść? Bo yeti nie żyje? Nawet o tym, że istnieje, dowiedzieliśmy się dopiero po dwóch latach tutaj.

– Ale ja wiedziałem – rzekł Kasper.

Poczułem, jak żar ogarnia mi twarz – z pewnością nawet skóra na czaszce i uszy płonęły czerwienią, ponieważ Kasper mnie skarcił.

– Nic więcej tu dla was nie ma. Dla ciebie nic tu nie było od samego początku. Nie pozwoliłbym ci zostać, gdybyś nie był przyjacielem Joszuy. – Po raz pierwszy od naszego przybycia wymówił imię któregoś z nas. – Numer Czwarty spotka się z wami za bramą. Ma to, z czym do nas przybyliście, a także trochę żywności na drogę.

– Nie możemy wracać do domu – odezwał się w końcu Joszua. – Nie wiem jeszcze wielu rzeczy.

– Nie – zgodził się Kasper. – Przypuszczam, że nie wiesz. Ale wiesz wszystko, czego mogłeś się nauczyć tutaj. Gdy docierasz do rzeki i znajdujesz na brzegu łódź, korzystasz z niej, by się przedostać, i dobrze ci służy. Ale po drugiej stronie, czy zarzucisz sobie tę łódź na ramiona i poniesiesz ze sobą przez dalszą część drogi?

– Jak duża jest ta łódź? – spytałem.

– Jakiego jest koloru? – zainteresował się Joszua.

– Jak wiele drogi nam jeszcze pozostało?

– Czy Biff jest ze mną, żeby ponieść wiosła, czy ja sam mam wszystko dźwigać?

– Nie! – wrzasnął Kasper. – Nie zabieracie łodzi w dalszą drogę. Była przydatna, ale potem staje się tylko ciężarem. To przypowieść, wy kretyni!

Joszua i ja schyliliśmy głowy pod lawiną gniewu Kaspra. Opat wściekał się dalej, a Josh mrugnął do mnie i uśmiechnął się. A kiedy zobaczyłem ten uśmiech, wiedziałem, że wszystko z nim będzie dobrze.

Kasper zakończył tyradę, odetchnął głęboko i znów przemówił tonem tolerancyjnego mnicha, do którego byliśmy przyzwyczajeni.

– Jak już mówiłem, niczego więcej się tu nie dowiecie. Idź więc, Joszuo, i bądź bodhisattwą dla swego ludu. A ty, Biff, staraj się nie zabić nikogo tą sztuką, której cię tu nauczyliśmy.

– Czyli teraz dostaniemy tę łódź? – zapytał Joszua.

Kasper wyglądał, jakby miał eksplodować, ale Joszua uniósł rękę i opat zachował milczenie.

– Jesteśmy ci wdzięczni, Kasprze, za czas, jaki tu spędziliśmy. Mnisi są ludźmi szlachetnymi i honorowymi; wiele się od nich nauczyliśmy. Ty jednak, szacowny opacie, tylko udajesz. Opanowałeś kilka cielesnych sztuczek i potrafisz osiągnąć stan transu, nie jesteś jednak istotą oświeconą. Choć wydaje mi się, że dostrzegłeś oświecenie. Szukasz odpowiedzi wszędzie, tylko nie tam, gdzie się znajdują. Mimo to twe oszustwo nie powstrzymało cię przed udzieleniem nam nauk. Dziękujemy ci, Kasprze. Hipokryto. Mędrcu. Bodhisattwo.

Kasper wpatrywał się w Joszuę, który przemawiał do niego jak do dziecka. Potem zaczął przygotowywać herbatę, ale miałem wrażenie, że jego ruchy są niepewne. A może tylko mi się zdawało?

– Wiedzieliście o tym? – zwrócił się do mnie.

Wzruszyłem ramionami.

– Jaka istota oświecona wyruszy za gwiazdą wokół połowy świata, tylko z powodu plotki, że narodził się Mesjasz?

– Chciał powiedzieć, że przez połowę świata – poprawił mnie Joszua.

– Chciałem powiedzieć: wokół. – Szturchnąłem go łokciem w żebra, gdyż było to prostsze niż tłumaczenie Kasprowi mojej teorii uniwersalnej lepkości. Starzec i tak miał dziś ciężki dzień.

Kasper nalał herbaty sobie i nam, po czym usiadł i westchnął ciężko.

– Nie sprawiłeś nam zawodu, Joszuo. Kiedy tylko cię zobaczyliśmy, wszyscy trzej zdaliśmy sobie sprawę, że jesteś istotą niepodobną do innych. Wcieleniem bramina, jak to określił mój brat.

– A co pozwoliło wam to odgadnąć? – spytałem. – Anioły na dachu stajni?

Kasper nie zwracał na mnie uwagi.

– Ale wciąż byłeś niemowlęciem. Czegokolwiek u ciebie szukaliśmy, ty tego nie miałeś, przynajmniej jeszcze nie. Pewnie mogliśmy zostać, pomóc cię wychowywać, ochraniać cię, ale okazaliśmy się tępi. Baltazar pragnął klucza do nieśmiertelności, a ty w żaden sposób nie mogłeś mu go dać. Mój brat i ja chcieliśmy kluczy do wszechświata, a tych również nie dało się znaleźć w Betlejem. Ostrzegliśmy więc twojego ojca, że Herod chce cię zgładzić, daliśmy mu złoto na wyjazd z kraju i powróciliśmy na Wschód.

– Melchior jest twoim bratem?

Kasper przytaknął.

– Byliśmy książętami Tamilnadu. Melchior jest starszy, więc odziedziczyłby nasze ziemie, ale i ja dostałbym niewielkie lenno. Jak Siddhartha, wyrzekliśmy się ziemskich rozkoszy, by szukać oświecenia.

– Jak to się stało, że trafiłeś w te góry? – spytałem.

– Podążałem śladem Buddów. – Kasper uśmiechnął się lekko. – Usłyszałem, że w tych górach mieszka pewien mędrzec. Miejscowi nazywali go starcem z góry. Przybyłem, szukając mędrca, a znalazłem yeti. Któż może wiedzieć, ile naprawdę miał lat i jak długo tutaj przebywał. Ja zrozumiałem tylko, że jest ostatnim ze swej rasy i że bez pomocy zginie. Zostałem więc tutaj i zbudowałem klasztor. Wraz z mnichami, którzy przybywali, by pobierać naukę, opiekowaliśmy się yeti od czasów, gdy wy dwaj byliście jeszcze niemowlętami. Teraz on odszedł. Nie mam już celu i niczego się nie nauczyłem. Wszystko, czego mógłbym się dowiedzieć, zginęło pod tą bryłą lodu.

Joszua wyciągnął rękę nad stolikiem i ujął dłoń starca.

– Codziennie każesz nam powtarzać te same ruchy, raz po raz ćwiczymy te same pociągnięcia pędzelka, śpiewamy te same mantry. Dlaczego? Aby te działania stały się naturalne, spontaniczne, niehamowane myślą. Prawda?

– Tak – przyznał Kasper.

– Współczucie jest takie samo. To właśnie wiedział yeti. Kochał stale, natychmiastowo, spontanicznie, bez myśli ani słów. Tego mnie nauczył. Miłość nie jest tym, o czym się myśli. Miłość to stan, w jakim się przebywa. To był jego dar.

– No, no – mruknąłem.

– Przybyłem, by się tego nauczyć – oświadczył Joszua. – I ty mnie tego nauczyłeś, tak samo jak yeti.

– Ja?

Kasper nalewał herbatę, słuchając Joszuy, aż zauważył, że napój z przepełnionej czarki rozlewa się po stole.

– Kto się nim zaopiekował? Karmił go? Dbał o niego? Czy musiałeś się zastanawiać, zanim się tego podjąłeś?

– Nie – odparł Kasper.

Joszua wstał.

– Dziękuję ci za łódź.

Kasper nie odprowadził nas. Tak jak obiecał, za bramą czekał Numer Czwarty z naszymi ubraniami i pieniędzmi, jakie przynieśliśmy tu sześć lat temu. Sięgnąłem po fiolkę yin-yang z trucizną, którą dostałem od Radosnej. Nałożyłem na szyję łańcuszek, potem wcisnąłem za pas szaty szklany sztylet. Ubranie chwyciłem pod pachę.

– Wyruszycie szukać brata Kaspra? – zapytał Numer Czwarty.

Numer Czwarty był jednym ze starszych mnichów, jednym z tych, którzy służyli cesarzowi jako żołnierze. Długa rozwidlona biała blizna biegła od środka jego ogolonej czaszki do prawego ucha.

– Tamilnad, tak? – upewnił się Joszua.

– Idźcie na południe. To bardzo daleko i wiele niebezpieczeństw czeka was w drodze. Pamiętajcie, czego się tu nauczyliście.

– Będziemy pamiętać – obiecał Joszua.

– Dobrze.

Numer Czwarty odwrócił się na pięcie, wrócił do klasztoru i zamknął ciężkie drewniane wrota.

– Nie, nie, Numerze Czwarty, daruj sobie płaczliwe pożegnania – powiedziałem do bramy. – Naprawdę, nie róbmy scen.

Joszua liczył pieniądze, które wysypał ze skórzanej sakiewki.

– Jest tyle, ile im zostawiliśmy.

– To dobrze.

– Wcale nie. Tkwiliśmy tutaj sześć lat, Biff. Przez ten czas suma powinna się podwoić albo i potroić.

– Niby jak? Magicznie?

– Nie. Powinni je zainwestować. – Obejrzał się na wrota. – Wy, tępaki, może powinniście mniej czasu poświęcać na naukę, jak się ze sobą bić, a więcej na zarządzanie pieniędzmi.

– Spontaniczna miłość? – zapytałem.

– Tak. Tego też Kasper nie zrozumie. Dlatego wybili yeti... Wiesz o tym, prawda?

– Kto?

– Ludzie z gór. Wybili yeti, bo nie potrafili zrozumieć istoty niemającej w sobie zła, jak oni.

– Ludzie z gór są źli?

– Wszyscy ludzie są źli. O tym właśnie rozmawiałem z ojcem.

– I co on na to powiedział?

– Pieprz ich.

– Poważnie?

– Tak.

– Przynajmniej ci odpowiedział.

– Mam wrażenie, że jego zdaniem teraz to już mój problem.

– Zastanawiam się, dlaczego nie wypisał tego na kamiennych tablicach. „OTO, MOJŻESZU, TWOJE DZIESIĘĆ

PRZYKAZAŃ, A TU JESZCZE JEDNO DODATKOWE, KTÓRE MÓWI: PIEPRZ ICH".

– Jego głos wcale tak nie brzmi.

– „NA NIEPRZEWIDZIANE SYTUACJE" – ciągnąłem, perfekcyjnie naśladując głos Pana.

– Mam nadzieję, że w Indiach jest ciepło. – Joszua westchnął.

I tak oto, w wieku dwudziestu czterech lat Joszua z Nazaretu podążył do Indii.

CZĘŚĆ CZWARTA

DUCH

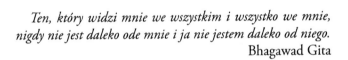

Ten, który widzi mnie we wszystkim i wszystko we mnie,
nigdy nie jest daleko ode mnie i ja nie jestem daleko od niego.
Bhagawad Gita

20

S zlak miał akurat taką szerokość, żebyśmy we dwóch mogli iść obok siebie. Trawa po obu stronach sięgała na wysokość oczu słonia. Nad sobą widzieliśmy błękitne niebo, a z przodu tylko ścieżkę do następnego zakrętu, od którego mogła nas dzielić dowolna odległość, gdyż w tym nieprzerwanym zielonym okopie nie istniała żadna perspektywa. Szliśmy tak prawie cały dzień, a minął nas tylko jeden człowiek i parę krów. Teraz jednak słyszeliśmy zbliżającą się sporą grupę – niedaleko, może ze sto sążni za nami. Dobiegały do nas liczne męskie głosy, tupot kroków, nieharmonijne brzmienie metalowych bębnów oraz – najbardziej niepokojące – ciągłe wrzaski kobiety, albo cierpiącej, albo przerażonej, albo jedno i drugie.

– Młodzi panowie! – rozległ się głos gdzieś blisko nas.

Aż podskoczyłem i wylądowałem w pozycji obronnej, ze szklanym nożem w dłoni. Josh rozejrzał się, szukając źródła głosu. Wrzaski wciąż się zbliżały. Kilka stóp od szlaku zaszeleściły trawy i znów usłyszeliśmy głos.

– Młodzi panowie, musicie się ukryć.

Niesamowicie chuda męska twarz, z oczami o połowę za wielkimi w stosunku do czaszki, wysunęła się ze ściany traw obok nas.

– Musicie iść ze mną. Kali przybywa, by wybrać swoje ofiary. Chodźcie zaraz albo zginiecie.

Twarz zniknęła, a w jej miejsce pojawiła się chuda brązowa ręka, kiwająca na nas, byśmy za jej właścicielem weszli w trawy. Krzyk kobiety wzniósł się w crescendo i zamilkł, jak gdyby głos się zerwał niczym zbyt mocno naciągnięta struna.

– Idź… – Joszua mnie popchnął.

Gdy tylko zszedłem ze ścieżki, ktoś złapał mnie za rękę i pociągnął przez morze traw. Joszua chwycił tył mojej koszuli i pozwalał się wlec. Źdźbła uderzały nas i cięły; czułem krew wzbierającą na rękach i twarzy. Brązowe widmo wciągało mnie coraz głębiej w zielony ocean. Mimo ciężkiego oddechu, słyszałem za nami krzyki ludzi, a potem szelest deptanej trawy.

– Ścigają nas – rzuciło przez ramię brązowe widmo. – Biegiem, jeśli nie chcecie, żeby wasze głowy ozdobiły ołtarz Kali. Biegiem!

Obejrzałem się na Josha.

– Mówi: biegiem albo źle z wami.

Za nim na tle nieba widziałem długie, podobne do mieczy groty włóczni tego rodzaju, jakich można używać do ścinania głów.

– Oki-doki – odparł Josh.

Prawie miesiąc zajęła nam droga do Indii. Prowadziła w większości przez setki mil najbardziej górzystych i skalistych terenów, jakie w życiu oglądałem. Zadziwiające, ale w całych górach trafialiśmy na wioski, a gdy ich mieszkańcy widzieli nasze pomarańczowe szaty, otwierali przed nami drzwi i spiżarnie. Zawsze byliśmy nakarmieni, spaliśmy w cieple i mogliśmy zostać dowolnie długo. W zamian oferowaliśmy mętne przypowieści i irytujące śpiewy, zgodnie z nakazami tradycji.

Dopiero kiedy zeszliśmy z gór na brutalnie gorące i wilgotne, porośnięte trawami równiny, przekonaliśmy się, że nasze stroje budzą raczej niechęć niż entuzjazm. Jakiś bogaty człowiek (jechał konno i miał na sobie jedwabne szaty) przeklinał i pluł na nas, gdy go mijaliśmy. Inni, piesi, także zaczęli zwracać na nas uwagę, szybko więc weszliśmy w wysokie trawy i zmieniliśmy ubrania. Szklany sztylet od Radosnej wsunąłem za szarfę.

– O co mu chodziło? – spytałem Joszuy.

– Mówił coś o głosicielach fałszywych proroctw. Oszustach. Nieprzyjaciołach Brahmanu. Nie jestem pewien co jeszcze.

– Czyli wygląda na to, że lepiej witają tu Żydów niż buddystów.

– Na razie – przypomniał. – Wszyscy ludzie mają te znaczki na czole, takie jak Kasper. Obawiam się, że bez nich musimy zachowywać ostrożność.

Szliśmy coraz dalej w doliny, aż powietrze stało się gęste jak ciepła śmietana. Po tylu latach w górach zaczynałem odczuwać w płucach jego ciężar. Dotarliśmy do szerokiej błotnistej rzeki, a droga zaroiła się ludźmi wchodzącymi i wychodzącymi z miasta pełnego drewnianych chatek i kamiennych ołtarzy. Wszędzie widzieliśmy garbate bydło – zwierzęta pasły się często nawet w ogrodach, ale nikt jakoś nie miał im tego za złe.

– Ostatnie mięso, jakie jadłem, to były pozostałości po naszych wielbłądach – zauważyłem.

– Poszukajmy jakiegoś straganu, to kupimy trochę wołowiny.

Znaleźliśmy ziarna, owoce, chleb, jarzyny i różne pasty na sprzedaż, ale nigdzie nie było mięsa. Zadowoliliśmy się chlebem z jakąś ostrą fasolową pastą, za które zapłaciliśmy rzymskim miedziakiem. Potem zajęliśmy miejsce pod wielkim bananem, gdzie mogliśmy jeść i patrzeć na rzekę.

Zapomniałem już, jak pachnie miasto – tą mieszaniną odoru ludzi, odpadków, dymu i zwierząt. Zaczynałem tęsknić za czystym powietrzem gór.

– Nie chcę tu spać, Joszua. Może poszukamy noclegu gdzieś we wsi.

– Mamy podążać wzdłuż tej rzeki aż do morza, żeby dostać się do kraju Tamilów. Gdzie płynie rzeka, tam są ludzie.

Rzeka – szersza niż wszystkie w Izraelu, ale płytka i żółta od mułu, gładka w ciężkim powietrzu – wyglądała raczej jak ogromny zatęchły staw niż coś żyjącego i ruchomego. W każdym razie o tej porze roku. W wodzie stało z pół tuzina chudych, nagich mężczyzn o siwych włosach, a chyba żaden nie miał trzech zębów obok siebie. Ile tchu wywrzaskiwali jakieś gniewne poezje i chlapali wodą na zwichrzone, migoczące czupryny.

– Ciekawe, co słychać u mojego kuzyna Jana. – Josh westchnął.

Na błotnistym brzegu kobiety prały ubrania i kąpały dzieci, o kilka kroków od bydła, które brodziło w wodzie i srało. Mężczyźni łowili ryby albo popychali drągami długie płaskie łodzie, dzieci pływały i bawiły się w mule. Tu i tam kołysał się w powolnym nurcie rozdęty trup psa.

– Może jest jakiś szlak bardziej w głębi lądu, dalej od tego smrodu.

Joszua wstał.

– Tam – oznajmił, wskazując drogę, która zaczynała się na drugim brzegu i znikała wśród wysokich traw.

– Trzeba się tam przedostać – stwierdziłem.

– Byłoby miło, gdybyśmy znaleźli jakąś łódź.

– Nie sądzisz, że warto by zapytać, dokąd prowadzi ta droga?

– Nie – odparł Joszua, zerkając na ludzi, którzy zbierali się w pobliżu i przyglądali nam. – Ci ludzie zachowują się wrogo.

– Co takiego tłumaczyłeś Kasprowi o miłości, będącej stanem, w jakim się przebywa czy jakoś tak?

– Owszem, ale nie z tymi ludźmi. Skóra mi cierpnie na ich widok. Idziemy.

Ten dziwaczny, brązowy człowieczek, który wlókł mnie przez trawy, nazywał się Rumi. I trzeba mu przyznać, że pośród chaosu i biegu na oślep po tych rozległych wilgotnych obszarach, ścigany przez morderczą bandę bębniących i wrzeszczących entuzjastów dekapitacji, udało mu się znaleźć tygrysa. To niemałe osiągnięcie, kiedy holuje się mistrza kung-fu oraz zbawiciela świata.

– Iik, tygrys – powiedział Rumi, kiedy wpadliśmy na niewielką polanę, właściwie zwykłe zagłębienie gruntu, gdzie kot wielki jak Jeruzalem rozgryzał z wyraźną satysfakcją czaszkę antylopy.

316

Rumi dokładnie wyraził także moje uczucia, ale wybrałbym raczej wieczne potępienie, niż pozwolił, by moje ostatnie słowa brzmiały „Iik, tygrys". Dlatego nasłuchiwałem czujnie, a mocz wypełniał moje buty.

– Można by sądzić, że ten hałas go wystraszy – stwierdził Joszua w chwili, gdy tygrys uniósł łeb znad posiłku.

– Tak się zwykle dzieje – wyjaśnił Rumi. – Hałas popycha tygrysa w stronę łowcy.

– Może on o tym wie – mruknąłem. – I dlatego nigdzie się nie wybiera. Wiecie, są większe, niż sobie wyobrażałem. Tygrysy, znaczy.

– Usiądź – polecił Joszua.

– Przepraszam?

– Zaufaj mi. Pamiętasz tę kobrę, którą spotkaliśmy jako dzieci?

Skinąłem na Rumiego i skłoniłem go, by usiadł. Tygrys przykucnął i naprężył mięśnie tylnych łap, jakby szykował się do skoku. Zresztą, to właśnie robił. Kiedy pierwsi z prześladowców wybiegli za nami na polanę, tygrys skoczył i przepłynął nad nami na wysokości połowy wzrostu człowieka. Wylądował na pierwszych dwóch, którzy wynurzyli się spośród traw, przewrócił ich wielkimi łapami, a potem rozorał pazurami plecy, kiedy odbił się ponownie. Później widziałem już tylko rozbiegające się na tle nieba groty włóczni, gdy ścigający stali się... zresztą sami wiecie. Mężczyźni wrzeszczeli, kobieta wrzeszczała, a tych dwóch, których powalił tygrys, podniosło się z trudem; wrzeszcząc i utykając, uciekli w stronę drogi.

Rumi spoglądał to na martwą antylopę, to na Joszuę, to na martwą antylopę, to na Joszuę, a jego oczy stawały się jeszcze większe niż dotąd.

– Jestem głęboko poruszony i nieskończenie wdzięczny za twe porozumienie z tygrysem, ale to jego antylopa i wydaje się, że jeszcze nie skończył jedzenia, więc może...

Joszua wstał.

– Prowadź.

– Nie wiem, w którą stronę.

– Nie w tamtą – zaznaczyłem, wskazując kierunek, gdzie uciekli z wrzaskiem ci źli.

Rumi doprowadził nas przez trawy do innej drogi, którą dotarliśmy do miejsca, gdzie mieszkał.

– To nora – stwierdziłem.

– Nie jest taka zła – uspokoił mnie Joszua.

Rozejrzał się. Wokół były też inne nory i żyli w nich ludzie.

– Mieszkasz w norze – powiedziałem.

– Daj spokój – upomniał mnie Josh. – Uratował nam życie.

– To nędzna nora, ale dla mnie jest domem – rzekł Rumi. – Proszę, rozgośćcie się.

Przyjrzałem się. Nora została wydłubana w piaskowcu na głębokość mniej więcej do ramienia i była dostatecznie szeroka, by w środku mogła obrócić się krowa, co – jak miałem się przekonać – było rozmiarem istotnym. Była też pusta, jeśli nie liczyć jednego sięgającego kolan kamienia.

– Usiądźcie. Możecie zająć kamień – zachęcił Rumi.

Joszua uśmiechnął się i siadł na kamieniu. Rumi usiadł na dnie jamy, pokrytym grubą warstwą czarnego szlamu.

– Proszę. Siadaj. – Wskazał mi miejsce obok. – Przykro mi, stać mnie tylko na jeden kamień.

Nie usiadłem.

– Rumi, mieszkasz w norze – powiedziałem.

– No tak, to prawda. A gdzie mieszkają niedotykalni w waszym kraju?

– Niedotykalni?

– Tak, najniżsi z niskich. Śmiecie tej ziemi. Żadna z wyższych kast nie może zauważyć mojego istnienia. Jestem niedotykalny.

– Chyba nic dziwnego. Żyjesz w pieprzonej norze!

– Nie – odezwał się Joszua. – On mieszka w norze, ponieważ jest niedotykalnym, a nie jest niedotykalnym, ponieważ mieszka w norze. Byłby niedotykalnym nawet gdyby zamieszkał w pałacu. Prawda, Rumi?

– Aha, akurat to możliwe – rzuciłem. Przykro mi, ale gość mieszkał w norze.

– Jest teraz więcej miejsca, bo moja żona i większość dzieci nie żyją – wyznał Rumi. – Do dzisiejszego ranka byliśmy tylko we dwoje, moja najmłodsza córka Vitra i ja, ale teraz ona też odeszła. Jest dość miejsca, gdybyście chcieli zostać.

Joszua położył mu dłoń na ramieniu i od razu zobaczyłem efekt – cierpienie ulotniło się z twarzy niedotykalnego niczym poranna rosa w gorącym słońcu. Stałem obok i czułem się paskudnie.

– Co się stało Vitrze? – zapytał Joszua.

– Bramini przyszli i zabrali ją na ofiarę podczas święta Kali. Szukałem jej, kiedy was spotkałem. Zbierają dzieci i dorosłych, przestępców, niedotykalnych i obcych. Schwytaliby was, a pojutrze ofiarowali Kali wasze głowy.

– Czyli twoja córka nie zginęła? – upewniłem się.

– Będą ją trzymać do północy w noc święta, a potem zabiją wraz z innymi dziećmi na drewnianych słoniach Kali.

– Pójdę do tych braminów i poproszę, żeby oddali ci córkę – obiecał Joszua.

– Zabiją cię – ostrzegł Rumi. – Vitrę już straciłem, a ciebie nawet tygrys nie ocali przed zniszczeniem przez Kali.

– Rumi, patrz na mnie – poprosiłem. – I wytłumacz, o co chodzi z tymi braminami, Kali, słoniami i wszystkim. Tylko powoli, jakbym niczego nie wiedział.

– Nie musi wysilać wyobraźni – stwierdził Joszua, naruszając moje domyślne, choć niewyrażone wprost, prawo autorskie do sarkazmu. (Owszem, mieliśmy w hotelu kanał telewizji sądowej, a co!).

– Są cztery kasty – zaczął Rumi. – Bramini czyli kapłani, kszatrija, czyli wojownicy, vajsjowie, którzy są farmerami albo kupcami, oraz siudrowie, czyli robotnicy. Istnieją też liczne podkasty, ale te cztery są główne. Każdy człowiek rodzi się w jakiejś kaście i w tej kaście pozostaje, dopóki nie umrze i nie odrodzi się w wyższej albo niższej. Decyduje o tym karma, albo jego uczynki w ostatnim życiu.

– Wiemy o karmie – wtrąciłem. – Jesteśmy buddyjskimi mnichami.

– Heretycy – zasyczał Rumi.

– Może mnie jeszcze ugryziesz, ty wyłupiastooki brązowy chudzielcu? – warknąłem.

– Sam jesteś brązowym chudzielcem!

– Nie, ty jesteś brązowym chudzielcem!

– Nie, to ty jesteś brązowym chudzielcem!

– Wszyscy jesteśmy brązowymi chudzielcami – uspokajał nas Joszua.

– Tak, ale on ma wyłupiaste oczy.

– A ty jesteś heretykiem.

– Sam jesteś heretykiem!

– Wszyscy jesteśmy chudymi brązowymi heretykami – wtrącił znowu Joszua, by nas uspokoić.

– No pewnie, że jestem chudy – przyznałem. – Sześć lat na zimnym ryżu i herbacie, a tu w całym kraju nie ma na sprzedaż ani kawałka wołowiny.

– Zjadłbyś wołowinę? Ty heretyku! – krzyknął Rumi.

– Dość! – zawołał Joszua.

– Nikomu nie wolno zjadać krowy. Krowy to reinkarnacje dusz w drodze do następnego życia.

– Święta krowa...

– Właśnie o to mi chodzi.

Joszua potrząsnął głową, jakby chciał uporządkować rozbiegane myśli.

– Powiedziałeś, że istnieją cztery kasty, ale nie wspomniałeś o niedotykalnych.

– Harijanie, niedotykalni, nie mają kasty. Jesteśmy najniższymi z niskich. Musimy żyć wiele razy, zanim osiągniemy choćby poziom krowy, a wtedy dopiero możemy się odrodzić w wyższej kaście. Jeśli będziemy podążać za naszą dharmą, naszym

320

obowiązkiem, możemy się stać jednością z Brahmą, najwyższym duchem. Trudno uwierzyć, że tego nie wiecie. Żyliście w jaskini, czy jak?

Już miałem zaznaczyć, że Rumi nie powinien się wypowiadać w kwestii naszego mieszkania, ale Joszua machnął ręką, żebym dał spokój. Zapytałem więc:

– Czyli w tym systemie kastowym stoicie niżej niż krowy?

– Tak.

– I ci bramini nie mogą zjeść krowy, ale mogą porwać twoją córkę i złożyć ją w ofierze swej bogini?

– I zjeść – uzupełnił Rumi. – O północy w noc święta wyprowadzą wszystkie dzieci i przywiążą je do drewnianych słoni. Potem odetną im palce i dadzą po jednym głowie każdego bramińskiego rodu. Krew zleją do kubków i każdy z domowników jej skosztuje. Palec mogą zjeść albo zakopać na szczęście. Dopiero później dzieci będą zasieczone na śmierć na tych słoniach.

– Nie mogą tego zrobić – oświadczył Joszua.

– Ależ tak. Kult Kali może robić, co tylko zechce. To ich miasto, Kalighat. – (Kalkuta na mojej mapce Friendly Flyer). – Moja mała Vitra jest zgubiona. Mogę się tylko modlić o jej reinkarnację na wyższym poziomie.

Joszua poklepał dłoń niedotykalnego.

– Dlaczego nazwałeś Biffa heretykiem, kiedy powiedział, że jesteśmy buddyjskimi mnichami?

– Gautama twierdził, że człowiek może bezpośrednio złączyć się z Brahmą z każdego poziomu, nie wypełniając swej dharmy. A to herezja.

– Tak byłoby dla ciebie lepiej, prawda? Skoro i tak jesteś na najniższym szczeblu.

– Nie można uwierzyć w to, w co się nie wierzy – odparł Rumi. – Jestem niedotykalny, ponieważ tak nakazuje moja karma.

– No tak – odezwałem się. – Po co siedzieć parę godzin pod drzewem bodhi, skoro to samo można mieć przez kolejne tysiące nędznych żywotów?

– Oczywiście, pomijając fakt, że jesteś gojem, więc tak czy tak, czeka cię wieczne potępienie.

– Tak, pomijając tę kwestię zupełnie.

– Ale odzyskamy twoją córkę – obiecał Josh.

Joszua zamierzał biec do Kalighatu i w imię wszystkiego, co dobre i słuszne, żądać zwrotu córki Rumiego oraz uwolnienia pozostałych ofiar. Dla niego zawsze rozwiązaniem było pędzić ze świętym oburzeniem, ale jest na to właściwy czas i miejsce, i jest też czas na chytrość i podstęp (Kohelet 9 czy jakoś tak). Z użyciem żelaznej logiki udało mi się go przekonać do alternatywnego planu.

– Josh, czy Vegemici pokonali Marmitów, pędząc do nich i żądając sprawiedliwości pod ostrzem miecza? Nie sądzę. Ci bramini odcinają i zjadają palce dzieci. Wiem, że jest takie przykazanie, które zabrania obcinania palców, ale ci ludzie rozumują inaczej niż my. Buddę nazywają heretykiem, a przecież był jednym z ich książąt. Jak myślisz, jak przyjmą chudego brązowego chłopaka, który twierdzi, że jest Synem Bożym, a nawet nie mieszka w tej okolicy?

– Słuszna uwaga. Ale musimy jakoś uratować to dziecko.

– Oczywiście.

– Jak?

– Metodą niezrównanej przebiegłości.

– W takim razie ty będziesz dowodził.

– Przede wszystkim musimy obejrzeć miasto i świątynię, gdzie będą składać ofiary.

Joszua poskrobał się po głowie.

– Vegemici pokonali Marmitów?

– Tak. Księga Wydalania trzy-sześć.

– Nie przypominam sobie. Będę musiał odkurzyć Torę.

Posąg Kali nad ołtarzem był wyrzeźbiony z czarnego kamienia i wysoki jak dziesięciu ludzi. Miała naszyjnik z ludzkich głów, a w talii pas z odciętych ludzkich rąk. Otwarte usta ukazywały rząd zębów niczym piła, na którą wylano strumień świeżej krwi. Nawet paznokcie u nóg wyrastały w groźne ostrza, wbijające się w stos rzeźbionych poskręcanych trupów, na których stała. Miała cztery ręce; w jednej trzymała okrutną zakrzywioną klingę, w drugiej, za włosy, odciętą ludzką głowę. Trzecią wyginała, jakby przyzywając ofiary ku mrocznej zgubie, która wszystkich nas czeka, a dłoń czwartej kierowała w dół, wskazując przepasane rękami biodra, jak gdyby zadawała odwieczne pytanie: „Czy wyglądam w tym grubo?".

Wysoki ołtarz znajdował się pośrodku otwartego ogrodu, w otoczeniu drzew. Był tak szeroki, że pięciuset ludzi mogło stanąć w cieniu czarnej bogini. Głębokie rowki w kamieniu kierowały krew ofiar do naczyń, skąd wlewali ją w paszczę Kali. Do ołtarza prowadziła brukowana kamieniami szeroka aleja, obstawiona z obu stron drewnianymi słoniami na obrotowych płytach. Na trąbach i przednich nogach widzieliśmy rdzawobrunatne plamy, a gdzieniegdzie też głębokie rysy w miejscach, gdzie ostrza rozcięły dziecięce ciała i wbiły się w mahoń.

– Vitry nie trzymają tutaj – stwierdził Joszua.

Ukryliśmy się za drzewem przy świątynnym ogrodzie, przebrani za miejscowych – z fałszywymi znakami kasty i całą resztą. Przegrałem w losowaniu, więc to ja nosiłem strój kobiety.

– Myślę, że to ten specjalny figowiec, drzewo bodhi – powiedziałem. – Pod takim samym siedział Budda! To takie podniecające! Samo stanie w tym miejscu sprawia, że czuję się jakby oświecony. Poważnie. Dojrzałe figi mlaszczą mi pod stopami!

Joszua spojrzał pod moje nogi.

– Nie sądzę, żeby to były figi. Przed nami stała tu krowa.

Uniosłem zabrudzoną stopę.

– W tym kraju przecenia się krowy. Skandal. I to pod drzewem Buddy... Czy nie ma tutaj już nic świętego?

– Przy tej świątyni nie ma żadnych zabudowań – stwierdził Joszua. – Musimy zapytać Rumiego, gdzie trzymają ofiary przed świętem.

— Nie będzie wiedział. Jest niedotykalnym. A ci goście to bramini, kapłani. Nic mu nie powiedzą. To jakby saduceusz opowiadał Samarytaninowi, jak wygląda Święte Świętych.

— W takim razie sami musimy znaleźć więźniów.

— Wiemy, gdzie będą o północy. Wtedy ich uwolnimy.

— Moim zdaniem trzeba poszukać tych braminów i powiedzieć im, żeby odwołali festiwal.

— Wedrzemy się do ich świątyni i każemy im przestać?

— Tak.

— I oni przestaną?

— Tak.

— To słodkie, Josh. Wracajmy do Rumiego. Mam plan.

21

Jesteś bardzo atrakcyjną kobietą – pochwalił mnie Rumi z zacisza swej nory. – Mówiłem wam, że moja żona odeszła do swej następnej inkarnacji i że zostałem sam?

– Tak, wspominałeś.

Zrezygnował już chyba z nadziei, że odzyskamy jego córkę.

– A właściwie co się stało z twoją rodziną?

– Utonęli.

– To przykre. W Gangesie?

– Nie, w domu. To była pora monsunowa. Mała Vitra i ja poszliśmy na targ, żeby kupić jakieś pomyje, i nagle spadła ulewa. Kiedy wróciliśmy... – Wzruszył ramionami.

– Nie chcę wydać ci się niewrażliwy, Rumi, ale to możliwe, że przyczyną twej straty był... och, sam nie wiem... może fakt, że MIESZKASZ W PIEPRZONEJ NORZE!

– To nie pomaga, Biff – upomniał mnie Joszua. – Mówiłeś, że masz jakiś plan.

– Zgadza się. Rumi, nie pomylę się chyba, uznając, że kiedy w tych waszych norach nikt nie mieszka, są używane do garbowania skór?

– Tak. To praca, którą mogą wykonywać tylko niedotykalni.

– To by wyjaśniało piękne zapachy. Zakładam, że w procesie garbowania wykorzystujecie urynę?

– Tak. Uryna, papka z mózgów i herbata to podstawowe składniki.

– Pokaż mi norę, gdzie kondensujecie urynę.

– Mieszka tam rodzina Rajneesha.

– Nie szkodzi, zaniesiemy im prezent. Josh, masz jakieś nici i strzępki na dnie swojej sakwy?

– Co ty planujesz?

– To alchemia – wyjaśniłem. – Subtelna manipulacja pierwiastkami. Patrz i ucz się.

Kiedy nie była w użyciu, jama po urynie służyła za mieszkanie rodzinie Rajneesha. Z radością oddali nam całe naręcza kryształów pokrywających podłogę ich domu. Rodzina składała się z sześciu osób: ojca, matki, prawie dorosłej córki i trójki maluchów. Dowiedzieliśmy się, że jeden mały synek został schwytany i przeznaczony na ofiarę w czasie festiwalu Kali. Podobnie jak Rumi i inni niedotykalni, cała rodzina Rajneesha bardziej niż ludzi przypominała raczej szkielety obciągnięte zmumifikowaną brązową skórą. Niedotykalni mężczyźni chodzili po swoich norach nago, albo w przepaskach biodrowych, a nawet kobiety nosiły tylko łachmany, które ledwie je okrywały – nic tak eleganckiego i stylowego jak sari kupione przeze mnie na targu. Pan Rajneesh zauważył, że jestem bardzo atrakcyjną kobietą; zasugerował też, bym zajrzał do nich po następnym monsunie.

Joszua rozcierał kawałki skrystalizowanego minerału na drobny biały proszek, a tymczasem Rumi i ja zebraliśmy węgiel drzewny z ogrzewanej nory garbarskiej (palenisko wydłubano w kamiennym podłożu). Niedotykalni używali jej, by przerobić kwiaty indygowca na barwnik do tkanin.

– Potrzebna mi siarka, Rumi. Wiesz, co to jest? Żółty kamień, który pali się niebieskim płomieniem i daje dym cuchnący zgniłymi jajami.

– O tak, sprzedają go na targu jako lekarstwo.

Wręczyłem mu srebrną monetę.

– Idź tam i kup tyle, ile zdołasz unieść.

– Och, tych pieniędzy wystarczy aż nadto. Czy za to, co zostanie, mogę kupić trochę soli?

– Kup co chcesz, jeśli ci wystarczy, ale idź już.

Rumi odszedł, a ja poszedłem pomagać Joshowi przy obróbce saletry.

Koncepcja obfitości była dla niedotykalnych abstraktem, chyba że dotyczyła dwóch kategorii: cierpienia i części zwierząt. Jeśli człowiek szukał porządnego jedzenia, noclegu albo czystej wody, wśród niedotykalnych czekało go rozczarowanie. Co innego, jeśli obsługiwał rynek dziobów, kości, zębów, skór, ścięgien, kopyt, włosów, kamieni żółciowych, płetw, piór, uszu, rogów, oczu, pęcherzy, warg, nozdrzy, kuprów czy jakichkolwiek innych niejadalnych części dowolnego stworzenia biegającego, pływającego lub fruwającego po indyjskim subkontynencie. Wtedy niedotykalni prawdopodobnie mieli wszystko, czego szukał, zmagazynowane w pobliżu pod grubą warstwą much. Aby przygotować sprzęt potrzebny do realizacji mojego planu, musiałem myśleć w kategoriach części zwierząt. To proste, chyba że się potrzebuje, powiedzmy, tuzina krótkich mieczy, łuków ze strzałami oraz kolczug dla trzydziestu żołnierzy, a ma się do dyspozycji stos nozdrzy i trzy niedopasowane kupry. To było wyzwanie, ale poradziłem sobie. Joszua chodził wśród niedotykalnych i dyskretnie leczył ich przypadłości, a ja rzucałem rozkazy.

– Potrzebuję ośmiu owczych pęcherzy, raczej suchych, dwóch garści zębów krokodyla, dwóch kawałków surowej skóry, długich jak moje ręce i szerokich na połowę tego. Nie, to nieważne, z jakiego zwierzęcia, byle nie było przejrzałe, jeśli to możliwe. Potrzebuję włosów z ogona słonia. I drewna na opał, ostatecznie wysuszonego nawozu, jeśli nie da się inaczej, ośmiu wołowych ogonów, kosza wełny i wiadra wytopionego tłuszczu.

A setka wychudzonych niedotykalnych stała wokół, z oczami wielkimi jak talerze. Patrzyli na mnie, gdy Joszua przesuwał się między nimi i uzdrawiał rany, choroby i szaleństwa, a żaden nawet nie podejrzewał, co się dzieje. (Uzgodniliśmy, że to najbezpieczniejsze rozwiązanie. Nie chcieliśmy, żeby gromada atletycznych niedotykalnych pobiegła przez Kalighat, głosząc, że dziwny cudzoziemiec uleczył ich ze wszystkich przypadłości; w ten sposób ściągnęliby na nas uwagę i uniemożliwili realizację mojego planu. Z drugiej strony, żaden z nas nie mógł patrzeć na ich cierpienia, wiedząc, że uzdrowienie jest w naszej – no, właściwie Joszuy – mocy). Josh dodatkowo kłuł któregoś palcem w ramię za każdym razem, gdy ktokolwiek wymówił słowo „niedotykalny". Wyjaśnił mi później, że nie potrafił się oprzeć okazji do takiej namacalnej ironii. Drgałem za każdym razem, kiedy dotykał trędowatych, jakby nawet po tylu latach z dala od Izraela, maleńki faryzeusz stał na mym ramieniu i wrzeszczał: „Nieczysty!".

– No więc? – spytałem, kiedy skończyłem wydawać polecenia. – Chcecie odzyskać swoje dzieci czy nie?

– Nie mamy wiadra – oświadczyła jedna z kobiet.

– Ani kosza – dodała inna.

– Dobrze, napełnijcie tłuszczem owcze pęcherze, a wełnę zawińcie w jakąś skórę. Ale już, nie mamy wiele czasu.

A oni ciągle stali i wpatrywali się we mnie. Wielkie oczy. Wygojone wrzody. Usunięte pasożyty. I cały czas patrzyli.

– Słuchajcie, wiem, że nie mówię w sanskrycie doskonale, ale przecież rozumiecie, o co proszę?

Młody człowiek wystąpił naprzód.

– Nie chcemy rozgniewać Kali, pozbawiając ją ofiar.

– Żartujesz, prawda?

– Kali przynosi zniszczenie, bez którego nie ma odrodzenia. Ona usuwa więzy łączące nas ze światem materialnym. Jeśli ją rozgniewamy, pozbawi nas swego boskiego zniszczenia.

Poprzez tłum spojrzałem na Joszuę.

– Rozumiesz coś z tego?

– Strach?

– Możesz jakoś pomóc? – spytałem po aramejsku.

– Ze strachem słabo sobie radzę – odpowiedział po hebrajsku.

Zastanawiałem się przez sekundę czy dwie, podczas gdy setki spojrzeń przyszpilały mnie do piaskowca, na którym stałem. Przypomniałem sobie poplamione nacięcia na drewnianych posągach słoni przed ołtarzem Kali... Śmierć jest dla nich wyzwoleniem, tak?

– Jak ci na imię? – zapytałem młodego człowieka, który wystąpił przed tłum.

328

– Nagesh – odparł.

– Wysuń język, Nageshu.

Uczynił to, a ja odrzuciłem chustę okrywającą mą głowę i poluzowałem ją przy szyi. Potem dotknąłem jego języka.

– Zniszczenie jest darem, który cenicie?

– Tak – potwierdził Nagesh.

– A więc ja będę instrumentem daru bogini.

Wyrwałem szklany sztylet z pochwy za szarfą i uniosłem go, demonstrując tłumowi. Nagesh stał w bezruchu, z szeroko otwartymi oczami, a ja wsunąłem mu kciuk pod brodę, pchnąłem głowę do tyłu i opuściłem sztylet na gardło. Ułożyłem go na ziemi, kiedy czerwona ciecz chlusnęła na kamienie.

Wyprostowałem się i znowu zwróciłem do tłumu. Uniosłem zakrwawione ostrze.

– Jesteście mi coś winni, niewdzięczni popaprańcy! Przyniosłem wam dar Kali, więc teraz wy mi przynieście, o co proszę!

Poruszali się całkiem szybko jak na ludzi bliskich śmierci głodowej.

Kiedy niedotykalni się rozbiegli, by wypełnić moje polecenia, Joszua i ja stanęliśmy nad zalanym krwią ciałem Nagesha.

– To było fantastyczne – stwierdził Joszua. – Absolutnie doskonałe.

– Dzięki.

– Ćwiczyłeś przez cały nasz pobyt w klasztorze?

– Czyli nie zauważyłeś, jak wbijam palec w punkt nacisku?

– Nie, wcale.

– To trening Kaspra w kung-fu. Resztę oczywiście zawdzięczam Radosnej i Baltazarowi.

Pochyliłem się, otworzyłem Nageshowi usta i z fiolki yin-yang, którą nosiłem na szyi, wlałem kroplę odtrutki.

– Czyli on nas teraz słyszy, jak ty wtedy, kiedy Radosna cię otruła? – upewnił się Joszua.

Odciągnąłem Nageshowi powiekę i sprawdziłem, jak w blasku słońca zwęża się źrenica.

– Nie, chyba ciągle jest nieprzytomny, bo przytrzymałem ten punkt nacisku. Nie byłem pewien, czy trucizna zadziała dostatecznie szybko. Kiedy rozluźniałem sari, zdążyłem nalać sobie na palec tylko kroplę. Wiedziałem, że to go unieruchomi, ale nie wiedziałem, czy powali.

– Wiesz, Biff, teraz naprawdę stałeś się magiem. Jestem pod wrażeniem.

– Joszua, uzdrowiłeś dzisiaj ze stu ludzi. Połowa z nich była umierająca. Ja zrobiłem tylko sztuczkę magiczną.

Mój przyjaciel pozostawał niezrażony w swym entuzjazmie.

– A ten czerwony płyn, co to było? Sok z granatów? Zupełnie nie wiem, gdzie go ukryłeś.

– To nie był sok i w związku z tym mam do ciebie prośbę.

– Co takiego?

Uniosłem rękę i pokazałem Joszui miejsce, gdzie rozciąłem własny nadgarstek. Przyciskałem rękę do uda, ale gdy tylko zmniejszyłem nacisk, krew trysnęła znowu. Usiadłem ciężko na kamieniu, a moje pole widzenia zaczęło się zwężać do punktu.

– Miałem nadzieję, że coś na to zaradzisz – zdążyłem jeszcze powiedzieć, nim zemdlałem.

– Nad tą częścią sztuczki musisz jeszcze popracować – stwierdził Joszua, kiedy odzyskałem przytomność. – Nie zawsze będę na miejscu, żeby uleczyć ci rękę.

Mówił po hebrajsku – to znaczy, tylko ja mogłem go zrozumieć.

Zobaczyłem, że klęczy nade mną, a niebo za jego plecami przesłaniają zaciekawione brązowe twarze. Niedawno zamordowany Nagesh stał przed tłumem.

– Hej, Nagesh, jak ci poszło odrodzenie? – zapytałem w sanskrycie.

– W poprzednim życiu musiałem zboczyć z dharmy – odparł. – Zostałem reinkarnowany znowu jako niedotykalny i mam tę samą brzydką żonę.

– Sprzeciwiłeś się mistrzowi Lewiemu, który jest zwany Biffem – oświadczyłem. – To jasne, że nie przesunąłeś się wyżej. Masz szczęście, że nie jesteś jakimś chrząszczem albo co. Sami widzicie, że zniszczenie nie jest aż takie cenne, jak wam się wydawało.

– Przynieśliśmy to, o co prosiłeś.

Zerwałem się na nogi. Byłem niezwykle wypoczęty i pełen energii.

– Czuję się, jakbym wypił taką mocną kawę, jaką parzyłeś u Baltazara.

– Tęsknię za kawą – wyznał Josh.

Spojrzałem na Nagesha.

– Nie sądzę, żebyście...

– Mamy pomyje.

– Nieważne. – A potem powiedziałem coś, czego dorastający w Galilei chłopiec nigdy nie spodziewa się usłyszeć z własnych ust. – A teraz, niedotykalni, przynieście mi owcze pęcherze.

Rumi mówił, że bogini Kali służy zastęp czarnoskórych żeńskich demonów, które niekiedy podczas święta ściągają mężczyzn w kąty ołtarza i kopulują z nimi, a krew ścieka na nich z zębatej paszczy bogini.

– Dobra, Josh, jesteś jednym z nich – powiedziałem.

– A ty kim będziesz?

– Boginią Kali, oczywiście. Ostatnim razem to ty byłeś Bogiem.

– Jakim ostatnim razem?

– Wszystkimi ostatnimi razami. – Zwróciłem się do moich nieustraszonych podkomendnych. – Niedotykalni, pomalujcie go!

– Przecież nie kupią tego, że jakiś ostrzyżony żydowski chłopak jest ich boginią zniszczenia.

– O, człowieku małej wiary – odparłem.

Trzy godziny później znowu kryliśmy się za drzewem w pobliżu świątyni Kali. Obaj byliśmy przebrani za kobiety, od stóp do głów owinięci w sari, chociaż ja wyglądałem bardziej kanciasto, a to z powodu dodatkowych rąk Kali i girlandy odciętych głów. W roli głów występowały pomalowane owcze pęcherze, wypełnione materiałem wybuchowym i umocowane na szyi długimi pasmami włosia z ogonów słoni. Ciekawskich, którzy mogliby zauważyć moje wypukłości, szybko odpędzał unoszący się nad nami zapach – pomalowaliśmy się na czarno mazią z dna nory Rumiego. Niedotykalni wymalowali też czerwone pierścienie wokół oczu Josha, dodali mu zaimprowizowaną perukę z wołowych ogonów, a tors upiększyli sześcioma sterczącymi cycuszkami ze smoły.

– Nie zbliżaj się do otwartego ognia. Twoje cycuszki wybuchną jak wulkany.

– Dlaczego ja muszę mieć sześć, a ty tylko dwa?

– Bo ja jestem boginią i noszę girlandę głów i dodatkowe ręce.

Wykonaliśmy je z niewyprawionej skóry, używając moich prawdziwych rąk jako modelu. Potem wysuszyliśmy uformowaną skórę nad ogniem. Kobiety zrobiły uprząż, do której umocowaliśmy te ręce pod moimi, a w końcu pomalowaliśmy je tą samą czarną mazią. Trochę się kołysały, ale były lekkie i w ciemności powinny wyglądać bardzo realistycznie.

Zostało jeszcze kilka godzin do północy, kiedy to w kulminacyjnym punkcie ceremonii dzieci miały być zarąbane na śmierć. Chcieliśmy jednak, w miarę możliwości, zapobiec ucinaniu im palców. Drewniane słonie stały jeszcze puste na obrotowych platformach, ale ołtarz Kali wypełniał się już makabrycznymi daninami. Głowy tysiąca kóz złożono przed boginią, lepka krew spływała po kamieniach do rowków, a z nich do czterech mosiężnych kotłów w rogach ołtarza. Akolitki niosły te kotły po wąskich stopniach za wielkim posągiem i opróżniały do jakiegoś zbiornika, który wylewał krew przez szczęki Kali. W dole, w świetle pochodni, zlewani lepkim deszczem krwi, tańczyli czciciele bogini.

– Patrz, te kobiety są ubrane jak ja – zauważył Joszua. – Tyle że mają po dwie piersi.

– Technicznie rzecz biorąc, nie są ubrane, tylko pomalowane. Jesteś bardzo atrakcyjnym żeńskim demonem, Josh. Mówiłem ci już?

– To się nie uda.

– Oczywiście, że się uda.

Oceniłem, że na placu przed ołtarzem jest już dziesięć tysięcy wiernych. Tańczyli, śpiewali i bili w bębny. Główną aleją przeszła procesja trzydziestu mężczyzn, a każdy dźwigał pod pachą kosz. Kiedy dotarli do ołtarza, kolejno opróżnili je na rzędy pokrwawionych kozich głów.

– Co to jest? – zapytał Joszua.

– Dokładnie to, co myślisz – odpowiedziałem.

– Ale przecież nie głowy dzieci?

– Nie. Myślę, że to głowy obcych, wędrujących akurat po tej drodze, którą szliśmy, zanim Rumi wciągnął nas w trawy.

Kiedy odcięte głowy rozsypały się na ołtarzu, z tłumu wyszły akolitki, wlokąc bezgłowe ciało mężczyzny. Ułożyły je na stopniach wiodących do ołtarza. Kolejno udawały, że odbywają z nim stosunek, po czym pocierały genitaliami o krwawy kikut szyi i tańczyły, a krew i ochra ściekały im po wewnętrznej stronie ud.

– Rozwija się tam jakiś główny temat – uznałem.

– Chyba zwymiotuję – poskarżył się Joszua.

– Świadomy oddech – odpowiedziałem, używając jednej z fraz, jakie stale powtarzał nam Kasper, kiedy uczyliśmy się medytacji.

Wiedziałem, że Joszua potrafił przez długie dni przebywać z yeti i nie zamarzał, więc z pewnością mógł tak kontrolować swe ciało, by powstrzymać wymioty. Mnie samego od wymiotów ratowały rozmach i skala tej rzezi – jak gdyby okropieństwo całej sceny nie mieściło się w moim umyśle, więc widziałem tyle, że mogłem zapanować nad myślami i żołądkiem.

Krzyk wzniósł się ponad tłumem i zobaczyłem oświetloną pochodniami lektykę. Siedział w niej półnagi mężczyzna, owinięty w pasie skórą tygrysa; jego ciało było pokryte popiołem. Włosy miał posklejane tłuszczem w kosmyki, a nakrycie głowy stanowiły kości ludzkiej ręki. Z szyi zwisał mu łańcuch ludzkich czaszek.

– Najwyższy kapłan – stwierdziłem.

– Oni cię nawet nie zauważą, Biff. Jak zwrócisz ich uwagę po tym wszystkim, co tu widzieli?

– Nie widzieli jeszcze tego, co zamierzam pokazać.

Kiedy lektyka wysunęła się spomiędzy wyznawców przed ołtarzem, zobaczyliśmy idącą za nią procesję: przywiązaną z tyłu kolumnę nagich dzieci, w większości najwyżej pięcio- czy sześcioletnich, ze skrępowanymi rękami. Pomniejsi kapłani, w mniej wyrafinowanych kostiumach, szli z boków, by je podtrzymywać. Po chwili zaczęli odwiązywać dzieci i prowadzić do wielkich drewnianych słoni. Tu i tam zauważyłem w tłumie ludzi sięgających po broń: krótkie miecze, topory i te włócznie z długimi grotami, jakie widzieliśmy z Joszuą ponad morzem trawy. Najwyższy kapłan siedział na bezgłowym trupie i wykrzykiwał jakiś wiersz o boskim uwolnieniu zniszczenia Kali czy coś w tym stylu.

– No to ruszamy – powiedziałem. Wyjąłem spod sari sztylet z czarnego szkła. – Weź to.

Joszua spojrzał na migoczącą w blasku ogni klingę.

– Nikogo nie zabiję – oświadczył.

Łzy spływały mu po policzkach, kreśląc czerwone linie na czerni. Wyglądał z tym jeszcze bardziej przerażająco.

– Świetnie, ale przecież musisz czymś je odciąć.

– Słusznie.

Wziął ode mnie sztylet.

– Josh, wiesz, co się szykuje. Widziałeś już takie rzeczy. Nikt tutaj jeszcze nie, a już zwłaszcza te dzieciaki. Nie możesz nieść ich wszystkich, więc muszą zachować przytomność na tyle, żeby iść za tobą. Wiem, że potrafisz sprawić, by się nie bały. Załóż zęby.

Joszua kiwnął głową, po czym wsunął pod górną wargę rząd połączonych rzemieniem krokodylich zębów, tak że sterczały jak kły. Ja założyłem swoje i odbiegłem w ciemność, by okrążyć tłum.

Kiedy zbliżyłem się od tyłu do ołtarza, spod pasa z ludzkich rąk wyjąłem specjalnie przygotowaną pochodnię. (Tworzące pas ludzkie ręce były zrobione z wypchanych trawą wysuszonych kozich wymion; niedotykalne kobiety wykonały świetną robotę – byle tylko nikt nie próbował liczyć palców). Zza kamiennych nóg Kali widziałem, jak kapłani przywiązują dzieci do słoniowych trąb. Gdy zacisnęli więzy, każdy wzniósł brązową klingę, gotów do odcięcia palca, gdy tylko najwyższy kapłan da sygnał.

Uderzyłem końcem pochodni o krawędź ołtarza, wrzasnąłem ile sił w płucach, zrzuciłem sari i pobiegłem schodami w górę. Pochodnia rozjarzyła się oślepiającym błękitnym płomieniem; za mną ciągnęła się struga iskier. Przeskoczyłem przez kozie głowy i stanąłem między nogami Kali; w jednej ręce wznosiłem pochodnię, w drugiej kołysałem za włosy jedną ze swoich odciętych głów.

– Jestem Kali! – wrzasnąłem. – Lękajcie się!

Przez te fałszywe zęby okrzyk był trochę niewyraźny.

Niektóre bębny zamilkły. Najwyższy kapłan odwrócił się i spojrzał na mnie, bardziej z powodu jasnego blasku pochodni niż mojej straszliwej proklamacji.

– Jestem Kali! – krzyknąłem znowu. – Bogini zniszczenia i całego tego obrzydliwego chłamu, jaki tu macie!

Nie docierało to do nich. Kapłan skinął na innych, by spróbowali zajść mnie z obu stron. Niektóre akolitki starały się już przedostać do mnie z tanecznego placu dekapitacji.

– To prawda! Pokłońcie się!

Kapłani atakowali. Ściągnąłem na siebie uwagę wyznawców, ale nie kulili się ze strachu przed moją gniewną boskością.

335

Widziałem, że Joszua obchodzi już drewniane słonie – strzegący ich kapłani opuścili posterunki, by ruszyć na mnie.

– Poważnie! Nie żartuję!

Może to wina zębów... Splunąłem nimi w stronę najbliższego z atakujących.

Bieg po morzu śliskich, zakrwawionych głów jest trudnym zadaniem. Co prawda nie dla kogoś, kto spędził sześć lat swego życia, skacząc po wąskich słupkach, często oblodzonych i zaśnieżonych, ale dla przeciętnego morderczego kapłana to naprawdę ciężka robota. Kapłani i akolitki ślizgali się i zsuwali między kozie i ludzkie głowy, uderzali o stopy posągu, jeden nawet padając nadział się na kozi róg.

Jakiś kapłan znalazł się o kilka stóp ode mnie; usiłował nie przebić się własnym mieczem, gdy się ku mnie czołgał.

– Przynoszę zniszczenie... Zresztą, co tam...

Zapaliłem lont w odciętej głowie, którą trzymałem w ręku, zamachnąłem się spomiędzy nóg i cisnąłem ją stromym łukiem nad głową. Wlokąc warkocz iskier, wpadła do paszczy bogini i zniknęła.

Zbliżającego się napastnika kopnąłem w szczękę, zatańczyłem na kozich łbach, przeskoczyłem nad najwyższym kapłanem i byłem już w połowie drogi do pierwszego słonia i Joszuy, gdy Kali z ogłuszającym hukiem zionęła ogniem. Wybuch zdmuchnął jej czerep.

Wreszcie coś osiągnąłem. Deptali się wzajemnie, próbując uciekać, ale zwróciłem ich uwagę. Stałem pośrodku alei, kręciłem w powietrzu drugą odciętą głową i czekałem, aż lont się wypali. Po chwili posłałem ją ponad głowami przerażonego tłumu. Eksplodowała w powietrzu, rozpalając pierścień ognia na niebie. Na pewno ogłuszyła tych czcicieli, którzy znaleźli się najbliżej.

Joszua miał ze sobą siódemkę dzieci. Chwytały go za nogi, gdy szedł do następnego słonia. Niektórzy kapłani opamiętali się i teraz, z nożami w rękach, biegli po stopniach w dół. Zerwałem z mojej girlandy następną głowę, podpaliłem lont i wyciągnąłem w ich stronę.

– Ach, ach! – zawołałem ostrzegawczo. – Kali. Bogini zniszczenia. Gniew i tak dalej.

Na widok płonącego lontu zatrzymali się i zaczęli wycofywać.

– No, wreszcie szacunek, jaki powinniście okazywać mi od początku.

Zakręciłem trzymaną za włosy głową, a kapłani zapomnieli o wszelkich pozorach odwagi i rzucili się do ucieczki. Cisnąłem ją ponad aleją, do ołtarza. Wybuchła, rozrzucając na wszystkie strony grad prawdziwych odciętych głów.

– Josh, uważaj! Kozie łby!

Josh pchnął dzieci na ziemię i zasłaniał je własnym ciałem, dopóki łby nie opadły. Patrzył na mnie gniewnie przez sekundę, potem pobiegł uwalniać następne. Rzuciłem jeszcze trzy głowy w różne strony i teraz plac przed świątynią prawie całkiem opustoszał. Pozostali na nim tylko Joszua, dzieci, kilku poranionych czcicieli i trupy. Zbudowałem bomby bez żadnych odłamków, więc ranni byli ci, którzy upadli i stratował ich tłum, a zabici ci, których już wcześniej złożono Kali w ofierze. Myślę, że załatwiliśmy wszystko bez strat.

Joszua poprowadził dzieci szeroką aleją, a potem poza ogród świątyni, a ja osłaniałem ich odwrót. Cofałem się wolno aleją, z ostatnią wybuchową głową w jednej ręce i pochodnią w drugiej. Kiedy zobaczyłem, że są już w bezpiecznej odległości, zapaliłem lont, zakręciłem głową i cisnąłem ją w stronę czarnej bogini.

– Suka – powiedziałem.

Zniknąłem, zanim głowa wybuchła.

Wraz z Joszuą dotarliśmy aż na piaskową skarpę nad Gangesem i tam musieliśmy dać dzieciom odpocząć. Były zmęczone, a przede wszystkim głodne, a my nie zabraliśmy nic do jedzenia. Po dotknięciu Josha przynajmniej się nie bały. Josh i ja byliśmy zbyt podnieceni, by zasnąć, więc usiedliśmy tam, a dzieci ułożyły się dookoła i pochrapywały jak kociaki. Joszua trzymał na rękach

Vitrę, córeczkę Rumiego; wtulała mu się w ramiona, więc w niedługim czasie miała twarz usmarowaną czarną farbą. Przez całą noc, kiedy kołysał małą, słyszałem tylko, jak powtarza:

– Dość krwi. Nigdy więcej krwi.

O pierwszym brzasku zobaczyliśmy tysiące, nie, dziesiątki tysięcy ludzi zbierających się na brzegach rzeki; wszyscy byli odziani w biel, z wyjątkiem kilku starców, którzy byli nadzy. Weszli do wody i stanęli zwróceni ku wschodowi, wyczekująco unosząc głowy. Jak okiem sięgnąć, ciągnęły się w wodzie ich szeregi. Gdy słońce stało się rozżarzonym skrawkiem paznokcia na horyzoncie, powierzchnia rzeki zmieniła się w złoto. Złocisty blask odbijał się od wody i padał na budynki, szałasy, drzewa i pałace. Wszystko w polu widzenia, nie wyłączając wyznawców, wydawało się ozłocone. To byli wyznawcy, gdyż z naszego miejsca słyszeliśmy ich pieśń i choć nie rozumieliśmy słów, wiedzieliśmy, że to pieśń Boga.

– Czy to ci sami ludzie, co ostatniej nocy? – zdziwiłem się.

– Chyba to muszą być oni, prawda?

– Nie rozumiem ich. Nie rozumiem ich religii. Nie rozumiem ich sposobu myślenia.

Joszua stał i patrzył, jak Hindusi kłaniają się słońcu i śpiewają. Od czasu do czasu zerkał na śpiące w jego ramionach dziecko.

– To świadectwo chwały boskiego stworzenia. I nieważne, czy ci ludzie o tym wiedzą, czy nie.

– Jak możesz tak mówić? Te ofiary dla Kali, to, jak się traktuje niedotykalnych... W cokolwiek oni wierzą, ich religia jest obrzydliwa.

– Masz rację. Nie jest słusznym skazywanie tego dziecka, ponieważ nie urodziło się jako córka bramina?

– Oczywiście, że nie!

– Zatem czy słuszne jest skazywanie jej, ponieważ nie urodziła się Żydówką?

– O co ci chodzi?

– Człowiek, który urodził się gojem, nie zobaczy Królestwa Bożego. Czy my, jako Hebrajczycy, tak bardzo się od nich

338

różnimy? Te owce w Świątyni na Paschę? Bogactwo i władza saduceuszy, kiedy inni głodują? Niedotykalni osiągną w końcu swoją nagrodę, poprzez karmę i reinkarnację. My nie pozwalamy na to żadnemu niewiernemu.

– Nie możesz porównywać tego, co oni tu robią, z prawem bożym. My nie składamy w ofierze ludzkich istot. Karmimy nędzarzy, opiekujemy się chorymi.

– Chyba że ci chorzy są nieczyści.

– Ale, Josh, my jesteśmy wybrani. To wola boża.

– Ale czy to sprawiedliwe? On nie chce mi powiedzieć, co robić. Więc sam powiem. I mówię: dość tego.

– Nie chodzi ci teraz tylko o jedzenie bekonu, co?

– Gautama Budda pokazał ludziom drogę do Bożej ręki, niezależnie od ich pochodzenia. Bez krwawych ofiar. Nasze drzwi zbyt długo już były naznaczone krwią, Biff.

– I myślisz, że co powinieneś teraz zrobić? Ponieść wszystkim Boga?

– Tak. Ale najpierw się zdrzemnę.

– Oczywiście. Chodziło mi o to, że po drzemce.

Joszua uniósł dziewczynkę, pogrążoną we śnie na jego ramieniu.

Dzieci obudziły się i odprowadziliśmy je do rodzin w norach. Oddaliśmy je matkom, które wyrywały nam dzieci tak gwałtownie, jakbyśmy byli diabłami wcielonymi. Oglądały się na nas lękliwie, kiedy niosły je do nor.

– Umieją okazać wdzięczność – zauważyłem.

– Boją się, że rozgniewaliśmy Kali. No i przyprowadziliśmy im kolejne gęby od wykarmienia.

– Mimo wszystko... Właściwie dlaczego nam pomogli, jeśli nie chcieli odzyskać dzieci?

– Ponieważ powiedzieliśmy im, co robić. Zawsze robią... to, co się im powie. W ten sposób bramini nad nimi panują. Jeśli robią, co się im powie, to może w następnym życiu nie będą już niedotykalnymi.

– To smutne.

Joszua kiwnął głową.

Została z nami już tylko mała Vitra, którą mieliśmy oddać ojcu. Byłem pewien, że Rumi będzie szczęśliwy, znowu widząc córkę. Kiedy zaginęła, to jego niepokój sprawił, że Rumi uratował nam życie.

I kiedy dotarliśmy do piaskowcowego wzniesienia, zobaczyliśmy, że Rumi nie jest w norze sam.

Stał na swoim kamieniu, posypywał solą swój sztywny członek, a wielka garbata krowa, która prawie w całości zajmowała pozostałą część nory, zlizywała sól.

Joszua odwrócił Vitrę plecami do nory i zaczął się cofać, by nie zakłócać tej chwili wołowej intymności.

– Krowa, Rumi?! – krzyknąłem. – Myślałem, że wy tutaj w coś wierzycie!

– To nie jest krowa, tylko byk – oświadczył Joszua.

– Och, czyli masz superpremiową obrzydliwość. Tam, skąd przychodzimy, Rumi, za takie rzeczy niszczy się całe miasta. – Wyciągnąłem rękę i zasłoniłem Vitrze oczy. – Nie zbliżaj się do tatusia, skarbie, bo zmienisz się w słup soli.

– Ale to moja żona, reinkarnowana!

– Nie próbuj mnie nabierać, Rumi. Przez sześć lat mieszkałem w buddyjskim klasztorze i jedynym damskim towarzystwem była samica dzikiego jaka. Wiem co to desperacja.

Joszua złapał mnie za ramię.

– Chyba nie...

– Spokojnie, to tylko argument w dyskusji. Ty jesteś tutaj Mesjaszem, Josh. Co myślisz?

– Myślę, że musimy ruszyć do kraju Tamilów i odszukać trzeciego Mędrca.

Postawił Vitrę na ziemi. Dziecko pobiegło do Rumiego, który szybko podciągnął biodrową przepaskę.

– Zostań z Bogiem, Rumi – powiedział Joszua.

– Niech Sziwa was strzeże, heretycy. Dziękuję, że zwróciliście mi córkę.

Joszua i ja zabraliśmy nasze ubrania i sakwy, kupiliśmy na rynku trochę ryżu i powędrowaliśmy do kraju Tamilów. Podążaliśmy z biegiem Gangesu, aż dotarliśmy do morza, gdzie Joszua i ja zmyliśmy z ciał posokę Kali.

Siedzieliśmy na plaży i suszyliśmy się w słońcu, wydłubując z włosów na piersi resztki smoły.

– Wiesz, Josh... – Walczyłem z wyjątkowo upartym kawałkiem, który utknął mi pod pachą. – Kiedy wyprowadzałeś z placu przed świątynią te dzieci, były takie małe i słabe... ale żadne nie wydawało się przestraszone. Naprawdę robiło się ciepło na sercu.

– Tak, kocham wszystkie dzieci na całym świecie. Wiesz?

– Naprawdę?

Skinął głową.

– Zielone i żółte, czarne i białe.

– Dobrze wiedzieć. Czekaj... zielone?

– Nie, zielone nie. Tak cię tylko wkręcałem.

22

Tamil, jak się okazało, nie był miasteczkiem w południowych Indiach, ale całym południowym półwyspem o powierzchni pięć razy większej od Izraela. Poszukiwanie Melchiora przypominało więc wkroczenie pewnego dnia do Jeruzalem i wołanie: „Hej, szukam takiego jednego Żyda, może ktoś go widział?!". Pomagało nam to, że wiedzieliśmy, czym Melchior się zajmuje: był ascetycznym świętym mężem, wiodącym niemal pustelniczy żywot gdzieś na wybrzeżu, no i – podobnie jak jego brat Kasper – był synem księcia. Spotkaliśmy setki różnych świątobliwych pustelników, czyli joginów; większość żyła bardzo prymitywnie w lesie albo w jaskiniach, i na ogół skręcali swoje ciała w jakieś całkiem niemożliwe pozycje. Pierwszy, którego zobaczyłem, mieszkał w szałasie przy wzgórzu nad małą rybacką wioską. Zarzucił sobie stopy na ramiona, przez co wyglądał, jakby głowa wyrastała mu z niewłaściwego końca tułowia.

– Patrz, Josh! Ten gość próbuje wylizać sobie jaja! Całkiem jak Bartłomiej, wiejski głupek! To moi ludzie, Josh! Moi ludzie! Znalazłem dom!

No więc naprawdę wcale nie znalazłem domu. Gość wykonywał po prostu jakieś ćwiczenie wspomagające duchową dyscyplinę (tyle oznacza „joga" w sanskrycie: dyscyplinę) i nie chciał mnie nauczać, bo moje intencje nie były czyste i podobne bzdury. I nie był Melchiorem. Nim go znaleźliśmy, straciliśmy jeszcze sześć miesięcy i resztkę pieniędzy, i obaj przeżyliśmy nasze dwudzieste piąte urodziny. Melchior leżał w płytkim zagłębieniu urwiska nad brzegiem oceanu, a u jego stóp gnieździły się mewy.

Okazał się bardziej owłosioną wersją brata, co oznacza, że był drobnej budowy, miał około sześćdziesięciu lat i znak kasty na czole. Jego włosy i broda były długie i siwe, z tylko kilkoma czarnymi pasemkami, oczy zaś intensywnie błękitne i jakby całkiem pozbawione białek. Za ubranie służyła mu tylko przepaska biodrowa, a wychudzeniem nie ustępował poznanym w Kalighacie niedotykalnym.

Joszua i ja przylgnęliśmy do skały, gdy tymczasem guru wyplątywał się z tego supła, w który zawiązał swe ciało. Proces był powolny i udawaliśmy, że przyglądamy się mewom, by oznakami niecierpliwości nie wprawić świętego męża w zakłopotanie. Gdy w końcu osiągnął taką posturę, która nie sugerowała, że przejechał po nim wóz zaprzężony w woły, przemówił Joszua.

– Przybywamy z Izraela. Spędziliśmy sześć lat w klasztorze twojego brata Kaspra. Jestem...

– Wiem, kim jesteś – przerwał mu Melchior. Głos miał melodyjny, a każde zdanie brzmiało tak, jakby zaczynał recytować poemat. – Poznałem cię. Pierwszy raz widziałem cię w Betlejem.

– Naprawdę?

– Jaźń człowieka się nie zmienia, tylko jego ciało. Widzę, że wyrosłeś już z powijaków.

– Tak, jakiś czas temu.

– I nie śpisz już w żłobie?

– Nie.

– Są dni, kiedy chętnie położyłbym się w jakimś miłym żłobie, na wiązce siana, może nawet pod derką. Nie chodzi o to, że potrzebuję takich luksusów, ani ja, ani nikt, kto podąża ścieżką ducha. Ale jednak...

– Przyszedłem, by uczyć się od ciebie – oznajmił Joszua. – Mam być bodhisattwą swego ludu i nie jestem pewien, jak się do tego zabrać.

– On jest Mesjaszem – dodałem, chcąc pomóc. – No wiesz, tym Mesjaszem. Wiesz, Synem Bożym.

– Tak, Synem Bożym – potwierdził Joszua.

– Tak – powiedziałem.

– Tak – powiedział Joszua.

– No więc, co masz dla nas?

– Kim ty jesteś?

– Biff – przedstawiłem się.

– Mój przyjaciel – wyjaśnił Josh.

– A czego poszukujesz?

– Prawdę mówiąc, chciałbym nie wisieć już nad tą przepaścią, bo palce mi drętwieją.

– Tak – zgodził się Josh.

– Tak – powiedziałem.

– Znajdźcie sobie jakieś zagłębienia w skale. Jest kilka opuszczonych. Joginowie Ramata i Mahara przeszli niedawno do swych kolejnych narodzin.

– Jeśli wiesz, gdzie można dostać coś do jedzenia, bylibyśmy wdzięczni – dodał Joszua. – Nie jedliśmy od dawna. I nie mamy pieniędzy.

– Czas na twą pierwszą lekcję, młody Mesjaszu. Ja także jestem głodny. Przynieś mi ziarnko ryżu.

Joszua i ja przesuwaliśmy się po urwisku, aż znaleźliśmy dwa zagłębienia, właściwie raczej malutkie groty, położone blisko siebie i nie aż tak wysoko nad brzegiem, by upadek nas zabił. Każde było wydłubane w litej stale, dość szerokie, by się położyć, wysokie, by usiąść, i głębokie na tyle, by chronić od deszczu, o ile padało prosto w dół. Kiedy już się rozłożyliśmy, przekopałem swoją sakwę i znalazłem trzy stare ziarnka ryżu, które zaczepiły się gdzieś w szwie. Umieściłem je w miseczce, którą potem chwyciłem w zęby, i wróciłem do siedziby Melchiora.

– Nie prosiłem o miseczkę – zauważył Melchior.

Joszua szybciej pokonał urwisko i teraz siedział obok jogina, z nogami zwisającymi nad przepaścią. Na kolanach trzymał mewę.

– Sposób podania to połowa posiłku – odparłem, cytując słowa wypowiedziane kiedyś przez Radosną.

344

Melchior obwąchał ziarnka ryżu, potem wybrał jedno i chwycił je w kościste palce.

– Jest surowe.

– Tak, surowe.

– Nie możemy go zjeść na surowo.

– Och, podałbym je gotowane, z ziarnkiem soli i molekułą zielonej cebuli, gdybym tylko wiedział, że takie właśnie lubisz. (Tak, mieliśmy już wtedy molekuły. Odczepcie się).

– No cóż, to musi nam wystarczyć.

Święty mąż umieścił miseczkę z ziarenkami ryżu na kolanach i zamknął oczy. Jego oddech zwalniał, a po chwili zdawało się, że już w ogóle nie oddycha.

Josh i ja czekaliśmy. I spoglądaliśmy po sobie. A Melchior się nie poruszał. Koścista jak u szkieletu pierś nie unosiła się w oddechu. Byłem głodny i zmęczony, ale czekałem. A święty mąż nie poruszał się już prawie od godziny. Pamiętając o niedawnych zwolnieniach miejsc na urwisku, zacząłem się obawiać, że Melchior uległ jakiejś zjadliwej, zabójczej dla joginów epidemii.

– Umarł? – spytałem.

– Trudno powiedzieć.

– Szturchnij go.

– Nie, to mój nauczyciel, człowiek święty. Nie będę go szturchał.

– Jest niedotykalnym!

Joszua nie mógł się oprzeć ironii i dźgnął Melchiora palcem. Jogin natychmiast otworzył oczy, wskazał na morze i zawołał:

– Patrzcie! Mewa!

Popatrzyliśmy. A kiedy znów spojrzeliśmy na niego, trzymał pełną miseczkę ryżu.

– Macie. Ugotujcie to.

I tak zaczęło się szkolenie Joszuy w poszukiwaniu tego, co Melchior nazywał Boską Iskrą. Święty mąż był wobec mnie surowy, ale Joshowi okazywał nieskończoną cierpliwość. Szybko zrozumiałem, że chcąc uczestniczyć w nauce Joszuy, w rzeczywistości hamuję jego postępy. Dlatego trzeciego dnia od zamieszkania na urwisku wykonałem długi i przyjemny skok w bok (a czy istnieje coś przyjemniejszego niż śmignięcie ze sporej wysokości?), wyszedłem na brzeg i ruszyłem do pobliskiego miasteczka, by poszukać pracy. Nawet jeśli Melchior potrafił przyrządzić posiłek z trzech ziarenek ryżu, to wydłubałem już wszystkie zaplątane w sakwach Joszuy i mojej. Może joga potrafi człowieka nauczyć, jak zwinąć się w supeł i wylizać własne jaja, ale nie wydawało mi się to szczególnie pożywne.

Miasteczko nazywało się Nicobar i było jakieś dwa razy większe od Seforis w mojej ojczyźnie – ze dwadzieścia tysięcy mieszkańców, z których większość żyła z morza, zajmując się rybołówstwem, handlem albo szkutnictwem. Zapytałem w kilku miejscach i zrozumiałem, że tym razem nie brak umiejętności utrudnia mi zdobycie zatrudnienia, ale system kastowy. Sięgał o wiele głębiej, niż mówił nam Rumi. Podkasty głównych czterech kast decydowały, że skoro człowiek urodził się kamieniarzem, jego synowie będą kamieniarzami, a potem ich synowie; przypadek narodzin nie pozwalał nikomu nigdy wykonywać innego zawodu, nieważne, czy miał lub nie miał zdolności. Kto się urodził żałobnikiem albo magikiem, ten umierał żałobnikiem albo magikiem, a jedyną metodą wyrwania się śmierci albo magii było umrzeć i odrodzić się jako ktoś inny. Jedynym zajęciem niewymagającym przynależności do kasty było stanowisko wiejskiego głupka, ale Hindusi chyba powierzali tę funkcję najbardziej ekscentrycznym świątobliwym mężom, więc raczej nie miałem szans. Miałem za to swoją miseczkę i doświadczenie w zbieraniu jałmużny, jeszcze w klasztorze, spróbowałem więc żebrania. Jednakże gdy tylko zajmowałem sobie dogodny róg ulicy, zjawiał się jakiś jednonogi ślepiec i odbierał mi publiczność. Do późnego popołudnia zarobiłem jednego miedziaka. Przybył natomiast przedstawiciel cechu żebraków i ostrzegł mnie, że jeśli jeszcze raz przyłapie mnie na żebraniu w Nicobarze, dopilnuje, by przyjęto mnie do cechu przez natychmiastowe usunięcie rąk i nóg.

Kupiłem na rynku garść ryżu i wlokłem się drogą z miasta, z miseczką przed sobą i ze spuszczoną głową, jak wypada dobremu mnichowi. I nagle zobaczyłem przed sobą najpiękniejszy zestaw paluszków z paznokciami pomalowanymi cynobrem, dalej zgrabną stópkę, elegancką kostkę pobrzękującą miedzianymi bransoletami, zachęcającą łydkę udekorowaną henną w delikatne jak koronka wzory. Od niej jaskrawa spódnica doprowadziła mnie wzdłuż szwu do klejnotu w pępku, pełnych piersi ujętych w żółty jedwab, warg jak śliwy, nosa długiego i prostego niczym u rzymskich posągów, oraz szeroko otwartych brązowych oczu z niebieskimi powiekami i podkreślonych kredką tak, że wydawały się wielkie jak u tygrysa. Pochłonęły mnie bez reszty.

– Jesteś cudzoziemcem – powiedziała.

Dotknęła długim palcem mej piersi, co zatrzymało mnie w miejscu. Usiłowałem schować miseczkę pod koszulą i z niezwykłą zręcznością rozsypałem cały ryż na siebie.

– Przybyłem z Galilei. W Izraelu.

– Nigdy o niej nie słyszałam. To daleko?

Sięgnęła mi pod koszulę i zaczęła wyławiać ziarna ryżu, jakie wpadły pod szarfę. Przesuwała mi paznokciem po brzuchu i jedno po drugim wrzucała ziarnka do miseczki.

– Bardzo daleko. Przybyłem tu z przyjacielem, by uzyskać świętą, starożytną wiedzę i w ogóle.

– Jak ci na imię?

– Biff... A raczej Lewi, który jest nazywany Biffem. W Izraelu często używamy tego „który nazywany jest".

– Pójdź ze mną, Biffie, a pokażę ci świętą i starożytną wiedzę.

Zaczepiła palcem o moją szarfę i przeszła przez drzwi, z jakiegoś powodu przekonana, że za nią podążę.

W środku, wśród rozrzuconych po podłodze stosów kolorowych poduszek i puszystych dywanów, jakich nie oglądałem od czasów fortecy Baltazara, stał wyrzeźbiony z kamforowego drewna pulpit, a na nim leżał wielki otwarty kodeks. Książka była oprawna w mosiądz inkrustowany miedzią i srebrem, a stronice miała z najcieńszego pergaminu, jaki kiedykolwiek widziałem.

Kobieta pchnęła mnie w stronę księgi, a kiedy patrzyłem na zapisane karty, wciąż trzymała mi dłoń na karku. Ręczne pismo było złocone i tak ozdobne, że ledwie mogłem je odczytać. To jednak nie miało znaczenia, jako że mój wzrok przyciągnęła ilustracja. Mężczyzna i kobieta, nadzy i doskonali. Kobieta leżała twarzą w dół na dywanie, zaczepiwszy stopy o ramiona mężczyzny, a on trzymał jej ręce z tyłu, gdy w nią wchodził. Musiałem przywołać na pomoc całe buddyjskie szkolenie i dyscyplinę, by nie narobić sobie wstydu przed gospodynią.

– Starożytna święta wiedza – powiedziała. – Ta księga jest darem od klienta. To Kamasutra. Nić Pożądania.

– Budda naucza, że pożądanie jest źródłem wszelkiego cierpienia – rzekłem, czując się, jak mistrz kung-fu, którym byłem.

– Czy oni wyglądają, jakby cierpieli?

– Nie.

Zadrżałem. Już za długo byłem pozbawiony towarzystwa kobiet. O wiele za długo.

– Czy chciałbyś tego spróbować? Tego cierpienia? Ze mną?

– Tak.

Całe szkolenie, cała dyscyplina, cała samokontrola zaprzepaszczone jednym słowem.

– Czy masz dwadzieścia rupii?

– Nie.

– Więc cierp. – Odsunęła się.

– A widzisz? Mówiłem.

Wtedy odeszła, roztaczając wokół siebie aromat drzewa sandałowego i róż. Gdy przechodziła przez pokój, jej biodra kołysały się na pożegnanie, a bransolety na ramionach i kostkach brzęczały jak maleńkie dzwony świątyni, przyzywające mnie, by czcić jej świętą grotę. W drzwiach kiwnęła na mnie palcem, żebym wyszedł za nią, co uczyniłem.

– Mam na imię Kaszmir – powiedziała. – Przekażę ci tę starożytną i świętą wiedzę. Strona po stronie. Dwadzieścia rupii za każdą.

Zabrałem moje głupie, żałosne, bezużyteczne ziarna ryżu i wróciłem do mych świątobliwych, żałosnych, głupich męskich przyjaciół na urwisku.

– Przyniosłem trochę ryżu – poinformowałem Joszuę, kiedy wspiąłem się do mojej groty na urwisku. – Melchior może zrobić tę swoją sztuczkę i będziemy mieli kolację.

Josh siedział w swoim zagłębieniu, z nogami splecionymi w pozycji kwiatu lotosu, i palcami złożonymi w mudrze współczującego Buddy.

– Melchior naucza ścieżki do Boskiej Iskry – wyjaśnił. – Przede wszystkim musisz uspokoić umysł. Dlatego niezbędna jest fizyczna dyscyplina i opanowanie oddechu. Musisz się tak całkowicie kontrolować, żeby spojrzeć poza iluzję własnego ciała.

– A czym się to różni od wszystkiego, co robiliśmy w klasztorze?

– Różnica jest subtelna, ale istnieje, Biff. Tam umysł sunął na fali działania, mogłeś medytować podczas skakania po słupkach, strzelania z łuku, podczas walki. Nie było celu, ponieważ nie było miejsca, aby w nim przebywać, żadnego prócz chwili obecnej. Tutaj celem jest spojrzenie poza chwilę, w duszę. Chyba już coś dostrzegam. Uczę się podstaw. Melchior twierdzi, że dobry jogin potrafi przesunąć całe swe ciało przez pętlę wielkości jego głowy.

– To świetne, Josh. Użyteczne. Ale pozwól, że powiem ci o kobiecie, którą spotkałem w mieście.

Przeskoczyłem do dziury Joszuy i zacząłem opowiadać o całym dniu, o kobiecie, o Kamasutrze, oraz mojej opinii, że taka właśnie starożytna wiedza duchowa może być tym, czego potrzebuje młody Mesjasz.

– Ma na imię Kaszmir, co oznacza miękką i kosztowną.

– Ale ona jest prostytutką, Biff.

– Nie miałeś nic przeciwko nim, kiedy pomagałem ci zrozumieć seks.

– Nadal nic nie mam... Chodzi mi o to, że nie masz pieniędzy.

– Wydaje mi się, że mnie polubiła. Myślę, że przyjmie mnie *pro bono*, jeśli rozumiesz, o co mi chodzi. – Szturchnąłem go i mrugnąłem.

– To znaczy „dla dobra publicznego". Zapomniałeś już łaciny? *Pro bono* znaczy, że dla publicznego dobra.

– Och. Myślałem, że coś innego. Nie, na to nie mam co liczyć.

– Raczej nie – zgodził się Josh.

Tak więc następnego dnia, z samego rana, ruszyłem do Nicobaru. Postanowiłem, że muszę znaleźć jakąś pracę, ale w południe znowu siedziałem pod ścianą obok jednego ze ślepych i beznogich dzieci. Na ulicy tłoczyli się kupcy: targowali się, dobijali targu, wymieniali gotówkę na towary i usługi, a dzieciak nieźle zarabiał na drobniakach. Byłem zdumiony, jak wiele miał w swojej miseczce; wystarczyłoby pewnie na trzy stronice Kamasutry. Oczywiście, nigdy bym nie okradł ślepego dziecka.

– Słuchaj no, młody, wyglądasz na zmęczonego. Może przypilnuję twojej miseczki, a ty zrobisz sobie przerwę?

– Zabierz tę łapę! – Dzieciak złapał mnie za przegub (mnie, mistrza kung-fu). Szybki był. – Wiem, co robisz!

– Dobra, niech będzie. A może pokażę ci parę sztuczek magicznych? Trochę iluzji?

– To będzie zabawne. Jestem ślepy.

– Może byś się zdecydował?

– Jeśli sobie nie pójdziesz, zawołam starszego cechu.

Odszedłem więc, zniechęcony i pokonany, bez pieniędzy choćby na jedno spojrzenie na brzeg stronicy w Kamasutrze. Powlokłem się na urwisko, wspiąłem do mojej groty i postanowiłem pocieszyć się odrobiną zimnego ryżu, pozostałego z wczorajszej kolacji. Otworzyłem sakwę i...

– Aaa! – wrzasnąłem. – Josh, co ty tu robisz?

Bo on był w środku. Rozanielona twarz, podeszwy stóp po obu jej stronach jak wielkie uszy, kilka kręgów, jedna ręka, moja fiolka yin-yang i garnuszek z mirrą.

– Wyłaź stąd. Jak się tu dostałeś?

Wspominałem już o naszych sakwach. Grecy nazywają je torbami, dzisiaj pasowałaby nazwa „worek marynarski". Były uszyte ze skóry i miały długi pas, który zarzucaliśmy na ramię. Przypuszczam, że gdyby wcześniej ktoś spytał, powiedziałbym, że owszem, można w nich zmieścić człowieka. Ale nie w jednym kawałku.

– Melchior mnie nauczył. Potrzebowałem całego ranka, żeby się tutaj zmieścić. Pomyślałem, że cię zaskoczę.

– Udało ci się. Możesz wyjść?

– Raczej nie. Chyba zwichnąłem sobie biodra.

– No dobra. Gdzie mój szklany sztylet?

– Na dnie torby.

– Skąd wiedziałem, że to powiesz?

– Jeśli mnie wyciągniesz, pokażę ci, co jeszcze potrafię. Melchior nauczył mnie pomnażać ryż.

Kilka minut później siedzieliśmy z Joszuą na krawędzi mojego zagłębienia, atakowani przez stada mew. Mewy ściągał wielki stos ryżu między nami.

– To najdziwniejsza rzecz, jaką widziałem...

Tyle że nie dało się tego zobaczyć. W jednej chwili człowiek miał garść ryżu, w następnej garniec.

– Melchior mówił, że zwykle jogin potrzebuje więcej czasu, by nauczyć się w ten sposób manipulować materią.

– O ile więcej?

– Trzydzieści, czterdzieści lat. W większości przypadków odchodzą, zanim się nauczą.

– Czyli to coś takiego jak uzdrawianie. Część twojego, hm... dziedzictwa?

– To nie jest jak uzdrawianie, Biff. Tego można się nauczyć, jeśli wystarczy czasu.

Rzuciłem mewom garść ryżu.

– Wiesz co? Melchior wyraźnie mnie nie lubi, więc raczej niczego nie będzie uczył. Może wymienimy się wiedzą?

Przynosiłem Joszui ryż, on go pomnażał, ja sprzedawałem nadwyżkę na targu. Po jakimś czasie przerzuciłem się z handlu ryżem na ryby, bo w ten sposób mogłem szybciej zarobić dwadzieścia rupii. Wcześniej jednak poprosiłem Joszuę, żeby wybrał się ze mną do miasta. Poszliśmy na rynek, gdzie tłoczyli się kupcy: targowali się, dobijali targu, wymieniali gotówkę na towary i usługi, a z boku ślepy i beznogi mały żebrak zarabiał majątek w drobniakach.

– Młody, chcę, żebyś poznał mojego przyjaciela Joszuę.

– Nie nazywam się Młody – odparł bachor.

Pół godziny później Młody znowu widział, a jego nogi odrosły.

– Wy dranie! – zawołał i odbiegł na swych nowych, czyściutkich różowych piętach.

– Idź z Bogiem – odpowiedział mu Joszua.

– Teraz się przekonamy, jak łatwo jest zarabiać na życie! – krzyknąłem za dzieciakiem.

– Nie wydawał się zadowolony – zauważył Joszua.

– Dopiero uczy się wyrażać własną osobowość. Nie przejmuj się nim. Są tu inni, którzy także cierpią.

Zatem Joszua z Nazaretu chodził pomiędzy nimi, uzdrawiał i czynił cuda, i wszystkie małe niewidome dzieci z Nicobaru znowu odzyskały wzrok, a wszyscy kalecy znowu mogli stanąć i chodzić.

Małe dranie.

I tak zaczęła się wymiana wiedzy: to, czego uczyłem się od Kaszmir i z Kamasutry, na to, czego Joszua uczył się od świątobliwego męża Melchiora. Co rano, zanim wyruszyłem do miasta, a Josh po nauki u swego guru, spotykaliśmy się na plaży, gdzie wymienialiśmy się pomysłami i jedliśmy śniadanie – zwykle ryż i pieczoną nad ogniskiem świeżą rybę. Uznaliśmy, że już wystarczająco długo obywaliśmy się bez mięsa, niezależnie od tego, co usiłowali nam wpoić Kasper z Melchiorem.

– Umiejętność pomnażania żywności... Wyobraź sobie tylko, co możemy zrobić dla ludu Izraela, dla świata.

– Tak, Josh. Jest bowiem napisane: „Daj człowiekowi rybę, a będzie miał co jeść przez dzień, ale naucz człowieka być rybą, a jego przyjaciele będą mieli co jeść przez tydzień".

– To nie jest napisane! Gdzie to jest napisane?

– Ziemnowodnianie pięć-siedem.

– W Biblii nie ma żadnych głupich Ziemnowodnian!

– A plaga żab? Ha! Przyłapałem cię!

– Ile czasu minęło, odkąd ostatni raz oberwałeś?

– Daj spokój. Nie możesz nikogo uderzyć, musisz pozostawać w pokoju z całym stworzeniem, żeby odnaleźć Cudownego Ducha Skierkę.

– Boską Iskrę.

– Wszystko jed... Auć. No świetnie, co niby mam teraz zrobić, oddać Mesjaszowi?

– Nadstaw drugi policzek. No dalej, nadstawiaj.

Jak już mówiłem, rozpoczęliśmy wymianę świętych i starożytnych nauk.

Mówi Kamasutra:
Kiedy kobieta wplecie palce stóp we włosy pod pachami mężczyzny, a mężczyzna podskakuje na jednej nodze, podtrzymując kobietę na swym lingam i maselnicy, osiągnięta pozycja nazywa się „Nosorożec balansujący na pączku z galaretką".

– Co to jest pączek? – zapytał Joszua.

– Nie wiem. To pojęcie wedyjskie, którego definicja zaginęła w czasach pradawnych, ale podobno ma wielkie znaczenie dla strażników prawa.

– Aha.

Mówi Katha Upaniszad:
Poza zmysłami istnieją obiekty,
a poza obiektami istnieje umysł.
Poza umysłem jest czysty rozum,
a poza rozumem jest Duch w człowieku.

– Niby co to ma znaczyć?

– Musisz trochę nad tym pomyśleć, ale ogólnie oznacza, że w każdym jest jakiś pierwiastek wieczności.

– Świetnie. A co to ma wspólnego z tymi facetami na gwoździach?

– Jeśli jogin ma doświadczyć tego co duchowe, musi uwolnić się od tego co cielesne.

– I uwalnia się przez te małe dziurki na plecach?

– Zacznijmy jeszcze raz.

Mówi Kamasutra:
Jeśli mężczyzna naciera joni kobiety woskiem z ziaren car-
nauba i poleruje gładką ściereczką lub papirusowym ręczni-
kiem, aż błyszczy niczym lustro, nazywa się to „Przygotowa-
niem mangusty do wymiany".

– Zobacz, ona sprzedaje mi kawałki owczego pergaminu i za każdym razem, kiedy skończymy, pozwala skopiować rysunki. Mam zamiar kiedyś spiąć je razem i wydać własny kodeks.

– Tak robiliście? Wygląda, że to bolesne doznanie.

– I to mówi ktoś, kogo wczoraj musiałem młotkiem wydobywać z amfory.

– No wiesz, nie doszłoby do tego, gdybym pamiętał, żeby nasmarować ramiona oliwą, jak mnie uczył Melchior. – Joszua

354

odwrócił rysunek, by przyjrzeć mu się pod innym kątem. – To na pewno nie boli?

– Nie, jeśli tylko trzymasz tyłek z daleka od kadzielnic.

– Pytam o nią.

– O nią? Kto to wie? Zapytam.

Mówi Bhagawad Gita:
Jestem obojętny wobec wszystkich stworzeń,
a żadne nie jest mi nienawistne ani drogie,
ale ludzie mi oddani są we mnie,
a ja w nich jestem.

– Co to jest Bhagawad Gita?

– To długi poemat, w którym bóg Kriszna doradza wojownikowi Ardżunie, prowadząc jego rydwan do bitwy.

– Naprawdę? A co mu doradza?

– Radzi, żeby nie żałował zabitych wrogów, ponieważ zasadniczo są już martwi.

– A wiesz, co ja bym radził, gdybym był bogiem? Żeby znalazł sobie kogoś innego jako woźnicę do tego nieszczęsnego rydwanu. Prawdziwy Bóg nigdy nie dałby się namówić do powożenia.

– No wiesz, trzeba to rozumieć jako przypowieść, inaczej tak jakby sugeruje fałszywych bogów.

– Nasz lud nie ma szczęścia do fałszywych bogów, Josh. Są... no wiesz... źle widziani. Kiedy mamy z nimi do czynienia, zawsze ktoś nas morduje i bierze w niewolę.

– Będę ostrożny.

Mówi Kamasutra:
Kiedy kobieta opiera się o stół i wdycha parę eukaliptusowej
herbaty, jednocześnie płucząc gardło mieszaniną cytryny, wody
i miodu, a mężczyzna chwyta ją za uszy i wchodzi w nią od
tyłu, spoglądając przez okno na dziewczynę, która po drugiej
stronie ulicy rozwiesza pranie, pozycja taka nazywa się „Roz-
targniony tygrys rozrywający futrzaka".

– Nie mogłem tego znaleźć w książce, więc podyktowała mi z pamięci.

– Kaszmir to prawdziwa uczona.

– Miała katar, ale mimo to zgodziła się na lekcję. Myślę, że zaczyna się we mnie durzyć.

– Jak mogłaby się oprzeć? Jesteś czarującym facetem, Biff.

– Och, dziękuję ci, Josh.

– Nie ma za co, Biff.

– No dobra, powiedz teraz coś o tej swojej jodze.

Mówi Bhagawad Gita:
Tak jak wiatr mknący szeroko
jest bezustannie obecny w przestrzeni,
tak wszystkie stworzenia istnieją we mnie.
Niech będzie to powiedziane.

– Czy to jest rada, jakiej byś udzielił komuś jadącemu na bitwę? Wydawało by się, że Kriszna będzie mówił coś w stylu „Uważaj, strzała! Schyl się!".

– Wydawałoby się. – Joszua westchnął.

Mówi Kamasutra:
Pozycja „Nieokiełznanej małpy zbierającej kokosy" osiąga-
na jest, gdy kobieta zahacza palcami o nozdrza mężczyzny
i wykonuje biodrami kołyszące ruchy, a mężczyzna, mocno
gładząc kciukiem jej języczek, przesuwa swój lingam w jej
joni w kierunku przeciwnym do tego, w jakim wiruje woda,
spływając do ścieku. (Zaobserwowano, że woda spływająca
do ścieku wiruje w różnych kierunkach, zależnie od miejsca.
To tajemnica, ale najprostszą metodą uzyskania pozycji Nie-
okiełznanej Małpy jest po prostu wybór kierunku przeciwnego
do tego, w jakim wiruje woda w twoim własnym ścieku).

– Twoje rysunki są coraz lepsze – pochwalił Joszua. – Na pierwszym wydawało się, że ona ma ogon.

– Wykorzystuję techniki kaligraficzne, jakie poznaliśmy w klasztorze, tyle że do kreślenia figur. Josh, na pewno cię to nie irytuje, że rozmawiamy o rzeczach, których nigdy nie będzie ci wolno spróbować?

– Nie, to interesujące. Ciebie nie irytuje, kiedy mówię o niebie, prawda?

– A powinno?

– Patrz, mewa!

Mówi Katha Upaniszad:
Dla tego, kto go poznał,
jaśnieje blask prawdy.
Dla tego, kto nie poznał, trwa ciemność.
Mędrcy, którzy zobaczyli go w każdej istocie,
Opuszczając to życie, zyskują życie nieśmiertelne.

– I tego właśnie szukasz, tak? Tej Boskiej Iskry?

– To nie dla mnie, Biff.

– Josh, nie jestem przecież workiem piasku. Nie po to spędziłem tyle czasu, ucząc się i medytując, żeby nie dostrzec blasku czegoś wiecznego.

– Dobrze to wiedzieć.

– Oczywiście pomaga, kiedy zjawiają się anioły, a ty czynisz cuda i różne takie.

– No tak, zapewne pomaga.

– Ale to nie takie złe. Przyda się nam, kiedy wrócimy do domu.

– Nie masz pojęcia, o czym mówię, Biff. Prawda?

– Nic a nic.

Nasze nauki trwały dwa lata, nim zobaczyłem znak wzywający nas do domu. Joszua coraz sprawniej pomnażał jedzenie i choć upierał się przy surowym stylu życia – by nic nie wiązało go ze światem materialnym – mnie udało się odłożyć trochę pieniędzy. Nie tylko płaciłem za lekcje, ale ozdobiłem trochę swoją grotę (jakieś erotyczne ryciny, kotary, parę jedwabnych poduszek) oraz kupiłem kilka przedmiotów osobistych: nową sakwę, puzderko na tusz i zestaw pędzelków oraz słonicę.

Nazwałem ją Vana, co w sanskrycie oznacza wiatr, i chociaż bez wątpienia zasługiwała na to imię, z żalem stwierdzam, że nie dzięki swej oszałamiającej szybkości. Karmienie Vany nie było kłopotliwe, skoro Joszua potrafił zmienić garść trawy w pełną stodołę, ale choć bardzo się starał nauczyć ją jogi, jakoś nie mogła się zmieścić w moim zagłębieniu na skale. (Pocieszałem go, że to wspinaczka zniechęca Vanę, nie jego brak zdolności jako guru. „Gdyby miała palce, Josh, już dzisiaj leżałaby tam ze mną i mewami"). Vana nie lubiła przebywać na plaży, gdy następował przypływ i piasek ocierał się o jej nogi; trzymałem ją więc na łące nad urwiskiem. Uwielbiała za to pływać, więc czasem, zamiast jechać wzdłuż brzegu do Nicobaru, kazałem jej płynąć tuż pod wodą, tak że wystawał tylko koniec trąby i ja, stojący na jej czole.

– Patrz, Kaszmir, chodzę po wodzie! – wołałem. – Chodzę po wodzie!

Mojej erotycznej księżniczce tak pilno było do mych uścisków, że zamiast podziwiać spektakl jak inni mieszkańcy, potrafiła tylko odpowiedzieć:

– Zaparkuj słonia za domem.

(Pierwsze kilka razy, gdy to mówiła, sądziłem, że ma na myśli jakąś pozycję Kamasutry, którą opuściliśmy – być może kartki się skleiły. Potem jednak okazało się, że nie o to chodzi).

Kaszmir i ja zbliżyliśmy się do siebie w miarę postępów moich studiów. Kiedy przerobiliśmy wszystkie pozycje Kamasutry dwukrotnie, Kaszmir przeszła na wyższy poziom, wprowadzając do naszych stosunków dyscyplinę tantryczną. Tak bardzo rozwinęliśmy swe umiejętności w medytacyjnej sztuce miłosnej, że nawet w porywach żądzy Kaszmir mogła polerować biżuterię, liczyć pieniądze, a nawet przeprać coś delikatnego. Ja z kolei tak doskonale opanowałem dyscyplinę i kontrolę ejakulacji, że często byłem już w połowie drogi do domu, nim wreszcie następowało uwolnienie.

Właśnie wracałem od Kaszmir – Vana i ja szliśmy drogą przez rynek, by pokazać moim przyjaciołom, byłym żebrakom, co może zyskać człowiek zdyscyplinowany i o mocnym charakterze (a konkretnie: ja miałem słonia, oni nie). I wtedy zobaczyłem na ścianie świątyni Wisznu brudną wilgotną plamę, a w niej wyrysowany kondensacją, pleśnią i naniesionym przez wiatr kurzem, kontur twarzy matki mojego najlepszego przyjaciela – Marii.

– Owszem, często tak robi – przyznał Joszua, kiedy wspiąłem się przez krawędź jego zagłębienia i przekazałem wiadomość.

Medytowali z Melchiorem i jak zwykle starzec sprawiał wrażenie martwego.

– Kiedy byliśmy mali, zdarzało się to bez przerwy – ciągnął Josh. – Posyłała mnie i Jakuba, a my biegaliśmy po całej wsi i zmywaliśmy ściany, zanim ktoś zauważył. Czasami jej twarz pojawiała się w śladach kropli w kurzu, czasami skórki winogron tak się układały, kiedy zabierali je z tłoczni. Ale najczęściej ściany.

– Nigdy mi o tym nie mówiłeś.

– Nie mogłem. Tak ją czciłeś, ze zmieniałbyś te wizerunki w kaplice.

– Czyli to były nagie obrazki?

Melchior odchrząknął i obaj spojrzeliśmy na niego.

– Joszua, albo twoja matka, albo twój Bóg, przesyła ci wiadomość. Nieważne, od kogo pochodzi, jej znaczenie jest takie samo. Czas, byś wracał do domu.

Rankiem mieliśmy wyruszyć na północ, a Nicobar leżał na południu, więc zostawiłem Josha, żeby zapakował nasze rzeczy, a ja wyruszyłem do miasteczka, żeby zawiadomić o wszystkim Kaszmir.

– Ojej! – zawołała. – Aż do Galilei. Masz pieniądze na drogę?

– Trochę.

– Ale nie przy sobie?

– Nie.

– Aha. Trudno. Żegnaj.

Mógłbym przysiąc, że kiedy zamykała drzwi, dostrzegłem w jej oku łzę.

Następnego ranka załadowaliśmy na Vanę moje rysunki i materiały malarskie, moje poduszki, kotary i dywany, mój mosiężny imbryk do kawy, mój zaparzacz do herbaty i moją kadzielnicę, moją parkę hodowlanych mangust, ich bambusową klatkę, mój zestaw bębenków, mój parasol, moją jedwabną szatę, mój kapelusz od słońca, mój kapelusz od deszczu, moją kolekcję erotycznych figurek oraz miseczkę Joszuy. Potem zebraliśmy się na brzegu, by się pożegnać, Melchior stanął przed nami w swej przepasce biodrowej, a wiatr rozwiewał wokół twarzy pasma jego siwej brody i włosów, niby strzępy chmur na niebie. Na jego obliczu nie było smutku, ale przecież całe życie poświęcił, by oderwać się od świata materialnego, którego byliśmy częścią. Udało mu się to już wiele lat temu.

Joszua zrobił ruch, jakby chciał objąć starca, ale tylko stuknął go palcem w ramię. Ten jeden jedyny raz zobaczyłem wtedy, jak Melchior się uśmiecha.

– Ale nie nauczyłeś mnie wszystkiego, co powinienem wiedzieć – rzekł Josh.

– Masz rację. Nie nauczyłem cię niczego i niczego nie mogłem cię nauczyć. Wszystko, co powinieneś wiedzieć, już tam było. Potrzebowałeś tylko właściwego słowa. Niektórzy wymagają, by Kali i Sziwa zniszczyli świat, bo wtedy mogą poprzez iluzję zobaczyć w sobie boskość. Innym trzeba, by Kriszna doprowadził ich do miejsca, skąd mogą dostrzec to co w nich wieczne. Jeszcze inni widzą w sobie Boską Iskrę, pojmując poprzez oświecenie, że iskra jest we wszystkim, i w ten sposób znajdują pokrewieństwo. Ale to, że Boska Iskra istnieje w każdym, nie oznacza, że każdy potrafi ją odkryć. Twoja dharma każe ci nie uczyć się, ale nauczać.

– Jak mam nauczać mój lud o Boskiej Iskrze? Zanim odpowiesz, pamiętaj, że mówimy również o Biffie.

– Musisz tylko znaleźć właściwe słowo. Boska Iskra jest nieskończona, ale wiodąca ku niej ścieżka nie jest. A początkiem tej ścieżki jest Słowo.

– Czy dlatego ty, Kasper i Baltazar podążyliście za gwiazdą? By we wszystkich ludziach znaleźć ścieżkę do Boskiej Iskry? Z tej samej przyczyny, dla której ja przybyłem do ciebie?

– Jesteśmy poszukiwaczami. Ty jesteś tym, czego szukaliśmy, Joszuo. Ty jesteś źródłem. Końcem jest boskość, a początkiem Słowo. Ty jesteś tym Słowem.

CZĘŚĆ PIĄTA

BARANEK

Teraz lekki jestem, teraz bujam, teraz widzę siebie przed sobą, teraz tańczy Bóg jakiś przeze mnie.

Friedrich Nietzche

23

J echaliśmy na Vanie na północ, ku Jedwabnemu Szlakowi, mijając wielką indyjską pustynię, która trzysta lat wcześniej niemal wybiła wojska Aleksandra Wielkiego, kiedy powracał do Persji po zawojowaniu połowy znanego świata. Wprawdzie droga przez pustynię zaoszczędziłaby nam miesiąc, ale Joszua nie był pewien, czy potrafi przywołać dość wody dla Vany. Człowiek powinien wyciągać wnioski z historii. I chociaż upierałem się, że ludzie Aleksandra byli pewnie zmęczeni po tych wszystkich podbojach, podczas gdy my w zasadzie przez dwa lata tylko siedzieliśmy na plaży, Josh postanowił wybrać łatwiejszą trasę przez Delhi, a stamtąd na północ, do dzisiejszego Pakistanu. Dopiero potem mieliśmy znowu podążyć Jedwabnym Szlakiem.

Przejechaliśmy nim niewielki kawałek, kiedy wydało mi się, że otrzymaliśmy kolejną wiadomość od Marii. Zatrzymaliśmy się na krótki odpoczynek, a kiedy ruszaliśmy dalej, Vana wdepnęła przypadkiem w miejsce, gdzie przed chwilą załatwiła swoją potrzebę. Rozgniotła stos w idealny wizerunek kobiecej twarzy – ciemna kupa w jasnoszarym pyle.

– Patrz, Josh, następna wiadomość od twojej matki!

Josh tylko zerknął i odwrócił głowę.

– To nie jest moja matka.

– Ale zobacz, w słoniowej kupie. To twarz kobiety!

– Wiem, ale to nie moja matka. Jest trochę zniekształcona ze względu na tworzywo. Nawet niespecjalnie podobna... Przyjrzyj się oczom.

Musiałem przeleźć na zad słonia, żeby popatrzeć z innego kąta. Miał rację, to nie była jego matka.

– Chyba rzeczywiście. Tworzywo zakłóciło przekaz.

– To właśnie mówię.

– Ale założę się, że wygląda całkiem jak jakaś inna matka.

Z tym objazdem wokół pustyni droga do Kabulu zajęła nam prawie dwa miesiące. Wprawdzie Vana nie znała zmęczenia, ale jak wspomniałem, wspinała się mniej sprawnie i często musieliśmy mocno nadkładać drogi, by przeprowadzić ją przez afgańskie góry. Josh i ja wiedzieliśmy, że kiedy opuścimy Kabul, nie możemy jej zabrać dalej, na kamienistą pustynię. Postanowiliśmy więc zostawić słonia Radosnej – jeśli tylko uda się odszukać dawną kurtyzanę.

Na rynku w Kabulu rozpytywaliśmy wszędzie o chińską kobietę imieniem Drobne Stópki Boskiego Tańca Radosnego Orgazmu, ale nikt o niej nie słyszał; nikt też nie znał kobiety zwanej Radosna. Po całym dniu chcieliśmy już zrezygnować z poszukiwań przyjaciółki, kiedy przypomniałem sobie coś, co kiedyś mi powiedziała. Zwróciłem się więc do miejscowego sprzedawcy herbaty:

– Czy mieszka w tej okolicy kobieta, być może bardzo bogata kobieta, która nazywa się Smoczą Panią albo jakoś podobnie?

– O tak, mój panie – odparł sprzedawca i zadrżał, jakby robak przebiegł mu po karku. – Nazywana jest Okrutną i Przeklętą Smoczą Księżniczką.

– Ładne imię – pochwaliłem Radosną, kiedy przejechaliśmy przez masywną kamienną bramę jej pałacu.

– Samotnej kobiecie jest łatwiej, jeśli zdobędzie odpowiednią reputację – odparła Okrutna i Przeklęta Smocza Księżniczka.

Wyglądała prawie tak samo jak niemal dziewięć lat temu, kiedy odjeżdżaliśmy; może tylko nosiła teraz więcej biżuterii. Była drobna, delikatna i piękna. Miała na sobie szatę z białego jedwabiu z wyhaftowanymi smokami, a granatowoczarne włosy spływały niemal do kolan, ściągnięte jedną srebrną pętlą, tylko po to, by nie rozsypywały się na ramionach, kiedy się odwracała.

– Ładny słoń – dodała.

– To prezent – wyjaśnił Joszua.

– Jest śliczna.

– Masz może ze dwa zbędne wielbłądy, Radosna? – spytałem.

– Och, Biff, naprawdę miałam nadzieję, że dzisiaj w nocy będziecie spać ze mną.

– Byłbym zachwycony, ale Josh odmawia tych słodyczy.

– Woli młodych chłopców? Mam tu kilku. Trzymam ich do... no wiecie.

– Też nie – zapewnił Joszua.

– Och, Joszuo, mój biedny mały Mesjaszu. Założę się, że w tym roku nikt nie przygotował ci na urodziny chińskich potraw?

– Jedliśmy ryż.

– No cóż, przekonamy się, czy Przeklęta Smocza Księżniczka potrafi ci to jakoś wynagrodzić.

Zeszliśmy ze słonicy i uścisnęliśmy naszą starą przyjaciółkę. Potem srogi gwardzista w spiżowej kolczudze odprowadził Vanę do stajni, a czterech innych z włóczniami maszerowało po bokach, gdy Radosna wprowadziła nas do głównego budynku.

– Samotna kobieta? – zdziwiłem się, widząc strażników przy każdych drzwiach.

– W swym sercu, kochanie – wyjaśniła Radosna. – Ci ludzie to nie przyjaciele, krewni ani kochankowie. To tylko pracownicy.

– O co chodzi z tą Przeklętą częścią twojego nowego tytułu? – chciał wiedzieć Joszua.

– Mogę z niej zrezygnować i być tylko Okrutną Smoczą Księżniczką, jeśli zechcecie zostać na dłużej.

– Nie możemy. Wezwano nas do domu.

Pokiwała ze smutkiem głową i wprowadziła nas do biblioteki (pełnej książek Baltazara). Tam podano kawę. Usługiwali nam młodzi mężczyźni i kobiety, których Radosna najwyraźniej ściągnęła z Chin. Myślałem o wszystkich dziewczętach, moich przyjaciółkach i kochankach, wiele lat temu zamordowanych przez demona; piłem kawę, spłukując wzbierającą w gardle gorycz.

Joszua był podniecony – dawno już nie widziałem go w takim stanie. Może z powodu kawy.

– Nie uwierzysz, Radosna, jakich cudownych rzeczy się nauczyłem, odkąd stąd wyjechaliśmy. O byciu czynnikiem zmiany (zmiana tkwi u korzeni wiary, jak wiesz), o współczuciu dla każdego, bo każdy jest cząstką innych, a co najważniejsze, że w każdym z nas jest odrobina Boga. W Indiach nazywają to Boską Iskrą.

Opowiadał tak przez godzinę, aż w końcu moja melancholia odpłynęła. Joszua zaraził mnie swym entuzjazmem do tego, czego dowiedział się od Mędrców.

– Tak – przyznałem. – I jeszcze Josh potrafi się wcisnąć do amfory typowych rozmiarów. Trzeba wyciągać go młotkiem, ale widok jest ciekawy.

– A ty, Biff? – Radosna uśmiechnęła się ponad filiżanką.

– Po kolacji pokażę ci pewien drobiazg, który nazywam „Bawołem wydobywającym nasiona granatu".

– To brzmi...

– Nie martw się, łatwo się nauczysz. Mam rysunki.

W pałacu Radosnej spędziliśmy cztery dni, ciesząc się wygodami, jedzeniem i napojami, jakich nie zaznaliśmy, odkąd rozstaliśmy się z nią przed laty. Ale piątego rano Joszua stanął z sakwą na ramieniu przy drzwiach jej sypialni. Nie powiedział ani słowa. Nie musiał. Zjedliśmy z Radosną śniadanie, a potem odprowadziła nas do bramy, by się pożegnać.

– Dziękuję za słonia – powiedziała.

– Dziękujemy za wielbłądy – odparł Joszua.

– Dzięki za książkę o seksie – powiedziała.

– Dzięki za seks – odrzekłem.

– Aha, zapomniałam... Jesteś mi winien sto rupii.

Opowiadałem jej o Kaszmir...

– Żartowałam. – Okrutna i Przeklęta Smocza Księżniczka uśmiechnęła się szeroko. – Uważaj na siebie, przyjacielu. Zachowaj amulet, który ci dałam, i nie zapominaj o mnie.

– Oczywiście.

Pocałowałem ją, potem wskoczyłem na wielbłąda i kazałem mu wstać.

Radosna objęła Joszuę i pocałowała go w usta, mocno i długo. Nie próbował jej odpychać.

– Hej, Josh, musimy już jechać! – zawołałem.

Radosna odsunęła Mesjasza na odległość ramion.

– Zawsze będziesz tu witany z radością. Wiesz o tym?

Josh kiwnął głową i wspiął się na wielbłąda.

– Zostań z Bogiem, Radosna – rzekł.

Kiedy wyjechaliśmy za bramę pałacu, strażnicy wystrzelili płonące strzały. Przemknęły po niebie, wlokąc warkocze iskier, aż eksplodowały nad drogą przed nami – ostatnie pożegnanie Radosnej, hołd dla przyjaźni i tajemnej wiedzy, jaka nas łączyła.

Strzały śmiertelnie przeraziły wielbłądy.

Jechaliśmy już przez jakiś czas, nim Josh się odezwał.

– Pożegnałeś się z Vaną?

– Zamierzałem, ale kiedy poszedłem do stajni, ćwiczyła jogę i nie chciałem przeszkadzać.

– Żartujesz...

– Naprawdę. Siedziała w jednej z tych pozycji, których ją uczyłeś.

Joszua uśmiechnął się. Na pewno nie zaszkodzi, jeśli będzie w to wierzył.

Podróż Jedwabnym Szlakiem przez górskie pustynie zabrała nam prawie miesiąc, ale upłynęła spokojnie, jeśli nie liczyć ataku małej grupy bandytów. Kiedy chwyciłem dwie pierwsze włócznie, którymi we mnie cisnęli, i odrzuciłem je ku nim, raniąc obu rzucających, bandyci odwrócili się i uciekli. Pogoda była dość umiarkowana – w każdym razie tak umiarkowana, jak to możliwe w okrutnej, zabójczej pustyni, ale przez te lata Joszua i ja często wędrowaliśmy po terenach tak trudnych, że teraz mało co mogło zrobić na nas wrażenie. Jednakże niedaleko przed Antiochią rozpętała się burza piaskowa. Przez dwa dni kryliśmy się między wielbłądami, oddychaliśmy przez koszule i za każdym razem, gdy chcieliśmy się napić, musieliśmy wypłukiwać z ust błoto. W końcu burza przycichła tak, że można było ruszyć dalej. Galopem wpadliśmy na ulice Antiochii, i wtedy Joszua znalazł oberżę – zderzając się czołem z jej szyldem. Spadł z wielbłąda i usiadł na ziemi; krew spływała mu po twarzy.

– Mocno się uderzyłeś? – spytałem, klękając przy nim. Ledwie go widziałem w pędzonych wiatrem tumanach pyłu.

Joszua spojrzał na krwawe plamy na dłoniach, w miejscach, którymi dotykał zranionego czoła.

– Nie wiem. Nie boli aż tak bardzo, ale trudno powiedzieć.

– Do środka – nakazałem.

Pomogłem mu wstać i dojść do oberży.

– Zamykajcie drzwi! – wrzasnął oberżysta, kiedy wiatr dmuchnął przez salę. – Co wy, w stajni się rodziliście?

– Tak – odpowiedział Joszua.

– Naprawdę – potwierdziłem. – Ale z aniołami na dachu.

– Zamknijcie te przeklęte drzwi – powtórzył oberżysta.

Usadziłem Joszuę pod ścianą, a sam wyszedłem szukać schronienia dla wielbłądów. Gdy wróciłem, mój przyjaciel ocierał twarz płócienną chustką, którą ktoś mu podał. Wokół stało kilku mężczyzn, wyraźnie chętnych do pomocy. Oddałem któremuś chustkę i obejrzałem rany Josha.

– Przeżyjesz. Solidny guz i dwa rozcięcia, ale wyjdziesz z tego. Nie mógłbyś spróbować uzdrowienia na...

Joszua pokręcił głową.

– Hej, patrzcie na to! – zawołał jeden z podróżnych pomagających Joshowi.

Wyciągnął przed siebie kawałek płótna, którym Joszua wytarł sobie twarz. Kurz i krew uformowały na materiale dokładny wizerunek jego twarzy, łącznie z odciskami dłoni, poplamionych krwią z rany na głowie.

– Mogę to zatrzymać? – zapytał ów człowiek. Mówił po łacinie, ale z dziwnym akcentem.

– Pewno. A skąd jesteście, chłopaki?

– Z plemienia Liguryjczyków, z terytoriów na północ od Rzymu. Miasto nad rzeką Pad, nazywa się Turyn. Słyszałeś o nim?

– Nie, nie słyszałem. Wiecie, chłopcy, z tą ścierką możecie robić co chcecie, ale na wielbłądzie mam trochę erotycznych rycin ze Wschodu. Pewnego dnia będą sporo warte. Sprzedam je wam za bardzo przyzwoitą cenę.

Turyńczycy odeszli, trzymając tę nędzną, brudną szmatę, jakby była świętą relikwią. Bezmyślne dranie, nie potrafiliby rozpoznać prawdziwej sztuki, choćby ją do nich przybić.

Opatrzyłem rany Josha i wynajęliśmy pokój na tę noc.

Rankiem postanowiliśmy zatrzymać wielbłądy i dotrzeć do domu drogą lądową przez Damaszek. Ale kiedy wyjeżdżaliśmy już przez bramę miasta, rozpoczynając ostatni etap podróży, Joszua zaczął się martwić.

– Nie jestem gotowy, by zostać Mesjaszem, Biff. Wezwano mnie do domu, żebym poprowadził nasz lud, a ja nie wiem nawet, od czego zacząć. Rozumiem, czego chcę nauczać, ale nie mam na to słów. Melchior miał rację: przede wszystkim musisz mieć słowo.

– Wiesz, światłość nie olśni cię nagle akurat tutaj, na drodze do Damaszku. Takie rzeczy się nie zdarzają. Zapewne tego, co musisz wiedzieć, nauczysz się w odpowiednim czasie. Wszystko ma swój czas, yada yada yada...

– Mój ojciec mógłby mi tak bardzo ułatwić naukę. Wystarczyłoby, żeby powiedział, co mam robić.

– Ciekawe, co słychać u Maggie. Może utyła? Jak myślisz?

– Próbuję tu mówić o Bogu, o Boskiej Iskrze, o nastaniu Królestwa dla naszego ludu!

– Wiem. I ja też. Zamierzasz to wszystko załatwić bez pomocy?

– Chyba nie.

– No więc dlatego pomyślałem o Maggie. Była mądrzejsza od nas, zanim odeszliśmy. I pewnie nadal jest mądrzejsza.

– Była mądra, to fakt. Chciała zostać rybakiem. – Josh się uśmiechnął.

Widziałem, że myśl o spotkaniu z Maggie go połechtała.

– Nie możesz jej mówić o tych wszystkich nierządnicach, Biff.

– Nie powiem.

– Ani o Radosnej i dziewczętach. I o tej starej kobiecie bez zębów.

– Nie powiem jej o żadnej z nich.

– Nawet o jaku.

– Niczego nie było między mną i jakiem. Nawet ze sobą nie rozmawialiśmy.

– Wiesz, teraz ma już pewnie tuzin dzieci.

– Wiem – westchnąłem. – Powinny być moje.

– I moje – westchnął Joszua.

Popatrzyłem na niego. Sunął obok po morzu łagodnie rozkołysanych wielbłądzich fal i ze smętną miną wpatrywał się w horyzont.

– Twoje i moje? Uważasz, że powinny być twoje i moje?

– Pewno, czemu nie? Wiesz, że kocham wszystkie małe...

– Czasami jesteś taki tępy...

– Myślisz, że będzie nas pamiętać? Znaczy, jacy wtedy byliśmy? Zastanowiłem się i zadrżałem.

– Mam nadzieję, że nie.

⁓

Gdy tylko wjechaliśmy do Galilei, zaczęły do nas dochodzić wieści o tym, co porabia w Judei Jan Chrzciciel.

– Setki ruszyły za nim na pustynię – usłyszeliśmy w Gischali.

– Niektórzy mówią, że to Mesjasz – powiedział nam jakiś człowiek w Baka.

– Herod się go obawia – mówiła kobieta w Kanie.

– Jeszcze jeden obłąkany święty – stwierdził rzymski żołnierz w Seforis. – U Żydów rodzą się jak króliki. Słyszałem, że topi każdego, kto się z nim nie zgadza. Pierwszy rozsądny pomysł, o jakim słyszałem, odkąd przysłali mnie na to przeklęte terytorium.

– Mogę wiedzieć, jak masz na imię, żołnierzu? – zapytałem.

– Kajusz Juniusz, z Szóstego Legionu.

– Dziękuję. Będziemy pamiętać. – A zwracając się do Josha, dodałem: – Kajusz Juniusz: pierwszy w kolejce, kiedy zaczniemy z naszego Królestwa spychać Rzymian w ognistą otchłań.

– Co powiedziałeś? – zainteresował się Rzymianin.

– Nie, nie dziękuj, zasłużyłeś na to. Staniesz na samym czele kolejki, Kajuszu.

– Biff! – warknął Josh, a kiedy spojrzałem na niego, szepnął: – Postaraj się, żebyśmy nie trafili do więzienia, zanim wrócimy do domu. Proszę.

Kiwnąłem głową i pomachałem legioniście na pożegnanie.

– Takie tam gadanie zwariowanego Żyda. Nie zwracaj uwagi. *Stękaj Fidelis* – rzuciłem.

– Kiedy już zobaczymy się z rodzinami, musimy poszukać Jana – oświadczył Joszua.

– Myślisz, że naprawdę podaje się za Mesjasza?

– Nie, ale wygląda na to, że wie, jak głosić Słowo.

Pół godziny później wjechaliśmy do Nazaretu.

Przypuszczam, że oczekiwaliśmy czegoś więcej. Może wiwatujących tłumów, małych dzieci biegnących za nami i błagających o opowieści o naszych wspaniałych przygodach, łez i śmiechu, całusów i uścisków, silnych ramion, które poniosą bohaterów po ulicach. Zapomnieliśmy jednak, że kiedy my wędrowaliśmy, przeżywaliśmy przygody i oglądaliśmy cuda, ludzie z Nazaretu mieli tylko zwykłą, codzienną harówkę. Minęło wiele dni i wiele harówki...

Kiedy zbliżyliśmy się do dawnego domu Joszuy, jego brat Jakub pracował pod zadaszeniem; zestrugiwał kawałek oliwkowego drewna na zastrzał wielbłądziego siodła. Poznałem, że to Jakub, gdy tylko go zobaczyłem. Miał wąski, zgarbiony nos Josha i duże oczy, ale twarz bardziej pooraną zmarszczkami niż Joszua, a ciało potężniejsze. Wyglądał na dziesięć lat starszego niż Josh, zamiast na dwa lata młodszego, jakim był w rzeczywistości.

Odłożył ośnik i wyszedł na słońce, osłaniając oczy od blasku słońca.

– Joszua?

Joszua stuknął wielbłąda szpicrutą pod kolanem i zwierzę opuściło się na ziemię.

– Jakub!

Zeskoczył i podbiegł do brata, wyciągając ręce, ale Jakub się cofnął.

– Pójdę i powiem mamie, że wrócił jej ukochany syn.

Odwrócił się. Zobaczyłem, że łzy dosłownie tryskają Joshowi z oczu i kapią w pokrywający ziemię kurz.

– Jakubie – prosił. – Nic nie wiedziałem. Kiedy?

Jakub odwrócił się znowu i spojrzał przyrodniemu bratu prosto w oczy. W jego wzroku nie było litości ani żalu, tylko gniew.

– Dwa miesiące temu, Joszuo. Józef umarł dwa miesiące temu. Pytał o ciebie.

– Nie wiedziałem...

Joszua wciąż wyciągał ręce, jakby czekał na uścisk, który nie miał nadejść.

– Wejdź do środka. Mama czekała na ciebie. Co rano się zastanawia, czy to już dzień twojego powrotu. Wejdź.

Odsunął się, gdy Joszua go mijał. A potem spojrzał na mnie.

– Ostatnie jego słowa brzmiały: „Powiedzcie bękartowi, że go kocham".

– Bękartowi? – zdziwiłem się.

Trąciłem wielbłąda i opuścił mnie na ziemię.

– Tak zawsze nazywał Joszuę. „Ciekawe, jak sobie radzi bękart. Ciekawe, gdzie dzisiaj jest bękart". Stale mówił o bękarcie.

A mama paplała bez przerwy o tym, jak to Joszua zrobił to, Joszua zrobił tamto, jakich wielkich czynów Joszua dokona, kiedy już wróci. Ale przez cały czas to ja dbam o braci i siostry, zajmuję się nimi, odkąd zachorował ojciec, opiekuję się własną rodziną. I ktoś mi za to podziękuje? Rzuci miłe słowo? Nie, nie robię nic więcej, niż tylko szykuję drogę dla Joszuy. Nie masz pojęcia, jak to jest wiecznie być drugim za Joszuą.

– Naprawdę? – zdziwiłem się. – Będziesz musiał mi kiedyś opowiedzieć. Gdyby Josh mnie potrzebował, przekaż mu, że będę w domu mojego ojca. On ciągle żyje, prawda?

– Tak. I twoja matka również.

– To dobrze. Nie chciałbym dręczyć któregoś z braci przekazywaniem mi złych wieści.

Odwróciłem się i pociągnąłem za sobą wielbłąda.

– Idź z Bogiem, Lewi – powiedział Jakub.

Obejrzałem się.

– Jakubie, napisane jest: „Do pracy masz prawo, ale nie do owoców jej".

– Nigdy nie słyszałem. Gdzie to jest napisane?

– W Bhagawad Gita, Jakubie. To długi poemat o bohaterze, który rusza do bitwy, a jego Bóg mu tłumaczy, że nie powinien się przejmować mordowaniem nieprzyjaciół, bo i tak są już martwi, tyle że jeszcze o tym nie wiedzą. Sam nie wiem, czemu mi to przyszło do głowy.

Ojciec ściskał mnie, aż się wystraszyłem, że połamie mi żebra, a potem przekazał matce, która robiła to samo. Po chwili jednak wróciła od normalności i zaczęła okładać mnie po głowie i ramionach sandałem, który zerwała z nogi z szybkością i zręcznością niezwykłą u kobiety w jej wieku.

– Siedemnaście lat cię nie było i nie mogłeś napisać?

– Przecież nie umiecie czytać.

– Więc nie mogłeś przysłać jakiejś wiadomości, ty mądralo?

Odbijałem ciosy, kierując ich energię z dala od siebie, jak nauczyłem się w klasztorze, i po chwili główny impet tego lania zaczęli brać na siebie dwaj nieznajomi chłopcy. W obawie przed procesem wytoczonym przez obcych maluchów, chwyciłem matkę za ręce i przycisnąłem je do jej boków. Równocześnie spojrzałem na ojca, skinąłem na tych dwóch i uniosłem brwi, jakby pytając: „Co to za pętaki?".

– To twoi bracia, Mojżesz i Jafet – wyjaśnił. – Mojżesz ma sześć lat, Jafet pięć.

Malcy się uśmiechnęli. Obu brakowało przednich zębów, które prawdopodobnie złożyli w ofierze tej szarpiącej się harpii, którą przytrzymywałem. Ojciec rozpromienił się, jakby mówił: „Potrafię jeszcze zbudować akwedukt – i położyć rurę, jeśli rozumiesz, co mam na myśli – kiedy trzeba".

Zmarszczyłem czoło, jak gdybym mówił: „Wiesz, ledwie zdołałem zachować dla ciebie szacunek, kiedy odkryłem, co zrobiłeś, żeby powołać do życia naszą pierwszą trójkę. Ci chłopcy dowodzą, że nie pamiętasz o swych cierpieniach".

– Mamo, jeśli cię puszczę, uspokoisz się? – Nad jej ramieniem przyjrzałem się Mojżeszowi i Jafetowi. – Kiedyś tłumaczyłem ludziom, że jest opętana przez demona. Wiedzieliście o tym?

Mrugnąłem do nich.

Zachichotali, jakby chcieli powiedzieć: „Prosimy, skróć nasze cierpienia i zabij nas, zabij od razu, albo zabij tę sukę, która dręczy nas niczym Hioba".

No dobrze, może tylko sobie wyobrażałem, że tak mówią. Może po prostu się śmiali.

Puściłem matkę, a ona się wycofała.

– Jafecie, Mojżeszu – powiedziała. – Chodźcie, poznacie Biffa. Słyszeliście, jak wasz ojciec i ja rozmawiamy o naszym najstarszym rozczarowaniu... No więc to on. Pobiegnijcie teraz i przyprowadźcie resztę braci. A ja przyszykuję coś dobrego.

Moi bracia, Sem i Lucjusz, sprowadzili swoje rodziny i usiedli z nami do kolacji. Ułożyliśmy się wszyscy wokół stołu, a mama podała coś smacznego. Nie wiem, co to było. (Pamiętam, mówiłem wcześniej, że jestem najstarszy z trzech braci, a oczywiście po doliczeniu tych dwóch, było nas pięciu. Ale kiedy spotkałem Mojżesza i Jafeta, byłem już zbyt dorosły, żeby się nad nimi znęcać, a zatem jako bracia nigdy nie wypełnili swych obowiązków. Byli raczej jak... bo ja wiem... jak domowe zwierzęta).

– Mamo, przywiozłem ci prezent ze Wschodu – powiedziałem i pobiegłem do wielbłąda, by przynieść z bagażu pakunek.

– Co to jest?

– Hodowlana mangusta. – Stuknąłem w klatkę, a mały łobuz próbował odgryźć mi opuszek palca. – Były dwie, ale druga uciekła. Atakują węże dziesięć razy większe od siebie.

– Wygląda jak szczur.

Zniżyłem głos do szeptu.

– W Indiach kobiety ćwiczą je, by siadały im na głowach jako kapelusze. Bardzo modne. Oczywiście, ta moda nie dotarła jeszcze do Galilei, ale w Antiochii żadna szanująca się kobieta nie wyjdzie z domu, jeśli nie włoży mangusty.

– Naprawdę?

Matka wyraźnie zobaczyła mangustę w nowym świetle. Wzięła klatkę i ustawiła ją w kącie tak ostrożnie, jakby mieściła delikatne jajko, a nie zjadliwą miniaturę jej samej.

– Jak widzisz – skinęła na dwie synowe i pół tuzina maluchów, które kręciły się przy stole – twoi bracia pożenili się i dali mi wnuki.

– Bardzo się cieszę, mamo.

Sem i Lucjusz skryli uśmiechy za kawałkami macy – tak jak to robili, kiedy byliśmy mali i matka urządzała mi piekło.

– W tych wszystkich miejscach, które odwiedziłeś, czy nie znalazłeś jakiejś miłej dziewczyny, z którą mógłbyś się ustatkować?

– Nie, mamo.

– Wiesz, mógłbyś nawet ożenić się z gojką. Złamie mi to serce, ale z jakiej przyczyny nasze plemiona niemal starły Beniamitów, jeśli nie po to, by zdesperowany chłopiec mógł poślubić gojkę, gdyby zechciał? Nie Samarytankę, ale wiesz, jakąś inną. Gdybyś musiał.

– Dzięki, mamo. Będę o tym pamiętał.

Mama udała, że zauważyła jakieś nitki czy jeszcze coś na moim kołnierzu. Zbierała je przez chwilę.

– Więc twój przyjaciel Joszua też się nie ożenił? Słyszałeś o jego siostrzyczce Miriam, prawda? – W tym miejscu jej głos opadł do konspiracyjnego szeptu. – Zaczęła nosić męskie ubrania i uciekła na wyspę Lesbos. – I dodała normalnym głosem: – To Grecja, wiesz? Wy, chłopcy, nie dotarliście chyba do Grecji w swojej wędrówce, prawda?

– Nie, mamo. A teraz naprawdę muszę iść.

Próbowałem wstać, ale mnie przytrzymała.

– To dlatego, że twój ojciec ma rzymskie imię, tak? Mówiłam ci, Alfeuszu, zmień imię, ale odpowiadałeś, że jesteś z niego bardzo dumny. No więc mam nadzieję, że wciąż jesteś dumny. Co będzie dalej? Ten oto Lucjusz zacznie wieszać Żydów na krzyżach, jak inni Rzymianie?

– Nie jestem Rzymianinem, mamo – odparł ze znużeniem Lucjusz. – Wielu dobrych Żydów nosi rzymskie imiona.

– Co prawda, to nie ma znaczenia, mamo, ale myślisz, że jak robią nowych Greków?

Trzeba matce przyznać, że przerwała, by się zastanowić. Wykorzystałem tę chwilę spokoju do ucieczki.

– Miło było was widzieć. – Skinąłem głową dawnym i nowym krewnym. – Zajrzę jeszcze z wizytą, nim wyjadę. A teraz muszę sprawdzić, co u Joszuy.

I wybiegłem.

Bez pukania otworzyłem drzwi do starego domu Joszuy. Przy okazji o mało nie pozbawiłem przytomności jego brata Judy.

– Josh, musisz jak najszybciej sprowadzić Królestwo, bo inaczej będę musiał zabić swoją matkę.

– Wciąż dręczą ją demony? – spytał Juda.

Wyglądał dokładnie tak, jak wtedy, kiedy był czterolatkiem, tyle że teraz miał brodę i zakola nad czołem, ale te same szeroko otwarte oczy i ten sam głupkowaty uśmiech.

– Nie. Miałem tylko nadzieję, kiedy to mówiłem.

– Zjesz z nami kolację? – zaproponowała Maria.

Dzięki Bogu, że się postarała; zrobiła się trochę grubsza w talii i biodrach, w kącikach oczu i ust pojawiły się zmarszczki. Teraz była zaledwie drugą, może trzecią najpiękniejszą istotą na Ziemi.

– Z przyjemnością – zapewniłem.

Jakub musiał wrócić do domu razem z żoną, podobnie – jak się domyślałem – pozostali bracia i siostry, oprócz Miriam, ale poinformowano mnie już, co się z nią dzieje. Przy stole zostali tylko Maria, Joszua, Juda ze swoją piękną żoną Rut i dwie małe rudowłose dziewczynki, bardzo podobne do matki.

Wyraziłem kondolencje z powodu rodzinnej tragedii, a Joszua streścił mi czasowe następstwo wydarzeń. Mniej więcej w dniu, kiedy na ścianie świątyni w Nicobarze zauważyłem portret Marii, Józef zaraził się jakąś chorobą z wody. Zaczął siusiać krwią i po tygodniu musiał już leżeć w łożu. Tydzień później umarł. Spojrzałem na Joszuę, kiedy Maria opowiadała nam ten fragment historii, ale tylko pokręcił głową, co znaczyło: „Za długo w grobie, nic już nie mogę zrobić". Maria nic nie wiedziała o znaku, który wezwał nas do powrotu.

– Nawet gdybyście byli tylko w Damaszku, bardzo trudno byłoby wam zdążyć na czas. Odszedł tak prędko...

Była silna i trochę już otrząsnęła się po tym wszystkim, ale Joszua wyglądał, jakby wciąż był w szoku.

– Musicie odszukać kuzyna Joszuy, Jana – powiedziała Maria. – Głosi bliskie nadejście Królestwa Bożego i że przygotowuje drogę dla Mesjasza.

– Tak słyszeliśmy – potwierdziłem.

– Zostanę tu z tobą, mamo – oświadczył Joszua. – Jakub ma rację: mam swoje zobowiązania. Zbyt długo już się od nich uchylałem.

Maria dotknęła twarzy syna i popatrzyła mu w oczy.

– Odjedziesz rano do Judei i odszukasz Jana Chrzciciela. Zrobisz to, co Bóg ci przeznaczył od chwili, kiedy umieścił cię w moim łonie. Masz zobowiązania, ale nie wobec zgorzkniałego brata i starej kobiety.

Joszua spojrzał na mnie.

– Możesz wyjechać rano? Wiem, że dopiero co wróciłeś po wielu latach.

– Szczerze mówiąc, pomyślałem, że chyba tu zostanę, Josh. Ktoś musi się zaopiekować twoją matką, a nadal jest bardzo atrakcyjną kobietą, Wiesz, można trafić gorzej.

Juda zakrztusił się pestką oliwki i zaczął wściekle kaszleć, dopóki Joszua nie uderzył go w kark. Pestka przeleciała przez pokój, a Juda, dysząc ciężko, spoglądał na mnie załzawionymi, zaczerwienionymi oczami.

Objąłem za ramiona jego i Joszuę.

– Myślę, że zdołam pokochać was obu jak synów. – Zwróciłem się do pięknej ale wstydliwej Rut, która zajmowała się dziewczynkami: – A ty, Rut, mam nadzieję, pokochasz mnie jak trochę starszego, ale niesamowicie przystojnego wuja. Co do ciebie, Mario...

– Pojedziesz z Joszuą do Judei? – przerwała mi Maria.

– Jasne, zaraz rano.

Joszua i Juda nadal wpatrywali się we mnie, jakby ktoś dał im obu w twarz wielką rybą.

– No co? – spytałem. – Jak długo mnie znacie, chłopaki? Mam poczucie humoru.

– Nasz ojciec umarł – przypomniał Joszua.

– Tak, ale nie dzisiaj – odparłem. – Spotkamy się tutaj jutro rano.

Następnego ranka, kiedy przejeżdżaliśmy przez rynek, minęliśmy wioskowego głupka, Bartłomieja. Po tylu latach nie wyglądał gorzej i nie był mniej brudny. Zdawało się, że doszedł do jakiegoś porozumienia ze swoimi psimi przyjaciółmi. Zamiast jak zawsze go obskakiwać, siedziały spokojnie przed nim całym stadem, jakby słuchały kazania.

— Gdzie byliście?! — zawołał do nas.

— Na Wschodzie.

— Po co tam pojechaliście?

— Szukaliśmy Boskiej Iskry — wyjaśnił Joszua. — Ale nie wiedzieliśmy o tym, wyruszając.

— A dokąd teraz jedziecie?

— Do Judei, odszukać Jana Chrzciciela.

— To powinno był łatwiejsze niż szukanie Iskry. Mogę iść z wami?

— Pewnie, Bart — powiedziałem. — Zabierz swoje rzeczy.

— Nie mam żadnych rzeczy.

— W takim razie zabierz swój smród.

— Podąży za nami sam z siebie — zapewnił Bartłomiej.

I tak było nas trzech.

24

S kończyłem wreszcie czytać te opowieści Mateusza, Marka, Łukasza i Jana. Ci goście przedstawiają
wszystko tak, jakby to był przypadek, jakby pięć tysięcy ludzi tak po prostu zjawiło się pewnego ranka na górze. Gdyby tak było... Zebranie tam ich wszystkich to był
prawdziwy cud, a co dopiero wykarmienie. Urabialiśmy się
po łokcie, żeby zorganizować takie kazania, czasami musieliśmy nawet wsadzać Joszuę do łódki i wypływać, kiedy
głosił swoje, żeby ludzie go nie stratowali. Ten chłopak był
koszmarem ochroniarzy.

To zresztą nie wszystko. Joszua miał dwie strony – tę
głoszącą kazania i tę prywatną. Człowiek, który stał przed
tłumem i oskarżał faryzeuszy, nie był tym samym, który
siedział i kłuł palcem niedotykalnych, bo go to śmieszy-
ło. Planował swoje kazania i obmyślał przypowieści, choć
może jako jedyny w naszej grupie je rozumiał.

Chcę powiedzieć, że ci goście, Mateusz, Marek, Łukasz
i Jan, część opowiedzieli poprawnie, te najważniejsze sprawy, ale sporo ominęli (trzydzieści lat, na przykład). Próbuję to uzupełnić i sądzę, że właśnie z tego powodu anioł
wskrzesił mnie z martwych.

A skoro już mowa o aniele – jestem przekonany, że stał
się psycholem. (Nie, za moich czasów nie mieliśmy takiego
określenia, ale wystarczy pogapić się w telewizor, a zysku-
je się całkiem nowe słownictwo. I ono ma zastosowanie.
Uważam na przykład, że „psychol" idealne pasuje do Jana
Chrzciciela. Więcej o nim opowiem później). Dzisiaj anioł
zabrał mnie do miejsca, gdzie się pierze ubrania. Nazywa się

pralnia samoobsługowa. Siedzieliśmy tam cały dzień. Chciał się upewnić, że wiem jak prać. Może i nie jestem najostrzejszą strzałą w kołczanie, ale na rany Chrystusa, to przecież tylko pralnia... Przez godzinę przepytywał mnie z rozdzielania bieli i kolorów. Nigdy nie skończę tej historii, jeśli anioł stale będzie mi chciał udzielać lekcji życia. Na jutro zaplanował minigolfa. Mogę tylko zgadywać, że Raziel usiłuje mnie przygotować do roli międzynarodowego szpiega.

Bartłomiej ze swoim smrodem jechał na jednym wielbłądzie, a Josh razem ze mną na drugim. Podążaliśmy szlakiem na południe od Jeruzalem, potem na wschód przez Górę Oliwną do Betanii, gdzie zobaczyliśmy żółtowłosego człowieka siedzącego pod figowym drzewem. Nigdy jeszcze nie widziałem w Izraelu nikogo z żółtymi włosami – poza aniołem, oczywiście. Pokazałem go Joszui i przyglądaliśmy się dostatecznie długo, by mieć pewność, że nie jest to któryś z niebiańskiego hufca w przebraniu. Prawdę mówiąc, udawaliśmy, że mu się przyglądamy. Patrzeliśmy na siebie nawzajem.

– Coś się stało? – zapytał Bartłomiej. – Jesteście dziwnie poważni.

– Ten chłopak z włosami blond – wyjaśniłem, usiłując zaglądać na podwórza mijanych domów.

– Maggie mieszka tutaj ze swoim mężem – dodał Joszua, spoglądając na mnie. Wcale nie zmniejszył tym napięcia.

– Wiedziałem – zapewnił Bart. – On należy do Sanhedrynu. Ważny gość, jak słyszałem.

Sanhedryn był radą kapłanów i faryzeuszy i podejmował większość decyzji dotyczących żydowskiej społeczności, przynajmniej w takim zakresie, jaki dopuszczali Rzymianie. Po Herodach i Poncjuszu Piłacie, rzymskim gubernatorze, byli najpotężniejszymi ludźmi w Izraelu.

– Naprawdę miałem nadzieję, że Akan umrze młodo.

– Nie mają dzieci – rzekł Joszua.

Tak naprawdę chciał przez to powiedzieć, że to dziwne, że Akan nie rozwiódł się z Maggie z powodu jej bezpłodności.

– Brat mi mówił – odparłem.

– Nie możemy jej odwiedzić.

– Wiem – zgodziłem się, choć nie bardzo rozumiałem dlaczego nie.

W końcu znaleźliśmy Jana na pustyni na północ od Jerycha; wygłaszał kazanie na brzegu rzeki Jordan. Włosy miał rozwichrzone jak zawsze, a teraz dodatkowo brodę, tak samo poza kontrolą. Nosił szorstką tunikę, przepasaną rzemieniem z niewyprawionej skóry wielbłąda. Stało przed nim może z pięciuset ludzi – w takim żarze, że trzeba było sprawdzać drogowskazy, by się upewnić, czy człowiek przez pomyłkę nie skręcił do piekła.

Z daleka nie słyszeliśmy, o czym mówi Jan, ale kiedy podjechaliśmy bliżej, zaczęliśmy rozróżniać słowa.

– Nie, nie jestem nim. Ja tylko wszystko przygotowuję. On nadejdzie po mnie i nie do mnie należy noszenie jego suspensorium.

– Co to jest suspensorium? – zdziwił się Joszua.

– To taki esseński wynalazek – odparł Bartłomiej. – Zakładają je na swoją męskość, by kontrolować grzeszne żądze.

Jan zauważył nas ponad tłumem (siedzieliśmy na wielbłądach).

– Tam! – zawołał, wyciągając rękę. – Pamiętacie, jak mówiłem, że nadejdzie wybrany? No więc jest, o tam! Nie żartuję, to ten na wielbłądzie, po lewej. Oto Baranek Boży!

Ludzie obejrzeli się na mnie i Josha, po czym zaśmiali uprzejmie, jakby mówiąc: „No jasne, akurat przypadkiem tędy jechał, kiedy o nim mówiłeś. Marne zagranie, od razu widać".

Joszua zerknął nerwowo na mnie, potem na Barta, znów na mnie, i uśmiechnął się zbaraniały (jak można się spodziewać po baranku) do tłumu.

– Teraz powinienem oddać Janowi suspensorium, czy jak? – rzucił przez zaciśnięte zęby.

– Pomachaj tylko i powiedz: „Idźcie z Bogiem" – poradził Bart.

– Macham... Macham do was... – mamrotał Josh, cały czas uśmiechnięty. – Idźcie z Bogiem. Bardzo dziękuję. Idźcie z Bogiem. Miło było was poznać. Macham... Macham...

– Głośniej, Josh. Tylko my dwaj cię słyszymy.

Josh zwrócił się ku nam tak, by nikt w tłumie nie widział jego twarzy.

– Nie wiedziałem, że będę potrzebował suspensorium! Nikt mnie nie uprzedził! O rany...

I tak zaczęła się posługa Joszuy bar Józefa ish Nazaret, Baranka Bożego.

– A kto to jest ten duży? – zapytał Jan, kiedy wieczorem usiedliśmy przy ognisku.

Noc czołgała się przez pustynne niebo jak czarny kot z fosforyzującym łupieżem. Bartłomiej tarzał się ze swoimi psami na brzegu.

– To Bartłomiej – wyjaśnił Joszua. – Jest cynikiem.

– I od trzydziestu lat wioskowym głupkiem w Nazarecie – dodałem. – Zrezygnował ze stanowiska, by pójść za Joszuą.

– Jest zdzirą i jako pierwszy będzie ochrzczony jutro rano. Śmierdzi. Jeszcze szarańczy, Biff?

– Nie, dzięki. Jestem już pełny.

Patrzyłem na swoją misę smażonej szarańczy i miodu. Należało zanurzać szarańczę w miodzie, otrzymując słodki i pożywny smakołyk. Jan tylko tym się żywił.

– Więc ta Boska Iskra... Przez tyle lat ją właśnie odkryłeś?

– Jest kluczem do Królestwa, Janie. Tego się nauczyłem na Wschodzie i to powinienem przekazać naszemu ludowi: że Bóg jest w każdym z nas. Wszyscy jesteśmy braćmi w tej Boskiej Iskrze. Nie wiem tylko, jak głosić Słowo.

– Po pierwsze, nie możesz tego nazywać Boską Iskrą. Ludzie nie zrozumieją. To coś jest w każdym, jest trwałe, jest częścią Boga?

– Nie Boga Stwórcy, mojego ojca, ale częścią Boga, który jest duchem.

– Duch Święty. – Jan wzruszył ramionami. – Nazwij ją Duchem Świętym. Ludzie zrozumieją, że jest w nich duch, zrozumieją, że idzie za nimi, a ty musisz tylko sprawić, by uwierzyli, że to Bóg.

– Doskonale. – Joszua się uśmiechnął.

– Czyli, ten Duch Święty... – Jan odgryzł połówkę szarańczy. – Jest w każdym Żydzie, ale goje go nie mają, tak? Ale wiesz, jaki to ma sens, kiedy już nastanie Królestwo?

– Właśnie miałem do tego przejść – rzekł Josh.

Prawie całą noc trwało, nim Jan pogodził się z faktem, że Joszua zamierza wpuścić gojów do Królestwa Bożego. W końcu uznał jego racje, ale cały czas szukał wyjątków.

– Nawet zdziry?

– Nawet zdziry – zapewnił Joszua.

– Zwłaszcza zdziry – wtrąciłem.

– To przecież ty oczyszczasz ludzi z grzechów, a zatem będą im wybaczone – dodał Joszua.

– No wiem... Ale gojowskie zdziry w Królestwie...

Pokręcił głową, przekonany teraz przez samego Mesjasza, że świat zmierza do piekła, i to w szybkim tempie. Co właściwie nie powinno go dziwić, gdyż to właśnie głosił od dziesięciu lat. No i jeszcze wykrywał zdziry.

– Pokażę wam, gdzie możecie się położyć.

Wkrótce po naszym pierwszym spotkaniu na drodze do Jeruzalem Jan przystał do esseńczyków. Nie można się urodzić esseńczykiem, ponieważ wszyscy zachowywali celibat, nawet w małżeństwie. Powstrzymywali się też przed napojami alkoholowymi, ściśle przestrzegali żydowskich nakazów dotyczących pożywienia, i byli absolutnymi maniakami w kwestii oczyszczania się – fizycznego – z grzechu. Co okazało się wielką atrakcją dla Jana. Ich kwitnąca społeczność zamieszkiwała miasteczko Qumran na pustyni niedaleko Jerycha; składało się ono z kamiennych i ceglanych domów, skryptorium do kopiowania zwojów oraz akweduktów, doprowadzających z gór wodę do ich rytualnych łaźni. Niektórzy żyli w jaskiniach nad Morzem Martwym, gdzie przechowywali naczynia ze zwojami, ale najbardziej gorliwi – w tym Jan – nie pozwalali sobie nawet na luksus jaskini.

Wskazał nam miejsce na nocleg w pobliżu własnego.

– To jest nora! – wrzasnąłem.

Trzy nory, ściślej mówiąc. Myślę, że posiadanie osobistej nory jest pewną zaletą – Bartłomiej z psimi kumplami rozkładał się już w swojej.

– Aha, Janie – odezwał się jeszcze Josh. – Przypomnij mi, żebym ci opowiedział o karmie.

I tak przez ponad rok Joszua uczył się od Jana, jak głosić słowa, które sprawią, że ludzie za nim pójdą. A ja mieszkałem w norze.

Jeśli się zastanowić, to miało sens. Przez siedemnaście lat Joszua głównie siedział i milczał, więc nie miał pojęcia o sztuce komunikacji. Ostatnia wiadomość, jaką otrzymał od ojca, składała się z dwóch słów, więc raczej nie odziedziczył talentu po tamtej gałęzi rodziny. Za to Jan głosił kazania przez te same siedemnaście lat, a trzeba przyznać, że oślizły drań potrafił to robić. Stał zanurzony po pas w Jordanie, machał rękami, przewracał oczami i wstrząsał powietrze takim kazaniem, aż człowiek zaczynał wierzyć, że chmury się zaraz rozstąpią i sam Bóg sięgnie ręką, złapie go za jaja i tak potrząśnie, że całe zło wypadnie z niego jak rozchwiane mleczne zęby. Godzina kazania, a człowiek nie tylko ustawiał się w kolejce do chrztu, ale gotów był sam wskoczyć do rzeki i oddychać mułem, byle uwolnić się od swej niegodziwości.

Joszua patrzył na to, słuchał i się uczył. Jan głęboko wierzył w to, kim jest Josh i co uczyni, ale mimo to zaczynał mnie niepokoić. Ściągał na siebie uwagę Heroda Antypasa. Herod poślubił Herodię, żonę swego brata Filipa, choć nie uzyskała wcześniej rozwodu. Było to zakazane przez żydowskie prawo i stanowiło potworną zbrodnię według o wiele surowszych zasad esseńczyków. Był to również temat, który dobrze pasował do powracającego u Jana motywu „zdzir". Żołnierze z osobistej gwardii Heroda pojawiali się na kazaniach Jana i krążyli po obrzeżach tłumu.

Starłem się z Chrzcicielem pewnego dnia, kiedy wrócił z pustkowia ogarnięty ewangelicznym szałem i przyłapał mnie, Joszuę, Bartłomieja i tego nowego, jak spokojnie pożywialiśmy się szarańczą.

– Zdzira! – wrzasnął swym głosem typu „grom Eliasza" i pomachał palcem przed nosem Bartłomieja.

– Rzeczywiście, Janie, Bartłomiej często kładzie się do łoża w towarzystwie – stwierdziłem, próbując nawracać na sarkazm.

– Prawie – wtrącił Bart.

– Chodziło mi o towarzystwo innej ludzkiej istoty, Bart.

– Aha. To przepraszam. Mniejsza z tym.

Jan zwrócił się do nowego, który uniósł ręce.

– Jestem nowy – powiedział.

Zawiedziony Jan stanął przed Joszuą.

– Żyję w celibacie – poinformował go Josh. – Zawsze żyłem, zawsze będę. Chociaż nie cieszę się z tego.

W końcu Jan zwrócił się do mnie:

– Zdzira!

– Janie, jestem oczyszczony. Ochrzciłeś mnie wczoraj sześć razy. – Joszua szturchnął mnie pod żebro. – No co? Było gorąco. Ale chodzi o to, że naliczyłem dziś w tłumie piętnastu żołnierzy, więc może daj sobie spokój z tym gadaniem o zdzirach?

Przyhamuj. Musisz sobie przemyśleć ten cały ascetyzm, to „żadnego małżeństwa, żadnego seksu, żadnej zabawy".

– I te szarańcze w miodzie razem z mieszkaniem w norze – dodał nowy.

– Przecież nie różni się od Kaspra czy Melchiora – zauważył Joszua. – Obaj byli ascetami.

– Melchior i Kasper nie biegali po okolicy i nie nazywali zdzirą gubernatora prowincji, w dodatku przed setkami ludzi. To spora różnica i może go kosztować życie.

– Jestem oczyszczony z grzechów i nie czuję lęku – oznajmił Jan. Usiadł przy ogniu, już spokojniejszy.

– Aha, oczyściłeś się z win? Bo kiedy Rzymianie przyjdą po ciebie, będziesz miał na rękach krew tysięcy. Gdybyś przypadkiem nie zauważył, oni nie zabijają tylko przywódców ruchu. Przy drodze do Jeruzalem stoją tysiące krzyży, na których umierali zeloci, a nie wszyscy byli przywódcami.

– Nie lękam się – powtórzył Jan i zwiesił głowę, aż końce jego włosów zanurzyły się w miodzie. – Herodia i Herod to zdziry. Był już prawie żydowskim królem i nie dostaniemy nic lepszego, a okazał się zdzirą.

Joszua odgarnął włosy z oczu kuzyna i ścisnął wariata za ramię.

– Jeśli tak ma być, niech będzie. Jak przepowiedział anioł, narodziłeś się, by głosić prawdę.

Wstałem i cisnąłem swoje szarańcze do ognia, zasypując iskrami Jana i Joszuę.

– Znam tylko dwóch ludzi, których narodziny zwiastował anioł, a trzy czwarte z nich jest obłąkanych.

I odszedłem gniewnie do swojej nory.

– Amen – powiedział nowy.

Tej nocy, kiedy już zasypiałem, usłyszałem, jak Joszua wierci się w swojej norze obok mojej, jak gdyby jakiś robak albo myśl poderwały go z posłania.

– Hej! – rzucił szeptem.

– Co?

– Właśnie to przeliczyłem. Trzy czwarte z dwóch to...

– ...półtora – dokończył nowy, który zajął norę po drugiej stronie Josha. – Czyli albo Jan jest całkiem obłąkany, a ty w połowie, albo ty jesteś w trzech czwartych i Jan w trzech czwartych, albo... W każdym razie suma jest stała. Będę musiał ci narysować wykres.

– I co chcesz przez to powiedzieć?

– Nic – zapewnił nowy. – Jestem nowy.

Rankiem Joszua wyskoczył ze swojej nory, strząsnął z siebie skorpiony i długo siusiał. Potem kopnął do mojej nory kilka brył ziemi, żeby wyrwać mnie z drzemki.

– Już mam – oznajmił. – Chodź nad rzekę, chcę, żeby Jan mnie dzisiaj ochrzcił.

– A czym będzie się to różnić od wczorajszego chrztu?

– Zobaczysz. Mam przeczucie.

I odszedł.

Nowy wyjrzał ze swojej nory jak piesek preriowy. Był wysoki, a gdy się rozglądał, poranne słońce odbijało się w jego łysinie. Zauważył kwiaty rosnące w miejscu, gdzie Joszua właśnie sobie ulżył – wielkie płatki w wielu jaskrawych barwach, a dookoła najbardziej martwy pejzaż na planecie.

– Zaraz... Były tu wczoraj?

– Ciągle się to zdarza – odpowiedziałem. – Nie rozmawiamy na ten temat.

– Oj – mruknął nowy. – A mogę iść z wami, chłopaki?

– Pewno.

I tak było nas czterech.

Nad rzeką Jan głosił swoje do niewielkiego zgromadzenia, a równocześnie zanurzał Joszuę w wodzie. I kiedy tylko głowa Josha zniknęła pod powierzchnią, na niebie otworzyła się szczelina. Ze szczeliny wyfrunął ptak, który wyglądał jak utworzony z czystego światła. Wszyscy na brzegu wykrzyknęli „Ooch" albo „Aach", a z niebios zabrzmiał potężny głos:

– Ten jest mój Syn umiłowany, w którym mam upodobanie.

I tak szybko, jak się pojawił, duch zniknął. Ale zebrani nad brzegiem stali zdumieni z rozdziawionymi ustami, ciągle gapiąc się w niebo.

Po chwili Jan opanował się, przypomniał sobie, co robi, i wyciągnął Joszuę z wody. A Joszua otarł oczy, spojrzał na zdumiony tłum rozdziawiających usta ludzi i rzekł do nich:

– No co?

– Nie, poważnie, Josh. Tak właśnie powiedział głos: „Ten jest mój Syn umiłowany, w którym mam upodobanie".

Joszua potrząsnął głową, przeżuwając śniadaniową szarańczę.

– Nie mogę uwierzyć, że nie zaczekał, aż się wynurzę. Jesteście pewni, że to był mój ojciec?

– Tak to brzmiało.

Nowy spojrzał na mnie, a ja wzruszyłem ramionami. Prawdę mówiąc, głos brzmiał jak Jamesa Earla Jonesa, ale wtedy jeszcze tego nie wiedziałem.

– Mam dosyć – rzekł Joszua. – Idę na pustynię jak Mojżesz, na czterdzieści dni i czterdzieści nocy. – Wstał i ruszył ku otwartej pustyni. – Od tej chwili poszczę, dopóki nie usłyszę czegoś od ojca. To była moja ostatnia szarańcza.

– Też chciałbym móc to powiedzieć – westchnął nowy.

Gdy tylko Joszua zniknął z pola widzenia, pobiegłem do swojej nory i zapakowałem sakwę. W pół dnia dotarłem do Betanii i dobrą godzinę rozpytywałem przechodniów, nim ktoś skierował mnie do domu Akana, ważnego faryzeusza i członka Sanhedrynu. Dom był zbudowany z charakterystycznego dla całego Jeruzalem wapienia o złotawym zabarwieniu, a wokół dziedzińca wznosił się wysoki mur. Akan nieźle się urządził, tuman jeden. Z dziesięć rodzin z Nazaretu mogłoby wygodnie mieszkać w tak dużym domu. Zapłaciłem dwóm ślepcom po szekli na każdego, żeby pozwolili mi stanąć na swoich ramionach.

– Powiedział, że ile to jest?

– Powiedział, że szekla.

– W dotyku niepodobna do szekli.

– Może przestaniecie macać te swoje szekle i staniecie nieruchomo, bo zaraz spadnę!

Wyjrzałem nad wierzchołkiem muru... i tam, w cieniu daszku, pracując przy małym krośnie, siedziała Maggie.

Jeśli się zmieniła, to tylko w takim sensie, że stała się bardziej promienna, bardziej zmysłowa, bardziej kobieca, a mniej dziewczęca. Byłem oszołomiony. Chyba spodziewałem się zawodu, sądziłem, że czas rozstania i uczucie ukształtowały we wspomnieniach obraz, któremu żywa kobieta nie zdoła sprostać. A potem pomyślałem, że zawód może jeszcze nadejść. Była żoną bardzo bogatego człowieka; człowieka, który – kiedy jeszcze go znałem – był tchórzem i durniem. A tym, co zawsze wspominałem, był przede wszystkim duch Maggie, jej odwaga, jej inteligencja. Nie wiedziałem, czy przetrwały przez te lata u boku Akana. Zacząłem drżeć – ze strachu albo złego wyczucia równowagi, sam nie wiem; oparłem dłoń o wierzchołek muru i skaleczyłem się o jakieś potłuczone naczynia, umocowane zaprawą na szczycie.

– Auć, niech to!

– Biff? – zdziwiła się Maggie i spojrzała mi prosto w oczy, na moment przed moim upadkiem z ramion dwóch ślepców.

Właśnie podniosłem się na nogi, kiedy Maggie wybiegła zza rogu i wpadła na mnie – oszałamiająca, rozpędzona kobiecość z rozchylonymi ustami. Pocałowała mnie tak mocno, że poczułem na języku krew z rozciętych warg, i to było wspaniałe. Pachniała tak samo – cynamon, cytryna, dziewczęcy pot – i była jeszcze cudowniejsza niż we wspomnieniach. Kiedy wypuściła mnie w końcu z objęć i odsunęła na długość ręki, miała łzy w oczach. Ja też.

– Zabił się? – zapytał jeden ze ślepców.

– Chyba nie. Słyszę, jak oddycha.

– Ale pachnie lepiej niż przedtem.

– Biff, twarz ci się oczyściła – powiedziała Maggie.

– Poznałaś mnie z tą brodą i wszystkim?

– Z początku nie byłam pewna – odparła. – Ryzykowałam, skacząc tak na ciebie, ale potem poznałam to.

Wskazała miejsce, gdzie moja tunika wybrzuszała się z przodu. Po czym złapała tego zdradzieckiego drania przez płótno i pociągnęła obok muru, do bramy.

– Chodź. Nie możesz zostać długo, ale nadrobimy to. Dobrze się czujesz?

– Tak, tak, próbuję tylko wymyślić jakąś metaforę.

– Ściągnął sobie stamtąd kobietę – usłyszałem głos któregoś ze ślepców.

– Tak, słyszałem, jak spadła. Podsadź mnie, spróbuję tam pomacać.

Na dziedzińcu, przy winie, z Maggie...

– Naprawdę mnie nie poznałaś? – zapytałem.

– Oczywiście, że poznałam. Nigdy wcześniej tego nie robiłam. Mam nadzieję, że nikt mnie nie widział. Wciąż kamienują kobiety za takie rzeczy.

– Wiem. Och, Maggie, mam ci tyle do opowiedzenia...

Wzięła mnie za rękę.

– Wiem.

Popatrzyła mi w oczy, głębiej, jej błękitne spojrzenie szukało czegoś poza mną...

– Nic mu nie jest – powiedziałem w końcu. – Odszedł na pustynię, żeby pościć i czekać na wiadomość od Pana.

Uśmiechnęła się. W kącikach ust miała ślady mojej krwi. A może to było tylko wino...

– Czyli wrócił, by zająć swoje miejsce jako Mesjasz?

– Tak. Ale chyba nie w taki sposób, jak ludziom się wydaje.

– Ludziom się wydaje, że to Jan może być Mesjaszem.

– Jan jest... On...

– On naprawdę wkurza Heroda – podpowiedziała.

– Wiem.

– A ty i Josh zamierzacie z nim zostać?

– Mam nadzieję, że nie. Chcę, żeby Joszua stąd odszedł. Muszę jakoś odciągnąć go od Jana na dłużej, zobaczyć, co się dzieje. Może ten post...

Żelazny zamek w bramie zaklekotał, a potem zatrzęsły się oba skrzydła. Maggie zamknęła ją za nami, kiedy weszliśmy. Męski głos zaklął – najwyraźniej Akan miał kłopoty z kluczem.

Maggie poderwała się i postawiła mnie na nogi.

– Słuchaj, w przyszłym miesiącu, tydzień po Namiotach, jadę z moją siostrą Martą na wesele w Kanie. Akan nie może, ma jakieś spotkanie Sanhedrynu czy coś. Przyjedź do Kany. Przyprowadź Joszuę.

– Spróbuję.

Podbiegła do muru i splotła dłonie w strzemię.

– Wyskakuj.

– Ale, Maggie...

– Nie bądź głupi. Na ręce, potem na ramiona i przez mur. Tylko uważaj na te odłamki na szczycie.

Więc uciekłem. Dokładnie tak, jak mówiła: jedna stopa na jej splecionych dłoniach, druga na ramieniu, i górą, zanim Akan zdążył otworzyć bramę.

— Mam jedną! — zawołał jeden ze ślepców, kiedy zwaliłem się na nich.

— Trzymaj ją, a ja zrobię swoje.

Siedziałem na kamieniu i czekałem na Joszuę, kiedy powrócił z pustyni. Wyciągnąłem ręce, by go objąć, a on upadł do przodu i pozwolił mi się złapać. Usadowiłem go na kamieniu, na którym sam niedawno siedziałem. Miał dość rozsądku, żeby wszystkie odsłonięte kawałki skóry zasmarować błotem, prawdopodobnie wymieszanym z własnym moczem, dla ochrony przed oparzeniami. Jednak w kilku miejscach na czole i rękach błoto się wykruszyło; nie miał tam skóry — słońce wypaliło ją do surowego mięsa. Ręce, chude jak u małej dziewczynki, ginęły w szerokich rękawach tuniki.

— Jak się czujesz?

Kiwnął głową. Podałem mu bukłak, który trzymałem w cieniu, by woda się nie zagrzała. Pił ją małymi łykami.

— Szarańczę? — zaproponowałem, podnosząc dwoma palcami chrupiącą obrzydliwość.

Myślałem, że na ten widok zwymiotuje wszystko, co wypił.

— Żartowałem — uspokoiłem go.

Otworzyłem sakwę, demonstrując daktyle, świeże figi, oliwki, ser, kilka płaskich placków chleba i pełen bukłak wina. Wczoraj wysłałem nowego do Jerycha, żeby przyniósł jedzenie.

Joszua popatrzył na wysypujące się z sakwy smakołyki i uśmiechnął się szeroko. A potem natychmiast zakrył usta dłonią.

— Au. Ouć. Oj.

— Co się stało?

— Wargi... popękały.

— Mirra. — Wyjąłem z sakwy i wręczyłem mu słoiczek maści.

Godzinę później Syn Boży siedział odświeżony i nakarmiony. Kończyliśmy resztę wina — pierwszego, jakie Joszua pił, odkąd rok temu wróciliśmy z Indii do domu.

– No i co widziałeś na tej pustyni?

– Diabła.

– Diabła?

– Tak. Kusił mnie. Władza, bogactwo, seks i takie rzeczy. Odmówiłem.

– A jak wyglądał?

– Był wysoki.

– Wysoki? Książę ciemności, wąż pokusy, źródło wszelkiego zepsucia i zła, a ty możesz o nim powiedzieć tyle, że był wysoki?

– Dość wysoki.

– No dobrze, będę na takich uważał.

Joszua wskazał palcem nowego.

– On też jest wysoki – powiedział.

Zrozumiałem, że Mesjasz jest trochę oszołomiony winem.

– To nie diabeł, Josh.

– A kto to jest?

– Jestem Filip – przedstawił się nowy. – Jutro pojadę z tobą do Kany.

Joszua odwrócił się do mnie tak gwałtownie, że omal nie spadł z kamienia.

– Jedziemy jutro do Kany?

– Tak. Maggie tam jest, Josh. Ona umiera.

25

Filip, który był nazywany nowym, poprosił, żebyśmy poszli do Kany przez Betanię. Miał tam przyjaciela, którego chciał zwerbować, żeby poszedł z nami.

– Próbowałem go namówić, żeby dołączył do Jana Chrzciciela – tłumaczył Filip – ale nie odpowiadało mu mieszkanie w norze i jedzenie szarańczy. Zresztą pochodzi z Kany i na pewno chętnie ją odwiedzi.

Kiedy przybyliśmy na rynek w Betanii, Filip przywołał siedzącego pod drzewem figowym jasnowłosego chłopaka. Był to ten sam chłopak z żółtymi włosami, którego z Joszuą widzieliśmy ponad rok temu, kiedy pierwszy raz przejeżdżaliśmy przez Betanię.

– Hej, Natanielu! – zawołał Filip. – Chodź, przyłącz się do mnie i moich przyjaciół w drodze do Kany. Są z Nazaretu. Ten tutaj Joszua może być Mesjaszem.

– Może być? – powtórzyłem.

Nataniel wyszedł na ulicę, żeby się nam przyjrzeć, osłaniając oczy od słońca. Mógł mieć szesnaście, może siedemnaście lat. Twarz porastał mu ledwie puszek brody.

– Czyż może być coś dobrego z Nazaretu? – mruknął.

– Joszua, Biff, Bartłomiej – przedstawił nas Filip. – A to mój przyjaciel Nataniel.

– Znam cię – powiedział Joszua. – Widziałem cię, kiedy przejeżdżaliśmy tędy poprzednio.

Wtedy, z niewiadomych przyczyn, Nataniel padł na kolana przed wielbłądem Joszuy i powiedział:

– Zaprawdę, ty jesteś Mesjaszem i Synem Bożym.

Joszua popatrzył na mnie, potem na Filipa, wreszcie na chłopaka leżącego plackiem przed kopytami wielbłąda.

– Dlatego że widziałem cię wcześniej, uwierzyłeś, że jestem Mesjaszem, chociaż jeszcze przed chwilą uważałeś, że nic dobrego nie może pochodzić z Nazaretu?

– Pewnie. Dlaczego nie? – zdziwił się Nataniel.

A Josh znowu spojrzał na mnie, jakbym mógł to jakoś wytłumaczyć. Tymczasem Bartłomiej, który szedł pieszo razem ze stadem psich kolegów (których irytująco nazywał „uczniami"), podszedł do Nataniela i pomógł mu się podnieść.

– Wstawaj. Pójdziesz z nami.

Nataniel padł na ziemię, tym razem przed Bartłomiejem.

– Zaprawdę, ty jesteś Mesjaszem i Synem Bożym.

– Nie, nie jestem. – Bartłomiej znowu postawił go na nogi. – On jest.

Nataniel zerknął na mnie, jak gdyby z jakiegoś powodu u mnie szukał potwierdzenia.

– Zaprawdę, jesteś niczym dziecko w lesie – powiedziałem do Nataniela. – Grasz może w kości?

– Biff! – upomniał mnie Joszua. Pokręcił głową i wzruszył ramionami. Po czym zwrócił się do Nataniela: – Możesz iść z nami. Dzielimy się wielbłądami, pożywieniem i tą skromną sumą pieniędzy, jaką mamy.

Tu Joszua skinął w stronę Filipa, któremu powierzono wspólną sakiewkę, ponieważ był dobry w matematyce.

– Dzięki – powiedział Nataniel i ruszył za nami.

I tak było nas pięciu.

– Josh – rzuciłem chrapliwym szeptem. – Ten dzieciak jest głupi jak but.

– Nie jest głupi, Biff. Po prostu ma talent do wiary.

– Świetnie. – Obejrzałem się na Filipa. – Nie dopuszczaj go blisko pieniędzy.

Kiedy z rynku skierowaliśmy się w stronę Góry Oliwnej, z rynsztoka zawołali do nas Abel i Crustus, dwaj ślepcy, którzy pomogli mi przejść przez mur domu Maggie. (Poznałem ich imiona, kiedy skorygowałem ich drobną pomyłkę w kwestii płci).

– Ulituj się nad nami, synu Dawida!

Joszua ściągnął wodze swego wielbłąda.

– Dlaczego tak mnie nazywacie? – zapytał.

– Ty jesteś Joszua z Nazaretu, młody kaznodzieja, który pobierał nauki u Jana?

– Tak, jestem Joszua.

– Słyszeliśmy, jak Pan obwieścił, że jesteś Jego Synem, w którym ma upodobanie.

– Słyszeliście to?

– Tak. Jakieś pięć czy sześć tygodni temu. Wprost z nieba.

– Do licha, czy wszyscy to słyszeli oprócz mnie?

– Ulituj się nad nami, Joszuo – prosił jeden ze ślepców.

– Tak, ulituj się – wtórował mu drugi.

Joszua zsunął się z wielbłąda, położył dłonie na oczach obu starców i powiedział:

– Macie wiarę w Pana i słyszeliście, jak chyba wszyscy w Judei, że jestem Jego Synem, w którym ma upodobanie.

Cofnął ręce, a oni się rozejrzeli.

– Powiedzcie, co widzicie – rzekł Joszua.

Starcy wciąż patrzyli wokół siebie i milczeli.

– No dalej, powiedzcie mi, co widzicie.

Spojrzeli po sobie.

– Coś nie tak? – zaniepokoił się Joszua. – Widzicie, prawda?

– Niby tak – przyznał Abel. – Ale myślałem, że będzie więcej kolorów.

– Właśnie – zgodził się Crustus. – Takie to... jakby... nieciekawe.

Podszedłem.

– Stoicie na brzegu judejskiej pustyni, jednego z najbardziej martwych, niegościnnych i wrogich miejsc na planecie. Czego się spodziewaliście?

– Sam nie wiem. – Crustus wzruszył ramionami. – Czegoś więcej.

– Tak, więcej – poparł go Abel. – Co to za kolor?

– Brązowy.

– A ten?

– To też będzie chyba brązowy.

– A ten tam? O tam?

– Brązowy.

– Jesteś pewien, że nie fioletoworóżowy?

– Nie. Brązowy.

– A...

– Brązowy – powiedziałem.

Obaj byli ślepcy wzruszyli ramionami i odeszli, mamrocząc coś.

– Znakomite uzdrowienie – pochwalił Nataniel.

– Ja na przykład nigdy jeszcze nie widziałem lepszego – oświadczył Filip. – Ale w końcu jestem nowy.

Kręcąc głową, Joszua ruszył w dalszą drogę.

Kiedy dotarliśmy do Kany, byliśmy zmęczeni, głodni i gotowi do uczty, przynajmniej większość z nas. Joszua nic nie wiedział o uczcie.

Wesele odbywało się na dziedzińcu bardzo dużego domu. Zbliżając się do bramy, słyszeliśmy bębny i pieśni, czuliśmy zapachy przypraw i pieczonego mięsa. Na weselu było dużo gości, więc kilku chłopców czekało na zewnątrz, by odprowadzać wielbłądy. Były to kędzierzawe, chude dzieciaki, mniej więcej dziesięcioletnie. Przypominali mi złośliwe wersje Josha i mnie w tym wieku.

– To wygląda, jakby tam trwało wesele – zdziwił się Josh.

– Zaparkować wielbłąda, proszę pana? – zaproponował chłopak z wielbłądziego parkingu.

– To wesele – stwierdził Bart. – Myślałem, że jedziemy tu, by pomóc Maggie.

– Zaparkować panu wielbłąda? – Drugi dzieciak chwycił mojego zwierzaka za uzdę.

Joszua spojrzał na mnie podejrzliwie.

– Gdzie jest Maggie? Mówiłeś, że choruje.

– Jest na weselu – odparłem i wyrwałem dzieciakowi wodze.

– Mówiłeś, że umiera.

– No... Jak my wszyscy, prawda? Wiesz, kiedy się zastanowić. – Wyszczerzyłem zęby.

– Nie może pan tutaj parkować.

– Słuchaj, mały, nie mam drobnych. Idź sobie.

Nie znoszę oddawania wielbłąda tym chłopakom z wielbłądzich parkingów. To mnie irytuje. Zawsze mam uczucie, że więcej go nie zobaczę, albo że wróci z brakującym zębem albo wydłubanym okiem.

– Więc Maggie naprawdę nie umiera?

– Cześć, chłopcy – powiedziała Maggie, wychodząc zza bramy.

– Maggie...! – zawołał Josh i zaskoczony uniósł ręce.

Kłopot polegał na tym, że tak się w nią wpatrywał, aż znowu się zapomniał i spadł. Runął na ziemię twarzą w dół, z głuchym stuknięciem i jękiem. Zeskoczyłem ze swojego wielbłąda, psy Bartłomieja zaczęły szczekać, Maggie podbiegła do Josha, odwróciła go i oparła jego głowę na kolanach, gdy on próbował złapać oddech. Filip i Nataniel uspokajali gości weselnych, którzy wyglądali przez bramę, zaciekawieni tym poruszeniem. Zanim zdążyłem się odwrócić, dwaj chłopcy wskoczyli na nasze wielbłądy i pogalopowali za róg, do Nodu, Południowej Dakoty czy innego miejsca, którego położenia nie znałem.

– Maggie – szepnął Joszua. – Nie jesteś chora.

– To zależy – odparła – czy jest jakaś szansa, że położysz na mnie dłonie.

Zaczerwienił się.

– Tęskniłem za tobą.

– Ja też.

Pocałowała Joszuę w usta i trzymała go tak długo i mocno, że zacząłem się wiercić, a pozostali uczniowie chrząkali dyskretnie i mruczeli: „Nie na ulicy".

Maggie wstała i pomogła Joszui się podnieść.

– Wejdźcie, chłopcy – powiedziała. – Żadnych psów – dodała, zwracając się do Bartłomieja.

Wielki cynik wzruszył ramionami i usiadł na ulicy między swymi psimi uczniami.

Wyciągałem szyję, by zobaczyć, gdzie zabrali nasze wielbłądy.

– Zajeżdżą je na śmierć i wiem, że nie dadzą im siana ani wody.

– Kto?

– Ci chłopcy z parkingu wielbłądów.

– Biff, to wesele mojego najmłodszego brata. Nie mógł sobie pozwolić nawet na wino. Na pewno nie wynajmował chłopców do obsługi parkingu.

Bartłomiej wstał i skinął na swoich żołnierzy.

– Ja ich znajdę.

I odszedł ciężkim krokiem.

Na przyjęciu podawano baraninę i wołowinę, wszelkiego rodzaju owoce i jarzyny, pasty z orzechów i fasoli, sery, chleb i oliwę z pierwszego tłoczenia. Były śpiewy i tańce, a gdyby nie paru marudnych starszych mężczyzn w kącie, nikt by się nie domyślił, że na stołach nie ma wina. Kiedy nasz lud tańczy, tańczy w dużych grupach, w rzędach i kręgach, nie parami. Są tańce męskie i tańce kobiece, i bardzo nieliczne tańce, w których mogą uczestniczyć wszyscy. Dlatego wszyscy się gapili na Maggie i Joszuę, ponieważ oni bardzo wyraźnie tańczyli razem.

Wycofałem się do kąta, gdzie siedziała Marta, siostra Maggie. Przyglądała się tańczącym, pogryzając chleb z kozim serem. Była dwudziestopięcioletnią, niższą i bardziej krępą wersją Maggie, ale z tymi samymi kasztanowymi włosami i niebieskimi oczami. Rzadziej się śmiała. Mąż rozwiódł się z nią z powodu „wysoce niemiłego charakteru" i teraz mieszkała w Betanii ze swoim starszym bratem Szymonem. Poznałem ją, kiedy byliśmy jeszcze mali, a ona nosiła moje wiadomości do Maggie. Dała mi ugryźć chleba z serem, więc skorzystałem.

– Sama doprowadzi do tego, że ją ukamienują – stwierdziła odrobinę rozgoryczonym i odrobinę zazdrosnym tonem młodszej siostry. – Akan jest członkiem Sanhedrynu.

– Nadal jest tchórzliwym dręczycielem?

– Gorzej. Jest teraz tchórzliwym dręczycielem, który ma władzę. Każe ją ukamienować, żeby tylko pokazać, że może.

– Za taniec? Nawet faryzeusze...

– Jeśli ktoś widział, jak całuje Joszuę, to...

– A co u ciebie słychać? – spytałem, by zmienić temat.

– Mieszkam teraz z moim bratem, Szymonem.

– Słyszałem.

– Jest trędowaty.

– Ojej, tam siedzi matka Joszuy. Muszę się przywitać.

– Na weselu nie ma wina – rzekła Maria.

– Wiem. Dziwne, prawda?

Jakub stał obok ze zmarszczonym czołem, kiedy objąłem jego matkę na powitanie.

– Joszua też tu jest?

– Tak.

– To dobrze. Bałam się, że mogli was obu aresztować razem z Janem.

– Słucham?

Spojrzałem pytająco na Jakuba. Wydał mi się bardziej odpowiednim zwiastunem złych wieści.

– Nie słyszałeś? Herod wtrącił Jana do więzienia za podżeganie do buntu. Zresztą to tylko pretekst. To żona Heroda chciała uciszyć Jana. Miała już dość tego, że on i jego wyznawcy nazywają ją „zdzirą".

Poklepałem Marię po ramieniu.

– Powiem Joszui, że tu jesteś.

Znalazłem go w jakimś kątku, gdzie bawił się z dziećmi. Jedna z dziewczynek przyniosła na wesele króliczka, a Josh teraz trzymał go na kolanach i głaskał jego uszy.

– Biff, chodź. Zobacz, jakie króliczki są miękkie.

– Joszua, aresztowali Jana.

Josh powoli oddał dziewczynce królika i wstał.

– Kiedy?

– Nie jestem pewien. Chyba niedługo po naszym wyjeździe.

– Nie powinienem go zostawiać. Nie uprzedziłem nawet, że wyjeżdżamy.

– Musiało do tego dojść, Josh. Mówiłem mu, żeby zostawił w spokoju Heroda, ale nie chciał słuchać. Nic byś nie poradził.

– Jestem Synem Bożym. Mogłem coś zrobić.

– Tak. Mogłeś iść do więzienia razem z nim. Twoja matka jest tutaj. Idź, porozmawiaj z nią. To od niej się dowiedziałem.

Joszua podszedł do Marii i ją uścisnął. A ona powiedziała:

– Musisz coś zrobić w sprawie wina. Gdzie jest wino?

Jakub klepnął Josha w ramię.

– Nie przywiozłeś ze sobą wina z bujnych winnic Jerycha?

(Nie podobało mi się, że Jakub wykorzystuje sarkazm przeciwko Joszui. Zawsze chciałem, by mój wynalazek służył dobru, a przynajmniej przeciwko ludziom, których nie lubię).

Joszua delikatnie odsunął matkę.

– Dostaniesz swoje wino.

Przeszedł do bocznej części domu, gdzie w wielkich kamiennych kadziach trzymano wodę do picia. Po kilku minutach wrócił z dzbanem wina i kubkami dla nas wszystkich. Wśród gości rozległo się wołanie i nagle zdało się, że zabawa weszła na wyższy poziom. Dzbany i kubki zostały napełnione, opróżnione i napełnione ponownie. Ci, którzy byli blisko kadzi, zaczęli tłumaczyć, że dokonał się cud, że Joszua z Nazaretu zamienił wodę w wino. Szukałem go, ale gdzieś zniknął. Jako ktoś przez całe życie wolny od grzechu, Joszua nie radził sobie z poczuciem winy. Dlatego zaszył się gdzieś samotnie, by zagłuszyć wyrzuty sumienia, jakie czuł z powodu aresztowania Jana.

Po kilku godzinach wybiegów i podstępów udało mi się wymknąć z Maggie przez bramę na tyłach.

– Maggie, chodź z nami. Rozmawiałaś z Joszuą. Widziałaś wino. On jest wybranym.

– Zawsze wiedziałam, że on jest wybranym, ale nie mogę pójść z wami. Jestem mężatką.

– Myślałem, że zostaniesz rybakiem.

– A ja myślałam, że zostaniesz wiejskim głupkiem.

– Ciągle szukam odpowiedniej wioski. Słuchaj, skłoń Akana, żeby się z tobą rozwiódł.

– Każdy powód wystarczająco dobry do rozwodu wystarczy mu również, żeby mnie zabić. Widziałam, jak wydaje wyroki na ludzi. Widziałam, jak prowadzi tłum na kamienowanie. Boję się go.

– Na Wschodzie nauczyłem się robić trucizny. – Uniosłem brwi i uśmiechnąłem się zachęcająco. – Co ty na to?

– Nie otruję mojego męża.

Westchnąłem ciężko, w sposób, jakiego nauczyłem się od matki.

– W takim razie zostaw go i odejdź z nami daleko od Jeruzalem. Nie dosięgnie cię tam. Będzie musiał się z tobą rozwieść, żeby zachować twarz.

– Ale dlaczego mam odejść, Biff? Żeby podążyć za człowiekiem, który mnie nie chce i który mnie nie weźmie, nawet gdyby chciał?

Nie wiedziałem co odpowiedzieć. Czułem się tak, jakby ktoś wwiercał mi noże w świeże rany w piersi. Przyglądałem się własnym sandałom i udawałem, że coś mi wpadło do gardła.

405

Maggie podeszła, objęła mnie i złożyła głowę na mojej piersi.

– Przykro mi – powiedziała.

– Wiem.

– Tęskniłam za wami oboma.

– Wiem.

– Nie będę z tobą spała.

– Wiem.

– Proszę więc, przestań się o mnie ocierać.

– Jasne.

Wtedy właśnie przez bramę chwiejnie wyszedł Joszua i wpadł na nas. Udało się nam odzyskać równowagę i przytrzymać go, zanim upadł. Mesjasz trzymał króliczka i gładził nim policzek; czarne łapki wisiały w powietrzu. Był pijany.

– Wiecie co? – powiedział. – Kocham króliczki. Nie pracują ani nie szczekają. A zatem od dzisiaj nakazuję, że gdyby przydarzyło mi się coś złego, dookoła mają być króliczki. Tak zostanie zapisane. Dalej, Biff, zapisz to.

Pomachał do mnie pod króliczkiem, a potem zawrócił do bramy.

– Gdzie to nieszczęsne wino? Mam tu wyschniętego króliczka!

– Widzisz – powiedziałem do Maggie. – Nie chciałabyś tego stracić. Króliczki.

Roześmiała się – to była moja ulubiona muzyka.

– Odezwę się do was – obiecała. – Gdzie będziecie?

– Nie mam pojęcia.

– Odezwę się do was.

Nastała północ. Impreza dobiegła końca, a uczniowie i ja siedzieliśmy na ulicy przed domem. Joszua zasnął, a Bartłomiej ułożył mu pod głową małego pieska zamiast poduszki. Zanim odszedł, Jakub aż nadto wyraźnie dał nam do zrozumienia, że nie będziemy serdecznie witani w Nazarecie.

– I co? – odezwał się Filip. – Raczej nie możemy wrócić do Jana.

– Przykro mi, że nie odnalazłem wielbłądów – rzekł Bartłomiej.

– Ludzie żartowali sobie z moich żółtych włosów – poskarżył się Nataniel.

– Myślałem, że pochodzisz z Kany – powiedziałem. – Nie masz tu rodziny, u której moglibyśmy się zatrzymać?

– Zaraza – wyjaśnił Nataniel.

– Zaraza... – Wszyscy pokiwaliśmy głowami. Zdarza się.

– Myślę, że wam się przydadzą – rozległ się głos w ciemności. Unieśliśmy głowy. Z mroku przed nami wynurzył się niski ale potężnie zbudowany mężczyzna, prowadzący nasze wielbłądy.

– Wielbłądy – ucieszył się Nataniel.

– Bardzo mi przykro – rzekł mężczyzna. – Synowie mojego brata sprowadzili je do naszego domu w Kafarnaum. Przepraszam, że tyle trwało, by tu z nimi wrócić.

Wstałem, a on podał mi lejce wielbłądów.

– Są nakarmione i napojone. – Wskazał na Joszuę. – Czy on zawsze tak pije?

– Tylko wtedy, kiedy któryś z wielkich proroków trafia do więzienia.

Mężczyzna pokiwał głową.

– Słyszałem, co zrobił z winem. Mówią, że dziś po południu uzdrowił też chromego w Kanie. To prawda?

Przytaknęliśmy wszyscy.

– Jeśli nie macie się gdzie zatrzymać, to chodźcie ze mną do Kafarnaum. Zostaniecie dzień czy dwa. Jesteśmy wam to winni za porwanie wielbłądów.

– Nie mamy pieniędzy – uprzedziłem.

– Więc będziecie się czuli jak u siebie – zapewnił mężczyzna. – Mam na imię Andrzej.

I tak było nas sześciu.

26

Można przewędrować świat dookoła, a zawsze znajdzie się coś nowego do odkrycia. Na przykład w drodze do Kafarnaum dowiedziałem się, że jeśli wrzucić pijanego na wielbłąda, żeby się bujał przez cztery godziny, to niemal wszystkie trucizny wyjdą z niego jednym albo drugim końcem.

– Ktoś powinien umyć tego wielbłąda, zanim wjedziemy do miasta – uznał Andrzej.

Szliśmy brzegiem Jeziora Galilejskiego. Księżyc w pełni odbijał się w wodzie jak plama rtęci. Czyszczenie wielbłąda przypadło Natanielowi, jako że był oficjalnym nowym (Joszua nie poznał jeszcze Andrzeja, a Andrzej właściwie nie zgodził się jeszcze iść z nami, więc nie mogliśmy go oficjalnie za takiego uznać).

Nataniel tak się popisał przy wielbłądzie, że pozwoliliśmy mu umyć też Joszuę. Kiedy tylko wsadził Mesjasza do wody, Joszua ocknął się dostatecznie, by wybełkotać coś w rodzaju:

– Lisy mają nory, a ptaki gniazda, lecz Syn Człowieczy nie ma miejsca, gdzie by mógł oprzeć głowę.

– To takie smutne – westchnął Nataniel.

– Rzeczywiście – zgodziłem się. – Zanurz go jeszcze raz. Brodę ma ciągle zarzyganą.

I tak, oczyszczony, mokry i wrzucony na wielbłąda Joszua wjechał w świetle księżyca do Kafarnaum, gdzie miał być powitany, jakby to był jego dom rodzinny.

– Wynocha! – wrzasnęła starucha. – Wynoście się z tego domu, wynoście się z miasta, możecie się wynieść i z Galilei, ale tutaj nie zostaniecie!

Nad jeziorem wstawał przepiękny świt. Niebo pokryło się żółtą i pomarańczową barwą, a fale pluskały łagodnie o burty rybackich łodzi. Wioska leżała o rzut kamieniem od brzegu, a złociste promienie słońca odbijały się od wody, padając na czarne kamienne ściany domów, aż zdawało się, że światło tańczy w rytm krzyków mew i ptaków śpiewających. Domy stały w dwóch dużych grupach, często parami, dzieląc wspólną ścianę, z wejściami ze wszystkich stron, a żaden nie był wyższy niż jedno piętro. Wąska główna droga biegła przez wioskę między dwiema grupami budynków; wzdłuż niej stały stragany kupców i kuźnia, a na niewielkim rynku synagoga, która wyglądała, jakby mogła pomieścić o wiele więcej niż trzystu mieszkańców wioski. Wioski jednak leżały gęsto wzdłuż wybrzeża, niemal się ze sobą stykając, więc domyśliliśmy się, że synagoga służy mieszkańcom kilku z nich. Nie było tu głównego placu wokół studni, jak to jest w zwyczaju w większości wiosek w głębi lądu, ponieważ miejscowi brali wodę z jeziora albo pobliskiego źródła, wyrzucającego czystą wodę w powietrze na wysokość dwóch ludzi.

Andrzej umieścił nas w domu swego brata Piotra. Zasnęliśmy w dużym pokoju, pośród dzieci, a ledwie kilka godzin później obudziła się teściowa Piotra i nas wypędziła. Joszua trzymał się oburącz za głowę, jakby w obawie, że spadnie mu z szyi.

– Nie życzę sobie w swoim domu łobuzów i darmozjadów! – krzyczała kobieta, wyrzucając za nami moją sakwę.

– Au... – jęknął Joszua, cierpiący od tych wrzasków.

– Jesteśmy w Kafarnaum, Josh – powiedziałem. – Zaprosił nas tu człowiek imieniem Andrzej, bo jego bratankowie ukradli nasze wielbłądy.

– Mówiłeś, że Maggie umiera – przypomniał sobie Joszua.

– A opuściłbyś Jana, gdybym ci powiedział, że Maggie chce cię zobaczyć?

– Nie. – Uśmiechnął się z rozmarzeniem. – Chociaż dobrze było zobaczyć Maggie. – Jego uśmiech zniknął i Josh groźnie zmarszczył czoło. – Żywą.

– Jan nie chciał słuchać, Josh. Przez ostatni miesiąc siedziałeś na pustyni, nie widziałeś tych wszystkich żołnierzy, nawet skrybów ukrytych w tłumie, którzy notowali wszystko, co Jan mówi. To się musiało tak skończyć.

– Więc powinieneś go ostrzec!

– Ostrzegałem go! Każdego dnia go ostrzegałem! Nie chciał słuchać głosu rozsądku, tak samo jak ty nie słuchasz!

– Musimy wrócić do Judei. Wyznawcy Jana...

– ...staną się twoimi wyznawcami. Koniec przygotowań, Josh.

Joszua wpatrywał się w ziemię. Kiwnął głową.

– Już czas. Gdzie są pozostali?

– Filipa z Natanielem posłałem do Seforis, żeby sprzedali wielbłądy. Bartłomiej śpi w trzcinach razem z psami.

– Będziemy potrzebowali więcej uczniów – stwierdził Joszua.

– Jesteśmy nędzarzami, Josh. Potrzebujemy uczniów, którzy mają pracę.

Godzinę później staliśmy na brzegu jeziora, niedaleko miejsca, gdzie Andrzej ze swoim bratem zarzucali sieci. Piotr był wyższy i szczuplejszy od Andrzeja, a siwe włosy na głowie miał jeszcze bardziej splątane niż Jan Chrzciciel; Andrzej odgarniał swoje do tyłu i ściągał rzemieniem, żeby nie opadały mu na twarz, kiedy był na wodzie. Obaj byli nadzy – w taki sposób łowiło się ryby na jeziorze blisko brzegu.

Z kory drzewa przyrządziłem Joshowi lekarstwo na ból głowy. Widziałem, że działa, choć może nie dość szybko. Pchnąłem go w stronę brzegu.

– Nie jestem jeszcze gotów. Czuję się potwornie.

– Poproś ich.

– Andrzeju! – zawołał Joszua. – Dziękuję, że przyprowadziłeś nas do domu. I tobie również, Piotrze.

– Moja teściowa was wyrzuciła? – zapytał Piotr.

Zarzucił sieć i poczekał, aż opadnie. Potem wskoczył do wody i zebrał ją w ręce. Była w niej tylko jedna mała rybka. Wyciągnął ją i wrzucił z powrotem do jeziora.

– Rośnij – powiedział.

– Wiesz, kim jestem? – zapytał Joszua.

– Słyszałem – odparł Piotr. – Andrzej mówił, że zmieniłeś wodę w wino. Że uleczyłeś ślepych i chromych. Uważa, że ty przyniesiesz nam Królestwo.

– A jak ty myślisz?

– Myślę, że mój braciszek jest mądrzejszy ode mnie, więc wierzę w to, co mówi.

– Chodźcie z nami. Musimy głosić ludziom o nadejściu Królestwa. Potrzebujemy pomocy.

– A co możemy zrobić? – zdziwił się Andrzej. – Jesteśmy tylko rybakami.

– Pójdźcie za mną, a uczynię was rybakami ludzi.

Andrzej spojrzał na brata, który ciągle stał w wodzie. Piotr wzruszył ramionami i pokręcił głową. Andrzej popatrzył na mnie, wzruszył ramionami i pokręcił głową.

– Nie łapią tego – przekazałem Joszui.

Potem, kiedy Joszua coś zjadł i się przespał, i wyjaśnił, co, u licha, miał na myśli, mówiąc o „rybakach ludzi", było nas siedmiu.

– Ci goście to nasi wspólnicy – tłumaczył Piotr, prowadząc nas brzegiem. – Są właścicielami łodzi, na których z Andrzejem łowimy. Nie możemy iść głosić dobrej nowiny, jeśli oni też w to nie wejdą.

Dotarliśmy do kolejnej niedużej wioski. Piotr wskazał nam dwóch braci, którzy montowali nową dulkę do burty łodzi. Jeden był szczupły, kościsty, z kruczoczarnymi włosami i brodą przystrzyżoną w równe linie. Jakub. Drugi był starszy, większy, grubszy, miał potężne ramiona i pierś, ale za to małe dłonie i wąskie przeguby; frędzla szpakowatych kasztanowych włosów okalała mu opaloną łysinę. Jan.

– Jedna uwaga – odezwał się Piotr do Joszuy. – Nie mów nic o rybakach ludzi. Niedługo zrobi się ciemno. Nie ma czasu na tłumaczenie, jeśli chcemy zdążyć do domu na kolację.

– Słusznie – zgodziłem się. – Powiedz im o cudach, o Królestwie, może trochę o tym Duchu Świętym, ale tylko ogólnie, dopóki nie zgodzą się do nas przystać.

– Ja wciąż nie bardzo rozumiem, co z tym Duchem Świętym – poskarżył się Piotr.

– Nie szkodzi, omówimy to sobie jutro.

Kiedy szliśmy brzegiem w stronę braci, w pobliskich krzakach zaszeleściły liście i trzy stosy łachmanów wysunęły się na ścieżkę.

– Ulituj się nad nami, rabbi – odezwał się jeden ze stosów.

Trędowaci...

(Muszę tu coś wyjaśnić: Joszua uczył mnie o potędze miłości i całej reszcie, i wiem, że Boska Iskra jest w nich ta sama co we mnie, więc obecność trędowatych nie powinna mnie niepokoić. Wiem, że ogłaszanie ich nieczystymi według nakazów Prawa było równie niesprawiedliwe, jak traktowanie niedotykalnych przez braminów. Wiem – bo oglądałem dostatecznie dużo programów w telewizji – że teraz pewnie nie nazywa się ich nawet trędowatymi, by nie ranić ich uczuć. Pewnie mówicie na nich „upośledzeni gubieniem kawałków ciała" czy jakoś podobnie. Wiem o tym wszystkim. Ale mimo to – nieważne, ile widziałem uzdrowień – na widok trędowatych dostaję tego, co my, Hebrajczycy, określamy „ciarkami". Nigdy mi to nie przeszło).

– Czego chcecie? – zapytał Joszua.

– Byś ulżył naszym cierpieniom – odpowiedział stos głosem kobiety.

– Pójdę pooglądać wodę, Josh – rzuciłem szybko.

– Przyda mu się pomoc – dodał Piotr.

– Podejdźcie – rzekł Joszua.

Przesunęli się bliżej. Joszua położył na nich dłonie i mówił coś bardzo cicho. Przez kilka minut Piotr i ja niezwykle dokładnie przyglądaliśmy się żabie, którą zauważyliśmy na brzegu. Wreszcie usłyszeliśmy głos Joszuy:

– Idźcie teraz i powiedzcie kapłanom, że nie jesteście już nieczyści i że mogą was wpuścić do Świątyni. I powiedzcie im, kto was przysyła.

Trędowaci zrzucili łachmany i odeszli, wysławiając Joszuę. Wyglądali jak całkiem normalni ludzie, którzy tylko przypadkiem byli poowijani w postrzępione szmaty.

Zanim ja i Piotr wróciliśmy, Jakub i Jan stali już przed Joszuą.

– Dotknąłem tych, którzy mówili, że są nieczyści – ostrzegł ich Joszua.

Zgodnie z Prawem Mojżeszowym, Joszua także był teraz nieczysty.

Jakub podszedł i chwycił go za przedramię, na modłę Rzymian.

– Jeden z tych ludzi był kiedyś naszym bratem.

– Chodźcie z nami – powiedziałem. – A uczynimy was dulkarzami ludzi.

– Co? – zdumiał się Joszua.

– Przecież tym się zajmowali. Wstawiali dulkę. Sam widzisz, jak głupio to brzmi.

– To nie to samo.

I tak było nas dziewięciu.

Wrócili Filip i Nataniel. Na sprzedaży wielbłądów zarobili dość pieniędzy, by nakarmić uczniów oraz całą rodzinę Piotra, więc jego teściowa – miała na imię Estera – pozwoliła nam zostać, pod warunkiem, że Bartłomiej z psami będą spali na zewnątrz. Kafarnaum stało się naszą bazą operacyjną. Stamtąd urządzaliśmy jedno- lub dwudniowe wycieczki, podczas których Joszua głosił kazania i dokonywał uzdrowień. Wieść o zbliżaniu się Królestwa docierała do całej Galilei. Po zaledwie kilku miesiącach gromadziły się prawdziwe tłumy, by słuchać Joszuy. Zawsze staraliśmy się wracać na szabat do Kafarnaum, żeby Joszua mógł nauczać w synagodze. I ten jego zwyczaj zwrócił na nas niepożądaną uwagę.

Podczas krótkiego spaceru do synagogi w szabatowy ranek Joszuę zatrzymał rzymski żołnierz. (Od zachodu słońca w piątek do zachodu słońca w sobotę żadnemu Żydowi nie wolno podejmować podróży dłuższej niż tysiąc kroków. To znaczy tysiąc kroków na raz. W jedną stronę. Nie trzeba dodawać kroków przez cały dzień i stawać w miejscu, kiedy dojdzie się do tysiąca. Gdyby tak było, wszędzie stałoby pełno Żydów, czekających na sobotni wieczór. To byłoby krępujące. Właściwie jestem wdzięczny losowi, że faryzeusze nigdy na to nie wpadli).

Rzymianin nie był zwykłym legionistą, ale centurionem, w pełnym hełmie z pióropuszem i w napierśniku z orłem dowódcy legionu. Prowadził za sobą wielkiego białego konia, który wyglądał, jakby był hodowany do walki. Rzymianin wydawał się dość stary jak na żołnierza – miał około sześćdziesięciu lat; kiedy zdjął hełm, zobaczyłem, że jego włosy są całkiem siwe. Mimo to był silny, a krótki miecz o talii osy u jego boku robił groźne wrażenie. Nie poznałem go, dopóki nie odezwał się do Joszuy w doskonałym aramejskim, bez żadnego obcego akcentu.

– Joszuo z Nazaretu – powiedział. – Pamiętasz mnie?

– Justus – rzekł Joszua. – Justus z Seforis.

– Gajus Justus Gallicus – uzupełnił żołnierz. – Teraz stacjonuję w Tyberiadzie i nie jestem już zastępcą komendanta. Szósty

Legion jest mój. Potrzebuję twej pomocy, Joszuo bar Józef z Nazaretu.

– Co mogę zrobić? – Joszua się rozejrzał.

Wszyscy uczniowie oprócz Bartłomieja i mnie umknęli dyskretnie, gdy tylko Rzymianin się zbliżył.

– Widziałem, jak sprawiłeś, że martwy człowiek chodził i mówił. Słyszałem o wszystkim, czego dokonujesz w całej Galilei, o uzdrowieniach, o cudach. Mam sługę, który jest chory. Dręczy go epilepsja. Ledwie oddycha, a ja nie potrafię patrzeć na jego cierpienia. Nie proszę, byś naruszył szabat, wyruszając do Tyberiady, ale wierzę, że zdołasz go uleczyć nawet stąd.

Justus przyklęknął przed Joszuą na jedno kolano – nie widziałem, żeby jakikolwiek Rzymianin zachował się tak wobec jakiegokolwiek Żyda, wcześniej ani później.

– Ten człowiek jest moim przyjacielem – powiedział.

– Wierzysz, że tak jest, więc tak będzie – rzekł Joszua. – Stało się. Powstań, Gajusie Justusie Gallicusie.

Żołnierz uśmiechnął się, wstał i spojrzał Joshowi w oczy.

– Kazałbym ukrzyżować twojego ojca, żeby znaleźć mordercę tamtego żołnierza.

– Wiem – odparł Joszua.

– Dziękuję ci – powiedział Justus.

Centurion włożył hełm i wskoczył na konia. Dopiero wtedy po raz pierwszy spojrzał na mnie.

– Co się stało z tą śliczną łamaczką serc, która wszędzie z wami chodziła?

– Złamała nam serca – odpowiedziałem.

Justus się roześmiał.

– Bądź ostrożny, Joszuo z Nazaretu – rzucił na pożegnanie. Zawrócił i odjechał.

– Idź z Bogiem! – zawołał Joszua.

– Rany, Josh, czy tak pokazujesz Rzymianom, co ich czeka po nadejściu Królestwa?

– Zamknij się, Biff.

– Aha, czyli go nabrałeś? Wróci do domu i odkryje, że jego przyjaciel nadal jest chory?

– Pamiętasz, Biff, co ci powiedziałem przed bramą klasztoru Kaspra? Że jeśli ktoś zapuka, wpuszczę go.

– Błe! Przypowieści! Nie cierpię przypowieści.

Tyberiada była oddalona od Kafarnaum o godzinę szybkiej jazdy, więc rankiem dotarły do nas wieści z garnizonu: sługa Justusa został uleczony. Zanim jeszcze skończyliśmy śniadanie, przed domem Piotra stanęło czterech faryzeuszy. Szukali Joszuy.

– Czy dokonałeś uzdrowienia w szabat? – zapytał najstarszy z nich.

Miał siwą brodę, nosił szal modlitewny i filakteria na ramieniu i czole. (Co za ćwok... Jasne, wszyscy dostawaliśmy filakteria, kiedy kończyliśmy trzynaście lat, ale potem człowiek udawał, że po paru tygodniach gdzieś je zgubił, i więcej nie nosił. Równie dobrze mógłby zawiesić na szyi tabliczkę „Jestem świętoszkowatym palantem". To, co faryzeusz miał na czole, było małym pudełkiem ze skóry, mniej więcej wielkości pięści, zawierającym pergaminy z wypisanymi modlitwami. Wyglądał z tym jak... no, jak ktoś, kto przyczepił sobie na głowie małe pudełko ze skóry. Czy muszę mówić więcej?).

– Ładne filakteria – zauważyłem.

Uczniowie parsknęli śmiechem. Nataniel doskonale naśladował rżenie osła.

– Naruszyłeś szabat – oświadczył faryzeusz.

– Mnie wolno – odparł Josh. – Jestem Synem Bożym.

– O, szlag... – mruknął Filip.

– Delikatnie ich do tego przyzwyczajasz, Josh, nie ma co – stwierdziłem.

416

W następny szabat do synagogi przybył człowiek z uschniętą ręką. Joszua nauczał w synagodze i po kazaniu – przy pięćdziesięciu faryzeuszach, którzy zjawili się w Kafarnaum właśnie na wypadek, gdyby coś takiego się wydarzyło – powiedział mu, że jego grzechy zostały wybaczone. I uleczył mu rękę.

Jak sępy do padliny zlecieli się następnego ranka do domu Piotra.

– Nikt prócz Boga nie może odpuszczać grzechów – oświadczył ten, którego wybrali na przedstawiciela.

– Naprawdę? – zdziwił się Joszua. – To znaczy nie możesz wybaczyć komuś, kto grzeszy przeciwko tobie?

– Nikt prócz Boga.

– Będę o tym pamiętał – obiecał Joszua. – A teraz, jeśli nie przyszliście tu wysłuchać dobrej nowiny, odejdźcie.

Po czym wrócił do domu Piotra i zamknął drzwi.

– Bluźnisz, Joszuo bar Józef! – wrzasnął faryzeusz. – Ty...

A ja stanąłem przed nim i choć wiem, że nie powinienem, to jednak mu przyłożyłem. Nie w usta ani nic takiego, tylko prosto w filakteria. Małe pudełko rozleciało się od ciosu, a paski pergaminu powoli opadły na ziemię. Uderzyłem tak szybko, że chyba uznał to za zjawisko nadprzyrodzone. W grupie za nim podniosły się krzyki i protesty, że nie wolno tak robić, że zasłużyłem sobie na ukamienowanie albo biczowanie, i tak dalej, i temu podobne... A moja buddyjska tolerancja zaczęła się powoli wyczerpywać.

Dlatego przyłożyłem mu znowu. W nos.

Tym razem poleciał do tyłu. Dwaj kumple go podtrzymali, a trzeci, w pierwszym rzędzie, sięgnął po coś do pasa. Wiedziałem, że gdyby zechcieli, mogliby mnie powalić, ale nie sądziłem, by spróbowali. Tchórze. Chwyciłem tego, który wyciągał nóż, wyrwałem mu go, wbiłem ostrze między kamienie w ścianie domu Piotra i złamałem. Potem oddałem rękojeść.

– Odejdź stąd – powiedziałem bardzo cicho.

I odszedł, a jego kumple razem z nim. Wróciłem do środka, by sprawdzić, jak sobie radzą Joszua i pozostali.

– Wiesz co, Josh – zacząłem – myślę, że czas już rozszerzyć naszą posługę. Tutaj masz już wielu wyznawców. Może powinniśmy wybrać się na drugą stronę jeziora? Zniknąć na jakiś czas z Galilei?

– Głosić Królestwo gojom? – zapytał Nataniel.

– Ma rację – uznał Joszua. – Biff ma rację.

– Tak będzie zapisane – rzekłem.

Jakub i Jan mieli tylko jedną tak dużą łódź, by pomieściła nas wszystkich, razem z psami Bartłomieja. Stała na kotwicy w Magdali, dwie godziny piechotą na południe od Kafarnaum. Wyruszyliśmy więc bardzo wcześnie, by nikt nas nie zatrzymywał w wioskach po drodze. Joszua postanowił zanieść gojom dobrą nowinę, zamierzaliśmy więc popłynąć przez jezioro do miasta Gadaren w regionie Dekapolu. Tam trzymali gojów.

Gdy czekaliśmy na brzegu w Magdali, Joszuę otoczyła grupa kobiet, które przyszły prać swoje rzeczy. Błagały, by opowiedział im o Królestwie. Zauważyłem młodego poborcę podatków, który siedział niedaleko przy swoim stole, pod trzcinowym parasolem. Słuchał Joszuy, ale zauważyłem, że wzrokiem podąża za tyłkami kobiet. Podszedłem bliżej.

– Niesamowity jest, nie? – rzuciłem.

– Tak. Niesamowity – przyznał poborca.

Miał około dwudziestki, miękkie brązowe włosy, jasną brodę i jasnobrązowe oczy i był chudy.

– Jak się nazywasz, celniku?

– Mateusz – odparł. – Syn Alfeusza.

– Poważnie? Mój ojciec też miał tak na imię. Słuchaj no, Mateuszu, zakładam, że umiesz czytać, pisać i takie rzeczy?

– O tak.

– Nie jesteś chyba żonaty?

– Nie. Byłem zaręczony, ale zanim doszło do ślubu, rodzice wydali ją za bogatego wdowca.

– To smutne. Pewnie masz złamane serce. Widzisz te kobiety? Takie kobiety otaczają Joszuę przez cały czas. A najlepsze jest to, że on żyje w celibacie. Nie chce żadnej z nich. Interesuje go wyłącznie zbawienie ludzkości i sprowadzenie na Ziemię Królestwa Bożego... Tak samo jak nas wszystkich, oczywiście. Ale kobiety, cóż, sam chyba widzisz.

– To musi być cudowne.

– Tak, świetne. Płyniemy do Dakapolu. Może byś się z nami wybrał?

– Nie mogę. Powierzono mi zbieranie podatków z całego wybrzeża.

– On jest Mesjaszem, Mateuszu. Tym Mesjaszem. Pomyśl tylko: ty i Mesjasz.

– Sam nie wiem...

– Kobiety. Królestwo. Słyszałeś pewnie, że zmienił wodę w wino.

– Naprawdę muszę...

– Próbowałeś kiedyś bekonu, Mateuszu?

– Bekon? To jest ze świń? Nieczystych?

– Joszua jest Mesjaszem, Mateuszu. I Mesjasz mówi, że to w porządku. To najlepsze, co kiedykolwiek jadłeś, Mateuszu. Kobiety go uwielbiają. Co rano jemy z kobietami bekon. Naprawdę.

– Będę musiał najpierw tu skończyć – powiedział Mateusz.

– Tak uczyń. Ale wiesz, chciałbym, żebyś coś dla mnie odznaczył. – Zajrzałem mu przez ramię w księgę i wskazałem kilka imion. – Spotkamy się przy łodzi, kiedy będziesz gotów, Mateuszu.

Wróciłem na brzeg, gdzie Jakub i Jan przyciągnęli łódź tak blisko, żeby dało się do niej przejść. Joszua skończył błogosławić kobiety i odesłał je do prania z przypowieścią o plamach.

– Przepraszam na moment, panowie! – zawołałem. – Jakubie, Janie, ty też, Piotrze, i Andrzeju. W tym roku nie musicie się martwić podatkami. Zająłem się nimi.

– Co? – nie dowierzał Piotr. – Skąd wziąłeś pieniądze?

419

Obejrzałem się i pomachałem do biegnącego ku nam Mateusza.

– Ten dobry człowiek to celnik Mateusz. Chce się do nas przyłączyć.

Mateusz stanął obok mnie. Uśmiechał się idiotycznie, łapiąc oddech.

– Hej – powiedział i pomachał uczniom.

– Witaj, Mateuszu – odezwał się Joszua. – W Królestwie jest miejsce dla każdego.

– Lubi cię, mały – powiedziałem. – Naprawdę cię lubi.

I tak było nas dziesięciu.

Joszua zasnął na stosie sieci, zasłoniwszy twarz szerokim rondem słomianego kapelusza Piotra. Zanim sam pozwoliłem ukołysać się do snu, posłałem Filipa na rufę, żeby opowiedział Mateuszowi o Królestwie i Duchu Świętym. (Pomyślałem, że Filip zna się na liczbach, co może pomóc w rozmowie z poborcą). Dwie pary braci prowadziły łódź; kadłub miała szeroki, żagiel mały i była bardzo wolna. Mniej więcej w połowie drogi przez jezioro usłyszałem głos Piotra:

– Nie podoba mi się to. Wygląda na sztorm.

Usiadłem gwałtownie i spojrzałem na niebo. Rzeczywiście, czarne chmury nadciągały zza wzgórz na wschodzie, szybko i nisko, po drodze wyciągając ku drzewom szpony błyskawic. Zanim zdążyłem wstać, fala przelała się nad niską burtą i przemoczyła mnie do nitki.

– Nie jest dobrze, powinniśmy wracać – uznał Piotr, kiedy ogarnęła nas ściana deszczu. – Łódź jest zbyt pełna, burty za niskie. Nie możemy narażać się na burzę.

– Niedobrze. Niedobrze. Niedobrze – podśpiewywał Nataniel.

Psy Bartłomieja wyły i obszczekiwały wiatr. Jakub i Andrzej zwinęli żagiel i założyli wiosła. Piotr przeszedł na rufę, by pomóc Janowi przy długiej płetwie sterowej. Kolejna fala załamała się nad burtą i zmyła jednego z uczniów Bartłomieja, sparszywiałego teriera.

Na dnie łodzi woda sięgała już do pół łydki, więc chwyciłem wiadro i zacząłem ją wybierać. Machnąłem na Filipa, żeby pomógł, ale uległ najostrzejszemu atakowi morskiej choroby, jaki zdarzyło mi się oglądać, i wymiotował teraz przez burtę.

Błyskawica trafiła w maszt i wszystko rozbłysło fosforową bielą. Grzmot zahuczał od razu, pozostawiając dzwonienie w uszach. Jeden sandał Joszuy przepłynął obok mnie na dnie łodzi.

– Jesteśmy zgubieni! – jęczał Bartłomiej. – Zgubieni!

Joszua zsunął z twarzy kapelusz, wcisnął go na głowę i spojrzał na otaczający go chaos.

– O, wy małej wiary – rzekł.

Machnął ręką w górę i sztorm ucichł. Tak po prostu. Czarne chmury odpłynęły za wzgórza, fale się uspokoiły i zaczęły łagodnie kołysać, a słońce zaświeciło jasne i tak gorące, że z naszych ubrań uniosła się para. Sięgnąłem za burtę i wyjąłem z wody pływającego pieska.

Joszua znów się położył z kapeluszem na twarzy.

– Czy ten nowy dzieciak to widział? – zapytał mnie szeptem.

– Tak – odparłem.

– Zrobiło to na nim wrażenie?

– Rozdziawił usta. Wygląda jak porażony.

– Świetnie. Obudź mnie, kiedy będziemy na miejscu.

Obudziłem go kawałek przed Gedarenem, ponieważ na brzegu stał obłąkany wielkolud – z ust leciała mu piana, wrzeszczał, rzucał kamieniami i od czasu do czasu zjadał garść ziemi.

– Zatrzymaj się, Piotrze – powiedziałem.

Płynęliśmy na wiosłach, z opuszczonym żaglem.

– Powinienem obudzić nauczyciela – stwierdził Piotr.

– Nie, wszystko w porządku, mam władzę powstrzymywania zapienionych szaleńców. – Na wszelki wypadek delikatnie kopnąłem Mesjasza. – Josh, może warto, żebyś rzucił okiem na tego gościa.

– Patrz, Piotrze – powiedział Andrzej, wskazując szaleńca palcem. – Ma włosy takie jak ty.

Joszua usiadł, zsunął kapelusz Piotra i spojrzał na brzeg.

– Naprzód – polecił.

– Jesteś pewien?

Kamienie zaczęły lądować w łodzi.

– O tak.

– Jest bardzo duży – zauważył Mateusz, stwierdzając oczywistość.

– I obłąkany – dodał Nataniel, by nie dać się wyprzedzić w wygłaszaniu oczywistości.

– On cierpi – oświadczył Joszua. – Naprzód.

Kamień wielkości głowy trafił w maszt, odbił się i wpadł do wody.

– Wyrwę wam nogi i będę kopał po głowach, kiedy będziecie się czołgać dookoła i wykrwawiać na śmierć – oznajmił szaleniec.

– Na pewno nie chcesz podpłynąć z tego miejsca wpław? – zaproponował Piotr.

– Miła odświeżająca kąpiel po drzemce? – dodał Jakub.

Mateusz wyprostował się na rufie i odchrząknął.

– Czym jest jeden udręczony człowiek w porównaniu z uciszeniem sztormu? Czy na pewno wszyscy byliście w tej samej łodzi co ja?

– Naprzód – rozkazał Piotr.

I popłynęliśmy naprzód – wielka łódź pełna Joszuy, Mateusza i ośmiu niewiernych dupków, czyli pozostałych.

Joszua wyskoczył, gdy tylko dotarliśmy do brzegu. Podszedł wprost do szaleńca, który wyglądał, jakby mógł jedną ręką zgnieść Mesjaszowi głowę. Brudne łachmany wisiały na nim w strzępach, miał połamane zęby i krwawił od jedzenia ziemi.

Twarz wykrzywiała mu się i zniekształcała, jakby wielkie robaki pod skórą szukały ucieczki. Zwichrzone siwe włosy sterczały poplątane i rzeczywiście trochę przypominały włosy Piotra.

– Miej litość nade mną – powiedział szaleniec. Głos brzęczał mu w gardle niczym chór szarańczy.

Wyskoczyłem z łodzi, a inni ruszyli ostrożnie za mną, do Joszuy.

– Jakie jest twoje imię, demonie? – zapytał Joszua.

– A jakie chciałbyś, żeby było? – odparł demon.

– A wiesz, zawsze podobało mi się imię Harvey.

– Co za zbieg okoliczności! – zawołał demon. – Tak się składa, że mam na imię Harvey.

– Nabierasz mnie, prawda?

– Nabieram – przyznał demon, rozczarowany. – Imię moje Legion, bo jest nas tu cała banda.

– Wynoś się, Legionie – nakazał Joszua. – Wynoś się z tego dużego gościa.

W pobliżu pasło się stado świń, zajętych świńskimi sprawami. (Nie wiem, co robiły. Jestem Żydem i nie znam się na świniach. Tyle że lubię bekon). Świecący zielony obłok wysunął się z ust Legiona, popłynął w powietrzu niczym dym, i jak chmura opadł na świnie. Gdy tylko wciągnęły go przez nozdrza, natychmiast zaczęły toczyć pianę i wydawać dźwięk taki jak szarańcza.

– Odejdźcie – rzekł Joszua.

Wszystkie świnie pobiegły do jeziora, wciągnęły w płuca wodę i po krótkiej szamotaninie potonęły. Jakieś pięćdziesiąt świńskich trupów kołysało się na falach.

– Jak mogę ci się odwdzięczyć? – zapytał wielki, toczący pianę typ, który przestał już toczyć pianę, ale nadal był wielki.

– Powiedz ludziom z twojej krainy, co się tu stało – poprosił Joszua. – Powiedz, że Syn Boży przybył, by głosić im dobrą nowinę o Duchu Świętym.

– Ale umyj się trochę, zanim im powiesz – dodałem.

I odszedł, człapiąc ciężko – prawdziwy olbrzym, większy nawet od naszego Bartłomieja i bardziej cuchnący, co uważałem

423

za niemożliwe. Usiedliśmy na brzegu i pożywialiśmy się winem i serem, kiedy zza wzniesienia usłyszeliśmy zbliżający się tłum.

– Dobre wieści szybko się rozchodzą – ucieszył się Mateusz.

Jego młodzieńczy entuzjazm zaczynał mnie już trochę irytować.

– Kto zabił nasze świnie?

Ludzie nieśli widły, grabie i kosy. Nie wyglądali, jakby przyszli tu wysłuchać dobrej nowiny.

– Wy, dranie!

– Zabić ich!

– Do łodzi – rzucił Josh.

– O, wy małej... – zaczął Mateusz, ale Bart przerwał mu, łapiąc go za kołnierz i wlokąc do łodzi.

Bracia odciągnęli ją już od brzegu i stali w wodzie zanurzeni po piersi. Wskoczyli. Jakub i Jan wysunęli wiosła, a Piotr z Andrzejem wciągali nas kolejno do środka. Uczniów Barta wyjmowaliśmy z wody za skórę na karku. Postawiliśmy żagiel, kiedy wokół zaczęły spadać kamienie.

Wszyscy patrzyliśmy na Joszuę.

– No co? – powiedział. – Gdyby byli Żydami, wszystko by się udało. Nie znam się na gojach.

Gdy dotarliśmy do Magdali, czekał już na nas posłaniec. Filip rozwinął zwój i przeczytał.

– To zaproszenie na kolację w Betanii w tygodniu Paschy, Joszua. Ważny członek Sanhedrynu prosi o twoją obecność na kolacji w jego domu, bo chciałby podyskutować o twej wspaniałej posłudze. Podpisał Akan bar Iban ish Nazaret.

Mąż Maggie. Ta menda.

– Nieźle jak na pierwszy dzień – powiedziałem. – Prawda, Mateuszu?

27

Wczoraj wieczorem po raz drugi oglądaliśmy z aniołem w telewizji *Gwiezdne wojny*. I po prostu musiałem zapytać.

– Przebywałeś w obecności Boga, Razielu, prawda?

– Oczywiście.

– Czy On nie ma takiego głosu jak James Earl Jones?

– Kto to taki?

– Darth Vader.

Raziel słuchał przez chwilę, jak Vader komuś grozi.

– Rzeczywiście, trochę podobny. Ale nie oddycha tak ciężko.

– I widziałeś oblicze Boga?

– Tak.

– Czy On jest czarny?

– Nie wolno mi o tym mówić.

– Jest czarny, tak? Gdyby nie był, powiedziałbyś po prostu, że nie.

– Nie wolno mi o tym mówić.

– Jest.

– Nie nosi takiego kapelusza – powiedział Raziel.

– Aha!

– Mówię tylko, że nie nosi kapelusza. Tylko tyle.

– Wiedziałem.

– Nie chcę już tego oglądać. – Raziel zmienił kanał.

Bóg (albo ktoś z podobnym głosem) powiedział:

– Oglądacie CNN.

Przybyliśmy do Jeruzalem przez bramę od Betsaidy, zwaną Ucho Igielne, gdzie człowiek musiał się schylać, by przejść, i wyszliśmy Złotą Bramą, przez dolinę Cedronu i Górę Oliwną do Betanii.

Braci i Mateusza zostawiliśmy, gdyż mieli pracę, a Bartłomieja, bo śmierdział. Ostatnio jego niechęć do higieny zaczęła zwracać uwagę faryzeuszy w Kafarnaum i nie chcieliśmy przeciągać struny, jako że wchodziliśmy do siedziby wroga. Filip i Nataniel towarzyszyli nam w podróży, ale zostali na Górze Oliwnej, na polanie zwanej Getsemani, gdzie znajdowała się niewielka grota i prasa oliwna. Joszua próbował mnie namówić, żebym również tu został, ale się uparłem.

– Nic mi nie grozi – przekonywał. – Mój czas jeszcze nie nadszedł. Akan nie będzie niczego próbował, to tylko kolacja.

– Nie martwię się o twoje bezpieczeństwo, Josh. Po prostu chcę zobaczyć Maggie.

Rzeczywiście chciałem zobaczyć Maggie, ale też martwiłem się o bezpieczeństwo Joszuy. Tak czy tak, nie miałem zamiaru tu siedzieć.

Akan wyszedł nam na spotkanie do bramy. Miał na sobie nową białą tunikę przepasaną błękitną szarfą. Był krępy, ale nie taki gruby, jak się spodziewałem, i prawie dokładnie mojego wzrostu. Miał brodę, długą, przyciętą równo na wysokości obojczyka, a na głowie popularną wśród wielu faryzeuszy szpiczastą płócienną czapkę, więc nie mogłem sprawdzić, czy łysieje. Włosy, które wystawały spod czapki, były ciemnobrązowe, tak jak jego oczy. Najbardziej przerażającą i może najbardziej zaskakującą u niego cechą była płonąca w tych oczach iskra inteligencji. Nie dostrzegłem jej, kiedy byliśmy dziećmi. Być może podziałało tak na niego siedemnaście lat z Maggie.

– Wejdźcie, bracia Nazarejczycy. Witajcie w moim domu. Jest tu kilku przyjaciół, którzy chcieliby was poznać.

Wprowadził nas do dużego pokoju, chyba dostatecznie wielkiego, by pomieścić dowolne dwa domy, w których bywaliśmy w Kafarnaum. Podłogę wyłożono turkusowymi płytkami z czerwonymi mozaikowymi spiralami w narożnikach (żadnych wizerunków, oczywiście). Stał tu długi stół w stylu rzymskim, a przy nim siedziało pięciu mężczyzn, ubranych tak samo jak Akan. (W żydowskich domach stoły są niskie, a jedzący leżą na poduszkach albo na podłodze wokół nich). Służąca podała nam duże dzbany z wodą i misy do umycia rąk.

Nigdzie nie zauważyłem Maggie.

– Niech ta woda pozostanie wodą, Joszuo. – Akan się uśmiechnął. – Nie możemy się myć w winie.

– A więc – odezwał się najstarszy z faryzeuszy – słyszałem, że wypędzasz demony z nawiedzonych w Galilei.

– Tak, mieliśmy naprawdę wspaniały tydzień paschalny – odpowiedziałem. – A wy?

Joszua kopnął mnie pod stołem.

– Tak – rzekł. – Mocą, daną mi przez mojego ojca, ulżyłem cierpieniom niektórych, opętanych przez demony.

Kiedy Joszua wymówił słowa „mojego ojca", wszyscy się otrząsnęli. Zauważyłem ruch w drzwiach za plecami Akana – to Maggie dawała mi znaki i sygnały; machała rękami jak obłąkana, ale wtedy Akan zaczął mówić. Wszyscy spojrzeli na niego i Maggie się schowała.

Akan się pochylił.

– Niektórzy mówili, że wypędzasz te demony mocą Belzebuba.

– A jak mógłbym to zrobić? – Joszua trochę się zdenerwował. – Jak mógłbym zwrócić Belzebuba przeciwko niemu samemu? Jak mógłbym Szatanem zwalczać Szatana? Dom wewnętrznie skłócony nie ostoi się.

– Rany, ależ jestem głodny – wtrąciłem. – Niech już podadzą jedzenie.

– Mocą Ducha Bożego wypędzam demony i stąd wiecie, że nadeszło Królestwo.

Nie chcieli tego słyszeć. Do diabła, ja sam nie chciałem tego słyszeć. Nie tutaj. Skoro Joszua twierdzi, że przynosi Królestwo Boże, to znaczy, że uważa się za Mesjasza. Według ich sposobu myślenia to może być bluźnierstwo – zbrodnia karana śmiercią. Co innego słyszeć o tym z drugiej ręki, co innego, kiedy Joszua mówił im to prosto w twarz. Ale on sam – jak zwykle – nie czuł lęku.

– Niektórzy mówią, że Jan Chrzciciel jest Mesjaszem – oświadczył Akan.

– Nie ma człowieka lepszego od Jana. Ale Jan nie chrzci Duchem Świętym. Ja tak.

Wszyscy popatrzeli po sobie. Nie mieli pojęcia, o czym on opowiada. Josh już od dwóch lat głosił kazania o Boskiej Iskrze – Duchu Świętym – ale to było całkiem nowe spojrzenie na Boga i Królestwo. To była zmiana. Ci legaliści ciężko pracowali, by dostać się na stanowisko dające władzę. Zmiany ich nie interesowały.

Jedzenie trafiło na stół i ponownie odmówiono modły, potem przez chwilę jedliśmy w milczeniu. Maggie znów się pojawiła w przejściu za Akanem. Dawała znaki, przechodząc jedną ręką po drugiej i formując wargami słowa, które pewnie powinienem rozumieć. Miałem coś, co chciałem jej dać, ale musiałem się z nią zobaczyć na osobności. Było jasne, że Akan zakazał jej wchodzić do pokoju.

– Twoi uczniowie nie myją rąk przed jedzeniem! – rzekł jeden z faryzeuszy, gruby mężczyzna ze szramą biegnącą przez oczy.

Bart, pomyślałem.

– Nie to, co wchodzi w człowieka, czyni go nieczystym, ale to, co wychodzi.

Joszua ułamał kawałek macy i zamoczył w oliwie.

– Chodzi mu o kłamstwa – wyjaśniłem.

– Wiem – zapewnił stary faryzeusz.

– Myślałeś o czymś obrzydliwym, nie o kłamstwach.

Faryzeusze wymienili spojrzenia mówiące „teraz twoja kolej"; „nie, twoja".

Joszua spokojnie przeżuł macę.

– Po co myć naczynie z zewnątrz, kiedy środek pożera zgnilizna?

– Tak, całkiem jak u was, zgnili hipokryci! – wtrąciłem z większym entuzjazmem, niż byłby na miejscu.

– Przestań pomagać – rzucił mi Joszua.

– Przepraszam. Dobre wino. Manischewitz?

Mój okrzyk najwyraźniej wyrwał ich z niepewności.

– Przestajesz z demonami, Joszuo z Nazaretu. Widziano, jak ten oto Lewi sprawił, że krew popłynęła z nosa faryzeusza, a nóż pękł sam z siebie. Nikt przy tym nie zauważył, by się poruszył.

Joszua popatrzył na mnie, potem na nich i znowu na mnie.

– Zapomniałeś mi o czymś powiedzieć?

– Zachował się jak emrod, więc mu przyłożyłem.

(„Emrod" to biblijny termin, oznaczający hemoroid. Z sąsiedniego pokoju usłyszałem cichy chichot Maggie).

Joszua znów zwrócił się do tych dupków.

– Lewi, który jest nazywany Biffem, studiował na Wschodzie sztukę żołnierza – wyjaśnił. – Umie poruszać się szybko, ale nie jest demonem.

Wstałem.

– Zaproszenie mówiło o kolacji, nie o procesie.

– To nie jest proces – odpowiedział spokojnie Akan. – Słyszeliśmy o cudach Joszuy i słyszeliśmy też, że łamie Prawo. Chcieliśmy po prostu zapytać, z czyjego upoważnienia to czyni. To kolacja, inaczej dlaczego byś tu był?

Sam się nad tym zastanawiałem, ale Joszua pchnął mnie z powrotem na miejsce i odpowiedział. I dalej przez dwie godziny odpowiadał na ich oskarżenia, snując przypowieści i rzucając im w twarz ich fałszywą pobożność. Kiedy Josh głosił Słowo Boże, ja wykonywałem magiczne sztuczki z chlebem i warzywami, żeby im trochę przeszkadzać. Maggie stanęła w drzwiach; zaczęła gorączkowo pokazywać frontowe drzwi, wykonując przy tym groźne gesty walenia po głowie. Uznałem, że będą to konsekwencje mojego braku zrozumienia dla jej sygnałów.

– Muszę się z kimś zobaczyć w sprawie wielbłąda. Przepraszam bardzo.

Wyszedłem frontowymi drzwiami. Gdy tylko je za sobą zamknąłem, trafił mnie prysznic śliny nerwowo szepczącej kobiety.

– Tygłupiitępyidiotopomyślałeśżenibycopróbujęcipowiedzieć?

Uderzyła mnie w ramię. Mocno.

– A buzi? – szepnąłem.

– Gdzie mogę się z wami spotkać, później?

– Nie możesz. Masz, weź to. – Wręczyłem jej małą skórzaną sakiewkę. – W środku jest pergamin, przeczytasz, co trzeba zrobić.

– Chcę się z wami spotkać.

– Spotkasz się. Rób, co tam jest napisane. Muszę już wracać.

– Ty draniu.

Znów cios w ramię. Mocny.

Zapomniałem, co robię, i wszedłem do pokoju, wciąż rozcierając obolałe ramię.

– Czyżbyś się gdzieś zranił, Lewi?

– Nie, Akanie. Czasem nadwyrężam mięśnie ramienia, zwyczajnie strząsając tego potwora.

Faryzeuszom to się nie spodobało. Zdałem sobie sprawę, że czekają, aż poproszę o wodę, żeby powtórzyć cały rytuał mycia rąk, zanim znowu siądę do stołu. Stałem więc, zastanawiałem się nad tym, rozcierałem ramię i czekałem. Ile czasu może potrzebować na przeczytanie tej notki? Wydawało się, że bardzo długo mi się przyglądali, ale pewnie minęło ledwie parę minut. Wreszcie rozległ się krzyk. Maggie w sąsiednim pokoju wydała długi, wysoki, głośny, prawdziwie wirtuozerski wrzask grozy, paniki i szaleństwa.

Pochyliłem się.

– Rób to co ja – szepnąłem Joszui do ucha. – Nie, niczego nie próbuj. Niczego.

– Ale...

Faryzeusze mieli takie miny, jakby ktoś rzucił im na kolana gorące węgle, a krzyk trwał i trwał, i trwał – Maggie potrafiła go wytrzymać. Zanim Akan zdążył wstać i sprawdzić, co się stało, moja dziewczyna wpadła do pokoju – wciąż krzycząc, muszę zaznaczyć. Śliczna zielona piana spływała jej z ust, suknię miała podartą

i wiszącą w strzępach na pokrwawionym ciele; krew ściekała z kącików oczu. Przewracając oczami, wrzasnęła Akanowi w twarz, potem wskoczyła na stół, zawarczała i skopała na podłogę wszystkie naczynia, które pięknie się stłukły. Przybiegła służąca, krzycząc:
– Demony ją opętały! Demony ją opętały!
Wyskoczyła przez frontowe drzwi. Maggie znów zaczęła skrzeczeć i przebiegła tam i z powrotem po stole. Przy okazji oddała mocz. (Niezłe posunięcie, nie wpadłbym na to).
Faryzeusze wycofali się pod ścianę, Akan także. Maggie padła na plecy, rzucała się, szarpała, wykrzykiwała sprośności, chlapała na ich białe szaty zieloną pianą, uryną i krwią.
– Diabły! Diabły ją opętały! Mnóstwo! – krzyknąłem.
– Siedem – powiedziała Maggie między jednym a drugim warknięciem.
– Wygląda mi to na siedem – stwierdziłem. – Jak myślisz, Josh?
Złapałem go z tyłu za włosy i zmusiłem, by kiwnął głową. Zresztą i tak nikt na niego nie patrzył. Imponujące fontanny zielonej piany tryskały teraz z ust i spomiędzy nóg Maggie. (Kolejne niezłe zagranie, którego bym nie wymyślił). Rzucała się i dygotała rytmicznie, jako kontrapunkty dodając warknięcia i przekleństwa.
– No cóż, Akanie – odezwałem się uprzejmie. – Dziękujemy ci za kolację. Było naprawdę miło, ale musimy już iść.
Chwyciłem Joszuę za kołnierz i postawiłem na nogi. Był trochę zaskoczony. Nie przerażony, jak nasz gospodarz, ale zaskoczony.
– Czekajcie – powiedział Akan.
– Ropiejący penis kundla! – warknęła Maggie, nie zwracając się do nikogo konkretnego. Ale chyba wszyscy wiedzieli, o kogo jej chodzi.
– No dobrze, spróbujemy jej pomóc – ustąpiłem. – Joszua, łap jej rękę.
Pchnąłem go do przodu, a Maggie chwyciła za przegub. Obiegłem stół i przytrzymałem jej drugą rękę.
– Musimy ją zabrać z tego skalanego domostwa.

Paznokcie Maggie wbiły mi się w skórę, kiedy ją podnosiłem, a ona podciągała się na przegubie Josha, udając, że się wyrywa i szarpie. Powlokłem ją przez frontowe drzwi na dziedziniec.

– Postaraj się, Joszuo, co? – szepnęła.

Akan i faryzeusze tłoczyli się w drzwiach.

– Musimy zabrać ją na pustkowie, żeby bezpiecznie wypędzić demony! – zawołałem.

Wyciągnąłem ją – i Joszuę też, prawdę mówiąc – na ulicę i kopniakiem zatrzasnąłem ciężkie skrzydła bramy.

Maggie uspokoiła się i stanęła prosto. Po piersi spływała jej góra zielonej piany.

– Nie przestawaj jeszcze, Maggie. Dopóki nie odejdziemy dalej.

– Wieprzożerny kozojebca!

– Brawo.

– Witaj, Maggie – powiedział Joszua, ujął ją pod ramię i wreszcie zaczął pomagać.

– Myślę, że całkiem dobrze poszło przy tak krótkich przygotowaniach – uznałem. – Wiesz, faryzeusze to najlepsi świadkowie.

– Chodźmy do domu mojego brata – szepnęła. – Stamtąd możemy przesłać wiadomość, że jestem nieuleczalnie chora. – A głośno zawołała: – Idź molestować szczury!

– Już dobrze, Maggie, jesteśmy poza zasięgiem słuchu.

– Wiem. Mówiłam do ciebie. Dlaczego trzeba było aż siedemnastu lat, żebyś mnie stamtąd wyciągnął?

– Pięknie wyglądasz w zielonym. Mówiłem ci już?

– Nie mogę pozbyć się myśli, że to było nieetyczne – oświadczył Joszua.

– Josh, udawanie opętania przez demony jest jak ziarnko gorczycy.

– W jakim sensie jest jak ziarnko gorczycy?

– Nie wiesz, co? W ogóle nie jest podobne do ziarnka gorczycy, prawda? No to teraz rozumiesz, jak się wszyscy czujemy, kiedy porównujesz coś do ziarnka gorczycy. No, jak?

Przed domem Szymona Trędowatego Joszua podszedł do drzwi sam, aby wygląd Maggie nie przeraził jej brata i siostry. Otworzyła mu Marta.

– Szalom, Marto. Jestem Joszua bar Józef z Nazaretu. Pamiętasz mnie z wesela w Kanie? Przyprowadziłem twoją siostrę Maggie.

– Niech pomyślę. – Marta stukała palcem w podbródek i przeszukiwała pamięć, wpatrzona w nocne niebo. – Czy to nie ty zmieniłeś wodę w wino? Syn Boży, tak?

– Naprawdę nie musisz się tak zachowywać.

Wysunąłem głowę nad ramieniem Josha.

– Podałem twojej siostrze proszek, od którego tak jakby zapieniła się na zielono i czerwono. W tej chwili wygląda dość paskudnie.

– Na pewno jej z tym do twarzy. – Marta westchnęła z rezygnacją. – No dobrze, wejdźcie.

Wprowadziła nas do środka. Stanąłem przy drzwiach, Joszua zaś usiadł na podłodze obok stołu. Marta zabrała Maggie na tył, żeby mogła się oczyścić. Dom był duży według wiejskich standardów, ale oczywiście nie mógł się równać z domem Akana. Mimo to, Szymon nieźle się urządził jak na syna kowala. Nigdzie go nie zauważyłem.

– Chodź, usiądź przy stole – zaproponował Joszua.

– Nie, całkiem mi dobrze przy drzwiach.

– O co chodzi?

– Wiesz chyba, czyj to dom?

– Oczywiście. Szymona, brata Maggie.

Zniżyłem głos.

– Ymon-Szak ędowaty-Trak.

– Chodź, siadaj. Będę na ciebie uważał.

– Nie. Postoję tutaj.

Wtedy właśnie z sąsiedniego pokoju wyszedł Szymon. W obandażowanych rękach niósł dzban wina. Białe płótno zasłaniało mu całą twarz prócz oczu, które były czyste i błękitne jak u Maggie.

433

– Witajcie, Joszua, Lewi... To już tyle czasu...

Znaliśmy Szymona jako chłopcy – przecież tak często kręciliśmy się przy kuźni ojca Maggie. Był jednak starszy od nas i uczył się już ojcowskiego rzemiosła. Był o wiele za poważny, żeby zadawać się z małymi chłopcami. Pamiętałem go jako silnego i wysokiego, trąd jednak przygiął go do ziemi niczym starą kobietę.

Postawił kubki i nalał wina dla nas trzech. Nie ruszyłem się ze swojego stanowiska przy drzwiach.

– Marta nie lubi usługiwać – wyjaśnił Szymon, jakby się usprawiedliwiał. – Mówiła, że na weselu w Kanie zamieniłeś wodę w wino.

– Szymonie – rzekł Joszua. – Mogę uleczyć twoją przypadłość, jeśli tylko mi pozwolisz.

– Jaką przypadłość? – Położył się przy stole naprzeciwko. – Chodź, Biff, siadaj z nami. – Poklepał poduszkę obok siebie, a ja schyliłem się odruchowo na wypadek, gdyby zaczęły fruwać palce. – Rozumiem, że Akan użył mojej siostry jako przynęty, by zwabić was w pułapkę.

– Marna to była pułapka – ocenił Joszua.

– Spodziewałeś się jej? – spytałem.

– Myślałem, że będzie ich więcej, może nawet cała rada faryzeuszy. Chciałem odpowiedzieć im bezpośrednio, żeby moje słowa nie przechodziły przez dziesiątki szpiegów i plotkarzy. Chciałem się też przekonać, czy będą z nimi jacyś saduceusze.

Wtedy zrozumiałem coś, do czego Joszua już doszedł: saduceusze, kapłani, nie uczestniczyli w tym niespodziewanym przesłuchaniu. Oni rodzili się, by sprawować władzę, i nie czuli się tak zagrożeni, jak faryzeusze, należący do klasy pracującej. A saduceusze stanowili potężniejszą część Sanhedrynu – to oni wydawali rozkazy straży Świątyni. Bez kapłanów, faryzeusze byli jak żmije pozbawione kłów. Przynajmniej na razie.

– Mam nadzieję, że nie ściągniemy na twój dom gniewu faryzeuszy, Szymonie – powiedział Joszua.

Szymon machnął z lekceważeniem ręką.

– Nie ma zmartwienia. Żadni faryzeusze tu nie przyjdą. Akan się mnie boi, a jeżeli naprawdę uwierzył, że Maggie jest opętana, jeśli jego przyjaciele w to uwierzą... no cóż, założę się, że już się z nią rozwiódł.

– Może więc wrócić z nami do Galilei – zaproponowałem.

Patrzyłem na Joszuę, który patrzył na Szymona, jakby go pytał o zgodę.

– Może robić, co tylko sobie życzy.

– Życzę sobie wynieść się z Betanii, zanim Akan odzyska rozsądek – oznajmiła Maggie, wchodząc do pokoju. Miała na sobie prostą wełnianą sukienkę. Jej włosy wciąż były mokre, a na sandałach zostały ślady zielonej mazi. Podeszła, przyklękła i uścisnęła brata, po czym ucałowała go w brew.

– Jeśli tu zajrzy albo przyśle kogoś z pytaniem, odpowiesz mu, że nadal tu przebywam.

Wyczułem, że Szymon uśmiecha się pod płótnem.

– Nie sądzisz, że zechce wejść i sprawdzić?

– To tchórz. – Maggie splunęła.

– Amen – rzekłem. – Jak wytrzymałaś tyle lat z takim dupkiem?

– Po pierwszym roku nie chciał się już do mnie zbliżać. Nieczysta, rozumiesz? Mówiłam mu, że krwawię.

– Przez tyle lat?

– Pewnie. Myślisz, że odważyłby się pytać innych członków rady faryzeuszy o ich żony?

Joszua znów się odezwał:

– Mogę uleczyć cię z tej przypadłości, Maggie, jeśli mi pozwolisz.

– Jakiej przypadłości?

– Powinniście ruszać – stwierdził Szymon. – Zawiadomię was, co robi Akan, jak tylko się czegoś dowiem. Jeśli jeszcze nie rozwiódł się z Maggie, mam tam przyjaciela, który podsunie mu myśl, że może być zagrożone jego miejsce w Sanhedrynie.

Szymon i Marta machali nam z progu – Marta wyglądała jak krępy duch swojej starszej siostry, Szymon wyglądał po prostu jak duch.

I tak było nas jedenaścioro.

Świecił księżyc w pełni, a niebo było pełne gwiazd, kiedy wracaliśmy do Getsemani. Ze szczytu Góry Oliwnej mogliśmy spojrzeć ponad Doliną Cedronu ku Świątyni. Czarny dym unosił się ku niebu ze stosów ofiarnych, w których kapłani dzień i noc podtrzymywali ogień. Trzymałem Maggie za rękę, kiedy szliśmy przez zagajnik starych drzewek oliwnych, a potem na polanę przy tłoczni, gdzie założyliśmy obóz. Filip i Nataniel rozpalili ognisko, a obok nich siedzieli dwaj obcy. Wszyscy wstali, kiedy się zbliżyliśmy. Filip popatrzył na mnie niechętnie, co mnie zaskoczyło... Dopiero po chwili przypomniałem sobie, że był z nami w Kanie i widział, jak Joszua tańczy z Maggie na weselu. Myślał pewnie, że chcę ukraść Joshowi dziewczynę.

Puściłem dłoń Maggie.

– Nauczycielu – odezwał się Nataniel, potrząsając żółtymi włosami. – Nowi uczniowie. To Tadeusz i Tomasz Bliźniaki.

Tadeusz podszedł do Joszui. Był mniej więcej w moim wieku i mojego wzrostu, nosił podartą wełnianą tunikę i był bardzo wychudzony, jakby głodował. Włosy miał ścięte krótko, jak Rzymianie, tylko u niego wyglądały, jakby ktoś strzygł go tępym krzemieniem. Wydawał mi się skądś znajomy.

– Rabbi, słuchałem twoich kazań, kiedy towarzyszyłeś Janowi. Ja sam byłem z nim przez dwa lata.

Wyznawca Jana... To stamtąd go znałem, choć nie pamiętam, żebyśmy się spotkali. Tłumaczyło to również jego wygłodniałe spojrzenie.

– Witaj, Tadeuszu – powiedział Joszua. – To są Biff i Maria Magdalena, uczniowie i przyjaciele.

– Nazywaj mnie Maggie – wtrąciła Maggie.

Joszua stanął przy Tomaszu, który był tylko jednym facetem, młodszym od nas, może dwudziestoletnim, z brodą jak delikatny puszek. Ubierał się lepiej niż ktokolwiek z nas.

– I Tomasz.

– Stój, stanąłeś na Tomaszu Dwa – pisnął Tomasz.

Nataniel odepchnął Joszuę na bok i odrobinę za głośno szepnął mu do ucha:

– Widzi swojego bliźniaka, gdzie nikt inny go nie widzi. Mówiłeś, by okazywać miłosierdzie, więc mu nie powiedziałem, że jest obłąkany.

– A zatem i tobie okazane będzie miłosierdzie, Natanielu – zapewnił Joszua.

– I dlatego nie powie ci, że jesteś ofermą – dodałem.

– Witaj, Tomaszu. – Joszua objął chłopaka.

– I Tomaszu Dwa – uzupełnił Tomasz.

– Wybacz. Witaj i ty, Tomaszu Dwa – zwrócił się Joszua do całkiem pustego miejsca. – Chodźcie do Galilei i pomóżcie nam głosić dobrą nowinę.

– On jest tam – oświadczył Tomasz, wskazując inne, ale również puste miejsce.

I tak było nas trzynaścioro.

W drodze do Kafarnaum Maggie opowiedziała nam o swoim życiu, o marzeniach, które porzuciła, o dziecku, które zmarło w pierwszym roku jej małżeństwa. Widziałem, że Joszua był wstrząśnięty. Zgadywałem, co myśli: gdybyśmy nie wyruszyli na Wschód, byłby przy niej i zdołał ocalić to dziecko.

– Potem Akan już się do mnie nie zbliżał – mówiła dalej Maggie. – Po śmierci dziecka zaczęły się krwawienia, i jeśli o niego chodzi, nigdy nie ustały. Zawsze się bał, by ktoś nie pomyślał, że nad jego domem ciąży klątwa. W efekcie moje małżeńskie obowiązki pozostały jedynie publiczne. Chociaż dla niego był to obosieczny miecz. By uchodzić za sumienną, musiałam uczęszczać do synagogi i na dziedziniec kobiet w Świątyni. Ale gdyby uznali, że chodzę tam, krwawiąc, przepędziliby mnie, może nawet ukamienowali, Akan zaś byłby pohańbiony. Kto wie, co teraz zrobi.

– Rozwiedzie się z tobą – stwierdziłem. – Musi, jeżeli chce zachować twarz wobec faryzeuszy i w Sanhedrynie.

Dziwne, ale to Joszua nie mógł się pogodzić z tragedią Maggie. Ona sama żyła z tym przez lata, płakała po utraconym dziecku i jeśli to możliwe, zaleczyła tę ranę. Ale dla Joszuy rana była świeża. Włókł się daleko za nami i stronił od nowych uczniów, którzy biegali wokół jak podekscytowane szczeniaki. Widziałem, że rozmawia z ojcem i domyślałem się, że rozmowa nie jest łatwa.

– Idź z nim pogadaj – szepnęła Maggie. – To nie jego wina. To wola boża.

– I dlatego czuje się odpowiedzialny – odparłem.

Nie mówiliśmy jeszcze Maggie o Duchu Świętym, o Królestwie i wszystkich zmianach, jakie Joszua zamierzał przynieść ludzkości, i jak te zmiany niekiedy kłóciły się z Torą.

– Idź z nim pogadaj – powtórzyła.

Zwolniłem. Minęli mnie Filip z Tadeuszem, którzy próbowali tłumaczyć Natanielowi, że kiedy zatka palcami uszy i się odezwie, usłyszy swój własny głos, nie głos Boga. A za nimi Tomasz, który prowadził ożywioną dyskusję z powietrzem.

Nim się odezwałem, przez chwilę szedłem obok Joszuy. Próbowałem mówić rzeczowo.

– Musiałeś wyruszyć na Wschód, Joszua. Wiesz przecież.

– Nie musiałem odchodzić właśnie wtedy. To było tchórzostwo. Czy naprawdę nie mogłem obejrzeć wesela Maggie i Akana? Zobaczyć narodzin ich dziecka?

– Nie, nie mogłeś. Nie możesz wszystkich ocalić.

– Czyś ty przespał ostatnie dwadzieścia lat?

– A ty? Jeśli nie możesz zmienić przeszłości, to marnujesz teraźniejszość na wyrzuty sumienia. Jeśli nie wykorzystasz tego, czego się nauczyłeś na Wschodzie, to może nie powinniśmy tam wyruszać. Może rzeczywiście tchórzostwem było opuszczenie Izraela. Czułem, że twarz mi drętwieje, jak gdyby odpłynęła z niej cała krew. Czy naprawdę to powiedziałem? Przez długi czas szliśmy w milczeniu, nie patrząc na siebie. Liczyłem ptaki, nasłuchiwałem szmeru głosów uczniów przed nami, przyglądałem się, jak w rytm kroków kołysze się pod sukienką tyłek Maggie, jednak elegancja tych ruchów właściwie do mnie nie docierała.

– No dobrze – odezwał się w końcu Joszua. – Ja przynajmniej czuję się już lepiej. Dzięki za słowa pociechy.

– Zawsze chętnie pomogę – zapewniłem.

Przybyliśmy do Kafarnaum rankiem piątego dnia od opuszczenia Betanii. Piotr i pozostali głosili dobrą nowinę na brzegu w Galilei; czekał już na nas tłum około pięciuset ludzi. Napięcie między mną a Joszuą opadło i reszta drogi upłynęła dość miło, zwłaszcza że mogliśmy słuchać, jak Maggie się śmieje i jak się z nami drażni. Powróciła zazdrość o Joszuę, ale nie była już gorzka. Przypominała raczej znajomy żal po dawnej stracie, nie ten miecz w piersi i ciało rozrywane agonią złamanego serca. Potrafiłem już zostawić ich dwoje samych i rozmawiać z innymi – a nawet myśleć o innych sprawach. Maggie kochała Joszuę, to pewne, ale kochała i mnie; nikt nie mógł przewidzieć, czym się to objawi. Ruszając za Joszuą, uwolniliśmy się od zobowiązań normalnej egzystencji. Małżeństwo, dom i rodzina nie były elementami życia, jakie sobie wybraliśmy. Joszua tłumaczył to wszystkim swoim uczniom. Owszem, niektórzy byli żonaci, niektórzy nawet głosili kazania, mając żony przy boku. Jednakże było coś, do odróżniało ich od tłumów, które miały podążyć za Joszuą: zeszli ze ścieżki własnego życia, by głosić Słowo. I to właśnie Słowo odebrało mi Maggie, nie Joszua.

Choć był zmęczony i głodny, Joszua wygłosił kazanie. Przecież ludzie czekali na nas i Joszua nie chciał ich zawieść. Wspiął się do jednej z łodzi Piotra, odpłynął od brzegu dość daleko, by cały tłum mógł go widzieć, i przez dwie godziny opowiadał im o Królestwie.

Gdy skończył i odesłał tłum, wśród uczniów pozostali dwaj nowo przybyli – obaj krępi, mocno zbudowani, przed trzydziestką. Jeden był gładko ogolony i miał krótko ścięte włosy, tak że tworzyły hełm kędziorów na głowie, drugi nosił długie włosy, a brodę zaplecioną i ufryzowaną, jak to widziałem czasem u Greków. Nie mieli żadnych ozdób, ubrania zaś nie bardziej wyszukane od naszych, roztaczali jednak wokół aurę bogactwa. Może to była władza, ale jeśli nawet, to nie ta fałszywie skromna władza faryzeuszy. Obaj byli pewni siebie.

Ten z długimi włosami podszedł do Joszuy i ukląkł.

– Rabbi, usłyszeliśmy, jak mówisz o nadejściu Królestwa. Chcemy się do ciebie przyłączyć. Chcemy pomóc w głoszeniu Słowa.

Nim odpowiedział, Joszua przyglądał mu się długo i uśmiechał. Wreszcie chwycił przybysza za ramiona i postawił na nogi.

– Wstań. Witajcie wśród nas, przyjaciele.

Obcy wydawał się zaskoczony.

– To jest Szymon. – Ruchem głowy wskazał swego towarzysza. – A ja jestem Judasz Iskariota.

– Wiem, kim jesteście – odparł Joszua. – Czekałem na was.

I tak było nas piętnaścioro: Joszua, Maggie i ja; cynik Bartłomiej; Piotr i Andrzej, Jan i Jakub, rybacy; Mateusz, poborca; Nataniel z Kany, młody bałwan; Filip i Tadeusz, którzy podążali kiedyś za Janem Chrzcicielem; Tomasz Bliźniak, który był wariatem; oraz zeloci, Szymon Kananejczyk i Judasz Iskariota. Piętnaścioro nas ruszyło przez Galileę, by głosić Ducha Świętego, nastanie Królestwa i dobrą nowinę, że oto pojawił się Syn Boży.

28

Posługa Joszuy trwała trzy lata, wtedy to głosił nauki niekiedy nawet po trzy razy dziennie. I chociaż miał lepsze i gorsze momenty, nigdy nie mogłem tych kazań zapamiętać dosłownie. W zasadzie jednak sens każdego był taki:

Powinieneś być miły dla ludzi, nawet dupków.
I jeśli:
    a) wierzysz, że Joszua jest Synem Bożym (oraz)
    b) przybył, aby zbawić cię od grzechu (oraz)
    c) uznasz w sobie Ducha Świętego (będziesz jak dziecko, jak by on to powiedział) (oraz)
    d) nie będziesz bluźnił przeciwko Duchowi Świętemu (patrz c)
wtedy będziesz
    e) żył wiecznie
    f) w jakimś miłym miejscu
    g) zapewne w niebie.
Jednakże, gdybyś
    h) grzeszył (i/lub)
    i) był hipokrytą (i/lub)
    j) cenił rzeczy doczesne ponad ludzi (i)
    k) nie przestrzegał a, b, c oraz d
wtedy masz
    l) przepieprzone.

Taką wiadomość wiele lat temu przekazał Joszui ojciec. Wtedy wydawała się zwięzła aż do granic niegrzeczności, nabierała jednak sensu, kiedy człowiek wysłuchał paruset kazań.

Tego nauczał, tego się nauczyliśmy, to przekazywaliśmy ludziom w miasteczkach Galilei. Nie wszystkim dobrze to szło, a niektórzy chyba całkiem gubili podstawowy sens. Pewnego razu Joszua, ja i Maggie wróciliśmy z nauczania w Kanie i znaleźliśmy Bartłomieja, jak głosił Ewangelię kręgowi siedzących wokół niego psów. Psy wydawały się zasłuchane, ale też Bart zamiast czapki miał na głowie porządny stek. Tak że nie jestem przekonany, czy to jego talent oratorski przyciągał ich uwagę.

Joszua zerwał mu stek z głowy i rzucił na ulicę, gdzie nagle z tuzin psów zobaczył światło wiary.

– Bart, Bart, Bart... – rzekł Joszua i potrząsnął wielkoludem. – Nie dawaj psom tego co święte. Nie rzucaj pereł przed wieprze. Marnujesz Słowo.

– Nie mam żadnych pereł. Nie jestem niewolnikiem własności.

– To metafora, Bart – wyjaśnił z kamienną twarzą Josh. – To znaczy, żebyś nie nauczał Słowa tych, którzy nie są jeszcze gotowi, by je przyjąć.

– Znaczy, to tak jak wtedy, kiedy potopiłeś te świnie w Dekapolu? Nie były gotowe?

Joszua zerknął na mnie, szukając pomocy. Wzruszyłem ramionami.

– Dokładnie tak, Bartłomieju – zapewniła Maggie. – Doskonale zrozumiałeś.

– Aha... Dlaczego od razu nie mówiliście? Dobra, moi drodzy, ruszamy głosić Słowo w Magdali.

Wstał i powiódł stado swych uczniów w stronę jeziora.

Joszua spojrzał na Maggie.

– Wcale nie o to mi chodziło.

– Właśnie że o to – odparła.

I odeszła szukać Joanny i Zuzanny, dwóch kobiet, które przyłączyły się do nas i uczyły się głosić Ewangelię.

– Zupełnie nie to miałem na myśli – zapewnił mnie Joszua.

– A wygrałeś z nią kiedy w dyskusji?

Pokręcił głową.

– Więc powiedz „amen" i chodźmy zobaczyć, co nam ugotowała żona Piotra.

Przed domem Piotra zebrali się uczniowie. Siedzieli na klockach, które ułożyliśmy w krąg wokół paleniska. Wszyscy byli posępni i wydawało się, że są pogrążeni w jakiejś smutnej modlitwie. Był tu nawet Mateusz, chociaż powinien teraz pracować i zbierać podatki w Magdali.

– Co się stało? – zapytał Joszua.

– Jan Chrzciciel nie żyje – oznajmił Filip.

– Co? – Joszua usiadł i oparł się o Piotra.

– Przed chwilą widzieliśmy Bartłomieja – stwierdziłem. – Nic nam nie mówił.

– Właśnie się dowiedzieliśmy – wyjaśnił Andrzej. – Mateusz przyniósł wieści z Tyberiady.

Po raz pierwszy, odkąd się do nas przyłączył, zobaczyłem Mateusza bez blasku entuzjazmu na twarzy. Jakby w ciągu kilku godzin postarzał się o dziesięć lat.

– Herod kazał go ściąć – powiedział.

– Myślałem, że Herod boi się Jana – zauważyłem.

Chodziły słuchy, że Herod trzyma Jana przy życiu, ponieważ naprawdę wierzy, że Jan jest Mesjaszem. I gdyby ów święty człowiek zginął, mógłby na niego spaść gniew boży.

– Zrobił to na żądanie swojej pasierbicy – wyjaśnił Mateusz. – Jan zginął na rozkaz nastoletniej zdziry.

– O rany, gdyby nie był już martwy, zabiłaby go ta ironia – mruknąłem.

Joszua siedział wpatrzony w ziemię. Myślał albo się modlił, trudno powiedzieć.

– Wyznawcy Jana będą teraz niczym dzieci na pustyni – oświadczył w końcu.

– Spragnieni? – zgadywał Nataniel.

– Głodni? – zgadywał Piotr.

– Napaleni? – zgadywał Tomasz.

– Nie, tumany! Zagubieni! – zirytowałem się. – Będą zagubieni! Rany...

Joszua wstał.

– Filipie, Tadeuszu, ruszycie do Judei i powiecie wyznawcom Jana, że będą tu mile widziani. Powiecie, że dzieło Jana nie poszło na marne. Sprowadźcie ich tutaj.

– Ależ, nauczycielu... – zaprotestował Judasz. – Za Janem szły tysiące. Jeśli tu przybędą, czym ich wykarmimy?

– Jest nowy – wyjaśniłem.

Następnego dnia przypadał szabat i rankiem wszyscy poszliśmy do synagogi. Nagle zza krzaków wybiegł starszy mężczyzna w kosztownych szatach i rzucił się Joszui do stóp.

– Rabbi – jęczał. – Jestem burmistrzem w Magdali. Moja najmłodsza córka umarła. Ludzie mówią, że potrafisz uzdrawiać chorych i wskrzeszać umarłych. Czy zechcesz mi pomóc?

Joszua się rozejrzał. Sześciu miejscowych faryzeuszy obserwowało nas z różnych miejsc.

Josh zwrócił się do Piotra:

– Dziś ty poniesiesz słowo do synagogi. Ja pomogę temu człowiekowi.

– Dzięki ci, rabbi – odparł bogacz.

Ruszył naprzód i kiwał na nas, by iść za nim.

– Dokąd nas prowadzisz? – spytałem.

– Tylko do Magdali.

– To dalej, niż wolno podróżować w szabat – przypomniałem Joszui.

– Wiem – odpowiedział.

Kiedy po drodze mijaliśmy nadbrzeżne wioski, ludzie wybiegali z domów i szli za nami tak daleko, jak tylko ośmielali się w szabat. Zauważyłem jednak również starszych oraz faryzeuszy, przyglądających się nam z uwagą.

Dom burmistrza był duży jak na Magdalę, a jego córka miała osobną sypialnię. Mężczyzna zaprowadził tam Joszuę.

– Błagam, rabbi, uratuj ją.

Joszua pochylił się i obejrzał dziewczynę.

– Wyjdź stąd – nakazał jej ojcu. – Wyjdź z domu.

A kiedy burmistrz odszedł, Josh zwrócił się do mnie:

– Ona nie jest martwa.

– Co?

– Ta dziewczyna śpi. Może dali jej mocnego wina albo jakiś proszek na sen, ale nie jest martwa.

– Czyli to pułapka?

– Też się nie spodziewałem. Myślą pewnie, że ogłoszę, że wskrzesiłem ją i uzdrowiłem, a ona tylko zasnęła. Bluźnierstwo i uzdrowienie w szabat.

– W takim razie mnie pozwól ją wskrzesić. Poradzę sobie, skoro ona tylko usnęła.

– Będą mnie obwiniać także za to, co ty zrobisz. Też możesz być ich celem. To nie miejscowi faryzeusze wymyślili taki plan.

– Akan?

Josh skinął głową.

– Idź, sprowadź tego starca i zbierz jak najwięcej świadków, faryzeuszy także. Narób zamieszania.

Kiedy mniej więcej pięćdziesięciu ludzi zgromadziło się w domu i wokół niego, Joszua obwieścił:

– Ta dziewczyna nie umarła. Ona tylko śpi, niemądry starcze.

Potrząsnął ją za ramię, a ona usiadła, przecierając oczy.

– Lepiej pilnuj mocnego wina, starcze. Raduj się, bo nie utraciłeś córki, ale płacz, gdyż przez swą ignorancję naruszyłeś szabat.

Po czym wypadł z domu, a ja pobiegłem za nim. Odeszliśmy już spory kawałek ulicą, nim zapytał:

– Myślisz, że to kupili?

– Nie – odparłem.

– Ja też nie – przyznał Joszua.

Rankiem przybył do domu Piotra rzymski żołnierz z listami. Spałem jeszcze, kiedy zbudziły mnie krzyki.

– Mogę rozmawiać tylko z Joszuą z Nazaretu – mówił ktoś po łacinie.

– Będziesz rozmawiał ze mną, albo z nikim już nigdy nie porozmawiasz – odpowiadał mu ktoś inny (najwyraźniej nie miał ochoty na długie życie).

Poderwałem się w jednej chwili i wybiegłem, powiewając za sobą nieprzepasaną tuniką. Za rogiem domu Piotra zobaczyłem Judasza, stojącego przed legionistą. Żołnierz wysunął częściowo miecz.

– Judaszu! – warknąłem. – Cofnij się.

Stanąłem między nimi. Wiedziałem, że bez trudu mogę rozbroić żołnierza, ale nie legion, który przyjdzie po nim, gdybym spróbował.

– Kto cię przysyła, żołnierzu? – spytałem.

– Mam wiadomość od Gajusa Justusa Gallicusa, dowódcy Szóstego Legionu, do Joszuy bar Józefa z Nazaretu. – Ponad moim ramieniem obrzucił gniewnym wzrokiem Judasza. – Ale rozkazy nie powstrzymują mnie przed zabiciem tego psa, gdy będę ją przekazywał.

Obejrzałem się na Judasza. Twarz miał czerwoną z wściekłości. Wiedziałem, że nosi za pasem sztylet, choć nie mówiłem o tym Joszui.

– Justus jest przyjacielem, Judaszu.

– Żaden Rzymianin nie jest przyjacielem Żyda. – Judasz nie starał się nawet zniżyć głosu.

Wtedy zrozumiałem, że Joszua nie dotarł jeszcze do naszego zelockiego rekruta z przekazem wybaczenia dla wszystkich ludzi i że zaraz pozwoli się zabić. Szybko sięgnąłem mu pod tunikę, chwyciłem za mosznę i ścisnąłem raz, gwałtownie i bardzo mocno. Opryskał mi śliną pierś, przewrócił oczami i nieprzytomny osunął się na kolana. Chwyciłem go i ułożyłem na ziemi, żeby nie rozbił sobie głowy. Potem zwróciłem się do Rzymianina:

– Miewa takie ataki – wyjaśniłem. – Chodźmy poszukać Joszuy.

Justus przysłał nam trzy wiadomości z Jeruzalem: Akan rzeczywiście rozwiódł się z Maggie; rada faryzeuszy spotkała się w pełnym składzie i knuła, jak zabić Joszuę; Herod Antypas usłyszał o cudach Joszuy i obawiał się, że może on być reinkarnacją Jana Chrzciciela. Od siebie Justus dopisał tylko jedno słowo: „Uważaj".

– Musisz się ukryć, Joszuo – uznała Maggie. – Opuść krainę Heroda, dopóki sprawy się nie uspokoją. Pojedź do Dekapolu, głoś Słowo gojom. Herod Filip nie kocha swojego brata, więc jego żołnierze nie będą cię zaczepiać.

Maggie stała się oddaną kaznodziejką. Całkiem, jakby swoją osobistą namiętność do Joszuy przekuła w namiętność do Słowa.

– Jeszcze nie – odrzekł Josh. – Najpierw muszą wrócić Filip i Tadeusz z wyznawcami Jana. Nie porzucę ich zagubionych. Potrzebne mi kazanie, które posłuży tak, jakby było ostatnim, które podtrzyma zbłąkanych, gdy mnie nie będzie. Kiedy już wygłoszę je w Galilei, odejdę na terytorium Filipa.

Zerknąłem na Maggie. Skinęła głową, jakby mówiła: „Rób, co musisz, ale ochraniaj go".

– No to bierzmy się do pisania – powiedziałem.

Jak każde wielkie przemówienie, Kazanie na Górze brzmi tak, jakby wygłoszono je spontanicznie, ale w rzeczywistości pracowaliśmy nad nim z Joszuą ponad tydzień – on dyktował, ja notowałem na pergaminie. (Wymyśliłem metodę mocowania cienkiego kawałka węgla drzewnego między dwoma kawałkami oliwkowego drewna, dzięki czemu mogłem pisać, nie nosząc ze sobą kałamarza i pióra). Pracowaliśmy przed domem Piotra, w łodzi, a nawet na zboczu góry, skąd miał wygłosić to kazanie. Joszua zamierzał dużą jego część poświęcić cudzołóstwu; teraz pojmuję, że motywacją były moje związki z Maggie. Chociaż

Maggie postanowiła żyć w celibacie i głosić Słowo, myślę, że Joszua chciał mocno podkreślić pewne kwestie.

– Dopisz to – polecił. – „Jeśli mężczyzna choćby spojrzy na kobietę z pożądaniem w sercu, popełnia cudzołóstwo".

– Naprawdę chcesz o tym mówić? A to: „Jeśli kobieta rozwiedziona ponownie wyjdzie za mąż, popełnia cudzołóstwo"?

– Też.

– Brzmi dość surowo. Tak trochę faryzejsko.

– Miałem na myśli pewne osoby. Co tam zapisałeś?

– „Zaprawdę powiadam wam...". Wiem, że lubisz zaczynać od „zaprawdę", kiedy mówisz o cudzołóstwie... Ale do rzeczy. „Zaprawdę powiadam wam, że kiedy mężczyzna nakłada olejek na nagie ciało kobiety i każe jej biegać na czworakach i szczekać jak pies, kiedy jednocześnie ją poznaje, wiecie, co mam na myśli, wtedy popełnia cudzołóstwo, i z całą pewnością gdy kobieta to samo z nim czyni, także wskakuje na wózek cudzołóstwa. A jeśli kobieta udaje, że jest potężną królową, a mężczyzna jej nędznym niewolnikiem, i jeśli nazywa go poniżającymi imionami i każe wylizywać swe ciało, wtedy bez wątpienia grzeszą oboje jak wielkie psy... A biada mężczyźnie, który udaje, że jest potężną królową i...".

– Wystarczy, Biff.

– Ale powinieneś chyba mówić konkretnie, prawda? Nie chcesz przecież, żeby ludzie łazili w kółko i się zastanawiali: „Zaraz, a to cudzołóstwo, czy jak? Może lepiej się odwróć?".

– Nie jestem pewien, czy ten poziom szczegółów to dobry pomysł.

– No dobra, co powiesz na to: „Jeśli mężczyzna i kobieta podejmą dowolne działanie wzajemne ze swymi częściami wstydliwymi, wtedy istnieje spora szansa, że popełniają cudzołóstwo, a przynajmniej powinni tę możliwość rozważyć"?

– No nie, może jednak bardziej konkretnie.

– Wiesz, Josh, to nie jest takie proste, jak „Nie będziesz zabijał". W takim przypadku zasadniczo, jak masz trupa, to masz grzech. Zgadza się?

– Tak, cudzołóstwo może być śliskie.

– No tak... Popatrz, mewa!

– Biff, doceniam fakt, że czujesz się zobowiązany do obrony swojego ulubionego grzechu, ale nie tego w tej chwili potrzebuję. Potrzebna mi pomoc w pisaniu tego kazania. Jak nam idą Błogosławieństwa?

– Słucham?

– No, ci, którzy są błogosławieni.

– Mamy tak: „Błogosławieni, którzy łakną i pragną sprawiedliwości; błogosławieni ubodzy duchem, czystego serca, jęczący, cisi...".

– Czekaj, a co dajemy cichym?

– Czekaj, sprawdzę... O, mam. „Błogosławieni cisi, do nich bowiem powiemy: Brawo, chłopcy!".

– Trochę słabe.

– Fakt.

– To pozwólmy cichym posiąść ziemię.

– A nie możesz oddać ziemi jęczącym?

– Wiesz co? Wytnij jęczących i oddajmy ziemię cichym.

– No dobra, ziemia dla cichych. Dalej: „Błogosławieni pokój czyniący, którzy się smucą" i koniec.

– Ile tego jest?

– Siedem.

– Nie wystarczy. Potrzebujemy jeszcze jednego. Co powiesz na przygłupów?

– Nie, Josh, przygłupy nie. Dość już uczyniłeś dla przygłupów. Nataniel, Tomasz...

– Błogosławieni przygłupi, bo... nie wiem... nigdy nie doznają zawodu.

– Nie, na przygłupów się nie zgadzam. Słuchaj, Josh, czemu nie możemy mieć po swojej stronie żadnych ważnych gości? Czemu to muszą być cisi, ubodzy, dręczeni i ogólnie olewani? Czemu przynajmniej raz nie możemy błogosławić wielkich, potężnych, bogatych facetów z mieczami?

– Ponieważ oni nas nie potrzebują.

– No dobrze. Ale żadnego „Błogosławieni przygłupi".

– Więc kto?

– Zdziry?

– Nie.

– A może trzepiący gruchę? Przychodzi mi do głowy pięciu czy sześciu uczniów, którzy naprawdę byliby błogosławieni.

– Trzepiący gruchę nie. Już mam: „Błogosławieni, którzy cierpią prześladowanie dla sprawiedliwości".

– Rzeczywiście lepiej. A co chcesz im dać?

– Kosz owoców.

– Nie możesz dawać cichym całej ziemi, a tym gościom tylko kosza owoców.

– To daj im Królestwo Niebieskie.

– Mają je już ubodzy duchem.

– Każdy dostanie kawałek.

– No dobrze, więc „Dzielić będą Królestwo Niebieskie". – Zapisałem to.

– Kosz z owocami moglibyśmy dać przygłupom.

– ŻADNYCH PRZYGŁUPÓW!

– Przepraszam, ale żal mi ich.

– Tobie każdego jest żal, Joszua. Taki masz zawód.

– No tak. Zapomniałem.

Skończyliśmy pisać kazanie kilka godzin przed powrotem z Judei Filipa i Tadeusza. Przyprowadzili kilka tysięcy wyznawców Jana. Joszua zebrał ich wszystkich na zboczu powyżej Kafarnaum, po czym wysłał w tłum swoich uczniów, by wyszukali i przyprowadzili mu chorych, a potem przez cały ranek dokonywał cudownych uzdrowień. Po południu zwołał nas wszystkich do źródła u stóp góry.

– Na wzgórzu jest jeszcze przynajmniej tysiąc ludzi z Galilei, Joszuo – powiedział Piotr. – I wszyscy są głodni.

– Ile mamy jedzenia?

Podszedł Judasz z koszem.

– Pięć chlebów i dwie ryby.

– Wystarczy, ale potrzebujemy więcej koszy. I koło setki ochotników, żeby rozdawali żywność. Nataniel, ty, Bartłomiej i Tomasz

450

przejdźcie się wśród tłumu i przyprowadźcie tu pięćdziesięciu do stu ludzi z własnymi koszami. Zanim wrócicie, będziemy mieli dla nich jedzenie.

Judasz rzucił kosz na ziemię.

– Mamy pięć chlebów. Jak ci się wydaje...?

Joszua uniósł dłoń i zelota się zamknął.

– Judaszu, widziałeś dzisiaj, jak chromi chodzą, ślepi widzą i głusi słyszą.

– Nie wspominając już o tym, że głusi widzą i ślepi słyszą – dodałem.

Joszua rzucił mi gniewne spojrzenie.

– Niewiele więcej trzeba, by wykarmić wiernych.

– Ale to tylko pięć chlebów! – krzyknął Judasz.

– Judaszu, żył kiedyś człowiek bogaty, który budował wielkie stodoły i spichlerze, by zachować owoce swego bogactwa do późnego wieku. Ale właśnie tego dnia, kiedy stodoły były ukończone, rzekł Pan: „Hej, potrzebny nam jesteś tutaj, na górze". A ów bogacz powiedział: „O, szlag! Jestem martwy". Więc na co mu się to wszystko przydało?

– Co?

– Nie martw się, co będziesz jadł.

Nataniel, Bart i Tomasz ruszyli wypełnić polecenie, ale Maggie złapała Nataniela i zatrzymała w miejscu.

– Nie – powiedziała. – Nikt nic nie zrobi, dopóki nam nie obiecasz, że po tym kazaniu się ukryjesz.

Joszua się uśmiechnął.

– Jak mogę się ukrywać, Maggie? Kto będzie głosił Słowo? Kto uzdrowi chorych?

– My – odparła Maggie. – A teraz obiecaj. Odejdź na ziemię gojów, gdzie Herod cię nie dosięgnie. Dopóki wszystko się nie uspokoi. Obiecaj, bo się nie ruszymy.

Piotr i Andrzej stanęli za Maggie, by pokazać, że ją popierają. Jan i Jakub kiwali głowami, gdy mówiła.

– Niech tak będzie – ustąpił Joszua. – Ale teraz mamy głodnych do nakarmienia.

I nakarmiliśmy ich. Chleby i ryby zostały pomnożone, z okolicznych wiosek przyniesiono dzbany i napełnione wodą dostarczono na zbocze. A przez cały czas miejscowi faryzeusze patrzyli, warczeli gniewnie i szpiegowali; nie przeoczyli uzdrowień i nie przeoczyli Kazania na Górze, a wiadomość o nim dotarła do Jeruzalem wraz z ich jadowitymi raportami.

Potem, przy źródle niedaleko brzegu, zebrałem pozostałe kawałki chleba, by zabrać je ze sobą do domu. Joszua zszedł na brzeg z koszem na głowie; zdjął go, stając przy mnie.

– Kiedy mówiliśmy, że powinieneś się ukrywać, chodziło nam o coś mniej oczywistego. A przy okazji: świetne kazanie.

Joszua pomagał mi w zbieraniu rozrzuconego chleba.

– Chciałem z tobą porozmawiać, ale nie mogłem się wyrwać z tłumu. Dlatego schowałem się pod koszem. Trochę mi trudno mówić o pokorze.

– Ale świetnie ci wychodzi. Ludzie ustawiają się w kolejce, żeby wysłuchać kazania o pokorze.

– Jak mogę głosić, że kto się poniża, będzie wywyższonym, a kto się wywyższa, będzie poniżony, kiedy równocześnie sam jestem wywyższany przez cztery tysiące ludzi?

– Bodhisattwa, Josh. Pamiętaj, czego nauczał Kasper o byciu bodhisattwą. Nie musisz się poniżać, ponieważ odrzucasz własne wywyższenie, niosąc dobrą nowinę innym. Wypadasz z obiegu pokory, że tak powiem.

– Ach, tak. – Uśmiechnął się.

– Ale skoro już o tym wspomniałeś, rzeczywiście wydaje się to trochę obłudne.

– Nie jestem z tego dumny.

– Aha, no to w porządku.

Tego wieczoru, kiedy wróciliśmy wszyscy do Kafarnaum, Joszua zebrał nas w kręgu wokół ogniska przed domem Piotra. Patrzyliśmy na ostatnie promienie słońca, odbijające się złotem od powierzchni jeziora, a Joszua poprowadził modły dziękczynne.

A potem rzucił wezwanie:

– No dobra, kto chce być apostołem?

– Ja chcę, ja! – zawołał Nataniel. – A co to jest apostoł?

– To ktoś, kto robi lekarstwa – wyjaśniłem.

– Ja, ja. – Nataniel ucieszył się. – Ja chcę robić lekarstwa.

– Mogę spróbować – rzucił Jan.

– To aptekarz – poprawił mnie Mateusz. – Aptekarz miesza różne proszki i robi lekarstwa. Apostoł pochodzi od „posyłać".

– Ten dzieciak to jakiś geniusz, czy jak? – spytałem, wskazując Mateusza kciukiem.

– Masz rację – zgodził się z nim Joszua. – Posłańcy. Zostaniecie posłani z wieścią, że nadeszło Królestwo.

– Czy nie to właśnie robimy? – zdziwił się Piotr.

– Nie. Teraz jesteście uczniami. Ale chcę wyznaczyć apostołów, którzy rozniosą Słowo na Ziemi. Będzie ich dwunastu, dla dwunastu plemion Izraela. Dam wam moc uzdrawiania i władzę nad duchami nieczystymi. Będziecie jak ja, tylko w innym stroju. Nie zabierzecie ze sobą niczego prócz swych ubrań. Żyć będziecie z miłosierdzia tych, których nauczacie. Będziecie samotni jak owce między wilkami. Ludzie będą was prześladować i opluwać, może nawet biczować, a jeśli się to zdarzy, no cóż, to się zdarzy. Strząśnijcie proch i idźcie dalej. No więc, kto się zgłasza?

Wśród uczniów zapadła straszliwa cisza.

– Może ty, Maggie?

– Nie jestem wędrowniczką, Josh. Dostaję mdłości. Dobrze mi jako uczennicy.

– A ty, Biff?

– Mnie tu dobrze. Dzięki.

Joszua wstał wtedy i zwyczajnie ich odliczył.

– Nataniel, Piotr, Andrzej, Filip, Jakub, Jan, Tadeusz, Judasz, Mateusz, Tomasz, Bartłomiej i Szymon. Jesteście apostołami. A teraz idźcie i apostołujcie.

Spojrzeli po sobie.

– Rozgłaszajcie dobrą nowinę, Syn Człowieczy się zjawił. Królestwo jest blisko. No już! Już! Już!

Wstali i tak jakby kręcili się dookoła.

– Możemy zabrać nasze żony? – zapytał Jakub.

– Tak.

– Albo jedną z uczennic? – zapytał Mateusz.

– Tak.

– Czy Tomasz Dwa też może iść?

– Tak, Tomasz Dwa też może.

Otrzymawszy odpowiedzi na swe pytania, pokręcili się jeszcze trochę.

– Biff – zwrócił się od mnie Joszua – może przydzielisz im terytoria i poślesz w drogę?

– Oki-doki – odpowiedziałem. – Kto chce Samarię? Nikt? Dobrze. Piotrze, jest twoja. Dołóż im. Cezarea? No dalej, mięczaki, ustawiać się...

I tak dwunastu wyznaczono do świętej misji.

Następnego dnia zjawiło się przed Joszuą siedemdziesięciu ludzi, których wybraliśmy, by pomagali rozdzielać tłumom żywność. Słyszeli już o wyznaczeniu apostołów.

– Dlaczego tylko dwunastu? – zapytał któryś z nich.

– Wszyscy chcecie zostawić to, co macie, opuścić rodziny, narażać się na prześladowania i śmierć, by głosić dobrą nowinę?

– Tak! – krzyknęli chórem.

Joszua spojrzał na mnie, jakby nie mógł w to uwierzyć.

– To było naprawdę świetne kazanie – powiedziałem.

– Niech tak będzie – postanowił. – Biff i Mateusz, przydzielcie im tereny. Nikogo nie posyłajcie do jego rodzinnego miasta. To nie wychodzi najlepiej.

I tak zostało posłanych dwunastu i siedemdziesięciu, a Joszua, Maggie i ja popłynęliśmy do Dekapolu, będącego pod władzą Filipa, brata Heroda. Biwakowaliśmy tam, łowiliśmy ryby i ogólnie się ukrywaliśmy. Joszua wygłaszał czasem kazania, ale dla niewielkich grup. I chociaż uzdrawiał chorych, prosił ich, by nikomu nie opowiadali o cudach.

Po trzech miesiącach na terytorium rządzonym przez Filipa, łodzią z drugiego brzegu dotarła do nas wiadomość, że ktoś interweniował w sprawie Joszuy. Wyrok śmierci od faryzeuszy, którego nigdy oficjalnie nie wydano, został uchylony. Wróciliśmy więc do Kafarnaum i czekaliśmy na powrót apostołów. Ich entuzjazm opadł nieco po miesiącach pracy w terenie.

– Wszystko do niczego.

– Ludzie są wredni.

– Dreszcz przechodzi na widok trędowatych.

Mateusz przybył z Judei, niosąc wieści o tajemniczym dobroczyńcy Joszui z Jeruzalem.

– Nazywa się Józef z Arymatei – opowiadał. – Jest bogatym kupcem, ma statki, winnice i tłocznie oliwy. Faryzeusze chyba się z nim liczą, ale nie jest jednym z nich. Bogactwo dało mu też pewne wpływy u Rzymian. Rozważają, czy nie uczynić go obywatelem. Tak słyszałem.

– A dlaczego chce nam pomóc? – spytałem.

– Długo z nim rozmawiałem o Królestwie, o Duchu Świętym i reszcie przesłania Joszuy. On wierzy. – Mateusz uśmiechnął się szeroko, wyraźnie dumny z nawrócenia bogacza. – Chce, Joszuo, żebyś przybył do jego domu na ucztę. W Jeruzalem.

– Jesteś pewien, że to bezpieczne? – upewniła się Maggie.

– Józef wysłał ten list, gwarantujący bezpieczeństwo Joszui i wszystkim, którzy będą mu towarzyszyć w Jeruzalem.

Mateusz pokazał list.

Maggie wzięła go i rozwinęła pergamin.

– Jest tu też moje imię. I Biffa.

– Józef wiedział, że przyjdziesz. A ja wytłumaczyłem mu, że Biff trzyma się Joszuy jak pijawka.

– Słucham?

– To znaczy, że towarzyszysz nauczycielowi w podróżach, do-kądkolwiek by się udawał – wyjaśnił pospiesznie Mateusz.

– Ale dlaczego ja? – dopytywała się Maggie.

– Twój brat Szymon, który jest nazywany Łazarzem, ciężko choruje. Umiera. Pytał o ciebie. Józef chciał, by ci przekazać, że możesz go bezpiecznie odwiedzić.

Josh chwycił swoją sakwę i chciał natychmiast ruszać.

– Idziemy – powiedział. – Piotrze, ty mnie zastępujesz, dopóki nie wrócę. Biff, Maggie, musimy przed zmrokiem dotrzeć do Tyberiady. Może uda się tam wypożyczyć wielbłądy. Mateuszu, ty też chodź, znasz tego Józefa. I ty, Tomaszu, zabierz się z nami, chcę z tobą porozmawiać.

I tak poszliśmy; moim zdaniem prosto w pułapkę.

Po drodze Joszua przywołał Tomasza, by szedł obok niego. Maggie i ja maszerowaliśmy tylko kilka kroków za nimi, więc słyszeliśmy całą rozmowę. Tomasz ciągle się zatrzymywał, by sprawdzić, czy Tomasz Dwa za nimi nadąża.

– Wszyscy uważają, że jestem szalony – poskarżył się. – Śmieją się ze mnie za plecami. Tomasz Dwa mi mówił.

– Tomaszu, wiesz przecież, że mogę położyć na tobie dłonie i zostaniesz uleczony. Tomasz Dwa nie będzie się więcej odzywał. Inni nie będą z ciebie drwili.

Tomasz szedł przez chwilę w milczeniu, ale kiedy spojrzał na Joszuę, zobaczyłem łzy na jego policzku.

– Jeśli Tomasz Dwa odejdzie, zostanę sam.

– Nie będziesz sam. Będziesz miał mnie.

– Nie na długo. Niewiele czasu zostało ci między nami.

– Skąd to wiesz?

– Tomasz Dwa mi powiedział.

– Nie zdradzisz tego pozostałym, Tomaszu, prawda? Jeszcze nie.

– Nie, jeśli nie chcesz. Ale nie uleczysz mnie, dobrze? Nie sprawisz, by Tomasz Dwa odszedł?

– Nie – zgodził się Joszua. – Niedługo obaj możemy potrzebować przyjaciela.

Poklepał Tomasza po ramieniu, po czym ruszył szybciej, by dogonić Mateusza.

– Ale nie nadeptuj na niego! – krzyknął Tomasz.

– Przepraszam.

Spojrzałem na Maggie.

– Słyszałaś to?

Skinęła głową.

– Nie możesz do tego dopuścić, Biff. On chyba nie troszczy się o własne życie, ale ja się troszczę, i ty też, a jeśli pozwolisz, żeby spotkało go coś złego, to nigdy ci nie wybaczę.

– Ależ, Maggie, każdemu przecież będzie wybaczone.

– Nie tobie. Nie, jeśli coś się przydarzy Joshowi.

– Niech tak będzie. No więc, kiedy Joszua już uzdrowi twojego brata, masz na coś ochotę? Jakiś sok z granatów, falafel, może małżeństwo albo co?

Stanęła jak wryta, więc i ja się zatrzymałem.

– Czy ty w ogóle zwracasz uwagę na cokolwiek, co dzieje się wokół ciebie?

– Przepraszam, na chwilę porwała mnie wiara. A co mówiłaś?

Kiedy dotarliśmy do Betanii, Marta czekała na nas na ulicy przed domem Szymona. Podeszła do Joszuy, a on wyciągnął ręce na powitanie, ale go odepchnęła.

– Mój brat nie żyje – oznajmiła. – Gdzie byłeś?

– Przyszliśmy, jak tylko się dowiedziałem.

Maggie objęła Martę i obie się rozpłakały. My zaś staliśmy zakłopotani dookoła. Z drugiej strony ulicy podeszli Crustus i Abel, dwaj ślepcy, których Josh uzdrowił.

– Umarł. Martwy i od czterech dni w grobie – powiedział Crustus. – Pod koniec nabrał barwy chartreuse.

– Szmaragdowej – poprawił go Abel. – To był szmaragd, nie chartreuse.

– A więc mój przyjaciel Szymon zasnął naprawdę – rzekł Joszua.

Podszedł Tomasz i położył mu dłoń na ramieniu.

– Nie, nauczycielu, on umarł. Tomasz Dwa sądzi, że mógł się zadławić kłaczkiem. Szymon był tygrysem, wiesz? Nie mogłem już tego znieść.

– On był TRĘDOWATY, ty idioto! Nie pręgowany!

– Ale jest martwy! – odkrzyknął Tomasz. – A nie śpiący!

– Nie sądzicie, chłopcy, że moglibyście okazać trochę większą wrażliwość? – wtrącił Mateusz, wskazując dwie zapłakane siostry.

– Słuchaj no, poborco, kiedy będę chciał twoich dwóch szekli, to poproszę...

– Gdzie on jest? – Głos Joszuy zahuczał ponad szlochami i kłótnią.

Marta wyrwała się z objęć siostry.

– Wykupił grób w Cedronie.

– Zaprowadźcie mnie tam, chcę obudzić mojego przyjaciela.

Iskierka nadziei błysnęła przez łzy w oczach Marty.

– Obudzić go?

– Martwy jak kołek. Martwy jak Mojżesz. Mmff...

Mateusz zatkał Tomaszowi usta, co oszczędziło mi wysiłku pozbawienia go przytomności cegłą.

– Wierzysz, że twój brat Szymon zmartwychwstanie? – zapytał Joszua.

– W dniu ostatecznym, kiedy nastanie Królestwo i wszyscy zmartwychwstaną... Tak, wierzę.

– Czy wierzysz, że jestem tym, kim mówię, że jestem?

– Oczywiście.

– Więc pokaż mi, gdzie leży mój uśpiony przyjaciel.

Marta poruszała się jak lunatyczka; zmęczenie i ból zelżały na tyle, by mogła poprowadzić nas drogą przez Górę Oliwną, a potem w dół, w Dolinę Cedronu. Maggie także była wstrząśnięta wieścią o śmierci brata. Mateusz i Tomasz podtrzymywali ją w marszu, a ja szedłem z Joszuą.

– Martwy od czterech dni, Josh. Cztery dni. Boska Iskra czy nie, ciało jest już puste.

– Szymon znów będzie chodził, choćby zostały same kości – zapewnił Joszua.

– Oki-doki. Ale ten cud nigdy ci dobrze nie wychodził.

Gdy dotarliśmy do grobu, siedział przy nim wysoki, szczupły, arystokratyczny mężczyzna. Jadł figę. Był gładko ogolony, a siwe włosy miał ścięte krótko, jak Rzymianie. Gdyby nie nosił pasiastej tuniki Żyda, wziąłbym go za obywatela Rzymu.

– Odgadłem, że się tu zjawicie – rzekł. Ukląkł przed Joszuą. – Rabbi, jestem Józef z Arymatei. Przez twego ucznia Mateusza przesłałem wiadomość, że chciałbym się z tobą spotkać. Jak mogę ci służyć?

– Wstań, Józefie. Pomóż odsunąć kamień.

Jak w licznych większych grobach, wyrytych w zboczu, wejście zasłaniał płaski kamień. Pchnęliśmy go na bok, gdy tymczasem Joszua objął Martę i Maggie. Kiedy została złamana pieczęć, zalała mnie fala smrodu, od którego straciłem oddech. Tomasz zwrócił na piasek kolację.

– Cuchnie – stwierdził Mateusz.

– Myślałem, że będzie pachniał bardziej jak kot – wyznał Tomasz.

Odepchnęliśmy kamień ile się dało, a potem odbiegliśmy, dysząc ciężko i chwytając powietrze.

Joszua wzniósł ręce, jakby chciał uścisnąć przyjaciela.

– Wyjdź, Szymonie Łazarzu! Wyjdź na zewnątrz!

Ale z grobu wydobywał się jedynie smród.

– Wyjdź, Szymonie. Wyjdź z tego grobu – rozkazał Joszua.

Absolutnie nic się nie stało.

Józef z Arymatei przestępował niepewnie z nogi na nogę.

– Chciałem z tobą porozmawiać o przyjęciu w moim domu, Joszuo.

Joszua uniósł rękę, nakazując milczenie.

– Szymonie, do licha, wyłaź stamtąd!

Z grobu dobiegł cichy, bardzo słaby głos:

– Nie.

– Co to znaczy „nie"? Zostałeś wskrzeszony, a teraz wychodź. Pokaż tym niedowiarkom, że powstałeś z martwych.

– Ja wierzę – zapewniłem.

– Mnie przekonałeś – dodał Mateusz.

– Jeżeli o mnie chodzi, to „nie" jest równie dobre jak osobiste pojawienie – oświadczył Józef z Arymatei.

Nie jestem pewien, czy ktokolwiek z nas, którzy poczuli smród gnijącego ciała, chciałby oglądać jego źródło. Nawet Maggie i Marta chyba trochę zwątpiły w powrót brata.

– Szymonie, zbierz swój trędowaty tyłek i wyłaź! – rozkazał Joszua.

– Ale ja... cały jestem kleisty.

– Widzieliśmy już kleistych. Wyjdź teraz na światło dnia.

– Skórę mam zieloną jak niedojrzała oliwka.

– Oliwkowy! – wykrzyknął Crustus, który przyszedł za nami do Cedronu. – Mówiłem ci, że nie chartreuse.

– Jest martwy. Co on może wiedzieć – odparł Abel.

W końcu Joszua opuścił ręce i wściekły wmaszerował do grobu.

– Nie mogę uwierzyć! Człowiek przywołuje takiego z martwych, a on nie raczy nawet wyjść z... OJEJ! ŚWIĘTA PIĘTA!

Joszua wyszedł z grobu tyłem, na sztywnych nogach. Bardzo cicho, bardzo spokojnie, powiedział:

– Potrzebujemy czystego płótna, wody do płukania i bandaży, dużo bandaży. Mogę go uzdrowić, ale najpierw musimy tak jakby poskładać razem wszystkie jego części.

Odwrócił się.

– Czekaj, Szymonie! – krzyknął do wnętrza grobu. – Przyniesiemy trochę materiałów, a wtedy wejdę i uleczę cię z twojej przypadłości.

– Jakiej przypadłości? – zapytał Szymon.

29

K iedy wszystko dobiegło końca, Szymon wyglądał świetnie, lepiej niż kiedykolwiek. Joszua nie tylko wskrzesił go z martwych, ale uleczył jego trąd. Maggie i Marta były uszczęśliwione. Nowy, ulepszony Szymon zaprosił nas do domu, by uczcić tę okazję. Niestety, świadkami zmartwychwstania i uzdrowienia byli Abel i Crustus; mimo naszych ostrzeżeń, zaczęli rozpowiadać tę historię w Betanii i Jeruzalem.

Józef z Arymatei towarzyszył nam w domu Szymona, ale nie był w najlepszym nastroju.

– To przyjęcie nie jest właściwie pułapką – wyjaśnił Joszui. – To raczej próba.

– Byłem już na jednej z ich prób przez kolację – odparł Joszua. – Myślałem, że wierzysz.

– Wierzę – zapewnił Józef. – Zwłaszcza po tym, co dzisiaj widziałem. Ale właśnie dlatego musisz przyjść do mojego domu na kolację z faryzeuszami z rady. Pokazać im, kim jesteś. Wytłumaczyć na nieformalnym gruncie, co tak naprawdę robisz.

– Sam Szatan prosił mnie kiedyś, bym się wykazał. Jaki dowód jestem winien tym hipokrytom?

– Proszę cię, Joszuo... Mogą być hipokrytami, ale mają wielkie wpływy wśród ludzi. Ponieważ cię skazują, ludzie boją się słuchać Słowa. Znam Poncjusza Piłata, dlatego nie sądzę, żeby ktoś próbował cię skrzywdzić w moim domu i narażał się na jego gniew.

Przez chwilę Joszua zastanawiał się, sącząc wino.

– A zatem udam się do tego gniazda żmij.

– Nie rób tego, Josh – zaprotestowałem.

– Będziesz musiał przyjść sam – dodał Józef. – Nie wolno ci przyprowadzić żadnego apostoła.

461

– To nie problem – zapewniłem. – Jestem tylko uczniem.

– Zwłaszcza nie jego. Akan bar Iban tam będzie.

– Widzę, że dla mnie również to kolejna noc w domu. – Maggie westchnęła.

Później wszyscy machaliśmy na pożegnanie, patrząc, jak Józef i Joszua wracają do Jeruzalem na ucztę w domu Józefa.

– Kiedy tylko znikną za rogiem, idź za nimi – nakazała Maggie.

– Oczywiście.

– Trzymaj się blisko, żebyś usłyszał, gdyby cię potrzebował.

– Absolutnie.

– Chodź.

Wciągnęła mnie za drzwi, żeby inni nie widzieli, i obdarowała jednym z tych pocałunków, po których na kilka minut zapominam, jak się nazywam, i zderzam się ze ścianami. Ten był pierwszy od wielu miesięcy. Potem puściła mnie i odsunęła na długość ręki.

– Wiesz, że gdyby nie było Joszuy, nie pokochałabym nikogo prócz ciebie – powiedziała.

– Nie musisz mnie przekupywać, Maggie, żebym go pilnował.

– Wiem. Między innymi dlatego cię kocham. A teraz idź.

Długie lata podkradania się do mnichów w klasztorze opłaciły się teraz, kiedy śledziłem Joszuę i Józefa na ulicach Jeruzalem. Nie mieli pojęcia, że za nimi idę. Przemykałem od cienia do cienia, od muru do drzewa, aż w końcu dotarliśmy do domu Józefa, o rzut kamieniem od pałacu arcykapłana Kajfasza. Dom Józefa z Arymatei był tylko trochę mniejszy od pałacu, jednak na dachu sąsiedniego budynku udało mi się znaleźć dogodny punkt obserwacyjny. Przez okno mogłem stamtąd widzieć całe przyjęcie, a jednocześnie mieć oko na drzwi frontowe.

Joszua i Józef usiedli w jadalni i przez jakiś czas popijali wino tylko we dwóch. Potem służba zaczęła wprowadzać kolejnych gości. Przybywali dwójkami i trójkami. Było ich dwunastu, kiedy podano kolację – wszyscy faryzeusze, którzy uczestniczyli w kolacji w domu Akana, plus pięciu innych, których jeszcze nie widziałem. Wszyscy jednak byli bardzo poważni; skrupulatnie umyli ręce przed posiłkiem i kontrolowali siebie nawzajem, czy wszystko jest w porządku.

Nie słyszałem, o czym mówią, ale niespecjalnie mnie to obchodziło. Wydawało się, że Joszui nic bezpośrednio nie zagraża, a tylko tym się martwiłem – w retorycznych utarczkach sam świetnie sobie radził. I już myślałem, że wszystko skończy się bez niemiłych incydentów, gdy zobaczyłem na ulicy wysoki kapelusz i białą szatę kapłana, a za nim dwóch strażników ze Świątyni z ich długimi włóczniami o spiżowych grotach. Zeskoczyłem z dachu i obiegłem dom z drugiej strony. Zdążyłem akurat na czas, by zobaczyć, jak sługa wprowadza kapłana do środka.

Kiedy tylko Joszua przekroczył próg domu Szymona, Marta i Maggie obsypały go pocałunkami, jakby wracał z wojny. Potem posadziły go przy stole i zaczęły wypytywać o przyjęcie.

– Najpierw krzyczeli na mnie, że się bawię, piję wino i ucztuję. Mówili, że gdybym był prawdziwym prorokiem, pościłbym.

– I co im odpowiedziałeś? – spytałem, trochę zdyszany, gdyż biegłem, by dotrzeć do Szymona przed Joszuą.

– Powiedziałem, że przecież Jan nie jadł niczego prócz owadów, nigdy nie spróbował wina i z całą pewnością nigdy się nie bawił, a jednak mu nie uwierzyli. Więc niby jakie normy próbują ustanawiać? I proszę, czy ktoś mógłby mi przysunąć tabuli?

– I co oni na to?

– Zaczęli na mnie wrzeszczeć, że siadam do stołu z poborcami podatków i jawnogrzesznicami.

– Zaraz... – odezwał się Mateusz.

– Zaraz... – odezwała się Marta.

– Nie chodziło im o ciebie, Marto, tylko o Maggie.

– Zaraz... – odezwała się Maggie.

– Odpowiedziałem, że jawnogrzesznice i poborcy jeszcze przed nimi zobaczą Królestwo Boże. Potem wrzeszczeli, że uzdrawiam w szabat, że nie myję rąk przed jedzeniem, że jestem w przymierzu z diabłem i że bluźnię, twierdząc, że jestem Synem Bożym.

– I co potem?

– Potem podali deser. Ciasto z daktylami i miodem. Smakowało mi. A potem do drzwi zapukał jakiś typ w szatach kapłana.

– Oj-oj – zmartwił się Mateusz.

– Tak, było niedobrze – zgodził się Joszua. – Krążył i szeptał coś faryzeuszom do ucha. A potem Akan zapytał, jakim prawem wskrzesiłem Szymona z martwych.

– Co mu powiedziałeś?

– Nic nie powiedziałem, nie przy tym saduceuszu. Ale Józef wytłumaczył, że Szymon wcale nie był martwy, tylko spał.

– A oni jak zareagowali?

– Zapytali mnie, jakim prawem go obudziłem.

– A ty na to?

– Wtedy się rozzłościłem. Powiedziałem, że prawem Boga i Ducha Świętego, prawem Mojżesza i Eliasza, prawem Dawida i Salomona, prawem gromu i błyskawicy, prawem morza i powietrza, i ognia na ziemi. Tak powiedziałem.

– I co oni?

– Powiedzieli, że Szymon musi mieć bardzo mocny sen.

– Sarkazm się marnuje u tych typów – uznałem.

– Całkiem się marnuje – zgodził się Joszua. – W każdym razie wtedy wyszedłem i przed domem zobaczyłem dwóch strażników ze Świątyni. Drzewca ich włóczni były połamane, a oni sami nieprzytomni. Jeden miał krew na czaszce. No więc uleczyłem ich i kiedy zobaczyłem, że dochodzą do siebie, wróciłem tutaj.

– Nie pomyślą, że to ty napadłeś strażników? – zaniepokoił się Szymon.

– Nie, ten kapłan schodził zaraz za mną. Zauważył ich w tej samej chwili co ja.

– A to uleczenie go nie przekonało?

– Niespecjalnie.

– Więc co teraz zrobimy?

– Myślę, że powinniśmy wrócić do Galilei. Józef przyśle wiadomość, jeśli na spotkaniu rady cokolwiek postanowią.

– Wiesz, co postanowią – oświadczyła Maggie. – Zagrażasz im. A teraz włączyli w tę sprawę kapłanów. Wiesz, co się stanie.

– Tak, wiem – przyznał Joszua. – Ale ty nie. Rankiem ruszamy do Kafarnaum.

Później Maggie przyszła do mnie, do dużego pokoju w domu Szymona, gdzie wszyscy ułożyliśmy się na noc. Wczołgała się na moje posłanie i przysunęła wargi do mojego ucha. Pachniała cytryną i cynamonem, jak zawsze.

– Co zrobiłeś tym strażnikom? – szepnęła.

– Zaskoczyłem ich. Pomyślałem, że może przyszli aresztować Joszuę.

– Może teraz go aresztują przez ciebie.

– Słuchaj, robiłaś to już kiedyś? Bo jeśli masz jakiś plan, to proszę, wyjaw mi go. Osobiście wymyślam wszystko na bieżąco.

– Dobrze zrobiłeś – szepnęła. Pocałowała mnie w ucho. – Dziękuję.

Sięgnąłem po nią, ale się odsunęła.

– I nadal nie mam zamiaru z tobą spać – dodała.

Posłaniec musiał jechać dniami i nocami, żeby nas wyprzedzić, ale kiedy dotarliśmy do Kafarnaum, czekała już na nas wiadomość od Józefa z Arymatei.

Joszuo,
rada faryzeuszy skazała Cię na śmierć za bluźnierstwo.
Herod się zgodził. Nie wydano oficjalnego wyroku, sugeruję

jednak, byś zabrał swoich uczniów na terytorium Heroda Fi-
lipa i został tam, dopóki sytuacja się nie uspokoi. Na razie nic
nie słychać od kapłanów – to dobrze. Bardzo przyjemnie było
gościć Cię na kolacji, zajrzyj koniecznie, kiedy znów będziesz
w mieście.

Twój przyjaciel
Józef z Arymatei

Joszua przeczytał nam głośno ten list, a potem wskazał na odludny szczyt góry na północnym brzegu jeziora, niedaleko Betsaidy.

– Nim znów opuścimy Galileę, udam się na tę górę. Zostanę tam, dopóki nie przyjdą wszyscy Galilejczycy, którzy chcą wysłuchać dobrej nowiny. Dopiero wtedy przejdę na terytoria rządzone przez Filipa. Idźcie teraz i szukajcie wiernych. Powiedzcie im, gdzie mnie znajdą.

– Joszuo – rzekł Piotr. – Przy synagodze jest już dwustu do trzystu chorych i chromych. Czekają, byś ich uzdrowił. Przychodzili przez wszystkie te dni, gdy cię tu nie było.

– Czemu nic nie mówiłeś?

– Bartłomiej ich powitał i zapisał imiona. Powiedzieliśmy, że spotkasz się z nimi, jak tylko będziesz miał możliwość. Wszystko z nimi w porządku.

– Od czasu do czasu przeprowadzam obok nich swoje psy, tam i z powrotem, żeby widzieli, że jesteśmy zajęci.

Joszua popędził do synagogi, wymachując rękami, jakby pytał Boga, dlaczego pokarał go taką bandą tępaków... Choć z drugiej strony mogłem błędnie odczytać znaczenie gestów.

Rozeszliśmy się więc po Galilei, by zapowiadać, że Joszua wygłosi wielkie kazanie na górze na północ od Kafarnaum. Maggie i ja wędrowaliśmy razem, wraz z Szymonem Kananejczykiem i przyjaciółkami Maggie, Joanną i Zuzanną. Postanowiliśmy zrobić trzydniową pętlę wokół północnej Galilei. Droga miała nas poprowadzić przez dziesiątki miasteczek i z powrotem pod górę, akurat na czas, byśmy zdążyli pomóc w organizowaniu

466

przybywających pielgrzymów. Pierwszej nocy rozbiliśmy obóz w zacisznej dolinie pod miasteczkiem Jamnith. Zjedliśmy przy ogniu chleb i ser, a potem Szymon i ja popijaliśmy wino, kobiety zaś ułożyły się do snu. Po raz pierwszy mogłem porozmawiać z zelotą bez kręcącego się w pobliżu jego przyjaciela Judasza.

– Mam nadzieję, że teraz Joszua zwali im to Królestwo na głowy – rzekł Szymon. – Inaczej będę musiał znaleźć innego proroka, żeby ofiarować mu swój miecz.

Zakrztusiłem się winem. Oddałem mu bukłak, próbując odzyskać oddech.

– Szymonie – powiedziałem. – Czy ty wierzysz, że on jest Synem Bożym?

– Nie.

– Nie wierzysz, a jednak podążasz za nim?

– Nie twierdzę przecież, że nie jest wielkim prorokiem. Ale Chrystusem? Synem Bożym? Nie wiem.

– Wędrowałeś z nim. Słyszałeś, co mówi. Widziałeś jego władzę nad demonami i nad ludźmi. Patrzyłeś, jak uzdrawia. Jak karmi. I o co zawsze prosi?

– O nic. O miejsce do spania. Trochę jedzenia. Trochę wina.

– A gdybyś ty potrafił to wszystko, co chciałbyś mieć?

Szymon odchylił głowę, spojrzał w gwiazdy i pozwolił, by poniosła go wyobraźnia.

– Chciałbym mieć liczne wioski i wiele kobiet w swoim łożu. Chciałbym piękny pałac i niewolników, by mnie obmywali. Najwspanialsze potrawy i wina, i żeby królowie przybywali z daleka, by choćby spojrzeć na moje złoto. Byłbym wspaniały.

– Ale Joszua ma tylko swoje sandały i płaszcz.

Szymon ocknął się z rozmarzenia i nie był tym zachwycony.

– To, że jestem słaby, jego nie czyni jeszcze Chrystusem.

– Właśnie to czyni go Chrystusem.

– Może jest zwyczajnie naiwny.

– Możesz w to wierzyć. – Oddałem mu bukłak. – Dokończ sam. Ja idę spać.

Szymon uniósł brwi.

– Ta Magdalena jest wspaniałą kobietą. Mężczyzna może całkiem w niej zatonąć.

Nabrałem tchu i pomyślałem o obronie honoru Maggie, a może nawet ostrzeżeniu Szymona przed podchodzeniem do niej, ale potem zrezygnowałem. Zelocie przyda się lekcja, której ja nie potrafiłbym udzielić. Maggie potrafiła.

– Dobrej nocy, Szymonie – powiedziałem.

Rankiem zobaczyłem Szymona siedzącego przy wystygłych popiołach ogniska, z głową wspartą na rękach.

– Szymonie...

Uniósł głowę i zobaczyłem wielkiego fioletowego guza na czole, tuż poniżej granicy rzymskiej fryzury. Na samym środku lśniła kropla krwi. Prawe oko spuchło mu tak, że ledwie mógł rozchylić powiekę.

– Auu – jęknąłem. – Jak to się stało?

Maggie wyszła akurat zza krzaka.

– Przez pomyłkę chciał się wczołgać na posłanie Zuzanny. Wzięłam go za napastnika, więc oczywiście przyłożyłam kamieniem.

– Oczywiście – zgodziłem się.

– Przepraszam cię, Szymonie – powiedziała Maggie.

Słyszałem, jak Zuzanna i Joanna chichoczą za krzakami.

– To była pomyłka – zapewnił Szymon.

Nie wiedziałem, czy ma na myśli pomyłkę swoją, czy Maggie, ale tak czy tak, kłamał.

– Dobrze się składa, że jesteś apostołem – stwierdziłem. – Do południa wszystko uleczysz.

Zakończyliśmy pętlę po północnej Galilei i rzeczywiście, rany Szymona prawie się zagoiły, nim wróciliśmy pod górę w pobliżu Betsaidy. Joszua czekał już na nas, a z nim pięć tysięcy wiernych.

– Nie mogę się im wyrwać, żeby poszukać koszy – narzekał Piotr.

– Gdziekolwiek pójdę, idzie za mną pięćdziesięciu ludzi – oświadczył Judasz. – Jak niby mamy im dostarczyć jedzenie, skoro nie pozwalają nam pracować?

Podobne skargi słyszałem od Mateusza, Jakuba i Andrzeja, i nawet Tomasz jęczał, że nadeptują na Tomasza Dwa. Joszua pomnożył siedem chlebów dostatecznie, by nakarmić te tłumy, ale nikt nie mógł się przedostać do żywności, by ją rozdzielić. Maggie i ja w końcu przebiliśmy się na szczyt góry i tam zobaczyliśmy, jak Joszua wygłasza kazanie. Dał ludziom znak, że robi przerwę, po czym podszedł do nas.

– To wspaniałe – oświadczył. – Tylu wiernych...

– Ehm, Josh...

– Tak, wiem – rzekł. – Wy dwoje pójdziecie do Magdali. Znajdziecie dużą łódź i przyprowadzicie tutaj. Kiedy już nakarmimy wiernych, przyślę do was uczniów. Wypłyńcie na jezioro i czekajcie na mnie.

Udało nam się wyrwać z tłumu Jana. Zabraliśmy go ze sobą, żeby pomógł w żeglowaniu. Ani Maggie, ani ja nie czuliśmy się dostatecznie pewnie, by bez żadnego z rybaków na pokładzie poprowadzić dużą łódź. Pół dnia później zacumowaliśmy w Betsaidzie. Inni apostołowie już na nas czekali.

– Przeprowadził ich na drugą stronę góry – wyjaśnił Piotr. – Udzieli błogosławieństwa, a potem pośle ich swoją drogą. Miejmy nadzieję, że wrócą do domów, a wtedy on spotka się z nami.

– Widzieliście w tłumie jakichś żołnierzy? – spytałem.

– Jeszcze nie, ale w tej chwili powinniśmy już być u Heroda Filipa. Faryzeusze kręcą się na obrzeżach tłumu, jakby wiedzieli, że coś ma się zdarzyć.

Sądziliśmy, że przypłynie do nas, albo powiosłuje w jednej z mniejszych łódek, ale kiedy wreszcie zszedł na brzeg, wciąż szły za nim tłumy. A on po prostu szedł dalej, po powierzchni wody do łodzi. Wierni zatrzymali się na brzegu i wiwatowali. Nawet nas zadziwił ten nowy cud, więc siedzieliśmy w łodzi i rozdziawialiśmy usta. Joszua się zbliżał.

– Co? – zapytał. – Co? Co? Co?

– Nauczycielu, ty chodzisz po wodzie – powiedział Piotr.

– Niedawno jadłem. Przez godzinę po jedzeniu nie wolno zanurzać się w wodzie, bo może złapać kurcz. Co jest, żaden z was nie miał matki?

– To cud! – wykrzyknął Piotr.

– To nic trudnego. – Joszua machnięciem ręki odrzucił teorię cudu. – Całkiem łatwe. Naprawdę, Piotrze, powinieneś spróbować.

Piotr niepewnie stanął w łodzi.

– Poważnie, spróbuj.

Piotr zaczął ostrożnie zdejmować tunikę.

– Niczego nie zdejmuj – ponaglił go Joszua. – Sandałów też nie.

– Ale, Panie, to całkiem nowa tunika.

– A zatem nie mocz jej, Piotrze. Podejdź do mnie. Stań na wodzie.

Piotr wysunął jedną nogę za burtę i do wody.

– Zaufaj swej wierze, Piotrze! – wrzasnąłem. – Jeśli nie uwierzysz, pewno ci się nie uda.

Piotr dotknął obiema stopami wody, i przez ułamek sekundy zdawało się, że stoi na powierzchni. I wszyscy byliśmy zdumieni.

– Patrzcie, ja...

Zanurzył się jak kamień. Wypłynął, plując wodą. Wszyscy zwijaliśmy się ze śmiechu, nawet Josh, który śmiał się tak głośno, że zapadł się w wodzie po kostki.

– Nie mogę uwierzyć, że dałeś się tak wkręcić – oświadczył. Przebiegł po wodzie i pomógł nam wciągnąć Piotra do łodzi. – Piotrze, jesteś tępy jak skrzynia skał. Ale niezwykle mocną masz wiarę. Zbuduję więc Kościół na tej skrzyni skał.

– Każesz Piotrowi budować Kościół? – zaniepokoił się Filip. – Bo on próbował chodzić po wodzie?

– A czy ty byś spróbował?

– To oczywiste, że nie. Nie umiem pływać.

– Więc czyja wiara jest mocniejsza?

Joszua wspiął się do łodzi i strząsnął z sandałów wodę. Potem zmierzwił mokre włosy Piotra.

– Ktoś musi kierować Kościołem, gdy ja odejdę, a odejdę wkrótce. Wiosną udamy się do Jeruzalem na Paschę, a tam zostanę osądzony przez kapłanów i uczonych w piśmie, będę torturowany i zgładzony. Ale po trzech dniach od mojej śmierci zmartwychwstanę i znów będę wśród was.

Kiedy Joszua mówił, Maggie ściskała mnie za ramię. Kiedy skończył, jej paznokcie wbiły mi się w biceps aż do krwi. Cień bólu przemknął po twarzach uczniów. Spoglądaliśmy nie po sobie, ani nie na dno łodzi, ale w miejsce o kilka stóp przed twarzami – chyba tam, gdzie szuka się jasnej odpowiedzi, by wynurzyła się z chaosu.

– Głupi pomysł – stwierdził ktoś.

Wylądowaliśmy w pobliżu miasta Hippos, na wschodnim brzegu Jeziora Galilejskiego, dokładnie naprzeciw Tyberiady. Joszua był tu już, kiedy ukrywał się po raz pierwszy. Żyli tu ludzie, którzy chętnie przyjmą w swoich domach apostołów, dopóki Joszua znowu nie pośle ich w świat.

Przywieźliśmy wiele koszy odłamków chleba z Betsaidy, a Judasz i Szymon pomogli mi je wyładować z łodzi – brodziliśmy tam i z powrotem po płyciźnie, gdzie rzuciliśmy kotwicę, gdyż w Hippos nie było portu.

– Chleb leżał w stosach jak małe góry – mówił Judasz. – O wiele więcej niż wtedy, kiedy nakarmiliśmy pięć tysięcy. Żydowska armia mogłaby walczyć wiele dni, mając takie zapasy. Jeśli Rzymianie czegokolwiek nas nauczyli, to właśnie tego, że armia walczy brzuchami.

Zatrzymałem się i spojrzałem na niego.

Stojący obok Szymon postawił kosz na ziemi i odchylił tunikę, ukazując rękojeść sztyletu.

– Królestwo będzie nasze tylko wtedy, kiedy odbierzemy je mieczem. Nie mieliśmy oporów przed rozlewaniem rzymskiej krwi. Nie ma pana prócz Boga.

Sięgnąłem ręką i delikatnie zasłoniłem sztylet Szymona.

– Słyszałeś kiedyś, żeby Joszua mówił o krzywdzeniu kogokolwiek? Nawet wrogów?

– Nie – przyznał Judasz. – Nie może otwarcie mówić o odebraniu Królestwa, dopóki nie jest gotów, by uderzyć. Dlatego zawsze opowiada te swoje przypowieści.

– To garnek zjełczałego masła jaka – dobiegł głos z łodzi.

Joszua usiadł; sieć wisiała mu na głowie jak wystrzępiony szal modlitewny. Spał na rufie i zupełnie o nim zapomnieliśmy.

– Biff, zbierz wszystkich tutaj, na plaży. Najwyraźniej nie wyrażałem się dostatecznie zrozumiale dla każdego.

Rzuciłem kosz i pobiegłem do miasta po resztę. W niecałą godzinę siedzieliśmy wszyscy na brzegu, a Joszua krążył przed nami.

– Królestwo jest otwarte dla każdego – oświadczył. – Każdego. Jasne?

Wszyscy kiwnęli głowami.

– Nawet Rzymian.

Przestali kiwać.

– Królestwo Boże nadejdzie, ale Rzymianie pozostaną w Izraelu. Królestwo Boże nie ma nic wspólnego z Królestwem Izraela. Czy wszyscy to rozumiecie?

– Ale Mesjasz miał przecież poprowadzić nasz lud do wolności! – zawołał Judasz.

– Nie ma pana prócz Boga – dodał Szymon.

– Zamknijcie się – przerwał im Joszua. – Nie zostałem wysłany, by przynosić gniew. Trafimy do Królestwa poprzez miłosierdzie, nie podbój. Ludzie, przecież już o tym mówiliśmy. Nie zrozumieliście?

– A jak wyrzucimy Rzymian z Królestwa Bożego?! – krzyknął Nataniel.

– To przecież powinieneś rozumieć – odparł Joszua. – Ty żółtowłosy dziwolągu. Jeszcze raz: nie możemy wyrzucić Rzymian z Królestwa, bo Królestwo jest otwarte dla wszystkich.

I wydaje mi się, że rozumieli. Rozumieli przynajmniej obaj zeloci, bo wyglądali na bardzo rozczarowanych. Całe życie czekali

472

na Mesjasza, który przybędzie i miażdżąc Rzymian, ustanowi Królestwo, a teraz ów Mesjasz tłumaczył im własnymi boskimi słowami, że tak się nie stanie.

A potem Joszua zaczął z przypowieściami.

– Królestwo jest niczym pole pszenicy z chwastami. Nie można wyrwać chwastu, nie niszcząc przy tym pszenicy.

Tępe spojrzenia. Podwójnie tępe u rybaków, którzy nic nie łapali z rolniczych metafor.

– Chwast to rajgras – wyjaśnił Joszua. – Splata swoje korzenie z korzeniami pszenicy i jęczmienia. Nie da się go wyrwać, nie niszcząc plonu.

Nikt nie zrozumiał.

– No dobra – podjął Joszua. – Dzieci Boże to dobrzy ludzie, a źli to chwasty. Trafiają się jedni i drudzy. A kiedy nadejdzie czas, anioły wyrwą niegodziwych i ich spalą.

– Nie chwytam – wyznał Piotr.

Potrząsnął głową, aż zafalowała siwa grzywa, jakby był oszołomionym lwem, usiłującym wytrząsnąć z głowy widok latającej antylopy.

– Jak wy w ogóle głosicie Słowo, jeśli nie rozumiecie takich rzeczy? Jeszcze raz: Królestwo Niebieskie jest jak... no, jak kupiec szukający pereł.

– Jak te przed wieprze? – upewnił się Bartłomiej.

– Tak, Bart! Tak! Tylko tym razem żadnych wieprzy. Ale perły takie same.

Trzy godziny później Joszua nadal się męczył. Kończyły mu się już pomysły, do czego mógłby porównać Królestwo Niebieskie – jego ulubione ziarnko gorczycy zawiodło przy trzech różnych próbach.

– No dobrze. Królestwo jest jak małpa. – Mówił chrapliwie i głos mu się łamał.

– Niby jak?

– Żydowska małpa, jasne?

– Jest jak małpa zjadająca ziarna gorczycy?

Wstałem, podszedłem do Joszuy i objąłem go.

– Josh, zrób sobie przerwę.

Odprowadziłem go brzegiem w stronę wioski. Kręcił głową.

– To najgłupsze sukinsyny na Ziemi.

– Są jak małe dzieci, tak jak im powiedziałeś.

– Jak głupie dzieci – burknął Joszua.

Usłyszałem za nami kroki i Maggie zarzuciła nam ręce na szyje. Z głośnym cmoknięciem pocałowała Josha w czoło i zrobiła ruch, jakby chciała to samo zrobić ze mną, więc cofnąłem się szybko.

– To wy zachowujecie się jak ciamajdy. Obaj się wściekacie i narzekacie na ich inteligencję, a przecież nie z jej powodu są tutaj. Czy w ogóle słyszeliście ich kazania? Ja tak. Piotr umie już uzdrawiać chorych. Widziałam. Widziałam, jak Jakub sprawia, że chromi chodzą. Wiara nie jest aktem inteligencji, to akt wyobraźni. Za każdym razem, kiedy podajesz im nową metaforę Królestwa, widzą tę metaforę: ziarno gorczycy, pole, ogród, winnicę... To jakby pokazywać coś kotu. Kot patrzy na palec, nie na to, co się pokazuje. Oni nie muszą niczego rozumieć, muszą tylko wierzyć. I wierzą. Wyobrażają sobie Królestwo takie, jakim by je chcieli widzieć, nie muszą go pojmować, ono jest, mogą je uznawać. Wyobraźnia, nie intelekt.

Maggie puściła nas i stanęła obok, uśmiechając się jak obłąkana. Joszua popatrzył na nią, potem na mnie.

Wzruszyłem ramionami.

– Mówiłem ci, że jest mądrzejsza od nas obu.

– Wiem. Chyba nie wytrzymuję, kiedy oboje macie rację tego samego dnia. Potrzebuję czasu, żeby pomyśleć i się pomodlić.

– No to myśl. – Maggie mu pomachała.

Zatrzymałem się i patrzyłem, jak mój przyjaciel wchodzi do wioski. Nie miałem pojęcia, co właściwie powinienem teraz zrobić. Obejrzałem się na Maggie.

– Słyszałaś tę przepowiednię o święcie Paschy?

Skinęła głową.

– Zakładam, że nie rozmawiałeś z nim na ten temat?

– Nie wiem co powiedzieć.

— Musimy go namówić, żeby się wycofał. Jeśli wie, co go czeka w Jeruzalem, po co ma tam iść? Czemu się nie wybierze do Fenicji albo Syrii? Mógłby nawet zanieść dobrą nowinę do Grecji, a byłby bezpieczny. Są tam ludzie, którzy chodzą po całym kraju i głoszą rozmaite idee. Weź takiego Bartłomieja i jego Cyników.

— Kiedy byliśmy w Indiach, widzieliśmy festiwal w mieście bogini Kali. To bogini zniszczenia, Maggie. I była to najbardziej krwawa ceremonia, jaką widziałem: tysiące zarżniętych zwierząt, setki ściętych więźniów. Cały świat wydawał się śliski od krwi. Joszua i ja uratowaliśmy przed zarąbaniem grupkę dzieci, ale kiedy wszystko się skończyło, powtarzał ciągle: „Dość ofiar. Nigdy więcej".

Maggie spojrzała na mnie, jakby czekała na dalszy ciąg.

— I co? To było okropne. Co niby miał powiedzieć?

— On nie mówił do mnie, Maggie. Mówił do Boga. I nie wydaje mi się, żeby to była prośba.

— Chcesz powiedzieć, że wydaje mu się, że ojciec planuje go zabić, bo Joszua chce wszystko zmienić, a Joszua nie może tego uniknąć, bo to wola Boga?

— Nie. Chcę powiedzieć, że pozwoli się zabić, by pokazać ojcu, że trzeba coś zmienić. I wcale nie ma zamiaru tego unikać.

Przez trzy miesiące błagaliśmy, prosiliśmy, przekonywaliśmy i płakaliśmy, ale nie potrafiliśmy skłonić Joszuy, by nie szedł do Jeruzalem na Paschę. Józef z Arymatei przesłał wiadomość, że faryzeusze i saduceusze nadal spiskują przeciwko niemu, że Akan oskarża wyznawców Joszuy na dziedzińcu kobiet przed Świątynią. Ale groźby tylko umacniały Joszuę w jego decyzji. Parę razy udało się nam z Maggie związać go i wrzucić na dno łodzi; używaliśmy węzłów, których nauczyliśmy się od braci rybaków, Piotra i Andrzeja. Jednak zawsze wychodził po kilku minutach, trzymając krępujące go powrozy i mówiąc coś w stylu: „Dobre węzły, ale jednak nie dość dobre, prawda?".

Nim wyruszyliśmy do Jeruzalem, Maggie i ja zamartwialiśmy się całymi dniami.

– Może się mylić co do tej egzekucji – stwierdziłem.

– Tak, faktycznie może – zgodziła się Maggie.

– A myślisz, że tak? Znaczy, że się myli?

– Myślę, że dostanę mdłości.

– Nie wydaje mi się, żeby go to powstrzymało.

I rzeczywiście. Następnego dnia powędrowaliśmy do Jeruzalem. Po drodze zatrzymaliśmy się w miasteczku nad Jordanem, zwanym Beth Shemesh. Siedzieliśmy tam, posępni i bezradni, obserwując, jak wzdłuż brzegu sunie kolumna pielgrzymów. Nagle z tłumu wyszła stara kobieta i laską zaczęła torować sobie drogę między wypoczywającymi apostołami.

– Odsuńcie się, muszę porozmawiać z tym człowiekiem. Rusz się, niezdaro, powinieneś się umyć. – Przyłożyła Bartłomiejowi w głowę, a jego psi kumple zaczęli na nią ujadać. – Cicho tam. Jestem starą kobietą i chcę się zobaczyć z tym Joszuą z Nazaretu.

– No nie, mamo... – jęknął Jan.

Jakub próbował ją zatrzymać, ale pogroziła mu laską.

– W czym mogę ci pomóc, mateczko?

– Jestem żoną Zebedeusza, matką tych dwóch. – Laską wskazała Jana i Jakuba. – Słyszałam, że już niedługo trafisz do Królestwa.

– Jeśli tak ma być, to będzie – odparł Joszua.

– No więc mój mąż, Zebedeusz, niech Bóg ma w opiece jego duszę, zostawił tym chłopcom dobrze prosperujący interes. Ale oni podążyli za tobą i interes upadł ze szczętem. – Zwróciła się do synów: – Ze szczętem!

Joszua położył dłoń na jej ramieniu, ale nie spłynęło na nią ukojenie, jakie ludzie odczuwali zwykle po takim dotknięciu. Pani Zebedeuszowa odsunęła się i machnęła laską, o włos chybiając jego głowy.

– Nie próbuj ze mną takich sztuczek, panie Gładka Gadka. Moi chłopcy zrujnowali dla ciebie interes ojca, więc obiecaj mi, że w zamian będą mogli siedzieć po obu stronach tronu Królestwa.

Tak będzie uczciwie. To dobrzy chłopcy. – Spojrzała na nich. – Gdyby wasz ojciec jeszcze żył, to umarłby, widząc, co zrobiliście.

– Ale, mateczko, nie ode mnie zależy, kto będzie siedział obok tronu.

– A od kogo?

– Pan, ojciec mój, o tym decyduje.

– No to idź i go zapytaj. – Oparła się o laskę i zaczęła tupać nogą. – Zaczekam.

– Ale...

– Chcesz odmówić umierającej kobiecie spełnienia jej ostatniego życzenia?

– Przecież nie umierasz.

– Ty mnie tutaj zabijasz. Idź sprawdzić. No idź.

Josh spojrzał na nas ogłupiały. Wszyscy tchórzliwie odwróciliśmy wzrok. W końcu przecież żaden z nas nie nauczył się dotąd radzić sobie z żydowską matką.

– Wejdę na tę górę i sprawdzę. – Joszua wskazał najwyższy wierzchołek w okolicy.

– No to ruszaj. Chcesz, żebym się spóźniła na Paschę?

– Dobrze. Świetnie. Pójdę sprawdzić już teraz.

Josh wycofał się bardzo powoli i tak jakby bokiem sunął w stronę góry. Nazywała się chyba Tabor.

Pani Zebedeuszowa popędziła synów, jakby wyganiała kury z ogrodu.

– A wy co, zmieniliście się w słupy soli? Idźcie za nim.

Piotr zaśmiał się, a ona odwróciła się błyskawicznie i uniosła laskę, gotowa rozłupać mu czaszkę. Piotr udał, że kaszle.

– Może lepiej też pójdę, gdyby potrzebowali świadka.

Pobiegł za Joszuą i dwójką braci.

Kobieta spojrzała na mnie groźnie.

– I czego się gapisz? Myślisz, że bóle porodowe się kończą, kiedy dzieci odchodzą na swoje? Czy złamane serce mniej boli w innym domu?

Nie było ich przez całą noc, bardzo długą noc, kiedy to wszyscy mogliśmy posłuchać opowieści o ojcu Jana i Jakuba, Zebedeuszu, który najwyraźniej posiadł odwagę Daniela, mądrość Salomona, siłę Samsona, oddanie Abrahama, urodę Dawida i sprawność Goliata, niech Bóg ma w opiece jego duszę. (Zabawne, ale Jakub zawsze opisywał ojca jako chudego, sepleniącego człowieczka). Kiedy cała czwórka wynurzyła się zza wzniesienia, poderwaliśmy się wszyscy i pobiegliśmy ich powitać. Osobiście chętnie przeniósłbym ich na własnym grzbiecie, byle tylko ta starucha się zamknęła.

– I co? – zapytała.

– To było zadziwiające – oświadczył Piotr, nie zwracając na nią uwagi. – Zobaczyliśmy trzy trony. Na jednym siedział Mojżesz, na drugim Eliasz, a trzeci czekał przygotowany dla Joszuy. I potężny głos rozległ się z nieba, mówiąc: „To jest mój Syn, w którym mam upodobanie".

– A tak, mówił to już wcześniej – stwierdziłem.

– Ale tym razem słyszałem – odparł z uśmiechem Josh.

– Więc tylko trzy trony? – mruknęła pani Zebedeuszowa. Spojrzała na dwóch synów, którzy chowali się za plecami Joszuy. – Oczywiście, dla was miejsca już nie ma. – Odeszła, trzymając dłoń na sercu. – Trzeba się pewnie cieszyć szczęściem matek Mojżesza, Eliasza i tego chłopaczka z Nazaretu. One nie wiedzą, co to znaczy mieć cierń w sercu.

Powlokła się brzegiem w stronę Jeruzalem.

Joszua ścisnął braci za ramiona.

– Ja to załatwię – rzucił i pobiegł za panią Zebedeuszową.

Maggie szturchnęła mnie, a kiedy się obejrzałem, zobaczyłem, że ma łzy w oczach.

– On się nie myli – powiedziała.

– Fakt – zgodziłem się. – Może poproś jego matkę, żeby go przekonała. Nikt nie potrafi się jej oprzeć... To znaczy, ja nie potrafię. To znaczy, nie jest tobą, ale... Patrz! Czy to nie mewa?

CZĘŚĆ SZÓSTA

PASJA

Nikt nie jest doskonały... Chociaż nie, był taki jeden gość, ale go zabiliśmy.

anonimowe

NIEDZIELA

Matka Joszuy i jego brat Jakub spotkali nas przed Złotą Bramą Jeruzalem, gdzie czekaliśmy na Bartłomieja i Jana, którzy szukali Nataniela i Filipa, którzy mieli wrócić z Jakubem i Andrzejem, którzy poszli, by odnaleźć Judasza i Tomasza, których posłaliśmy do miasta, by poszukali Piotra i Maggie, którzy mieli się rozejrzeć za Tadeuszem i Szymonem, którzy wybrali się po osiołka.

– Można by sądzić, że przez ten czas jakiegoś znaleźli – stwierdziła Maria.

Zgodnie z proroctwem, Joszua powinien wjechać do miasta na osiołku, źrebięciu oślicy. Oczywiście, nikt nie zamierzał takiego znaleźć. Taki był plan. Nawet Jakub, brat Joszuy, zgodził się uczestniczyć w spisku – poszedł naprzód, by czekać w bramie, na wypadek gdyby któryś z uczniów nie zrozumiał idei i rzeczywiście przyprowadził zwierzaka.

Mniej więcej tysiąc wyznawców Joszuy z Galilei zebrał się na drodze do Złotej Bramy. Udekorowali szlak palmowymi liśćmi, a czekając na jego tryumfalny wjazd do miasta, przez całe popołudnie wiwatowali i śpiewali hosanny. Gdy jednak popołudnie przeszło w wieczór, rozeszli się – wszyscy zgłodnieli i poszli do miasta, szukać czegoś do zjedzenia. Tylko matka Joszuy i ja wciąż czekaliśmy.

– Miałem nadzieję, że przemówisz mu do rozsądku – zwróciłem się do Marii.

– Dawno już zrozumiałam, że to nastąpi – odparła. Miała na sobie swoją zwykłą niebieską suknię i szal. Promieniejący z jej twarzy blask przygasł, nie ze starości, ale ze zgryzoty. – Myślisz, że z jakiego powodu dwa lata temu po niego posłałam?

To prawda. Przysłała do synagogi w Kafarnaum młodszych braci Joszuy, Judę i Jezusa. Mieli sprowadzić go do domu, twierdząc, że jest obłąkany, ale Joszua nawet nie wyszedł na zewnątrz, by się z nimi spotkać.

– Nie lubię, kiedy mówicie o mnie, jakby mnie tu nie było – wtrącił Joszua.

– Staramy się przyzwyczajać – odpowiedziałem. – Jeśli ci się to nie podoba, to zrezygnuj z tego głupiego planu złożenia samego siebie w ofierze.

– Biff, a jak myślisz, do czego się przygotowywałem przez te wszystkie lata?

– Gdybym wiedział, że do tego, tobym ci nie pomagał. I dalej siedziałbyś zaklinowany w tej amforze w Indiach.

Zajrzał do bramy.

– Gdzie są wszyscy? Czy naprawdę tak trudno jest znaleźć zwykłego osła?

Zerknąłem na matkę Joszuy. Uśmiechnęła się, chociaż w jej oczach dostrzegłem cierpienie.

– Nie patrz tak na mnie – powiedziała. – Nikt z mojej rodziny by się tak nie podłożył.

To było aż nazbyt łatwe, więc dałem spokój.

– Wszyscy są u Szymona w Betanii, Josh. Nie wrócą dzisiaj.

Joszua bez słowa wstał i pomaszerował do Betanii.

– Nic nie możecie zrobić, żeby do tego nie dopuścić! – wrzeszczał Joszua na apostołów zebranych w dużym pokoju domu Szymona. Marta wybiegła z płaczem, kiedy spojrzał na nią gniewnie. Szymon wbił wzrok w podłogę, podobnie jak wszyscy pozostali.

– Kapłani i uczeni w piśmie schwytają mnie i osądzą. Będą mnie opluwali i biczowali, a potem zabiją. Trzeciego dnia powstanę z martwych i będę znów chodził między wami, ale nie mogę powstrzymać tego, co się stać musi. Jeżeli mnie kochacie, pogodzicie się z tym, co wam mówię.

Maggie zerwała się i wybiegła z domu, po drodze wyrywając Judaszowi naszą wspólną sakiewkę. Zelota chciał się podnieść i biec za nią, ale pchnąłem go z powrotem na poduszkę.

– Niech idzie.

Siedzieliśmy w milczeniu, próbując wymyślić co robić, co powiedzieć. Nie wiem, nad czym zastanawiali się pozostali, ale ja wciąż usiłowałem znaleźć jakiś sposób, by Joszua pokazał, o co mu chodzi, nie poświęcając przy tym życia. Marta wróciła z dzbanem wina i kubkami. Podała je nam kolejno; nie patrzyła na Joszuę, gdy mu nalewała. Matka Joszuy wyszła za nią z pokoju, zapewne by przygotować kolację.

Po pewnym czasie do pokoju wśliznęła się Maggie. Od razu podeszła do Joszuy i usiadła u jego stóp. Wyjęła spod płaszcza wspólną sakiewkę, a z niej alabastrowy flakonik – taki, w jakich trzymano kosztowne olejki, którymi kobiety namaszczały zmarłych przed pogrzebem. Pustą sakiewkę rzuciła Judaszowi. Bez słowa złamała pieczęć na flakoniku i wylała olejek na nogi Joszuy. Rozpuściła włosy i zaczęła go nimi wycierać. Pokój wypełnił mocny aromat przypraw i perfum.

Judasz poderwał się, przeskoczył przez pokój i zabrał flakonik.

– Pieniądze za coś takiego mogłyby nakarmić setki ubogich!

Joszua spojrzał ze łzami w oczach na zelotę.

– Zawsze będziesz miał ubogich, Judaszu, ale ja będę tutaj jeszcze tylko przez chwilę. Zostaw.

– Ale...

– Zostaw – powtórzył Joszua.

Wyciągnął rękę, a Judasz położył mu z rozmachem flakonik na dłoni. Potem wybiegł z domu. Słyszałem, że krzyczy coś na ulicy, ale nie rozumiałem słów.

Resztę olejku Maggie wylała Joszui na głowę i palcem kreśliła w nim wzory. Joszua spróbował chwycić ją za rękę, ale cofnęła się i wstała. Czekała, dopóki nie opuścił dłoni.

– Martwy nie może kochać – oświadczyła. – Nie ruszaj się.

Kiedy następnego ranka ruszyliśmy za Joszuą do Świątyni, Maggie nigdzie nie było.

PONIEDZIAŁEK

W poniedziałek Joszua wprowadził nas przez Złotą Bramę do Jeruzalem, lecz tym razem na drodze nie leżały palmowe liście i nikt nie śpiewał hosanny. (No, był taki jeden gość, ale on zawsze wyśpiewywał hosanny przy Złotej Bramie. Jeśli ktoś dał mu monetę, to na chwilę przestawał).

– Przyjemnie byłoby kupić sobie coś na śniadanie – stwierdził Judasz. – Gdyby Magdalena nie wydała wszystkich naszych pieniędzy.

– Za to Joszua ładnie pachnie – zauważył Nataniel. – Nie sądzisz, że Joszua ładnie pachnie?

Czasami człowieka ogarnia wdzięczność z najdziwniejszych powodów. W owej chwili, kiedy zobaczyłem, jak Judasz zaciska zęby i żyła nabrzmiewa mu na czole, zmówiłem krótką modlitwę dziękczynną za naiwność Nataniela.

– Rzeczywiście ładnie – przyznał Bartłomiej. – Aż ma się ochotę zrewidować własne poglądy w kwestii materialnych wygód.

– Dzięki, Bart – rzucił Joszua.

– Tak, nie ma nic lepszego niż ładnie pachnący mężczyzna – oświadczył z rozmarzeniem Jan.

Nagle wszyscy poczuliśmy się zakłopotani, nastąpiły chóralne chrząknięcia i pokasływania, a potem wszyscy szliśmy o kilka kroków dalej od siebie. (Nie mówiłem wam o Janie, prawda?).

Po chwili Jan zaczął dość żałosne przedstawienie, udając, że zauważa mijane kobiety.

– O, ta jałóweczka mogłaby dać mężczyźnie silnych synów – oznajmiał fałszywie grubym męskim głosem. – A mężczyzna chętnie by tam posiał nasienie, to pewne.

– Zamknij się, proszę – rzucił mu Jakub, jego brat.

– A może wezwałbyś matkę? Niech przyjdzie i poprosi tę kobietę, żeby się dla ciebie rozchyliła? – zaproponował Filip.

Wszyscy parsknęli śmiechem, nawet Joszua. No, wszyscy oprócz Jakuba.

– Widzisz? – strofował brata. – Widzisz, do czego doprowadziłeś, ty cioto?

– To ponętna dziewka! – wykrzyknął nieprzekonująco Jan.

Wskazał kobietę wleczoną przez grupę faryzeuszy ku miejskiej bramie. Ubranie wisiało na niej w strzępach, odsłaniając rzeczywiście ponętne ciało (trzeba więc pochwalić Jana, gdyż znalazł się poza swoim żywiołem).

– Zablokujcie przejście – polecił Joszua.

Faryzeusze dotarli do naszej ludzkiej barykady i zatrzymali się.

– Pozwól nam przejść, rabbi – poprosił najstarszy z nich. – Tę kobietę właśnie pochwycono na cudzołóstwie, więc zabieramy ją poza miasto, by tam ukamienować, jak nakazuje prawo.

Kobieta była młoda, brudne włosy opadały jej kędziorami wokół głowy. Twarz miała wykrzywioną ze zgrozy, a oczy szalone i rozbiegane, ale godzinę temu pewnie była ładna.

Joszua przykucnął i zaczął pisać w pyle u swych stóp.

– Jak ci na imię? – zapytał.

– Jamal – odparł przywódca.

Patrzył, jak Joszua wypisuje najpierw jego imię, a potem obok listę grzechów.

– O rany, Jamalu. Gęś? Nie wiedziałem nawet, że to możliwe.

Jamal wypuścił cudzołożnicę i się cofnął. Joszua spojrzał na drugiego, który trzymał kobietę.

– A twoje imię?

– Ee... Steve – odpowiedział zapytany.

– Wcale nie ma na imię Steve – odezwał się jakiś człowiek w tłumie. – Tylko Jakub.

Joszua wypisał w pyle słowo „Jakub".

– Nie – szepnął Jakub.

Potem wypuścił kobietę i pchnął ją mocno w naszą stronę. Wtedy Joszua wstał i od najbliżej stojącego wziął kamień. Ten oddał go bez oporu. Wpatrywał się w skupieniu w spisaną w kurzu listę grzechów.

– A teraz ukamienujmy tę jawnogrzesznicę – zarządził Joszua. – Kto z was jest bez grzechu, niech pierwszy rzuci w nią kamieniem.

I podał im kamień.

Cofali się krok za krokiem, a po chwili wszyscy uciekli tam, skąd przyszli. Cudzołożnica padła przed Joszuą na ziemię i chwyciła go za nogi.

– Dziękuję ci, rabbi. Tak bardzo ci dziękuję.

– Nie ma sprawy – odpowiedział i postawił ją. – A teraz idź i nie grzesz więcej.

– Naprawdę ładnie pachniesz, wiesz? – dodała.

– Tak, dzięki. A teraz idź.

Odeszła.

– Powinienem chyba dopilnować, żeby spokojnie wróciła do domu. Zgoda? – rzuciłem.

Ruszyłem za nią, ale Joszua przytrzymał mnie za tunikę.

– „Nie grzesz więcej". Przeoczyłeś tę część mojej instrukcji?

– Przecież i tak już cudzołożyłem z nią w sercu swoim, zatem czemu nie mieć z tego trochę przyjemności?

– Nie.

– To ty ustanawiasz normy. Według twoich zasad nawet Jan cudzołożył już z nią w sercu swoim, a przecież nie lubi kobiet.

– Nieprawda – oburzył się Jan.

– Do Świątyni – ponaglił nas Joszua.

– Moim zdaniem marnujemy całkiem dobrą cudzołożnicę.

Na zewnętrznym dziedzińcu Świątyni, gdzie dopuszczano kobiety i gojów, Joszua zebrał nas wszystkich i zaczął głosić nadejście Królestwa. Ale za każdym razem, gdy próbował zacząć, wcinał się jakiś handlarz.

– Kupujcie gołębice! Najlepsze gołębice ofiarne! Białe jak śnieg! Każdemu się przydadzą!

Joszua zaczynał znowu, i znowu przerywał mu inny.

– Praśny chleb! Kupujcie praśny chleb! Tylko jedna szekla. Gorąca maca, taka sama, jaką jadał Mojżesz w drodze z Egiptu, tylko świeższa!

Przyprowadzono Joszui chromą dziewczynkę; zaczął ją uzdrawiać i wypytywać o wiarę, kiedy...

– Denary wymieniam na szekle, na poczekaniu! Żadna kwota nie będzie za wysoka czy za niska! Drachmy na talenty, talenty na szekle... Wszystkie pieniądze zamieniam na miejscu!

– Czy wierzysz, że nasz Pan cię kocha? – zapytał dziewczynkę Joszua.

– Gorzkie zioła! Kupujcie gorzkie zioła! – krzyczał handlarz.

– Niech was diabli porwą! – wrzasnął zirytowany Joszua. – Jesteś uzdrowiona, dziecinko, a teraz idź sobie stąd.

Machnięciem odesłał małą, która wstała i po raz pierwszy w życiu odeszła samodzielnie. A potem spoliczkował sprzedawcę gołębi, zerwał pokrywę jego klatki i wypuścił chmurę ptaków w niebo.

– To jest dom modlitwy! Nie jaskinia zbójców!

– Nie, tylko nie zmieniających pieniądze... – szepnął Piotr.

Joszua chwycił długi stół, gdzie wymieniano kilkanaście walut na szekle (jedyna metoda dopuszczona w obrocie handlowym wewnątrz kompleksu świątynnego) i przewrócił go.

– No to koniec. Ma przerąbane – stwierdził Filip.

I rzeczywiście. Kapłani dostawali znaczny procent od zmieniających pieniądze. Joshowi mogło się dotąd udawać, ale teraz zakłócił im przypływ gotówki.

– Wynoście się, żmije! Wynocha!

Chwycił powróz od jednego ze sprzedawców i używał go jak bata, by wypędzić za bramę Świątyni kupców i zmieniających pieniądze. Porwani tyradą Nataniel i Tomasz kopali uciekających handlarzy, ale reszta z nas patrzyła nieruchomo albo zajmowała się tymi, którzy przyszli posłuchać kazania.

– Powinniśmy go powstrzymać – mruknąłem do Piotra.

– Myślisz, że to też zdołamy powstrzymać? – Ruchem głowy wskazał róg dziedzińca, gdzie przynajmniej dwudziestu kapłanów wyszło z Wewnętrznej Świątyni, by obserwować zamieszanie.

– Ściągnie na nas gniew kapłanów – stwierdził Judasz. Patrzył na strażników, którzy przestali spacerować po murze i przyglądali się wszystkiemu z góry. Trzeba Judaszowi przyznać, że wraz z Szymonem i kilkoma innymi zdołał uspokoić grupę wiernych, która przybyła, by otrzymać błogosławieństwa i uzdrowienia, zanim jeszcze Joszua się wściekł.

Poza murami Świątyni widzieliśmy rzymskich żołnierzy, którzy gapili się z blanków pałacu Heroda Wielkiego, zajmowanego przez gubernatora w czasie Paschy, kiedy sprowadzał do Jeruzalem legiony. Rzymianie nie wkraczali do Świątyni, chyba że podejrzewali bunt. Gdyby jednak weszli, polałaby się żydowska krew. Całe rzeki.

– Nie wejdą – uznał Piotr, choć w jego głosie zabrzmiała delikatna nutka zwątpienia. – Widzą przecież, że to sprawa między Żydami. Nie obchodzi ich, czy się nawzajem pozabijamy.

– Obserwuj Judasza i Szymona – poradziłem. – Jeśli któryś z nich zacznie to swoje „Nie ma pana prócz Boga", Rzymianie spadną na nas jak topór kata.

Wreszcie Joszua się zasapał – był mokry od potu i ledwie machał powrozem – ale w Świątyni nie został ani jeden kupiec. Spory tłum podążał za nim i pokrzykiwał gniewnie na wypędzanych. I chyba tylko ci ludzie (około ośmiuset do tysiąca osób) powstrzymywali kapłanów przed wezwaniem straży. Josh w końcu odrzucił powróz i wraz z wiernymi powrócił na dziedziniec, skąd przyglądaliśmy się wszystkiemu ze zgrozą.

– Złodzieje – rzucił bez tchu, gdy nas mijał.

I podszedł do dziewczynki z uschniętą ręką, która czekała obok Judasza.

– Strasznie było, co? – zapytał.

Mała kiwnęła głową. Joszua położył dłonie na jej uschniętej ręce.

– Czy ci ludzie w wysokich czapkach dalej tam stoją?

Znowu przytaknęła.

– Patrz... Możesz tak zrobić? – Pokazał jej, jak się wystawia środkowy palec. – Nie, nie tą ręką. Drugą.

Cofnął dłonie i mała pomachała palcami. Mięśnie i ścięgna nabrzmiewały, aż w końcu ręka niczym się nie różniła od zdrowej.

– A teraz – rzekł Joszua – zrób ten znak. Świetnie. Teraz pokaż go tym typom w wysokich czapkach. No, grzeczna dziewczynka.

– Kto dał ci prawo uzdrawiać? – zapytał jeden z kapłanów, najwyraźniej najstarszy rangą z całej grupy.

– Nie ma pana...! – zaczął Szymon.

Jego okrzyk przerwał mocny cios w splot słoneczny, wyprowadzony przez Piotra, który zaraz potem powalił zelotę na ziemię i usiadł na nim, szepcząc mu coś do ucha. Andrzej stanął za Judaszem i chyba wygłaszał podobny wykład, jednak bez pomocy fizycznych wstrząsów.

Joszua wziął z ramion matki małego chłopca. Nogi malca kołysały się w powietrzu, jakby wcale nie miały kości. Nie odrywając od niego wzroku, Joszua odpowiedział:

– Kto Janowi dał prawo chrzcić?

Kapłani spojrzeli po sobie. Wierni się zbliżyli. Byliśmy w Judei, na obszarze działania Jana. Kapłani wiedzieli, że nie warto podawać w wątpliwość danych przez Boga mocy Jana, zwłaszcza wobec tak licznego tłumu. Z pewnością jednak nie zamierzali ich potwierdzać dla korzyści Joszuy.

– W tej chwili nie możemy tego powiedzieć – odparł kapłan.

– Więc i ja nie mogę – oświadczył Josh.

Postawił i podtrzymał chłopca, którego nogi zapewne po raz pierwszy uniosły ciężar ciała. Maluch zachwiał się jak nowo narodzony źrebak, a Josh złapał go ze śmiechem, ujął za ramiona i popchnął ku matce. Potem zwrócił się do kapłanów:

– Chcecie mnie wypróbować? Próbujcie. Pytajcie o co chcecie, żmije, ale będę uzdrawiał tych ludzi i wbrew wam poznają Słowo Boże.

Filip przesunął się za mnie.

– Możesz go powalić albo co? – szepnął. – Tymi swoimi technikami ze Wschodu? Musimy go stąd wyprowadzić, zanim powie coś jeszcze.

– Chyba już za późno. Nie pozwólcie, żeby tłum się rozproszył. Idźcie do miasta i ściągnijcie więcej ludzi. Tłum jest teraz jego jedyną ochroną. I poszukajcie Józefa z Arymatei. Może potrafi pomóc, jeśli wszystko tutaj wyrwie się spod kontroli.

– A jeszcze się nie wyrwało?

– Wiesz, o co mi chodzi.

Przesłuchanie ciągnęło się przez dwie godziny. Kapłani zastawiali wszelkie werbalne pułapki, jakie tylko mogli wymyślić, a Joszua czasem się wywijał, a czasem brnął na oślep. Rozglądałem się, szukając sposobu, by wyprowadzić go ze Świątyni i uniknąć aresztowania. Ale im dłużej patrzyłem, tym większej nabierałem pewności, że strażnicy zeszli z murów i czekają za bramą prowadzącą na dziedziniec.

Tymczasem najważniejszy z kapłanów mówił monotonnym głosem:

– Mężczyzna umiera, nie pozostawiając synów, ale żona poślubia jego brata, który ma trzech synów po pierwszej żonie... (i dalej). Trzech z nich wyrusza z Jerycha na południe, pokonując trzy przecinek trzy furlonga na godzinę, ale prowadzą dwa osły, mogące unieść dwa... (i dalej). Potem kończy się szabat i mogą podjąć wędrówkę, dodając do tysiąca kroków dozwolonych przez Prawo... a wiatr wieje z południowego zachodu z prędkością dwóch furlongów na godzinę... (i dalej). Ile wody potrzebują na tę wyprawę? Odpowiedź podaj w baryłkach.

– Pięć – odpowiedział Joszua, gdy tylko skończyli mówić.

I wszyscy byli zdumieni.

Tłum zakrzyknął.

– Bez wątpienia jest Mesjaszem! – zawołała jakaś kobieta.

– Syn Boży przybył – oznajmił ktoś inny.

– Nie pomagacie, ludzie! – krzyknąłem na nich.

– Nie pokazałeś obliczeń, nie pokazałeś obliczeń! – wyśpiewywał najmłodszy kapłan.

Judasz i Mateusz notowali zadanie, wydrapując je na kamieniach bruku, gdy kapłan recytował, ale już dawno się zgubili. Wyprostowali się i pokręcili głowami.

– Pięć – powtórzył Joszua.

Kapłani popatrzyli po sobie.

– Zgadza się, ale nie daje ci to prawa uzdrawiania w Świątyni.

– Za trzy dni nie będzie już Świątyni, gdyż zniszczę ją i wasze gniazdo żmij też. A trzy dni potem nowa Świątynia powstanie dla chwały mojego ojca.

Wtedy objąłem go za pierś i pociągnąłem do bramy. Zgodnie z planem, pozostali apostołowie szli po obu stronach, ustawieni w klin. Dalej napierał tłum. Setki podążały za nami.

– Czekajcie, jeszcze nie skończyłem! – krzyczał Joszua.

– Skończyłeś.

– Oto przybył prawdziwy król Izraela, by ustanowić swe Królestwo! – zawołała jedna z kobiet.

Piotr trzepnął ją po głowie.

– Przestań pomagać.

Dzięki masie tłumu, udało nam się wyprowadzić Joszuę ze Świątyni i zaciągnąć przez ulice do domu Józefa z Arymatei.

Józef wpuścił nas do pokoju na piętrze – miał piękne łukowe sklepienie, kosztowne dywany na podłodze i ścianach, leżały tam stosy poduszek i stał długi, niski stół.

– Jesteście tu bezpieczni, ale nie wiem jak długo. Zwołali już naradę Sanhedrynu.

– Przecież dopiero co wyszliśmy ze Świątyni – zdziwiłem się. – W jaki sposób?

– Powinniście im pozwolić mnie pojmać – oświadczył Joszua.

– Stół będzie nakryty na wieczerzę paschalną esseńczyków – powiedział Józef. – Zostańcie na kolacji.

– Mamy wcześniej obchodzić Paschę? Dlaczego? – zapytał Jan. – I dlaczego jak u esseńczyków?

Józef starał się nie patrzeć na Joszuę.

– Bo na wieczerzy esseńczyków nie zabijają baranka.

WTOREK

Przespaliśmy noc w pokoju na piętrze domu Józefa. Rankiem Joszua zszedł na dół. Nie było go przez chwilę, po czym wrócił po schodach.

– Nie pozwalają mi wyjść – oznajmił.

– Oni?

– Apostołowie. Moi właśni apostołowie nie pozwalają mi wyjść. – Wrócił na schody. – Sprzeciwiacie się woli bożej! – zawołał. Po czym zwrócił się do mnie: – Czy to ty im powiedziałeś, żeby mnie nie wypuszczali?

– Ja? Tak.

– Nie możesz tego czynić.

– Posłałem Nataniela do Szymona, żeby sprowadził Maggie. Wrócił sam. Maggie nie chciała z nim rozmawiać, ale Marta owszem. Żołnierze ze świątyni już tam byli, Josh.

– I co?

– Co to znaczy: i co? Przyszli cię aresztować.

– Niech aresztują.

– Josh, nie musisz się poświęcać, żeby pokazać, o co ci chodzi. Całą noc się nad tym zastanawiałem. Możesz negocjować.

– Z Bogiem?

– Abraham to robił. Pamiętasz? Chodziło o zniszczenie Sodomy i Gomory. Zaczął od tego, że Pan zgodził się oszczędzić miasta, jeśli znajdzie się w nich pięćdziesięciu sprawiedliwych, ale on w końcu przekonał Boga, że wystarczy dziesięciu. Też możesz spróbować.

– Nie całkiem o to mi chodzi, Biff. – Podszedł do mnie, ale nie potrafiłem spojrzeć mu w oczy. Stanąłem więc przy jednym z wysokich, łukowych okien wychodzących na ulicę. – Boję się

493

tego... tego, co ma się zdarzyć. Przychodzi mi do głowy z dziesięć różnych rzeczy, którymi wolałbym się zająć w tym tygodniu, zamiast zginąć. Ale wiem, że tak być musi. Kiedy powiedziałem kapłanom, że w ciągu trzech dni zburzę Świątynię, chodziło mi o to, że będzie zniszczona cała ta korupcja, pozory, rytuały Świątyni, które nie pozwalają ludziom poznać Boga. A trzeciego dnia, kiedy powrócę, wszystko będzie nowe, a Królestwo Boże nastanie wszędzie. Bo ja wrócę, Biff.

– Tak, wiem, mówiłeś.

– No więc uwierz we mnie.

– Nie wychodzą ci wskrzeszenia, Josh. Pamiętasz tę kobietę w Jafii? A żołnierz w Seforis ile wytrzymał? Trzy minuty?

– Ale popatrz na Szymona, brata Maggie. Powrócił z martwych już parę miesięcy temu.

– Tak. I dziwnie pachnie.

– Wcale nie.

– Poważnie, jeśli podejdziesz bliżej, poczujesz, że pachnie zgnilizną.

– Skąd możesz wiedzieć? Nie zbliżasz się do niego, bo kiedyś był trędowaty.

– Tadeusz wspomniał o tym parę dni temu. Powiedział: „Wiesz, Biff, mam wrażenie, że ten Szymon Łazarz się psuje".

– Naprawdę? No to chodźmy spytać Tadeusza.

– Może już nie pamiętać.

Joszua zszedł po schodach do niskiego pokoju z mozaiką na podłodze i wąskimi oknami pod sufitem. Jego matka i brat Jakub dołączyli do apostołów i teraz wszyscy siedzieli pod ścianami. Kiedy wszedł Josh, wszystkie twarze zwróciły się w jego stronę niczym kwiaty do słońca. Czekali, aż powie coś, co da im nadzieję.

– Umyję wam nogi – rzekł. I zwrócił się do Józefa z Arymatei: – Będzie mi potrzebna miska z wodą i gąbka.

Wysoki arystokrata skłonił się i poszedł szukać służby.

– Co za miła niespodzianka – powiedziała Maria.

Jakub-brat przewrócił oczami i westchnął ciężko.

– Wychodzę – oświadczyłem.

I spojrzałem na Piotra, jakbym mówił: „Nie spuszczaj go z oka". Zrozumiał i kiwnął głową.

– Wróć na seder – poprosił Joszua. – Chcę nauczyć cię jeszcze kilku rzeczy w tym krótkim czasie, jaki mi pozostał.

W domu Szymona nikogo nie było. Przez długi czas pukałem do drzwi, aż w końcu wszedłem. Nie znalazłem śladów porannego posiłku, ale mykwa była używana, więc się domyśliłem, że każdy się obmył i poszedł do Świątyni. Szedłem ulicami Jeruzalem, szukając jakiegoś rozwiązania, ale wszystko, czego się nauczyłem, wydawało się bezużyteczne. Gdy zapadł zmierzch, wróciłem do domu Józefa – okrężną drogą, żeby nie przechodzić obok pałacu arcykapłana.

Kiedy wszedłem, Joszua czekał na schodach do pokoju na górze. Piotr i Andrzej siedzieli z obu stron, najwyraźniej pilnując, żeby przypadkiem nie pobiegł do arcykapłana i nie kazał się zamknąć za bluźnierstwo.

– Gdzie byłeś? – zapytał Joszua. – Muszę ci umyć stopy.

– Masz pojęcie, jak trudno jest znaleźć szynkę w Jeruzalem, w tygodniu Paschy? Pomyślałem, że byłaby niezła. No wiesz, szynka na macy i odrobina gorzkich ziół.

– Umył nas wszystkich – wtrącił Piotr. – Oczywiście Barta musieliśmy przytrzymać, ale też jest czysty.

– A kiedy ich już umyłem, teraz oni pójdą i umyją innych, by pokazać, że im wybaczają.

– Aha, rozumiem – powiedziałem. – To taka przypowieść. Słodkie. Zjedzmy coś.

Ułożyliśmy się wokół stołu, z Joszuą u szczytu. Matka Joszui przygotowała paschalną kolację, tradycyjną z wyjątkiem baranka. Aby rozpocząć seder, Nataniel – który był najmłodszy – musiał zapytać:

– Dlaczego ten wieczór różni się od wszystkich innych wieczorów w roku?

– Bo Bart ma czyste nogi? – odpowiedział Tomasz.

– Józef z Arymatei płaci rachunek? – zgadywał Filip.

Nataniel roześmiał się i pokręcił głową.

– Nie. W inne wieczory jemy chleb i macę, a dzisiaj jemy tylko macę. Ha!

Uśmiechnął się. Pewnie po raz pierwszy w życiu poczuł się dowcipny.

– A dlaczego tego wieczoru jemy tylko macę? – pytał dalej.

– Przeskocz to, Nate – przerwałem. – Wszyscy tu jesteśmy Żydami. Podsumujmy. Przaśny chleb, bo nie miał czasu wyrosnąć, kiedy żołnierze faraona następowali nam na pięty, gorzkie zioła oznaczają gorycz niewoli, z której Bóg wyprowadził nas do Ziemi Obiecanej, znakomicie, możemy już jeść.

– Amen – odpowiedzieli wszyscy.

– To było marne – uznał Piotr.

– Było. A co? – burknąłem gniewnie. – Bo przecież siedzimy tu sobie z Synem Bożym i czekamy, aż ktoś przyjdzie, zabierze go i zamorduje. I nikt z nas nawet palcem nie kiwnie w tej sprawie, Boga nie wyłączając. No więc wybaczcie, że nie sikam po nogach na myśl o tym, że wyzwolił nas z rąk Egipcjan jakiś milion lat temu.

– Zostało ci wybaczone – rzekł Joszua i wstał. – To, czym jestem, istnieje w was wszystkich. Jednoczy was Boska Iskra, Duch Święty. To Bóg, który jest w was. Rozumiecie?

– Oczywiście, że Bóg jest częścią ciebie – odparł Jakub, brat. – Jest twoim ojcem.

– Nie, was wszystkich. Spójrzcie. Weźmy chleb.

Wziął macę i połamał. Każdemu dał kawałek i jeden zostawił dla siebie. Potem go zjadł.

– Teraz ten chleb jest częścią mnie, jest mną. Niech każdy z was zje swój.

Wszyscy patrzyli na niego.

– JEDZCIE! – wrzasnął.

Zjedliśmy więc.

– Teraz jest częścią was. Ja jestem częścią was. Wszyscy mamy w sobie tę samą cząstkę Boga. Spróbujemy jeszcze raz. Podajcie mi wino.

I tak to się ciągnęło parę godzin. Myślę, że kiedy wino już się skończyło, apostołowie wreszcie załapali, co Joszua im tłumaczy. Później zaczęły się błagania – każdy z nas prosił Joszuę, by zrezygnował z pomysłu, że musi umrzeć, by zbawić innych.

– Zanim to wszystko się skończy – powiedział – musicie się mnie wyprzeć.

– Nie wyprzemy się – zapewnił Piotr.

– Ty sam wyprzesz się mnie trzy razy, Piotrze. Nie tylko spodziewam się tego, ale nakazuję ci. Jeśli zabiorą was razem ze mną, nie zostanie nikt, kto poniósłby ludziom dobrą nowinę. Judaszu, mój przyjacielu, podejdź tutaj.

Judasz się zbliżył, a Joszua wyszeptał mu coś do ucha, po czym odesłał na miejsce.

– Jeden z was zdradzi mnie tej nocy – rzekł Joszua. – Prawda, Judaszu?

– Co?

Judasz popatrzył na nas, ale kiedy zobaczył, że nikt nie staje w jego obronie, rzucił się do schodów. Piotr chciał ruszyć za nim, lecz Joszua chwycił go za włosy i szarpnięciem usadził przy stole.

– Pozwól mu odejść.

– Przecież pałac arcykapłana stoi niecały furlong stąd – przestraszył się Józef z Arymatei. – Jeśli pobiegnie tam od razu...

Joszua uniósł dłoń i uciszył nas.

– Biff, ruszaj prosto do domu Szymona i tam czekaj. Samotnie, prześliźniesz się obok pałacu i nikt cię nie zobaczy. Reszta z nas ruszy przez miasto i przez dolinę Ben-Hinnom, żebyśmy nie musieli przechodzić obok pałacu. Spotkamy się z tobą w Betanii.

Spojrzałem na Piotra i Andrzeja.

– Nie pozwolicie mu się oddać w ręce straży?

– Oczywiście, że nie.

Wyszedłem w noc. Biegnąc, zastanawiałem się, czy może Joszua zmienił zdanie i zamierza uciec z Betanii na Pustynię Judejską. Powinienem od razu zrozumieć, że mnie wykiwał. Człowiek wierzy, że może komuś zaufać, a ten nagle zmienia front i go okłamuje.

Szymon otworzył drzwi i zaprosił mnie do środka. Uniósł palec do warg, dając znak, żebym był cicho.

– Maggie i Marta są w domu. Gniewają się na ciebie. Na was wszystkich. A teraz będą złe na mnie, że cię wpuściłem.

– Przykro mi.

Wzruszył ramionami.

– Co mogą zrobić? To przecież mój dom.

Przeszedłem prosto przez frontowy pokój do następnego, z którego drzwi prowadziły do sypialni, do mykwy i na dziedziniec, gdzie przygotowywano posiłki. Usłyszałem dobiegające z sypialni głosy. Kiedy wszedłem, Maggie uniosła głowę znad zaplatanych włosów Marty.

– A więc przyszedłeś nas zawiadomić, że się stało – powiedziała.

Łzy wzbierały w jej oczach i poczułem, że jeśli teraz zacznie szlochać, to chyba z nią zerwę.

– Nie – uspokoiłem ją. – On i pozostali są w drodze tutaj. Przez Ben-Hinnom, więc zajmie im to parę godzin. Ale mam plan.

Wyjąłem amulet yin-yang, który dostałem do Radosnej, i pomachałam nim tryumfalnie.

– Chcesz przekupić Joszuę brzydką biżuterią? – zdziwiła się Marta.

Wskazałem maleńkie zatyczki po obu stronach amuletu.

– Nie. Mój plan polega na tym, żeby go otruć.

Wyjaśniłem im, jak działa trucizna, a potem czekaliśmy, licząc w myślach czas, widząc oczyma duszy, jak apostołowie idą przez

Jeruzalem, wychodzą przez Bramę Esseńską między strome brzegi doliny Ben-Hinnom, gdzie w skale wyryto tysiące grobów i gdzie kiedyś płynęła rzeka, ale teraz rosły tylko szałwia, cyprysy i oset, mocno trzymające się szczelin w wapieniu. Po kilku godzinach wyszliśmy, by zaczekać na ulicy, a kiedy księżyc zaczął opadać i noc ustąpiła porankowi, zobaczyliśmy samotną postać nadchodzącą od wschodu, nie z południa, jak się spodziewaliśmy. Kiedy się zbliżyła, po potężnych ramionach i blasku księżyca na łysinie poznaliśmy Jana.

– Zabrali go – oznajmił. – W Getsemani. Annasz i Kajfasz przyszli osobiście, razem ze strażą Świątyni. I go zabrali.

Maggie rzuciła mi się w ramiona i wtuliła twarz w moją pierś. Sięgnąłem i przyciągnąłem także Martę.

– Co on robił w Getsemani? – zdziwiłem się. – Mieliście iść przez Ben-Hinnom.

– On ci tylko tak powiedział.

– Ten bękart mnie oszukał! Czyli aresztowali wszystkich?

– Nie, reszta ukrywa się niedaleko stąd. Piotr próbował walczyć ze strażnikami, ale Joszua go powstrzymał. Umówił się z kapłanami, że nas wypuszczą. Józef też przyszedł i pomagał ich przekonać.

– Józef? Józef go zdradził?

– Nie wiem – odparł Jan. – Ale to Judasz przyprowadził ich do Getsemani. Wskazał strażnikom Joszuę. Józef przyszedł później, kiedy już mieli aresztować nas wszystkich.

– Dokąd go zabrali?

– Do pałacu arcykapłanów. Nic więcej nie wiem, Biff, naprawdę.

Usiadł na środku ulicy i zapłakał. Marta podeszła i objęła go. Maggie spojrzała na mnie.

– Wiedział, że będziesz walczył. Dlatego cię tutaj przysłał.

– Plan się nie zmienia – odparłem. – Musimy go tylko wydostać, a potem otruć.

Jan uniósł głowę.

– Czyżbyś zmienił strony, kiedy mnie nie było?

499

ŚRODA

O pierwszym brzasku Maggie i ja dobijaliśmy się już do drzwi domu Józefa. Wpuścił nas służący. Kiedy Józef wyszedł z sypialni, musiałem przytrzymać Maggie, żeby się na niego nie rzuciła.

– Zdradziłeś go!

– Nie zdradziłem – zapewnił Józef.

– Jan mówił, że byłeś z kapłanami – powiedziałem.

– Byłem. Szedłem za nimi, bo nie chciałem dopuścić, żeby zabili Joszuę od razu w Getsemani, podczas próby ucieczki albo w obronie własnej.

– Co masz na myśli, mówiąc „w obronie własnej"?

– Oni chcą, żeby zginął, Maggie – oświadczył Józef. – Chcą, żeby zginął, ale nie mają dostatecznej władzy, by go skazać. Nie rozumiesz tego? Gdyby nie ja, zamordowaliby go i powiedzieli, że zaatakował ich pierwszy. Tylko Rzymianie mają prawo kazać kogoś zabić.

– Herod kazał zabić Jana Chrzciciela – przypomniałem. – Żadni Rzymianie mu nie przeszkodzili.

– Akan i jego zbóje cały czas kamienują ludzi – dodała Maggie. – Bez zgody Rzymian.

– Pomyślcie oboje. To jest tydzień Paschy. W mieście roi się od Rzymian szukających buntowniczych Żydów. Jest tutaj cały Szósty Legion plus osobista gwardia Piłata z Cezarei. Normalnie przebywa ich tu garstka. Arcykapłani, Sanhedryn, rada faryzeuszy, nawet sam Herod, dwa razy się zastanowią, nim spróbują czegoś wykraczającego poza literę rzymskiego prawa. Bez paniki. Nie było jeszcze nawet procesu przed Sanhedrynem.

– A kiedy będzie?

– Myślę, że dzisiaj po południu. Muszą wszystkich sprowadzić. Oskarżenie zbiera świadków przeciwko Joszui.

– A co ze świadczącymi na jego korzyść?

– To nie tak się odbywa. Ja będę go bronił, a także mój przyjaciel Nikodem, ale poza tym Joszua musi sam sobie radzić.

– Świetnie – mruknęła Maggie.

– A kto go oskarża?

– Myślałem, że wiecie. – Józef przygarbił się nieco. – Ten, który już dwa razy uknuł w Sanhedrynie intrygę przeciwko Joszui: Akan bar Iban.

Maggie odwróciła się w miejscu i rzuciła mi gniewne spojrzenie.

– Powinieneś go zabić.

– Ja? Miałaś siedemnaście lat na to, żeby go zepchnąć ze schodów albo co.

– Jest jeszcze czas – przypomniała.

– Teraz już to nie pomoże – stwierdził Józef z Arymatei. – Miejmy nadzieję, że Rzymianie nie zechcą badać jego sprawy.

– Mówisz tak, jakby już był skazany – zauważyłem.

– Zrobię, co będę mógł. – Józef wyraźnie nie miał wielkich nadziei.

– Postaraj się, żebyśmy mogli go zobaczyć.

– I żeby mogli aresztować was dwoje? Raczej nie. Zostańcie tutaj. Możecie zająć dla siebie pokoje na górze. Wrócę tu, albo prześlę wiadomość, jak tylko zdarzy cię coś ważnego.

Józef objął Maggie, pocałował ją w czubek głowy i wyszedł, żeby się przebrać.

– Ufasz mu? – zapytała Maggie.

– Ostrzegł Joszuę poprzednio, kiedy chcieli go zabić.

– Ja mu nie ufam.

Razem z Maggie cały dzień czekaliśmy na górze. Podskakiwaliśmy za każdym razem, kiedy słyszeliśmy kroki na ulicy. Byliśmy wyczerpani i roztrzęsieni z niepokoju. Poprosiłem jedną ze służących, żeby poszła do pałacu arcykapłana i sprawdziła, co się tam dzieje. Wróciła po chwili z wiadomością, że proces jeszcze się nie skończył.

Pod wysokim oknem ułożyliśmy z Maggie gniazdo z poduszek, żeby słyszeć nawet najlżejszy hałas z ulicy, ale powoli zapadła noc, coraz rzadziej dobiegały czyjeś kroki, przycichł daleki śpiew w Świątyni. Objęliśmy się i staliśmy jedną bryłą tępego, dręczącego żalu. Kiedy zrobiło się ciemno, kochaliśmy się po raz pierwszy od tej nocy przed wyprawą Joszuy i moją do Orientu. Minęło tyle lat, a jednak wszystko wydawało się znajome. Ten pierwszy raz, dawno temu, był desperacką próbą rozdzielenia bólu, bo każde z nas traciło kogoś, kogo kochało. Tym razem oboje traciliśmy tę samą osobę. Tym razem potem zasnęliśmy.

Józef z Arymatei nie przyszedł.

CZWARTEK

To Szymon i Andrzej wbiegli po schodach, by obudzić nas w czwartek rano. Nakryłem Maggie swoją tuniką i zerwałem się w samej przepasce biodrowej. Gdy tylko zobaczyłem Szymona, krew napłynęła mi do twarzy.

– Ty zdradziecki sukinsynu! – Byłem za bardzo wściekły, żeby go uderzyć. Stałem tylko i wrzeszczałem: – Ty tchórzu!

– To nie on! – krzyknął mi Andrzej do ucha.

– To nie ja – powiedział Szymon. – Próbowaliśmy walczyć ze strażnikami, kiedy przyszli po Joszuę. Piotr i ja.

– Judasz był twoim przyjacielem. Ty i twoje zelockie bzdury!

– Był też twoim!

Andrzej odepchnął mnie.

– Dość tego. To nie był Szymon. Widziałem, jak staje przeciwko dwóm strażnikom z włóczniami. Daj mu spokój. Nie mamy czasu na twoje wrzaski. Biff, Joszua jest biczowany w pałacu arcykapłana.

– Gdzie Józef? – wtrąciła Maggie.

Ubrała się, kiedy ja się wściekałem na Szymona.

– Poszedł do pretorium, które Piłat umieścił w Pałacu Antonii koło Świątyni.

– Co on tam robi, do diabła, kiedy biją Joszuę w pałacu na tym końcu miasta?

– Tam zaprowadzą Joszuę zaraz potem. Został skazany za bluźnierstwo, Biff. Chcą wyroku śmierci. Poncjusz Piłat jest zarządcą Judei. Józef go zna, chce prosić o uwolnienie Joszuy.

– Co mamy robić? Co robić?

Czułem, że wpadam w histerię. Odkąd pamiętałem, przyjaźń z Joszuą była dla mnie kotwicą, sensem istnienia, moim życiem;

a teraz ono... on pędził ku zniszczeniu jak statek gnany sztormem na rafy, a ja nie potrafiłem wymyślić nic prócz paniki.

– Co robić? – dyszałem. Oddech nie wypełniał mi płuc.

Maggie chwyciła mnie za ramiona i potrząsnęła mocno.

– Masz plan, pamiętasz? – Szarpnęła za amulet na mojej szyi.

– Tak. Tak. – Odetchnąłem głęboko. – Słusznie. Plan. Wciągnąłem przez głowę tunikę. Maggie pomogła mi przepasać się szarfą.

– Przepraszam cię, Szymonie – powiedziałem.

Na znak, że mi wybacza, machnął ręką.

– Co mamy robić?

– Zabierają Joszuę do pretorium, więc my też tam pójdziemy. Jeśli Piłat go uwolni, musimy go stąd szybko zabrać. Nie wiadomo, co Joszua zrobi następnym razem, by ich zmusić, żeby go zabili.

Czekaliśmy w tłumie przed Pałacem Antonii, kiedy strażnicy Świątyni przyprowadzili Joszuę do bramy. Procesję prowadził arcykapłan Kajfasz w swoich błękitnych szatach i wysadzanym klejnotami napierśniku. Za nim szedł jego ojciec Annasz, który poprzednio pełnił funkcję arcykapłana. Kolumna strażników otaczała Joszuę w samym środku pochodu. Widzieliśmy go – ktoś włożył mu świeżą tunikę, ale na plecach krew przesączała się przez materiał. Wyglądał, jakby był w transie.

Strażnicy wyprężali się i pokrzykiwali przed bramą, aż ze środka procesji wyszedł Akan i zaczął się kłócić z żołnierzami. Było jasne, że Rzymianie nie wpuszczą straży świątynnej do pretorium, więc przekazanie więźnia musi się odbyć przed bramą albo nigdzie. Oceniałem, czy zdołam przekraść się przez tłum, skręcić Akanowi kark i zniknąć, nie narażając planu... I wtedy poczułem czyjąś dłoń na ramieniu. Obejrzałem się i zobaczyłem Józefa z Arymatei.

– Dobrze, że to nie rzymskim batem go biczowali. Dostał trzydzieści dziewięć uderzeń, ale to tylko skóra, a nie obciążony ołowiem rzymski pejcz. To by go zabiło.

504

– Gdzie byłeś? Czemu to tak długo trwało?

– Oskarżenie nie mogło skończyć. Akan gadał przez pół nocy i przesłuchiwał świadków, którzy wyraźnie nigdy nie słyszeli o Joszui, a tym bardziej nie widzieli żadnych jego występków.

– Co z obroną? – spytała Maggie.

– No więc starałem się wyliczać jego dobre uczynki, ale oskarżycieli było tylu, że zagłuszyli mnie zupełnie. Sam Joszua nie powiedział ani słowa na swoją obronę. Zapytali go, czy jest Synem Bożym, a on potwierdził. To wykazało zarzut bluźnierstwa. Niczego więcej już nie potrzebowali.

– Co się stanie teraz? Rozmawiałeś z Piłatem?

– Tak.

– I?

Józef roztarł palcami grzbiet nosa, jakby próbował zwalczyć ból głowy.

– Powiedział, że zobaczy, co się da zrobić.

Patrzyliśmy, jak rzymscy żołnierze prowadzą Joszuę do środka. Za nimi weszli kapłani. Faryzeusze – w oczach Rzymian ludzie z gminu – zostali przed bramą. Legionista o mało co nie przyciął Akanowi twarzy skrzydłem wrót, kiedy je zamykał.

Kątem oka zauważyłem jakiś ruch i podniosłem wzrok na wysoki, szeroki balkon, widoczny ponad pałacowymi murami. Najwyraźniej zaprojektowali go architekci Heroda Wielkiego jako platformę, z której król mógł przemawiać do zgromadzonych w Świątyni, nie narażając swej osoby na niebezpieczeństwo. Wysoki Rzymianin w obfitej czerwonej todze spoglądał z balkonu na tłum i chyba nie był uszczęśliwiony jego obecnością.

– Czy to Piłat? – spytałem Józefa, wskazując na Rzymianina.

Kiwnął głową.

– Za chwilę zejdzie na dół, by osądzić Joszuę.

Ale w tej chwili nie interesowało mnie, co zamierza Piłat. Zainteresował mnie stojący za nim centurion, noszący hełm z pióropuszem i napierśnik dowódcy legionu.

Nie minęło pół godziny, a otworzyły się bramy pałacu i oddział rzymskich żołnierzy wyprowadził Joszuę w więzach. Centurion niższej rangi ciągnął go na powrozie oplatającym przeguby. Kapłani wyszli za nim i natychmiast zostali zasypani pytaniami przez faryzeuszy, którzy czekali na zewnątrz.

– Idź, dowiedz się, co zaszło – zwróciłem się do Józefa.

Przedarliśmy się do środka procesji, która szła za Joszuą. Większość krzyczała na niego i próbowała opluwać. Zauważyłem jednak w tłumie kilku, o których wiedziałem, że są jego wyznawcami – szli w milczeniu i rzucali nerwowe spojrzenia na boki, jakby w obawie, że oni będą następni.

Szymon, Andrzej i ja podążaliśmy w pewnej odległości za tłumem; Maggie przeciskała się bliżej Joszuy. Widziałem, jak rzuca się na swego eks-męża Akana, który trzymał się blisko kapłanów, ale w tym skoku zatrzymał ją Józef z Arymatei, chwyciwszy ją za włosy i szarpnąwszy do tyłu. Ktoś jeszcze pomagał ją obezwładnić, ale nosił kaptur i nie poznałem, kto to taki.

Józef przyciągnął Maggie do nas i przekazał mnie i Szymonowi.

– Zaraz da się zabić.

Maggie spojrzała na mnie dziko – nie wiedziałem, czy ma w oczach szaleństwo, czy wściekłość. Objąłem ją, przycisnąwszy ręce do ciała. Mężczyzna w kapturze szedł obok mnie i trzymał dłoń na jej ramieniu, by ją uspokoić. Kiedy zwrócił ku mnie twarz, zobaczyłem, że to Piotr. Żylasty rybak postarzał się chyba o dwadzieścia lat, odkąd widziałem go we wtorkową noc.

– Zabierają go do Antypasa – powiedział. – Kiedy Piłat się dowiedział, że jest z Galilei, stwierdził, że nie podlega jego jurysdykcji, i odesłał do Heroda.

– Maggie – szepnąłem jej do ucha. – Przestań się zachowywać jak obłąkana. Mój plan właśnie poszedł w diabły i przyda mi się odrobina krytycznego myślenia.

I znowu czekaliśmy przed pałacem wzniesionym przez Heroda Wielkiego, ale tym razem – ponieważ był urzędującym żydowskim królem – wpuszczono do środka faryzeuszy, a Józef z Arymatei wszedł razem z nimi. Po kilku minutach znowu znalazł się na ulicy.

– Próbuje skłonić Joszuę, by dokonał cudu – oznajmił. – Uwolni go, jeśli Joszua dokona dla niego cudu.

– A jeśli Joszua tego nie zrobi?

– Nie zrobi – stwierdziła Maggie.

– Jeśli tego nie zrobi – rzekł Józef – to wracamy do punktu wyjścia. Piłat musi zdecydować, czy wykonać wyrok Sanhedrynu, czy uwolnić Joszuę.

– Maggie, chodź ze mną. – Zacząłem się wycofywać, ciągnąc ją za suknię.

– Dlaczego, dokąd?

– Plan znów jest możliwy.

Biegiem wróciłem do pretorium, holując ją za sobą. Ukryłem się za kolumną naprzeciwko Pałacu Antonii.

– Maggie, czy Piotr potrafi uzdrawiać? Ale naprawdę?

– Tak, mówiłam przecież.

– Rany? Połamane kości?

– Rany tak. Nic nie wiem o kościach.

– Mam nadzieję, że tak – powiedziałem.

Zostawiłem ją tam i poszedłem do najwyższego rangą centuriona, pełniącego służbę przed bramą.

– Chcę się zobaczyć z twoim dowódcą.

– Odejdź stąd, Żydzie.

– Jestem przyjacielem. Powiedz mu, że to Lewi z Nazaretu.

– Niczego mu nie powiem.

Podszedłem więc, wyrwałem mu z pochwy miecz, ukłułem go ostrzem pod brodą, a potem z powrotem wsunąłem do pochwy. Sięgnął po broń, ale ta znalazła się nagle w moim ręku, a ostrze znów na jego szyi. Nim zdążył krzyknąć, miecz wrócił do pochwy.

– Sam widzisz – stwierdziłem. – Dwukrotnie zawdzięczasz mi życie. I zanim krzykniesz, żeby mnie aresztowali, znów będę miał twój miecz, a ty nie tylko narobisz sobie wstydu, ale też głowa będzie ci się chwiała z powodu poderżniętego gardła. Albo też możesz mnie zaprowadzić do mojego przyjaciela, Gajusa Justusa Gallicusa, dowódcy Szóstego Legionu.

Odetchnąłem głęboko i czekałem. Wzrok centuriona przeskakiwał po stojących najbliżej żołnierzach, potem zatrzymał się na mnie.

– Zastanów się, centurionie – powiedziałem. – Jeśli mnie aresztujesz, to przed czyim obliczem stanę i tak?

Logika tej kwestii musiała dotrzeć do niego, mimo zmieszania.

– Chodź ze mną – polecił.

Dałem znak Maggie, by czekała, i ruszyłem za żołnierzem do fortecy Piłata.

Justus chyba nie czuł się dobrze w bogatych komnatach, jakie przydzielono mu w pałacu na kwaterę. W różnych miejscach umieścił w pokoju tarcze i włócznie, jakby każdemu wchodzącemu chciał przypomnieć, że mieszka tu żołnierz. Stałem przy drzwiach, a on krążył wokół; od czasu do czasu spoglądał, jakby chciał mnie zabić. Starł pot z krótko obciętych siwych włosów i strzepnął dłoń tak, że wyrysował wilgotny pas na podłodze.

– Nie mogę powstrzymać wyroku, choćbym chciał.

– Nie chcę tylko, żeby był ranny – powiedziałem.

– Jeśli Piłat go ukrzyżuje, to oczywiście będzie ranny, Biff. Tak jakby o to w tym chodzi.

– Uszkodzony, chciałem powiedzieć. Żadnych połamanych kości, żadnych przeciętych ścięgien. Niech przywiążą mu ręce do krzyża.

– Muszą użyć gwoździ. – Usta Justusa wykrzywił okrutny grymas. – Gwoździe to żelazo. Są spisane. Z każdego trzeba się wyliczyć.

– Wy, Rzymianie, jesteście mistrzami zaopatrzenia.

– Czego chcesz?

– No dobrze, w takim razie przybijcie go, ale wbijcie gwoździe między kości palców u rąk i nóg. I przymocujcie do krzyża deskę, żeby mógł podtrzymywać nogami ciężar ciała.

– Nie ma miłosierdzia w tym, co proponujesz. W ten sposób może konać przez tydzień.

– Ale nie będzie – uspokoiłem go. – Zamierzam podać mu truciznę. I chcę dostać jego ciało, jak tylko umrze.

Kiedy wymówiłem słowo „trucizna", Justus zatrzymał się, wyraźnie zły.

– Nie do mnie należy wydawanie ciała, ale jeśli koniecznie chcesz, by pozostało nieuszkodzone, muszę do końca trzymać tam żołnierzy. Niekiedy wasi ludzie pomagają ukrzyżowanym szybciej umrzeć, rzucając w nich kamieniami. Nie wiem, po co się męczą.

– Owszem, wiesz, Justusie. Ze wszystkich Rzymian, ty wiesz najlepiej. Możesz sobie pluć tą swoją rzymską pogardą dla miłosierdzia, ale wiesz. To przecież ty szukałeś Joszuy, kiedy cierpiał twój przyjaciel. Ty się poniżyłeś i błagałeś o litość. I ja robię to samo.

Niechęć zniknęła z jego twarzy, a pojawiło się osłupienie.

– Chcesz go sprowadzić z powrotem, tak?

– Chcę tylko pochować ciało przyjaciela nieuszkodzone.

– Chcesz go sprowadzić z martwych. Jak tego żołnierza w Seforis, którego zabił sykariusz. Dlatego ci zależy, by ciało nie miało uszkodzeń.

– Coś w tym rodzaju – przytaknąłem i spuściłem wzrok, by nie patrzeć w oczy starego żołnierza.

Justus pokiwał głową, wyraźnie wzburzony.

– Piłat musi wyrazić zgodę na zdjęcie ciała. Ukrzyżowanie ma normalnie służyć jako przykład dla innych.

– Mam przyjaciela, który zdobędzie taką zgodę.

– Joszua może jeszcze odzyskać wolność. Wiesz o tym? – zapytał.

– Ale nie odzyska – odparłem. – Nie chce tego.

Justus odwrócił się tyłem.

– Wydam rozkazy. Zabij go szybko, a potem weź ciało i jeszcze szybciej wynieś je poza mój teren.

– Dzięki, Justusie.

– I nie próbuj więcej zawstydzać moich oficerów, bo twój przyjaciel będzie musiał prosić o dwa ciała.

Kiedy wyszedłem z fortecy, Maggie rzuciła mi się w ramiona.

– To potworne. Założyli mu na głowę cierniową koronę, a ludzie pluli na niego. Żołnierze go bili.

Tłum przelewał się wokół nas.

– Gdzie jest teraz?

Tłum zaryczał. Ludzie wskazywali na balkon. Stał na nim Piłat, a obok Joszua, podtrzymywany przez dwóch żołnierzy. Joszua patrzył prosto przed siebie i nadal wyglądał, jakby był w transie. Krew spływała mu do oczu.

Piłat uniósł ręce i tłum zamilkł.

– Nie znajduję winy w tym człowieku, ale wasi kapłani mówią, że popełnił bluźnierstwo. Nie jest to zbrodnią według prawa rzymskiego. Co chcecie, żebym z nim uczynił?

– Ukrzyżuj go! – wrzasnął ktoś obok mnie.

Spojrzałem i zobaczyłem wymachującego pięścią Akana.

– Ukrzyżuj go, ukrzyżuj go – zaintonowali inni faryzeusze.

I już po chwili przyłączył się do nich cały tłum. Nieliczni wyznawcy Joszuy, których zauważyłem między ludźmi, zaczynali się wycofywać, zanim powszechny gniew zwróci się przeciw nim. Piłat wykonał gest, jakby umywał ręce, po czym wrócił do środka.

PIĄTEK

J edenastu apostołów, Maggie, matka Joszuy i jego brat Jakub zebrali się w pokoju na piętrze domu Józefa z Arymatei. Kupiec widział się z Piłatem i gubernator dla uczczenia Paschy wyraził zgodę, by wydać ciało.

Józef tłumaczył:

– Rzymianie nie są głupi. Wiedzą, że nasze kobiety zajmują się się ciałami umarłych, więc nie możemy wysłać po niego apostołów. Żołnierze oddadzą ciało Maggie i Marii. Jakubie, ponieważ jesteś jego bratem, pozwolą ci przyjść z nimi i pomagać nieść Joszuę. Pozostali powinni zakryć twarze. Faryzeusze będą szukać jego wyznawców. Kapłani i tak poświęcili mu zbyt wiele czasu podczas tygodnia Paschy, więc będą w Świątyni. Kupiłem grób niedaleko wzgórza, gdzie mają go ukrzyżować. Piotrze, tam będziesz czekał.

– A jeśli nie zdołam go uzdrowić? – niepokoił się Piotr. – Nigdy nie próbowałem wskrzeszać z martwych.

– On nie będzie martwy – powiedziałem. – Po prostu nie będzie mógł się ruszać. Nie znalazłem składników, żeby przygotować napój usuwający ból, więc będzie wyglądał na umarłego, ale będzie czuł wszystko. Wiem, jak to jest, kiedyś byłem w takim stanie przez długie tygodnie. Piotrze, masz uleczyć jego rany od bicza i od gwoździ, ale nie są chyba śmiertelne. Podam mu antidotum, kiedy tylko zniknie Rzymianom z oczu. Maggie, gdy już ci go wydadzą, zamknij mu oczy, jeśli będą otwarte. Inaczej wyschną.

– Nie mogę tego oglądać – oświadczyła Maggie. – Nie mogę patrzeć, jak przybijają go do drewna.

– Nie musisz. Czekaj przy grobie. Przyślę kogoś po ciebie, kiedy rzecz się dokona.

511

– Czy to się uda? – zapytał Andrzej. – Potrafisz sprowadzić go znowu, Biff?

– Znikąd go nie sprowadzę. On nie będzie martwy, będzie tylko poraniony.

– Lepiej już chodźmy. – Józef podszedł do okna i spojrzał na niebo. – Wyprowadzą go w południe.

Tłum zebrał się przed pretorium, ale składał się w większości z ciekawskich; było między nimi tylko kilku faryzeuszy, w tym Akan, który przyszedł obejrzeć ukrzyżowanie. Trzymałem się z tyłu, w połowie drogi do następnej przecznicy. Apostołowie rozproszyli się; wszyscy mieli zakrywające twarze szale albo turbany. Piotr wysłał Bartłomieja, żeby czekał z Maggie i Marią przy grobie. Żaden szal nie mógłby zamaskować jego rozmiarów ani fetoru.

Trzy ciężkie krzyże stały oparte o mur przed bramą pałacu, czekając na ofiary. W południe przyprowadzono Joszuę i dwóch złodziei także skazanych na śmierć, a poprzeczne belki ułożono im na ramionach. Joszua krwawił z dziesiątków ran na głowie i twarzy; chociaż wciąż miał na sobie purpurową szatę, którą włożył na niego Herod, to jednak widziałem, że krew po biczowaniu płynęła obficie, pozostawiając ślady na nogach. Wciąż wyglądał jak pogrążony w transie, ale bez wątpienia odczuwał ból z ran. Tłum otoczył go, wykrzykując obelgi i opluwając, zauważyłem jednak, że kiedy Joszua się potykał, zawsze ktoś pomagał mu wstać. Wśród ludzi wciąż byli jego wyznawcy, bali się jednak ujawnić.

Od czasu do czasu patrzyłem na obrzeża tłumu i często spoglądałem w oczy któregoś z apostołów. Cały czas lśniły w nich łzy, cały czas wyrażały boleść i gniew. Tylko najwyższym wysiłkiem powstrzymywałem się, by nie skoczyć między żołnierzy, nie odebrać któremuś miecza i nie zacząć siec. W obawie przed wybuchem wściekłości cofałem się powoli, aż stanąłem obok Szymona.

— Ja też nie dam rady — powiedziałem. — Nie mogę patrzeć, jak wieszają go na krzyżu.

— Musisz — odparł zelota.

— Nie. Ty tam będziesz, Szymonie. Niech zobaczy twoją twarz. Niech wie, że jesteś. Ja przyjdę, kiedy już ustawią krzyż.

Nigdy nie potrafiłem się przyglądać ukrzyżowaniom, nawet jeśli nie znałem skazańców. I wiedziałem, że nie wytrzymam, kiedy będą to robić mojemu najlepszemu przyjacielowi. Stracę kontrolę nad sobą, zaatakuję kogoś, a wtedy obaj będziemy zgubieni. Szymon był żołnierzem — co prawda, żołnierzem tajnej armii, ale jednak. On to zniesie.

Stanęła mi przed oczyma potworna scena ze świątyni Kali.

— Szymonie, powtórz mu, że powiedziałem „świadomy oddech". Przekaż, że nie ma zimna.

— Jakiego zimna?

— On będzie wiedział, o co mi chodzi. Jeśli sobie przypomni, potrafi zablokować ból. Nauczył się tego na Wschodzie.

— Powtórzę.

Nie mógłbym sam mu tego powiedzieć. Nie tak, by się nie zdradzić.

Z miejskich murów patrzyłem, jak prowadzą Joszuę na drogę biegnącą przez wzgórze zwane Golgotą, pięćset sążni od bramy Gannath. Odwróciłem się, ale nawet z pięciuset sążni słyszałem jego krzyk, kiedy wbili gwoździe.

Justus przysłał czterech żołnierzy, którzy mieli pilnować tego, jak umiera Joszua. Po półgodzinie zostali sami, prócz kilkunastu gapiów oraz rodzin dwóch złodziei, które modliły się i śpiewały u stóp skazańców. Akan i inni faryzeusze zostali tylko, by zobaczyć, jak podnoszą i ustawiają krzyż Joszuy, a potem wrócili świętować z rodzinami.

— Zagramy? — zaproponowałem. Zbliżyłem się do żołnierzy, podrzucając dwie kostki. — Prosta gra.

Pożyczyłem od Józefa z Arymatei tunikę i kosztowną szarfę. Dał mi też swoją sakiewkę, którą brzęczącą pokazałem żołnierzom.

– Zagramy, legionisto?

Jeden z Rzymian parsknął śmiechem.

– A skąd mielibyśmy wziąć pieniądze na grę?

– Zagramy o te rzeczy za wami. Tę purpurową szatę u stóp krzyża.

Rzymianin podniósł szatę włócznią, potem spojrzał na Joszuę, który szeroko otworzył oczy, gdy mnie poznał.

– Pewnie. Wygląda na to, że spędzimy tu trochę czasu. Zagrajmy.

Najpierw musiałem stracić dość pieniędzy, by Rzymianie mieli co stawiać, potem odgrywać się tak powoli, bym siedział tu dostatecznie długo dla wykonania swej misji. (W duszy podziękowałem Radosnej za to, że nauczyła mnie oszukiwać w grze). Podałem kości najbliższemu żołnierzowi – był może pięćdziesięcioletni, niski i mocno zbudowany, ale miał liczne blizny i powykrzywiane kończyny – dowód połamanych i źle zrośniętych kości. Wydawał się za stary na żołnierkę tak daleko od Rzymu, a zarazem zbyt zniszczony życiem, by pokonać drogę do domu. Inni żołnierze byli młodsi, mieli po dwadzieścia kilka lat – wszyscy szczupli, sprawni i wygłodniali. Dwóch z tych młodszych miało typowe rzymskie włócznie piechoty – długie drzewce z wąskim żelaznym grotem, długim jak męskie przedramię, zakończonym zwartym trójgraniastym ostrzem, przeznaczonym do przebijania zbroi. Dwaj pozostali nosili krótkie iberyjskie miecze z przewężeniem niby talia osy – wiele razy oglądałem taki u pasa Justusa. Musiał zaimportować je dla swojego legionu, żeby odpowiadały jego preferencjom. (Większość Rzymian używała krótkich mieczy o prostej klindze).

Wręczyłem więc kości staremu żołnierzowi i cisnąłem na ziemię kilka monet. Kiedy rzucił kości, a te odbiły się od podstawy krzyża, rozejrzałem się dyskretnie i zobaczyłem apostołów, obserwujących nas zza drzew i głazów. Dałem sygnał, który został przekazany od jednego do drugiego, aż dotarł do kobiety czekającej na murach miasta.

– Oj, bogowie chyba mi dzisiaj nie sprzyjają – stwierdziłem, kiedy wyrzuciłem przegrywający układ.

– Myślałem, że wy, Żydzi, wierzycie tylko w jednego Boga.

– Mówiłem o twoich bogach, legionisto. Przegrywam. Żołnierze się roześmieli, a ja usłyszałem nad głową jęk. Drgnąłem; miałem uczucie, że pierś mi się zapadnie od bólu w sercu. Zaryzykowałem rzut oka na Joszuę – patrzył prosto na mnie.

– Nie musisz tego robić – powiedział w sanskrycie.

– Co tam mamrocze ten Żyd? – zainteresował się stary żołnierz.

– Nie wiem, żołnierzu. Pewnie bredzi.

Dwie kobiety zbliżyły się do krzyża po lewej ręce Joszuy. Niosły dużą misę, dzban wody i długi kij.

– Hej, wy tam! Wynoście się stąd.

– Chcemy tylko dać łyk wody skazańcom. To nic złego.

Kobieta wyjęła z misy gąbkę i wycisnęła ją. To była Zuzanna, przyjaciółka Maggie z Galilei, a towarzyszyła jej Joanna. Przybyły tu w Paschę, by cieszyć się wejściem Joszuy do miasta, a teraz zamówiliśmy je, żeby pomogły go otruć. Żołnierze przyglądali się, jak kobiety moczą gąbkę, mocują do kija i podsuwają złodziejowi, by się napił. Musiałem odwrócić wzrok.

– Miej wiarę, Biff – odezwał się Joszua, znowu w sanskrycie.

– Ty tam, zamknij się i umieraj – warknął jeden z młodszych Rzymian.

Skrzywiłem się i spojrzałem z ukosa na kości, zamiast zmiażdżyć żołnierzowi tchawicę.

– Dajcie siódemkę. Dziecko potrzebuje nowych sandałów – rzekł drugi z młodych Rzymian.

Nie mogłem patrzeć na Joszuę, ale nie mogłem też patrzeć, co robią kobiety. Plan był taki, że aby nie wzbudzać podejrzeń, najpierw miały napoić obu złodziei, ale w tej chwili żałowałem swojej decyzji, by zwlekać.

Wreszcie Zuzanna podeszła z misą do miejsca, gdzie graliśmy. Postawiła ją, a Joanna nalała wody na gąbkę.

– Nie masz może wina dla spragnionego żołnierza? – zapytał jeden z młodszych. Klepnął Joannę w siedzenie. – A może coś więcej?

Stary żołnierz chwycił młodego za rękę i odepchnął.

– Bo trafisz na ten kij, a ona razem z tobą, Marcusie. Ci Żydzi bardzo poważnie traktują dotykanie swoich kobiet. Justus nie będzie tolerował takich rzeczy.

Zuzanna zasłoniła twarz szalem. Była ładna, szczupła, miała drobną twarz z wielkimi brązowymi oczami. Już trochę za stara, by nie być mężatką, ale podejrzewałem, że zostawiła męża, by pójść za Joszuą. Tak samo było z Joanną, tyle że jej mąż przez jakiś czas szedł za nią, ale potem się rozwiódł, kiedy nie chciała wrócić z nim do domu. Miała bardziej krępą budowę, a kiedy chodziła, kołysała się jak wóz. Podała mi gąbkę.

– Napijesz się, panie?

Czas był tu elementem krytycznym.

– Ktoś ma ochotę na łyk wody? – spytałem, nim przyjąłem gąbkę. W dłoni trzymałem już amulet yin-yang.

– Pić po tym żydowskim psie? Raczej nie – odparł żołnierz.

– Mam takie wrażenie, że moje żydowskie pieniądze skalają wasze rzymskie sakiewki – powiedziałem. – Może lepiej pójdę.

– Nie, twoje pieniądze są całkiem dobre – zapewnił młody żołnierz i przyjaźnie klepnął mnie po ramieniu.

Miałem ochotę uwolnić go od zębów.

Udałem, że piję. Ale kiedy podniosłem gąbkę, by wycisnąć wodę do ust, nalałem na nią trucizny i natychmiast oddałem Joannie. Nie zanurzając jej ponownie, umocowała gąbkę do kija i podniosła do ust Joszuy. Głowa mu opadła, a język wysunął się z kącika, zlizując wilgoć.

– Pij – powiedziała Joanna, ale Joszua chyba jej nie usłyszał. Mocniej przycisnęła mu gąbkę do warg, aż woda kapnęła na jednego z Rzymian. – Pij.

516

– Odsuń się stamtąd, Marcusie – powiedział stary żołnierz. – Kiedy już skona, wypuści z siebie wszystkie płyny. Nie chcesz siedzieć za blisko.

Rzymianin zaśmiał się ochryple.

– Wypij, Joszuo – powiedziała Zuzanna.

W końcu Joszua otworzył oczy i przycisnął wargi do gąbki. Wstrzymałem oddech, słysząc, jak wysysa z niej wilgoć.

– Dość – rzekł młody żołnierz. Wytrącił kij z rąk Zuzanny. Gąbka poleciała na ziemię. – On niedługo umrze.

– Ale nie dość szybko z tym klockiem, na którym stoi – zauważył stary.

I wtedy czas zaczął płynąć wolniej. Kiedy Radosna mnie otruła, minęło ledwie kilka sekund, a byłem sparaliżowany. Potem, kiedy podałem truciznę człowiekowi w Indiach, padł niemal natychmiast. Starałem się udawać, że koncentruję się na grze, ale w rzeczywistości czekałem na jakiś znak, że trucizna działa.

Kobiety odeszły i przyglądały się z daleka, ale usłyszałem, że jedna z nich syknęła. Spojrzałem. Joszua przetoczył głowę. Ślina ciekła mu z otwartych ust.

– Skąd będziecie wiedzieli, że już umarł? – spytałem.

– A stąd...

Młody żołnierz imieniem Marcus ukłuł włócznią Joszuę w udo. Joszua jęknął i otworzył oczy, a ja poczułem ucisk w żołądku. Słyszałem szloch Joanny i Zuzanny.

Rzuciłem kośćmi i czekałem. Minęła godzina, a Joszua ciągle jęczał. Mimo śmiechu żołnierzy, od czasu do czasu słyszałem, jak się modli. I kolejna godzina. Zaczynałem drżeć. Każdy głos z krzyża był jak gorące żelazo wbijające mi się w kark. Nie mogłem się zmusić, żeby na niego spojrzeć. Uczniowie przesunęli się bliżej, mniej dbając o pozostawanie w ukryciu, ale Rzymianie zbyt się skupili na grze, by cokolwiek zauważyć. Niestety, ja nie byłem dostatecznie skupiony.

– Dla ciebie to koniec gry – stwierdził stary żołnierz. – Chyba że chcesz postawić własny płaszcz. Bo twoja sakiewka jest już pusta.

– Czy ten drań w ogóle ma zamiar umrzeć? – zapytał jeden z młodszych.

– Trzeba mu trochę pomóc – oświadczył drugi, imieniem Marcus. Wstał i oparł się o włócznię.

I zanim zdążyłem się poderwać, pchnął tą włócznią w bok Joszuy. Ostrze wbiło się pod żebra, a krew chlusnęła po żelazie trzema obfitymi falami, a potem ciekła wąską strużką. Marcus wyrwał włócznię. Całe zbocze wzgórza zagrzmiało od krzyku, w części także mojego. Stałem jak sparaliżowany, drżąc i patrząc na krew płynącą z boku Joszuy. Czyjeś ręce złapały mnie z obu stron i powlokły do tyłu, dalej od krzyża. Rzymianie zaczęli zbierać swoje rzeczy, by wrócić do pretorium.

– Wariat – uznał stary żołnierz, patrząc na mnie.

Joszua spojrzał na mnie po raz ostatni, po czym zamknął oczy i umarł.

– Chodźmy stąd, Biff – usłyszałem kobiecy głos przy uchu. – Chodźmy.

Odwrócili mnie i poprowadzili do miasta. Czułem, jak przenika mnie chłód. Dmuchnął wiatr i niebo pociemniało – zbliżała się burza. Wciąż rozbrzmiewał krzyk, ale kiedy Joanna zasłoniła mi usta dłonią, zrozumiałem, że to ja krzyczę. Strząsnąłem łzy z powiek, potem znowu, próbując w końcu zobaczyć, dokąd mnie prowadzą, ale kiedy tylko coś widziałem, kolejny szloch wstrząsał ciałem i łzy przesłaniały widok.

Prowadziły mnie do bramy Gannath, tyle przynajmniej zrozumiałem. Mroczna postać stała na murze ponad nią i obserwowała nas. Zamrugałem i w ciągu sekundy klarowności poznałem, kto to jest.

– Judasz! – wrzeszczałem, dopóki głos mi się nie załamał.

Wyrwałem się kobietom i przebiegłem przez bramę, podciągnąłem się na skrzydło ciężkich wrót i wskoczyłem na mur. Judasz uciekał na południe, zerkając na boki. Szukał miejsca, gdzie mógłby zeskoczyć.

Nie myślałem nad tym, co robię. Nie było we mnie nic prócz cierpienia, które przeszło w gniew, i miłości, która przeszła

518

w nienawiść. Ścigałem Judasza po dachach Jeruzalem, odrzucając na bok każdego, kto stanął mi na drodze, rozbijałem dachówki, łamałem stojące na dachach klatki drobiu, zrywałem sznury z rozwiszoną bielizną. Kiedy Judasz dotarł na dach, z którego nie było już drogi, zeskoczył z wysokości dwóch pięter, podniósł się i utykając pobiegł ulicą w kierunku Bramy Esseńskiej przy Ben-Hinnom. Zeskoczyłem z dachu w pełnym biegu i wylądowałem, nie tracąc tempa. Choć słyszałem, jak coś chrupnęło mi w kostce, nie czułem bólu.

Kolumna ludzi próbowała wejść do miasta przez Bramę Esseńską, zapewne szukając schronienia przed nadchodzącą burzą. Błyskawica rozcięła niebo, a na ulicach zaczęły się rozpryskiwać wielkie jak żaby krople deszczu. Pozostawiały kratery w pyle i malowały miasto cienką warstwą błota. Judasz przeciskał się przez tłum, jakby pływał w smole, przeciągał za siebie ludzi z obu stron, przesuwał się o krok do przodu, by zaraz dać się ponieść o krok do tyłu.

Zauważyłem drabinę opartą o mur i wbiegłem na górę. Rzymscy żołnierze pełnili wartę na murze, a ja przemykałem między nimi, uchylając się przed mieczami i włóczniami. Dotarłem do bramy, potem nad nią, potem po murze z drugiej strony... Poniżej widziałem Judasza – wyrwał się z tłumu i pędził wzdłuż grzbietu, biegnącego równolegle do muru. Byłem za wysoko, żeby skakać, więc śledziłem go z góry, aż znalazłem się przy narożniku blanków. Mur był w tym miejscu skośny, by podtrzymać większy ciężar konstrukcji. Na stopach i dłoniach zsunąłem się po mokrym wapieniu i wylądowałem na ziemi dziesięć kroków za zelotą.

Nie wiedział, że tu jestem. Deszcz padał teraz strumieniami, a gromy uderzały tak często i głośno, że słyszałem tylko głośny puls gniewu we własnej głowie. Judasz dotarł do cyprysu sterczącego nad wysokim urwiskiem z setkami grobów. Ścieżka biegła pomiędzy cyprysem a ścianą grobów, za drzewem otwierała się pięćdziesięciostopowa przepaść. Judasz wyjął zza pasa sakiewkę, z jednego z grobów wyciągnął nieduży kamień, potem wepchnął do środka sakiewkę. Kiedy chwyciłem go za kark, krzyknął.

– No dalej, włóż z powrotem ten kamień – powiedziałem.

Próbował się odwrócić i uderzyć mnie kamieniem. Odebrałem mu go i umieściłem w grobie. Potem podciąłem mu nogi i powlokłem na krawędź urwiska. Zacisnąłem palce na jego gardle i trzymając się drugą ręką cyprysu, przechyliłem go nad przepaścią.

– Nie szarp się! – krzyknąłem. – Jeśli się wyrwiesz, spadniesz!

– Nie mogłem pozwolić, żeby żył – powiedział Judasz. – Nie można dopuścić, żeby ktoś taki jak on żył na świecie.

Ściągnąłem zelotę na krawędź i zerwałem z talii szarfę.

– Wiedział, że musi umrzeć – tłumaczył Judasz. – Jak myślisz, skąd wiedziałem, że będzie w Getsemani, a nie u Szymona? Bo sam mi to powiedział.

– Nie musiałeś go wydawać! – wrzasnąłem.

Owinąłem mu szarfę wokół szyi, a potem przerzuciłem przez gałąź cyprysu.

– Nie. Nie rób tego. Musiałem tak postąpić. Ktoś musiał. On tylko by nam przypominał, kim nigdy nie będziemy.

– Tak – powiedziałem.

Zepchnąłem go tyłem z urwiska i chwyciłem koniec szarfy, kiedy zacisnęła się na gałęzi. Brzęknęła, przyjmując ciężar ciała, a szyja Judasza pękła z takim odgłosem, jakby ktoś pstryknął palcami.

Puściłem szarfę i ciało Judasza upadło w ciemność. Huk gromu zagłuszył głos uderzenia.

Gniew opuścił mnie wtedy, pozostawiając uczucie, jakby moje kości stały się miękkie. Spojrzałem przed siebie, ponad doliną Ben-Hinnom, w strumienie rozświetlanego błyskawicami deszczu.

– Przykro mi – powiedziałem i zstąpiłem w przepaść.

Poczułem rozbłysk bólu, a potem nic.

To wszystko, co pamiętam.

EPILOG

Anioł odebrał od niego księgę, a potem wyszedł z pokoju na korytarz i zapukał do innych drzwi.

– Skończył – powiedział do kogoś.

– Co jest, odchodzisz? – zapytał go Lewi, który był zwany Biffem.

Drzwi na drugim końcu korytarza otworzyły się i stanął w nich inny anioł. Ten miał bardziej kobiecy wygląd niż Raziel. On... Ona... także trzymała księgę. Wyszła na korytarz, odsłaniając kobietę w dżinsach i zielonej bawełnianej bluzce. Kobieta miała długie i proste włosy, brązowe z czerwonym połyskiem, oczy zaś krystalicznie błękitne; wyglądały, jakby się jarzyły na tle ciemnej skóry.

– Maggie – powiedział Lewi.

– Cześć, Biff.

– Maggie skończyła swoją Ewangelię już parę tygodni temu.

Magdalena się uśmiechnęła.

– Wiesz, nie miałam tak dużo do opisania, jak ty. Nie widziałam was szesnaście lat.

– Zgadza się.

– Jest wolą Syna, byście wy dwoje razem wyszli w ten nowy świat – oznajmił żeński anioł.

Lewi przeszedł przez korytarz i wziął Maggie w ramiona. Całowali się długo, aż anioły zaczęły chrząkać dyskretnie i mruczeć pod nosem: „Nie na korytarzu".

Potem odsunęli się od siebie.

– Maggie – powiedział Lewi. – Czy będzie tak, jak zawsze było? No wiesz, jesteś przy mnie i kochasz mnie, ale tylko dlatego, że nie możesz mieć Josha?

– Oczywiście.

– To takie żałosne.

– Nie chcesz, żebyśmy byli razem?

– Ależ chcę. Tylko że to żałosne.

– Mam pieniądze – powiedziała. – Dali mi pieniądze.

– To dobrze.

– Idźcie – wtrącił Raziel, tracąc cierpliwość. – Już, już, już. Idźcie stąd.

Wskazał korytarz.

Ruszyli przed siebie, ramię w ramię, niepewnie, co kilka kroków oglądając się na anioły, aż w końcu, kiedy popatrzyli znowu, aniołów nie było.

– Powinieneś jednak zaczekać – oświadczyła Magdalena.

– Nie mogłem. Za bardzo bolało.

– On wrócił.

– Wiem. Czytałem o tym.

– Był zasmucony tym, co uczyniłeś.

– Tak. Ja też byłem.

– Inni złościli się na ciebie. Twierdzili, że miałeś najwięcej powodów, by wierzyć.

– Dlatego wycięli mnie ze swoich Ewangelii?

– Zgadłeś.

Wsiedli do windy i Magdalena wcisnęła przycisk lobby.

– Przy okazji, to znaczy Święćsię – powiedziała.

– Co Święćsię?

– To S. Jego drugie imię. Święćsię. To rodowe imię, pamiętasz? „Ojcze nasz, któryś jest w niebie, Święćsię imię Twoje”.

– Niech to... Ja bym obstawiał Steve – rzekł Biff.

POSŁOWIE

UCZYĆ SŁONIA JOGI

Jest ponadto wiele innych rzeczy, których Jezus dokonał, i gdyby je szczegółowo opisać, to sądzę, że cały świat nie pomieściłby ksiąg, które by trzeba napisać.

Jan 21:25

Czy naprawdę potraficie nauczyć słonia jogi? No oczywiście, wy nie, ale mówimy tu o Jezusie. Nikt nie wiedział, do czego byłby zdolny.

Książka, którą właśnie przeczytaliście, to tylko opowieść. Wymyśliłem ją. Nie planowałem, by zmieniła czyjeś wierzenia czy podgląd na świat, chyba że po przeczytaniu postanowicie być lepszymi dla innych (i bardzo dobrze), albo naprawdę chcecie spróbować nauczyć słonia jogi, a w takim przypadku nie zapomnijcie, by nagrać to na wideo.

Starałem się przed *Barankiem* przeprowadzić odpowiednie badania. Naprawdę się starałem. Ale bez wątpienia mógłbym na nie poświęcić dziesiątki lat i nadal być niedokładny. (To mój talent, co jeszcze mogę powiedzieć?). Wprawdzie starałem się nakreślić ścisły obraz świata, w jakim żył Chrystus, jednakże dla własnej wygody zmieniałem pewne fakty, a poza tym

523

oczywiście nie wiadomo, jakie warunki panowały między rokiem 1 a 33.

Dostępne dokumenty na temat klasy chłopskiej, społeczeństwa i praktyk judaizmu w Galilei pierwszego wieku szybko ustępują miejsca teoriom. Rola faryzeuszy w społeczeństwie wiejskim, wpływy helleńskie, wpływy leżącego w pobliżu międzynarodowego miasta, takiego jak Jafa – kto wie, jak to wszystko mogło oddziaływać na Chrystusa jako chłopca? Niektórzy historycy uważają, że Joszua z Nazaretu był kimś niewiele się różniącym od prowincjonalnego ignoranta, inni natomiast sądzą, że z powodu bliskości Jafy i Seforis, od wczesnego wieku chłonął grecką i rzymską kulturę. Wybrałem tę drugą wersję, ponieważ daje podstawę bardziej interesującej opowieści.

Historycznie, życie Jezusa – oprócz kilku odwołań u Josephusa, żydowskiego historyka z pierwszego wieku, a czasem jakiegoś wspomnienia u historyków rzymskich, pozostaje głównie domeną spekulacji. To, co dzisiaj wiemy o życiu Jezusa z Nazaretu, mieści się w czterech cienkich Ewangeliach Nowego Testamentu: Mateusza, Marka, Łukasza i Jana. Dla tych czytelników, którzy znają Ewangelię (zniesiecie to jakoś): wiecie, że tylko Mateusz i Łukasz piszą o narodzinach, natomiast Marek i Jan opisują posługę Jezusa. Mędrcy są wspominani jedynie w krótkim fragmencie u Mateusza, pasterze zaś tylko u Łukasza. Rzeź niewiniątek i ucieczka do Egiptu pojawiają się tylko u Mateusza. Krótko mówiąc, niemowlęctwo Jezusa to prawdziwa zagadka, ale jego dzieciństwo jest jeszcze większą. Z czasów pomiędzy narodzinami i rozpoczęciem posługi w wieku lat trzydziestu Biblia daje nam tylko jedną scenę: Łukasz opisuje, jak Jezus nauczał w Świątyni w Jeruzalem, kiedy miał dwanaście lat. Poza tym mamy trzydziestoletnią lukę w życiorysie najbardziej wpływowej istoty ludzkiej, jaka kiedykolwiek chodziła po ziemi. *Barankiem* starałem się na swój błazeński sposób wypełnić tę lukę, ale przecież nie chcę przedstawiać historii tak, jak mogłaby przebiegać naprawdę. Ja tylko spisuję opowieść.

Niektóre historyczne odwołania w *Baranku* są dzisiaj trudne do zrozumienia. Na przykład, szybkie dojrzewanie płciowe. To, że Maggie była zaręczona jako dwunastolatka i zamężna rok później, jest w zasadzie pewne wobec tego, co wiemy o żydowskim społeczeństwie pierwszego wieku, podobnie jak to, że żydowski chłopak zaczynał się uczyć fachu w wieku lat dziesięciu, zaręczał się w wieku lat trzynastu, a żenił jako czternastolatek. Próba wzbudzenia empatii dla dorosłych ról tych, których dzisiaj uważalibyśmy za dzieci, sprawiła mi wiele problemów. Ale możliwe, że to jedyna część, gdzie seksualność postaci jest historycznie umotywowana. Przeciętny wieśniak w Galilei miał szczęście, jeśli dożywał czterdziestych urodzin, więc może dzieci z konieczności osiągały dojrzałość płciową wcześniej, niż działoby się to w mniej surowych warunkach.

Jestem pewien, że w książce tej znalazły się liczne historyczne niedokładności i nieprawdopodobieństwa. Najbardziej rażącym, choć świadomie umieszczonym fragmentem jest ten, gdy Joszua i Biff odwiedzają Kaspra w górach Chin. Rzeczywiście, Gautama Budda żył i nauczał jakieś pięćset lat przed narodzinami Chrystusa, a jego nauki były rozpowszechnione w Indiach w okresie, kiedy nasi bohaterowie dotarli na Wschód, buddyzm jednak nie dotarł do Chin przez kolejne pięćset lat od śmierci Chrystusa. Sztuki walki mogły zostać stworzone przez buddyjskich mnichów dopiero potem, ale by zachować historyczną ścisłość, musiałbym zrezygnować z zasadniczej kwestii, która moim zdaniem wymagała omówienia: Co by było, gdyby Jezus znał kung-fu?

Życie Kaspra, jak opisałem je w *Baranku* (dziewięć lat w jaskini itd.), opiera się na legendach o życiu buddyjskiego patriarchy Bodhidharmy – człowieka, który podobno około roku 500. zaszczepił buddyzm w Chinach. Bodhidharmie (albo Darumie) przypisuje się stworzenie odłamu buddyzmu, znanego dzisiaj jako zen. Buddyjskie legendy nie wspominają o spotkaniu Bodhidharmy z yeti, ale mówią, że obciął sobie powieki, by nie zasypiać; wyrosły z nich krzewy herbaty, którą potem mnisi parzyli, by zachować przytomność podczas medytacji (co opuściłem). Zamieniłem więc te powieki na historię o obrzydliwym człowieku śniegu i na Biffową teorię doboru naturalnego. Wydawało się to uczciwe. Bodhidharma podobno wymyślił i nauczył kung-fu sławnych mnichów z Shao-lin. Miało ich przyzwyczajać do rygorystycznych zasad medytacji, jaką zalecał.

Większość szczegółów dotyczących festiwalu Kali, w tym ofiar i okaleczeń, pochodzi z książki Josepha Campbella *Oriental Mythology* z jego cyklu *Masks of God*. Campbell cytuje naocznych świadków krwawych rytuałów – dziewiętnastowiecznych żołnierzy brytyjskich. Twierdzi, że jeszcze dzisiaj ponad osiemset kóz traci głowy przed festiwalem Kali w Kalkucie. (Każdy, komu lektura tego fragmentu sprawiła przykrość, niech pisze do Campbella w jego obecnej inkarnacji).

Cytowane wersy Upaniszad i Bhagawad Gita to istotnie tłumaczenia z tych szacownych tekstów, natomiast wersy z Kamasutry pochodzą wyłącznie z mojej wyobraźni – choć w prawdziwej książce znajdziecie nawet dziwniejsze opisy.

Teologicznie, musiałem przyjąć pewne założenia do osoby Joszuy – głównie te, że był taki, jak opisują go Ewangelie. Intensywnie korzystałem z Ewangelii jako źródeł, jest też kilka odwołań do Dziejów Apostolskich (konkretnie chodzi mi o dar języków, bez którego Biff nie mógłby opowiedzieć tej historii współczesnym językiem i używając współczesnych idiomów). Starałem się nie czerpać z pozostałych części Nowego Testamentu, w szczególności listów Pawła, Piotra, Jakuba i Jana, jak również Apokalipsy – wszystkie powstały wiele lat po Ukrzyżowaniu (podobnie jak Ewangelie). Te pisma określiły kształt chrześcijaństwa, ale cokolwiek o nich sądzicie, musicie przyznać, że Joszua nie wiedział nic o ich istnieniu ani opisanych wydarzeniach, a z pewnością o konsekwencjach głoszonych tam nauk. Nie było więc na nie miejsca w tej opowieści. Jednakże Joszua i Biff, jako żydowscy chłopcy, na pewno znali księgi Starego Testamentu. Pierwsze pięć tworzyło podstawę ich wiary, czyli Torę, pozostałe ludzie z tamtych czasów określali jako Proroków i Pisma. Odwoływałem się więc do nich, kiedy uznałem to za konieczne. Jak jednak rozumiem, Talmud i większa część Midraszu (opowieści ilustrujące i wyjaśniające prawo boże) nie były jeszcze sformułowane ani uzgodnione, więc nie używałem ich jako tekstów źródłowych dla *Baranka*.

Z Ewangelii Gnostyków (zbioru manuskryptów odnalezionych w Nag Hammadi w Egipcie, w 1945 r., które jednak mogły powstać nawet wcześniej niż kanoniczne Ewangelie) wykorzystałem trochę Ewangelię Tomasza – księgę powiedzeń Chrystusa, ponieważ dobrze pasowały do buddyjskiego punktu widzenia (wiele powiedzeń z Ewangelii Tomasza można też znaleźć u Marka). Inne gnostyczne Ewangelie były nazbyt fragmentaryczne, albo – szczerze mówiąc – zwyczajnie obłąkane (Ewangelia Niemowlęca Tomasza opisuje, jak Jezus w wieku sześciu lat wykorzystuje swoje nadprzyrodzone moce, by zamordować grupę dzieci, ponieważ się z nim drażnią. Coś w rodzaju *Carrie trafia do Nazaretu*. Nawet ja musiałem zrezygnować).

Baranek jest pełen odwołań biblijnych, zarówno rzeczywistych, jak i zmyślonych (np. Biff często cytuje nieistniejące księgi Biblii: Dalmacjan, Wydalania czy Ziemnowodnian). Redaktor i ja przedyskutowaliśmy kwestię zaznaczania tych odwołań, ale uznaliśmy, że odnośniki zakłócą płynny bieg opowieści. Pojawia się jednak problem: jeśli czytelnik zna Biblię na tyle dobrze, by zauważyć realne nawiązania, istnieje spora szansa, że nie zechce czytać tej książki. Nasza ostateczna decyzja – właściwie moja ostateczna decyzja, redaktor nie był konsultowany w tej sprawie – jest taka, by poradzić tym nieznającym Biblii, by znaleźli kogoś, kto ją zna, usiedli z nim i czytali odpowiednie kwestie, pytając: „Ten jest prawdziwy? A ten?". Jeśli nie macie nikogo znającego Biblię, czekajcie spokojnie, prędzej czy później ktoś taki zapuka do waszych drzwi. Miejcie pod ręką zapasowe egzemplarze *Baranka*, żeby dać mu na pożegnanie.

Następny kłopot przy opowiadaniu historii już tyle razy opowiedzianej polega na tym, że ludzie szukają w niej znanych sobie elementów. Choć przeskoczyłem wiele zdarzeń opisanych w Ewangeliach, istnieją równie liczne, co do których ludzie sądzą, że tam są, chociaż ich nie ma. Jedna z nich to fakt, że Maria Magdalena była prostytutką. W filmach zawsze jest przedstawiana w taki sposób, ale w Biblii nigdzie nie jest to powiedziane. Jej imię pojawia się jedenaście razy w Ewangeliach synoptycznych (Mateusza, Łukasza i Marka). Większość dotyczy jej przygotowań do pochowania Jezusa oraz tego, że była pierwszym świadkiem zmartwychwstania. Napisane jest też, że Jezus uwolnił ją od złych duchów. Ani słowa o prostytucji, kropka. Marie bez żadnych przydomków występują we wszystkich Ewangeliach, a niektóre z nich, jak podejrzewam, mogą być Magdaleną, zwłaszcza ta, która niedługo przed śmiercią Chrystusa namaszcza jego stopy kosztownymi olejkami i wyciera własnymi włosami. To z pewnością jedna z najbardziej wzruszających scen w Ewangeliach i jedna z kluczowych dla stworzonej przeze mnie postaci Maggie. Wiemy z tekstów, że wśród przywódców wczesnego Kościoła było wiele kobiet. Jednak w Izraelu pierwszego wieku kobieta niezależna nie tylko była uważana za dziwactwo, ale często też za nierządnicę (to samo groziło kobietom rozwiedzionym). I pewnie to jest źródłem tego mitu.

Inne błędne założenie, to że trzech mędrców było królami, a nawet że było ich trzech. Przypuszczenie bierze się stąd, że wymienione są trzy dary wręczone małemu Chrystusowi. Nigdzie nie podaje się ich imion. Imiona Melchiora, Kaspra i Baltazara dotarły do nas z tradycji chrześcijańskiej, powstałej setki lat po czasach Chrystusa. Zakładamy, że Józef z Nazaretu, ojczym Joszuy, umarł przed Ukrzyżowaniem, choć Ewangelie nic o tym nie mówią. Może po prostu w niczym nie uczestniczył. Dokonujemy takich założeń w oparciu o to, co słyszeliśmy przez wiele lat chrześcijańskich ceremonii i jasełek. Jednakże często, choć zainspirowany wiarą, materiał jest w zasadzie czymś takim, jak to, co właśnie przeczytaliście: produktem czyjejś wyobraźni. Ewangelie nie są zgodne co do kolejności wydarzeń, jakie zaszły w czasie posługi, od ochrzczenia Jezusa przez Jana do Ukrzyżowania. Dlatego ułożyłem je w porządku, który wydał mi się logiczny i uzasadniony, dodając przy tym te elementy, które pozwalają na uczestnictwo w akcji Biffa. Są, naturalnie, pewne elementy, które usunąłem dla większej zwięzłości, ale zawsze możecie odszukać je w odpowiednich Ewangeliach.

Motywacją dla wędrówki Joszuy i Biffa na Wschód były tylko wymagania fabuły, bez żadnych podstaw w Ewangeliach ani w przekazach historycznych. Istnieją zaskakujące podobieństwa między nauczaniem Joszui i Buddy (nie wspominając już o Lao-tzu, Konfucjuszu i religii Hindu, z których wszystkie zawierają pewną wersję zasady Złotego Środka). Bardziej prawdopodobne, że wszystkie pochodzą z czegoś, co uważam za logiczne i moralne wnioski, do których może dojść każda osoba poszukująca tego co słuszne. Na przykład, że najlepiej traktować innych z miłością i łagodnością; że pogoń za dobrami materialnym jest efekcie pusta, kiedy się ją postawi wobec wieczności, i że w jakiś sposób my wszyscy jesteśmy połączeni duchowo. Historycy i teolodzy nie wykluczają możliwości, że Chrystus powędrował na Wschód, ale na ogół się zgadzają, że mógł sformułować nauki, jakie znajdujemy w Ewangeliach, bez innych wpływów niż tylko nauki rabinów w Galilei i Judei. Ale co by to była za zabawa?

Wreszcie: opowieść rozgrywa się w czasach ponurych, czasach śmiertelnie poważnych, kiedy świat Żyda z pierwszego wieku, żyjącego pod władzą Rzymian, nie skłaniał raczej do radości. To raczej anachronizm, że przedstawiam Joszuę jako kogoś, kto potrafi się bawić i cieszyć. Jednakże chcę wierzyć, że realizując swą świętą misję, Jezus z Nazaretu mógł doceniać wyczucie ironii oraz towarzystwo swego dowcipnego kumpla. Ta opowieść nie jest i nigdy nie miała być wyzwaniem dla czyjejkolwiek wiary. Jednakże, jeżeli czyjaś wiara może doznać wstrząsu z powodu lektury zabawnej powieści, to ten ktoś powinien chyba częściej się modlić.

Chcę podziękować wielu ludziom, którzy pomogli mi w badaniach i tworzeniu tej książki, zwłaszcza tym, którzy byli skłonni dzielić się ze mną swoją wiarą, bez osądzania i bez wyrokowania.

Wyrazy wdzięczności należą się Neilowi Levy'emu, Markowi Josephowi, profesorowi Williamowi „Sundogowi" Bersleyowi, Rayowi Sandersowi i Johnowi „Heretykowi" Campbellowi za ich rady w dziedzinie religii, filozofii i historii. Charlee Rodgers za to, że znosiła hamowania i starty, jęki i zamieszanie w całym procesie, jak również Dee Dee Leichtfuss za wykłady i komentarze. Na specjalne podziękowania zasługuje Orlu Elbez, który był moim przewodnikiem w Izraelu i wykazał się nieskończoną cierpliwością, odpowiadając na moje niezliczone, szczegółowe pytania historyczne. Wdzięczny jestem mojemu agentowi, Nickowi Ellisonowi, oraz redaktorowi Tomowi Dupree, za ich cierpliwość, tolerancję oraz porady.

Christopher Moore

Big Sur, Kalifornia
Listopad 2000

SPIS TREŚCI

NAJGŁUPSZY ANIOŁ

Christopher Moore

Do Bożego Narodzenia został dzień (dobra, powiedzmy, że prawie tydzień) i w całym maleńkim miasteczku mieszkańcy pochłonięci są kupowaniem, zawijaniem, pakowaniem i, ogólnie rzecz biorąc, wczuwaniem się w świąteczny nastrój.

Ale nie wszyscy odczuwają tę radość. Mały Joshua Barker rozpaczliwie potrzebuje świątecznego cudu. Nie, nie leży na łożu śmierci; nie, nie zaginął mu pies. Ale Josh jest przekonany, że widział, jak Mikołaj obrywa łopatą po łbie i teraz nasz siedmiolatek modli się tylko o jedno: proszę, Mikołaju, powstań z martwych.

Ale moment! Gdzieś w powietrzu czai się anioł. (W powietrzu, łapiecie?) To nie kto inny, jak archanioł Razjel, który zstąpił na Ziemię w poszukiwaniu dziecka, którego życzenie należy spełnić. Niestety, nasz anioł nie należy do tych, który aureola świeci najjaśniej. W mgnieniu oka zawali swoją świętą misję i ześle na mieszkańców bożonarodzeniowy chaos, którego kulminacją stanie się najśmieszniejsze i najstraszniejsze świąteczne przyjęcie, jakie miasteczko widziało.

BRUDNA ROBOTA

Christopher Moore

Charlie Asher to zwyczajny facet. Trochę pechowy, nieco neurotyczny, odrobinę hipochondryczny. Jest typowym samcem beta: osobnikiem, który w życiu kieruje się ostrożnością i niezmiennością – wiecie, takim, który zawsze znajdzie się w odpowiednim miejscu, by pozbierać resztki, gdy większy/wyższy/silniejszy samiec alfa porzuci panienkę.

Ale Charlie miał szczęście. Jest właścicielem budynku w centrum San Francisco i prowadzi komis z pomocą kilku wiernych, nawet jeśli lekko stukniętych pracowników. Ma inteligentną i piękną żonę, która naprawdę kocha go za jego normalność. Ma na imię Rachela i wkrótce urodzi ich pierwsze dziecko.

Tak, Charliemu żyje się całkiem dobrze jak na samca beta. Do czasu narodzin córki, Sophie. Gdy bowiem Charlie, wyczerpany porodem, chce wracać do domu, widzi przy łóżku Rachel dziwnego mężczyznę w pistacjowym stroju golfowym. Mężczyznę, który twierdzi, że Charlie nie powinien go widzieć. Ale Charlie go widzi i od tego momentu robi się naprawdę dziwnie...

Ludzie wokół niego padają jak muchy, na jego domu przysiadają wielkie kruki, a w dodatku wszędzie, dokąd pójdzie, słyszy szepty jakiejś mrocznej istoty. W jego notatniku na szafce nocnej pojawiają się dziwne nazwiska i – zanim Charlie się obejrzy – ich właściciele też już nie żyją. Tak, wygląda na to, że Charlie dostał nową posadę, nieprzyjemną, ale jakże potrzebną. Śmierć. Hej, w końcu ktoś to musi robić.

AMERYKAŃSCY BOGOWIE

Neil Gaiman

Amerykańscy bogowie to opowieść przejmująca, chwilami straszna, chwilami magiczna, głęboka, mądra, szlachetna i bogata – prawdziwe dzieło mistrza.

Peter Straub

Oryginalna, wciągająca i niezwykle pomysłowa pikarejska podróż po Ameryce, w której podróżni są dziwniejsi nawet od najdziwniejszych atrakcji turystycznych.

George R.R. Martin

Amerykańscy bogowie to prawdziwy cud. Gaiman opowiada w nich całkowicie nieprawdopodobną historię, historię iście mityczną w sposób przejmujący i wiarygodny. To bardzo ważna książka. Pablo Neruda powiedział coś podobnego o innej klasycznej powieści: nie przeczytać jej, to tak jak nigdy nie skosztować pomarańczy.

Jonathan Carroll

Oto współczesne magiczne Przygody Hucka... na każdej stronie kryją się nowe niespodzianki, a przecież czytając wierzymy w każde słowo. Będziecie siedzieć nad nią do rana i żałować, że już się skończyła.

Tim Powers

Neil Gaiman, autor o niezwykłych zdolnościach i niewyczerpanej fantazji, od dawna był narodowym skarbem Anglików. Teraz stał się także skarbem amerykańskim.

William Gibson

CHŁOPAKI ANANSIEGO

Neil Gaiman

Bezczelnie śmiała i oryginalna nowa powieść, traktująca o mrocznym proroctwie, dysfunkcjonalnych rodzinach i tajemniczych podstępach (oraz o pewnej limonce).

„Chłopaki Anansiego" to najnowsze dzieło literackiego maga Neila Gaimana, ulubieńca popkultury. Autor powraca do mitycznych krain, opisanych jakże błyskotliwie w bestsellerowych „Amerykańskich bogach". Czytelnicy z Ameryki i całego świata po raz pierwszy poznali pana Nancy'ego (Anansiego), pajęczego boga, właśnie tam. „Chłopaki Anansiego" to historia o jego dwóch synach, Grubym Charliem i Spiderze. Gdy ojciec Grubego Charliego raz nadał czemuś nazwę, przyczepiała się na dobre. Na przykład kiedy nazwał Grubego Charliego „Grubym Charliem". Nawet teraz, w dwadzieścia lat później, Gruby Charlie nie może uwolnić się od tego przydomku, krępującego prezentu od ojca – który tymczasem pada martwy podczas występu karaoke i rujnuje Grubemu Charliemu życie. Pan Nancy pozostawił Grubemu Charliemu w spadku różne rzeczy. A wśród nich wysokiego, przystojnego nieznajomego, który zjawia się pewnego dnia przed drzwiami i twierdzi, że jest jego utraconym bratem. Bratem tak różnym od Grubego Charliego, jak noc różni się od dnia, bratem, który zamierza pokazać Charliemu, jak się wyluzować i zabawić... tak jak kiedyś ojciec. I nagle życie Grubego Charliego staje się aż nazbyt interesujące. Bo widzicie, jego ojciec nie był takim zwykłym ojcem, lecz Anansim, bogiem-oszustem. Anansim, buntowniczym duchem, zmieniającym porządek świata, tworzącym bogactwa z niczego i płatającym figle diabłu. Niektórzy twierdzili, że potrafił oszukać nawet Śmierć.

„Chłopaki Anansiego" to szalona przygoda, popis biegłości literackiej i urocza, zwariowana farsa, opowiadająca o tym, skąd pochodzą bogowie – i jak przeżyć we własnej rodzinie.

NIGDZIEBĄDŹ

Neil Gaiman

Bardzo straszna.

Bardzo śmieszna.

Bardzo osobliwa.

Najlepsza humorystyczna powieść fantasy lat dziewięćdziesiątych.

Pełna niezwykłych przygód, barwnych postaci i niesamowitych zdarzeń.

Neil Gaiman, laureat World Fantasy Award, jest znany w Polsce z powieści „Dobry Omen", napisanej wspólnie z Terrym Pratchettem.

DYM I LUSTRA

Neil Gaiman

Zebrane w tej książce historie pochodzą z niezliczonych krain „Po drugiej stronie lustra". Są wytworem bujnej wyobraźni Neila Gaimana – jednego z największych współczesnych mistrzów literatury fantastycznej. Opowiadają o wydarzeniach zabawnych, wzruszających, budzących grozę lub po prostu cudownych. Łączy je nie tylko osoba autora, znanego również z powieści „Nigdziebądź", „Gwiezdny Pył" i „Dobry Omen", napisanej wspólnie z Terrym Pratchettem, ale przede wszystkim niezwykła sugestywność i oryginalność kreowanych wizji.

RZECZY ULOTNE

Neil Gaiman

31 perełek. Marzycielski Gaiman odkrywa przed nami swoje senne poetyckie marzenia już po raz kolejny. Wiele tu historii miłosnych, od posępnego super-noir „Pamiątek i skarbów", w których multimiliarder z pomocą narratora, geniusza-socjopaty, odnajduje i traci swój specyficzny ideał urody, poprzez zabarwiony SF horror „Jak rozmawiać z dziewczynami na prywatkach", o dwóch napalonych nastolatkach, którzy wpraszają się na wyjątkowo kiepsko wybraną imprezę, po motyw zwycięskiej miłości wiersza „Dzień, w którym przybyły spodki" i wzruszający tryumf uczucia nad czasem w „Goliacie". „Goliat" został napisany na zamówienie Braci Wachowskich na krótko przed premierą Matrixa i zamieszczony na stronie internetowej filmu. Obok nich znalazły się urokliwe, arcyromantyczne cudeńka, jak choćby 15 miniatur o kartach z „Wampirzego tarota", rada spersonifikowanych miesięcy w „Październiku" w fotelu, gorzko-słodka wariacja na temat komedii dell'arte „Arlekin i Walentynki i wszystkie pozostałe wiersze". Miłośnikom Tori Amos z pewnością przypadną do gustu urokliwe „Dziwne dziewczynki". To w istocie dwanaście bardzo krótkich historyjek napisanych jako uzupełnienie płyty Tori Amos „Strange Little Girls". Zainspirowana przez Cindy Sherman i same piosenki Tori stworzyła postaci do każdej z nich, a Neil Gaiman napisał ich historie. Nigdy jeszcze nie ukazały się w żadnym zbiorze, choć wydano je w broszurze z trasy koncertowej, a cytaty z historii pojawiały się na płycie.

M JAK MAGIA
Neil Gaiman

Neil Gaiman tak mówi o swojej nowej książce: W zebranych tu opowiadaniach spotkacie twardego detektywa ze świata dziecięcych bajek i grupę ludzi, którzy lubią jadać najróżniejsze rzeczy, znajdziecie też wiersz o tym, jak się zachować, gdy traficie do magicznego świata, i historię o chłopcu, który spotyka pod mostem trolla i dobija z nim targu. Jest tu też opowieść, która stanie się częścią mojej następnej książki dla dzieci, „Księgi cmentarnej" o chłopcu, który mieszka na cmentarzu, wychowywany przez umarłych, a także opowiadanie, które napisałem w młodości, zatytułowane „Jak sprzedać Most Pontyjski", historia fantasy zainspirowana przez autentycznego człowieka, „Hrabiego" Victora Lustiga, który naprawdę sprzedał wieżę Eiffla, mniej więcej w taki właśnie sposób (po czym w kilka lat później zmarł w więzieniu Alcatraz). Jest tu kilka nieco strasznych historii, kilka innych raczej zabawnych, a także parę nie należących do żadnej z tych kategorii. Mam jednak nadzieję, że i tak się wam spodobają.

Gdy byłem chłopcem, Ray Bradbury wybrał ze swoich wcześniejszych zbiorów opowiadania, które, jak uznał, przypadną do gustu młodszym czytelnikom i wydał je w książkach „R jak rakieta" i „K jak kosmos". Skoro zdecydowałem się na to samo, spytałem Raya, czy miałby coś przeciw temu, gdybym zatytułował ten zbiór „M jak magia". (Nie miał).

M naprawdę jest jak magia, podobnie jak wszystkie litery, jeśli złoży się je razem jak należy. Można z nich tworzyć magię i sny. A także, mam nadzieję, kilka niespodzianek.

GWIEZDNY PYŁ

Neil Gaiman

Najwspanialsza baśniowa fantasy XX wieku.

Fascynująca wyprawa do krainy wyobraźni.

Dla czytelników kochających niesamowite przygody i zdrowy, czarny humor.

Książka nagrodzona Mythopeic Fantasy Award.

Neil Gaiman, laureat World Fantasy Award, jest znany w Polsce z powieści „Nigdziebądź", oraz „Dobry Omen", napisanej wspólnie z Terrym Pratchettem.

KORALINA

Neil Gaiman

Myślę, że książka ta wypchnie w końcu „Alicję w Krainie Czarów" z jej odwiecznej niszy. To najoryginalniejsza, najbardziej niesamowita i przerażająca książka jaką znam. Pełno w niej niezwykłości, które dzieci uwielbiają.

Diana Wynne Jones

Lektura tej książki sprawi, że dreszcz przebiegnie Wam po plecach, wymknie się butem i ucieknie taksówką na lotnisko. Przepełnia ją subtelna groza, właściwa najlepszym baśniom. To arcydzieło. A guziki nigdy już nie będą takie, jak kiedyś.

Terry Pratchett

To fascynująca i głęboko niepokojąca historia, która śmiertelnie mnie przeraziła. Ostrzegam, jeśli nie chcecie wylądować pod łóżkiem, trzęsąc się ze strachu i jęczeć z kciukiem w ustach, to lepiej cofnijcie się bardzo powoli, ominijcie tę książkę szerokim łukiem i poszukajcie sobie innej rozrywki, ot, choćby śledztwa w sprawie tajemniczego morderstwa albo robienia zwierzątek z włóczki.

Lemony Snicket

KŁAMSTWA
LOCKE'A LAMORY

Scott Lynch

Powiadają, że Cierń Camorry to niezwyciężony fechmistrz, złodziej nad złodziejami, duch, który przenika ściany. Pół miasta wierzy, że jest legendarnym bohaterem i obrońcą biedaków; druga połowa uważa, że opowieści o nim to mit dla głupców. Jedni i drudzy się mylą.

Drobny i słabo władający rapierem Locke Lamora rzeczywiście jest (ku swemu utrapieniu) Cierniem Camorry. Z pewnością nie cieszy się z plotek towarzyszących jego wyczynom – a specjalizuje się w najbardziej złożonych oszustwach. Istotnie, okrada bogatych (kogóż innego warto okradać?), ale biedni nie oglądają ani grosza z jego zdobyczy. Wszystko, co zdobędzie, przeznacza na użytek swój i swojego nielicznego gangu złodziei: Niecnych Dżentelmenów.

Wielobarwny i kapryśny światek przestępczy wiekowej Camorry jest ich jedynym domem. Niestety, w ostatnich czasach nad miastem zawisło widmo tajemnicy, która grozi wybuchem wojny gangów i rozdarciem półświatka na strzępy. Locke'a i jego przyjaciół, wplątanych w śmiertelną rozgrywkę, czeka niezwykle trudna próba pomysłowości i lojalności. Jeśli chcą żyć, muszą z niej wyjść zwycięsko...

NOCNY PATROL
Siergiej Łukjanienko

Współczesna Moskwa. Trwa tysiącletni rozejm między siłami Ciemności i Światła. W ramach Wielkiego Traktatu każda ze stron powołała do życia organa stojące na straży porządku. Tytułowy Nocny Patrol obserwuje poczynania sił Ciemności, by działały one zgodnie z traktatem. W ten sam sposób pracuje Dzienny Patrol, pilnujący, by dobro nie rozprzestrzeniało się na świat. Status quo zostanie utrzymany, póki któraś ze stron nie obejmie znaczącej przewagi lub nie złamie warunków porozumienia.

W sam środek „wojny" wrzucony zostaje świeżo upieczony strażnik Nocnego Patrolu – Anton. Nie zdaje sobie sprawy, że jego udział będzie znaczący w końcowym rozrachunku między siłami Ciemności i Światła.

Będzie musiał zadać sobie pytanie, czy aby na pewno stoi po właściwej stronie? Czy przeznaczenie można zmienić? Czy warto poświęcić miłość w imię wielkiej sprawy?

Wspieraj polską fantastykę!

Nagroda im. Janusza A. Zajdla jest coroczną nagrodą w dziedzinie fantastyki, przyznawaną przez miłośników fantastyki autorom najlepszych polskich utworów literackich. Nagroda przyznawana jest w dwóch kategoriach: powieści i opowiadania.

Każdy czytelnik fantastyki może wybrać od jednego do pięciu utworów w każdej kategorii, wydanych **w poprzednim roku kalendarzowym**. Po pięć utworów, które zbiorą najwięcej głosów, znajdzie się na liście nominacji do Nagrody. Spośród nich uczestnicy POLCON-u, czyli Ogólnopolskiego Konwentu Miłośników Fantastyki, dokonają wyboru Laureatów.

Więcej informacji o Nagrodzie Zajdla i POLCON-ach znajdziecie na stronach internetowych

http://zajdel.fandom.art.pl i http://polcon.fandom.art.pl

Listę wybranych utworów należy nadesłać do 15 czerwca pocztą elektroniczną na adres:

zajdel@fandom.art.pl

lub pocztą tradycyjną na adres korespondencyjny:

Związek Stowarzyszeń Fandom Polski
ul. Zamieniecka 46/25
04-158 Warszawa

korzystając z poniższego kuponu, bądź podając wszystkie informacje na karcie pocztowej.

Pamiętaj, w danym roku jedna osoba może zgłosić maksymalnie 5 powieści i 5 opowiadań!

Nominacje zgłasza:

Imię i nazwisko: ....

Adres zamieszkania: ....

....

Adres korespondencyjny: ....

(jeśli inny niż zamieszkania) ....

e-mail: ....

Zgłaszane powieści:

1. ....

2. ....

3. ....

4. ....

5. ....

Zgłaszane opowiadania:

1. ....

2. ....

3. ....

4. ....

5. ....